U0217482

国家出版基金项目
NATIONAL PUBLICATION FOUNDATION

中国中药资源大典

重庆卷

8

黄璐琦 / 总主编

钟国跃　瞿显友　刘正宇 / 主　编

北京科学技术出版社

图书在版编目（CIP）数据

中国中药资源大典 . 重庆卷 . 8 / 钟国跃，瞿显友，刘正宇主编 . — 北京 : 北京科学技术出版社，2020.10
ISBN 978-7-5714-1064-3

Ⅰ . ①中… Ⅱ . ①钟… ②瞿… ③刘… Ⅲ . ①中药资源—资源调查—重庆 Ⅳ . ① R281.4

中国版本图书馆 CIP 数据核字 (2020) 第 137429 号

策划编辑：李兆弟　侍　伟
责任编辑：侍　伟　王治华
责任校对：贾　荣
图文制作：樊润琴
责任印制：李　茗
出 版 人：曾庆宇
出版发行：北京科学技术出版社
社　　　址：北京西直门南大街16号
邮政编码：100035
电　　　话：0086-10-66135495（总编室）　　0086-10-66113227（发行部）
网　　　址：www.bkydw.cn
印　　　刷：北京捷迅佳彩印刷有限公司
开　　　本：889mm×1194mm　　1/16
字　　　数：1158.7千字
印　　　张：52.25
版　　　次：2020年10月第1版
印　　　次：2020年10月第1次印刷
ISBN 978-7-5714-1064-3

定　　价：790.00元

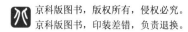

附篇

重庆市动物药、矿物药资源

被子植物

菊科 Compositae 秋分草属 *Rhynchospermum*

秋分草 *Rhynchospermum verticillatum* Reinw.

| 药 材 名 | 大鱼鳅串（药用部位：全草。别名：白鱼鳅串、调羹菜）。

| 形态特征 | 多年生草本，高 25 ~ 100cm。茎常单生，中部以上有叉状分枝，被尘状微柔毛。叶互生；下部茎生叶倒披针形或长椭圆形，长 4.5 ~ 14cm，宽 2.5 ~ 4cm，先端长渐尖或钝，边缘自中部以上有波状粗齿，基部狭楔形；叶柄长，具翅；上部叶渐小。头状花序，顶生、腋生、单生或 3 ~ 5 呈总状排列，直径约 5mm，果期增大；花序梗密被锈色尖状短柔毛；总苞宽钟状；总苞片不等长，边缘撕裂；缘花 2 ~ 3 列，雌花冠舌状，白色，舌片先端 2 ~ 3 裂；盘花管状，两性。雌花瘦果压扁，长椭圆形，长 4mm，宽 1mm，喙较长，有脉状加厚的边缘，被棕黄色小腺点；两性花瘦果无喙；冠毛 3 ~ 5，易脱落。花果期 8 ~ 11 月。

秋分草

| 生境分布 |

生于海拔 400 ~ 2500m 的沟边、水旁、林缘、林下或杂木林下阴湿处。分布于重庆武隆、南川、綦江、北碚、长寿、巫山等地。

| 资源情况 |

野生资源较少。药材主要来源于野生。

| 采收加工 |

夏、秋季采收，洗净，晒干。

| 功能主治 |

淡，平。清热解毒，消炎，利水除湿，止血。用于急、慢性肝炎，肝硬化腹水，水肿，带下，崩漏。

| 用法用量 |

内服煎汤，15 ~ 30g。

| 附　注 |

在 FOC 中，本种的拉丁学名被修订为 *Aster verticillatus* (Reinwardt) Brouillet；属名被修订为紫菀属 *Aster*。

菊科 Compositae 风毛菊属 Saussurea

心叶风毛菊 *Saussurea cordifolia* Hemsl.

| **药 材 名** | 心叶风毛菊（药用部位：根。别名：山芍药、马蹄细辛、水葫芦）。

| **形态特征** | 多年生草本，高 40～150cm。根茎粗厚。茎直立，无毛，上部伞房状或伞房圆锥花序状分枝。基生叶花期脱落；下部与中部茎叶有长柄，叶柄长 8～10cm，叶片心形，长、宽均为 10～18cm，先端渐尖，基部深心形，边缘有粗齿；上部茎叶渐小，与下部及中部茎叶同形或卵形，有短柄至无柄，基部心形或圆形或宽楔形，先端渐尖或急尖，边缘有锯齿；花序枝叉上的叶更小，披针形或长椭圆形，全部叶两面绿色，下面色淡，上面被稀疏糙毛，下面无毛。头状花序数个或多数在茎枝先端呈疏松伞房花序或伞房圆锥花序状排列，有长花梗；总苞钟状，直径 0.8～1.5cm；总苞片 5 层，中部以上有短附属物，附属物草质，渐尖，反折或直立，外层卵形，长 7mm，

心叶风毛菊

宽 3mm，中层卵形至长圆形，长 8 ~ 11mm，宽 4mm，内层线形，长 1.3cm，宽 2mm；小花紫红色，长 1.2cm，细管部与檐部各长 6mm。瘦果圆柱形，褐色，长 6mm，无毛；冠毛浅褐色，2 层，外层短，单毛状，长 3mm，内层长，羽毛状，长 1.1cm。花果期 8 ~ 10 月。

| 生境分布 | 生于林缘、山谷、山坡、灌木林中或石崖下。分布于重庆城口、巫溪、巫山、奉节、云阳、万州、石柱、南川、黔江等地。

| 资源情况 | 野生资源稀少。药材来源于野生。

| 采收加工 | 夏、秋季采收，洗净，晾干。

| 功能主治 | 辛，温。祛风，散寒，止痛。用于风湿痹痛，跌打损伤。

| 用法用量 | 内服煎汤，6 ~ 15g；或泡酒。

菊科 Compositae 风毛菊属 Saussurea

三角叶风毛菊 *Saussurea deltoidea* (DC.) Sch.-Bip.

三角叶风毛菊

药材名

三角叶风毛菊（药用部位：根。别名：白牛蒡根、翻白叶、毛叶威灵仙）。

形态特征

二年生草本。茎直立，被稠密锈色多细胞节毛及稀疏或稠密的蛛丝状毛或蛛丝状绵毛，有棱。中、下部茎叶有叶柄，被锈色稀疏或稠密的多细胞节毛；上部茎叶小，不分裂，有短柄，三角形、三角状卵形或三角状戟形，边缘有锯齿，齿顶有小尖头；最上部茎叶更小，披针形或长椭圆形，边缘有尖锯齿或全缘；全部叶两面异色，上面绿色，粗糙，被稀疏糠秕状短糙毛，下面灰白色，被密厚或稠密的绒毛。头状花序大，下垂或歪斜，有长花梗；总苞半球形或宽钟状；总苞片5~7层；小花淡紫红色或白色，外面有淡黄色小腺点。瘦果倒圆锥状，黑色，有横皱纹，先端截形，有具锯齿的小冠；冠毛1层，白色，羽毛状，长1.2cm。花果期5~11月。

生境分布

生于海拔600~2500m的山坡、草地、林下、灌丛、荒地、牧场、杂木林中或河谷林缘。分布于重庆城口、巫山、开州、黔江、北碚、江津等地。

资源情况	野生资源稀少。药材主要来源于野生。
采收加工	夏、秋季采挖，洗净，晒干。
功能主治	甘、苦，温。祛风湿，通经络，健脾消疳。用于风湿痹痛，白带过多，腹泻，痢疾，小儿疳积，胃寒疼痛。
用法用量	内服煎汤，9～15g。外用适量，捣敷。
附　注	在 FOC 中，本种被修订为三角叶须弥菊 *Himalaiella deltoidea* (Candolle) Raab-Straube，属名被修订为须弥菊属 *Himalaiella*。

菊科 Compositae 风毛菊属 Saussurea

风毛菊 *Saussurea japonica* (Thunb.) DC.

药 材 名	八楞木（药用部位：全草。别名：八棱麻、青竹标、八面风）。
形态特征	二年生草本，高50～150cm。茎直立，具疏生的腺点及细毛，纵棱显著，上部分枝展开。基生叶和下部叶有柄，长椭圆形，长20～30cm，羽状深裂，裂片7～8对，先端裂片长椭圆状披针形，两侧裂片狭长椭圆形，先端圆钝，两面具腺点和细毛；上部叶逐渐狭小，椭圆形、披针形或线状披针形，羽状分裂或全缘，无柄，或基部下延成翼柄至茎部。头状花序多数，呈伞房状；总苞管状或高杯形；苞片多层，外层苞片较短小，先端圆钝，中层及内层苞片线形，先端具膜质圆形附片，背部及先端通常紫红色；管状花冠紫红色。瘦果，无毛；冠毛2层，外层较短，内层羽毛状。花期9～10月。

风毛菊

| **生境分布** | 生于海拔 950 ~ 1850m 的山坡、山谷、林下、山坡路旁、山坡灌丛、荒坡、水旁、田中。分布于重庆城口、武隆、巫溪、巫山、合川、万州、石柱等地。 |

| **资源情况** | 野生资源一般。药材来源于野生。 |

| **采收加工** | 7 ~ 8 月采收，洗净，切段，晒干或鲜用。 |

| **药材性状** | 本品根呈纺锤形。茎呈类圆柱形，长约 1m，直径 0.5 ~ 0.8cm；外表面灰褐色或棕褐色，具数条纵棱，节明显，呈螺旋状排列，节间 2 ~ 6cm；质脆，易折断，断面髓部宽广，呈类白色或黄白色，中心有 1 小孔洞。叶多破碎，完整者展平后基生叶和下部叶有柄，呈矩圆形或椭圆形，羽状分裂，裂片 7 ~ 8 对，上部叶较小，呈椭圆形或披针形，分裂或全缘。头状花序密集成伞房状，总苞筒状，多层，全为管状花。气微，味微苦。 |

| **功能主治** | 辛、苦，平。归肝经。祛风活络，散瘀止痛。用于风湿痹痛，跌打损伤。 |

| **用法用量** | 内服煎汤，9 ~ 15g；或浸酒。外用适量，捣敷；或煎汤洗。 |

菊科 Compositae 风毛菊属 Saussurea

少花风毛菊 *Saussurea oligantha* Franch.

| 药 材 名 | 少花风毛菊（药用部位：全草）。

| 形态特征 | 多年生草本，高40～70cm。根茎斜升。茎直立，有棱，被多细胞节毛。基生叶花期脱落；下部与中部茎叶有叶柄，被褐色多细胞节毛或无毛，柄基扩大，稍抱茎，叶片宽卵状心形，长、宽均为5～11cm，先端渐尖，基部心形，边缘有粗锯齿，齿顶有小尖头；上部茎叶渐小，无柄，叶片长卵形；全部叶两面绿色，下面色淡，两面被短糙毛或几无毛。头状花序排成伞房状或圆锥状；总苞倒圆锥状或钟状，直径1.2～1.5cm；总苞片4～6层，顶部有附属物，附属物绿色，渐尖，反折或直立，草质，外层卵形或宽卵形，中层长圆形至椭圆形，内层线形；小花紫色，长1.1cm，细管部长6mm，檐部长5mm。瘦果长圆形，长3～4mm，无毛；冠毛污白色，2层，外层短，糙毛状，

少花风毛菊

长 3 ~ 4mm，内层长，羽毛状，长 9mm。花果期 7 ~ 9 月。

| **生境分布** | 生于海拔 1300 ~ 2500m 的山坡或山谷林缘及林下。分布于重庆南川、城口、巫山等地。

| **资源情况** | 野生资源稀少。药材主要来源于野生。

| **采收加工** | 2 ~ 4 月采集，洗净泥沙，除去杂质，晒干。

| **功能主治** | 甘、微苦，凉。清热解毒，利尿消肿，止痛。用于咽痛，乳痈，牙痛，小便不利，淋浊，肝硬化腹水，疮疖肿毒。

| **用法用量** | 内服煎汤，适量。

华北鸦葱 *Scorzonera albicaulis* Bunge

| 药 材 名 | 华北鸦葱（药用部位：全草。别名：毛管草、草防风、细叶鸦草）。

| 形态特征 | 多年生草本，高达120cm。根圆柱状或倒圆锥状，直径达1.8cm。茎单生或少数成簇生，上部伞房状或聚伞花序状分枝，全部茎枝被白色绒毛，但在花序脱毛，茎基部被棕色残鞘。基生叶与茎生叶线形、宽线形或线状长椭圆形，宽0.3～2cm，全缘，稀边缘具浅波状微齿，两面无毛，基生叶基部抱茎。头状花序在茎枝先端排成伞房花序，花序分枝长或排成聚伞花序；总苞圆柱状，直径1cm，总苞片约5层，被薄柔毛，果期毛稀或无毛，外层三角状卵形或卵状披针形，长5～8mm，中、内层椭圆状披针形、长椭圆形或宽线形；舌状小花黄色。瘦果圆柱状，无毛，先端喙状；冠毛污黄色，其中3～5长达2.4cm，冠毛大部分羽毛状。花果期5～9月。

华北鸦葱

生境分布	生于海拔 300 ~ 1600m 的山谷、山坡杂木林下、林缘、灌丛、荒地、火烧迹或田间。分布于重庆酉阳、南川、巴南、九龙坡、北碚、奉节等地。
资源情况	野生资源稀少。药材来源于野生。
采收加工	春、夏、秋季均可采挖，除去茎叶，洗净泥土，鲜用或切片晒干。
功能主治	苦，寒。清热解毒，祛风除湿，平喘。用于感冒发热，哮喘，乳腺炎，疔疮，关节炎，带状疱疹等。
用法用量	内服煎汤，10 ~ 15g。外用适量，捣烂敷。

菊科 Compositae 千里光属 Senecio

菊状千里光 *Senecio laetus* Edgew.

菊状千里光

药材名

菊状千里光（药用部位：全草。别名：大红青菜、菊三七、天青地红）。

形态特征

多年生草本，或直立一年生草本，稀具匍匐枝，平卧，或稀攀缘。具根茎。茎具叶，稀近攀状。叶不分裂，基生叶通常具柄，无耳，三角形、提琴形或羽裂；茎生叶通常无柄，边缘具齿，基部具耳。头状花序排列成圆锥聚伞状，稀单生叶腋，具异形小花、具舌状花，或同形、无舌状花，直立或下垂，通常具花序梗；总苞具外层苞片，半球形；花托平；总苞片 5 ~ 22，草质或革质，边缘干膜质；无舌状花或舌状花 1 ~ 17（~ 24），舌片黄色；管状花 3 至多数；花冠黄色；花药长圆形至线形；花药颈部柱状，向基部稍至明显膨大；花柱分枝截形或多少凸起，边缘被毛。瘦果圆柱形，具肋；冠毛毛状，同形或有时异形，先端具叉状毛，白色、禾秆色或变红色，有时舌状花或稀全部小花无冠毛。

生境分布

生于海拔 1100 ~ 2200m 的林下、林缘、开旷草坡、田边或路边。分布于重庆丰都、彭水、南川、涪陵、武隆、綦江等地。

资源情况

野生资源较少。药材主要来源于野生。

采收加工

夏、秋季采收，洗净，鲜用或晒干。

药材性状

本品根茎粗短。根呈马尾状，簇生，细根多数，长约10cm，直径1～3mm；表面黄色或黄棕色；质脆，易折断，断面白色至淡黄色。茎单生，少分枝，圆柱形，直径0.3～0.8cm；表面绿色、淡黄色或紫色，具纵棱，被疏柔毛；质韧，易折断，断面髓部白色。基生叶卵状披针形，较大，先端钝圆，基部楔形，叶缘具钝圆粗齿，不分裂或下部有羽状分裂；茎生叶较小，呈羽状深裂，下面有疏柔毛，绿色。头状花序，花冠黄色，总花序顶生，聚伞状排列。气微，味淡。

功能主治

微苦，寒。归肝、肺经。清热解毒，利咽明目，祛风止痒。用于目赤羞明，咽喉肿痛，风热咳嗽，疮疡肿毒，皮肤瘙痒，小儿胎毒。

用法用量

内服煎汤，10～15g。外用适量。

菊科 Compositae 千里光属 Senecio

千里光
Senecio scandens Buch.-Ham. ex D. Don

| 药 材 名 | 千里光（药用部位：地上部分。别名：九龙明、千里及、千里急）。

| 形态特征 | 多年生攀缘草本。根茎木质。茎多分枝，被柔毛或无毛，老时变木质，皮淡色。叶具柄，叶片卵状披针形至长三角形，通常具浅或深齿，稀全缘，有时具细裂或羽状浅裂，两面被短柔毛至无毛。头状花序有舌状花，多数，在茎枝端排列成顶生复聚伞圆锥花序；分枝和花序梗被密至疏短柔毛；花序梗长 1 ~ 2cm，具苞片；总苞圆柱状钟形；总苞片 12 ~ 13，上端和上部边缘被缘毛状短柔毛，背面被短柔毛或无毛，具 3 脉；舌状花 8 ~ 10，舌片黄色；管状花多数；花冠黄色；花药长 2.3mm，基部有钝耳；花药颈部伸长，向基部略膨大；花柱分枝长 1.8mm，先端截形，有乳头状毛。瘦果圆柱形，长 3mm，被柔毛；冠毛白色，长 7.5mm。

千里光

| 生境分布 | 生于海拔 100 ～ 2700m 的森林、灌丛中，攀缘于灌木、岩石上或溪边。重庆各地均有分布。 |

| 资源情况 | 野生资源丰富。药材主要来源于野生，亦有栽培。 |

| 采收加工 | 9 ～ 10 月采收，晒干或鲜用。 |

| 药材性状 | 本品茎呈细圆柱形，稍弯曲，上部有分枝；表面灰绿色、黄棕色或紫褐色，具纵棱，密被灰白色柔毛。叶互生，多皱缩破碎，完整者展平后呈卵状披针形或长三角形，有时具侧裂片 1 ～ 6，边缘有不规则锯齿，基部戟形或截形，两面有细柔毛。头状花序；总苞钟形；花黄色至棕色；冠毛白色。气微，味苦。 |

| 功能主治 | 苦，寒。归肺、肝经。清热解毒，明目，利湿。用于痈肿疮毒，感冒发热，目赤肿痛，泄泻痢疾，皮肤湿疹。 |

| 用法用量 | 内服煎汤，15 ～ 30g。外用适量，煎汤熏洗。 |

| 附　　注 | 本种适应性较强，耐干旱，又耐潮湿。对土壤要求不严，但在砂壤土及黏壤土中生长较好。 |

菊科 Compositae 千里光属 Senecio

缺裂千里光
Senecio scandens Buch.-Ham. ex D. Don var. *incisus* Franch.

| **药 材 名** | 缺裂千里光（药用部位：全草）。

| **形态特征** | 本种与原变种千里光的区别在于叶片羽状浅裂，具大顶生裂片，基部常有 1 ~ 6 小侧裂片。花期 8 月 ~ 翌年 2 月。

| **生境分布** | 生于灌丛、岩石上或溪边。分布于重庆黔江、丰都、忠县、酉阳、南川、綦江、云阳、武隆、垫江、沙坪坝等地。

| **资源情况** | 野生资源较丰富。药材主要来源于野生。

| **采收加工** | 9 ~ 10 月采收，晒干或鲜用。

缺裂千里光

| 功能主治 |

清热解毒，凉血消肿，清肝明目，杀虫。用于
各种急性炎症。

| 用法用量 |

内服煎汤，适量。外用适量，煎汤熏洗。

菊科 Compositae 虾须草属 Sheareria

虾须草

Sheareria nana S. Moore

| **药 材 名** | 虾须草（药用部位：全草。别名：绿绿草、草麻黄）。

| **形态特征** | 一年生草本，高 15 ~ 40cm。茎直立，自下部起分枝，下部直径 2 ~ 3mm，绿色或有时稍带紫色，无毛或稍被细毛。叶稀疏，线形或倒披针形，长 1 ~ 3cm，宽 3 ~ 4mm，无柄，先端尖，全缘，中脉明显，下面凸起；上部叶小，鳞片状。头状花序顶生或腋生，直径 2 ~ 4mm，有长 3 ~ 5mm 的花序梗；总苞片 2 层，4 ~ 5，宽卵形，长约 2mm，稍被细毛，外层较内层小；雌花舌状，白色或有时淡红色，舌片宽卵状长圆形，长 1.5mm，宽 1mm，近全缘或先端有小钝齿；两性花管状，上部钟状，有 5 齿，长 1.5 ~ 2mm。瘦果长椭圆形，褐色，长 3.5 ~ 4mm，无冠毛。

| **生境分布** | 生于山坡、田边、湖边草地或河边沙滩上。分布于重庆彭水、长寿、

虾须草

北碚等地。

| **资源情况** | 野生资源稀少。药材主要来源于野生。

| **采收加工** | 夏、秋季采收，鲜用或阴干。

| **药材性状** | 本品长 14 ~ 40cm。茎呈圆柱形，直径 1 ~ 3mm，多分枝，光滑，无毛，有纵棱；表面紫红色至青紫色；质硬而脆，断面髓部呈白色。叶皱缩，完整者展开后呈舌状卵形，长 1 ~ 3cm，宽 3 ~ 4mm，先端急尖，基部耳状，微抱茎，边缘具不规则锯齿，无毛；表面黄绿色。头状花序着生枝顶，黄色，冠毛白色；总苞圆筒形。果实纺锤形或圆形，稍扁平。气微，味苦、微酸、涩。以身干、无杂质、无泥者为佳。

| **功能主治** | 苦，平。清热解毒，利水消肿。用于疮疡肿毒，水肿，风热头痛。

| **用法用量** | 内服煎汤，15 ~ 30g。外用适量，捣敷。

菊科 Compositae 豨莶属 *Siegesbeckia*

毛梗豨莶
Siegesbeckia glabrescens Makino

| 药 材 名 | 豨莶草（药用部位：全草。别名：猪膏莓、虎膏、狗膏）、豨莶果（药用部位：果实）、豨莶根（药用部位：根）。

| 形态特征 | 一年生草本。茎直立，较细弱，高 30 ~ 80cm，通常上部分枝，被平伏短柔毛，有时上部毛较密。基部叶花期枯萎；中部叶卵圆形、三角状卵圆形或卵状披针形，先端渐尖，边缘有规则的齿；上部叶渐小，卵状披针形，长 1cm，宽 0.5cm，边缘有疏齿或全缘，有短柄或无柄；全部叶两面被柔毛，基出脉 3，叶脉在叶下面稍凸起。头状花序直径 10 ~ 18mm，多数头状花序在枝端排列成疏散圆锥花序；花梗纤细，疏生平伏短柔毛；总苞钟状；总苞片 2 层，叶质，背面密被紫褐色头状具柄腺毛；外层苞片 5，线状匙形，长 6 ~ 9mm，内层苞片倒卵状长圆形，长 3mm；托片倒卵状长圆形，背面疏被头状具柄腺毛；

毛梗豨莶

雌花花冠管部长约 0.8mm；两性花花冠上部钟状，先端 4～5 齿裂。瘦果倒卵形，4 棱，长约 2.5mm，有灰褐色环状突起。花期 4～9 月，果期 6～11 月。

| 生境分布 | 生于海拔 300～1000m 的路边、旷野荒草地或山坡灌丛中。分布于重庆丰都、酉阳、云阳、涪陵、长寿、忠县、北碚、铜梁、垫江、巫溪、大足等地。

| 资源情况 | 野生资源丰富。药材主要来源于野生。

| 采收加工 | 豨莶草：夏、秋季花开前和花期均可采收，除去杂质，晒干。
豨莶果：夏、秋季采收，晒干。
豨莶根：秋、冬季采挖，洗净，切段，鲜用。

| 药材性状 | 豨莶草：本品茎略呈方柱形，多分枝，长 30～80cm，直径 0.3～1cm；表面灰绿色、黄棕色或紫棕色，有纵沟纹和细纵纹，枝上部疏生平伏短柔毛，节明显，略膨大；质脆，易折断，断面黄白色或带绿色，髓部宽广，类白色，中空。叶对生，叶片多皱缩卷曲，展平后呈卵圆形，灰绿色，叶片较小，边缘锯齿规则，两面皆有白色柔毛，基出脉 3。有的可见黄色头状花序，总苞片匙形。气微，味微苦。以枝嫩、叶多、色深绿者为佳。

| 功能主治 | 豨莶草：辛、苦，寒。归肝、肾经。祛风湿，利关节，清热解毒。用于风湿痹痛，筋骨不利，腰膝酸软，四肢麻痹，半身不遂，风疹湿疮。
豨莶果：驱蛔虫。用于蛔虫病。
豨莶根：祛风，除湿，生肌。用于风湿顽痹，头风，带下，烫火伤。

| 用法用量 | 豨莶草：内服煎汤，9～12g。
豨莶果：内服煎浓汁，9～15g，早晨饭后顿服，连服 2 日。
豨莶根：内服煎汤，鲜品 60～120g。外用适量，捣敷。

| 附　　注 | （1）本种为常见杂草，在重庆广布，民间常用于疮痈肿毒。
（2）本种喜温暖湿润环境，在肥沃、富含腐殖质的黏土和砂壤土中生长好，产量高；土壤水分不宜较多，否则易引起根部腐烂；低洼、积水地区不宜栽培。

菊科 Compositae 豨莶属 Siegesbeckia

豨莶
Siegesbeckia orientalis L.

豨莶

| 药 材 名 |

豨莶草（药用部位：全草。别名：猪膏莓、虎膏、狗膏）、豨莶果（药用部位：果实）、豨莶根（药用部位：根）。

| 形态特征 |

一年生草本。茎直立，高 30 ~ 100cm，分枝斜升，全部分枝被灰白色短柔毛。基部叶花期枯萎；中部叶三角状卵圆形或卵状披针形；上部叶渐小，卵状长圆形，边缘浅波状或全缘，近无柄。头状花序直径 15 ~ 20mm，多数聚生于枝端，排列成具叶的圆锥花序；花梗长 1.5 ~ 4cm，密生短柔毛；总苞阔钟状；总苞片 2 层，叶质，背面被紫褐色头状具柄腺毛；外层托片长圆形，内弯，内层托片倒卵状长圆形；花黄色；雌花花冠管部长 0.7mm；两性管状花上部钟状，上端有 4 ~ 5 卵圆形裂片。瘦果倒卵圆形，有 4 棱，先端有灰褐色环状突起，长 3 ~ 3.5mm，宽 1 ~ 1.5mm。花期 4 ~ 9 月，果期 6 ~ 11 月。

| 生境分布 |

生于山野、荒草地、灌丛、林缘或林下，也常见于耕地中。重庆各地均有分布。

| **资源情况** | 野生资源丰富。药材主要来源于野生，亦有少量栽培。

| **采收加工** | 豨莶草：夏、秋季花开前和花期均可采收，除去杂质，晒干。
豨莶果：夏、秋季采收，晒干。
豨莶根：秋、冬季采挖，洗净，切段，鲜用。

| **药材性状** | 豨莶草：本品茎略呈方柱形，多分枝，长 30 ～ 100cm，直径 0.3 ～ 1cm；表面灰绿色、黄棕色或紫棕色，有纵沟纹和细纵纹，被灰色柔毛，节明显，略膨大；质脆，易折断，断面黄白色或带绿色，髓部宽广，类白色，中空。叶对生，叶片多皱缩卷曲，展平后呈卵圆形，灰绿色，边缘有钝锯齿，两面皆有白色柔毛，基出脉 3。有的可见黄色头状花序，总苞片匙形。气微，味微苦。

| **功能主治** | 豨莶草：辛、苦，寒。归肝、肾经。祛风湿，利关节，清热解毒。用于风湿痹痛，筋骨不利，腰膝酸软，四肢麻痹，半身不遂，风疹湿疮。
豨莶果：驱蛔虫。用于蛔虫病。
豨莶根：祛风，除湿，生肌。用于风湿顽痹，头风，带下，烫火伤。

| **用法用量** | 豨莶草：内服煎汤，9 ～ 12g。
豨莶果：内服煎浓汁，9 ～ 15g，早晨饭后顿服，连服 2 日。
豨莶根：内服煎汤，鲜品 60 ～ 120g。外用适量，捣敷。

| **附　　注** | （1）本种为常见杂草，在重庆广布，民间常用于疮痈肿毒。
（2）本种喜温暖湿润环境，在肥沃、富含腐殖质的黏土和砂壤土中生长好，产量高；土壤水分不宜较多，否则易引起根部腐烂；低洼、积水地区不宜栽培。

菊科 Compositae 豨莶属 Siegesbeckia

腺梗豨莶

Siegesbeckia pubescens Makino

腺梗豨莶

| 药 材 名 |

参见"豨莶"条。

| 形 态 特 征 |

一年生草本。茎直立，粗壮，高30～110cm，上部多分枝，被开展灰白色长柔毛和糙毛。基部叶卵状披针形，花期枯萎；中部叶卵圆形或卵形，开展，长3.5～12cm，宽1.8～6cm，基部宽楔形，下延成具翼而长1～3cm的柄，先端渐尖，边缘有尖头状规则或不规则粗齿；上部叶渐小，披针形或卵状披针形；全部叶上面深绿色，下面淡绿色，基出脉3，侧脉和网脉明显，两面被平伏短柔毛，沿脉被长柔毛。头状花序直径18～22mm，多数生于枝端，排列成松散圆锥花序；花梗较长，密生紫褐色头状具柄腺毛和长柔毛；总苞宽钟状；总苞片2层，叶质，背面密生紫褐色头状具柄腺毛，外层线状匙形或宽线形，长7～14mm，内层卵状长圆形，长3.5mm；舌状花花冠管部长1～1.2mm，舌片先端2～3齿裂，有时5齿裂；两性管状花长约2.5mm，冠檐钟状，先端4～5裂。瘦果倒卵圆形，4棱，先端有灰褐色环状突起。花期5～8月，果期6～10月。

| 生境分布 |

生于山坡、山谷林缘、灌丛林下的草坪中或河谷、溪边、河槽潮湿地、旷野、耕地边。分布于重庆黔江、潼南、长寿、城口、彭水、忠县、云阳、垫江、涪陵、酉阳、南川、丰都、江津、北碚、巫山、永川等地。

| 资源情况 |

野生资源丰富。药材来源于野生，亦有少量栽培。

| 采收加工 |

参见"豨莶"条。

| 药材性状 |

参见"豨莶"条。

| 功能主治 |

参见"豨莶"条。

| 用法用量 |

参见"豨莶"条。

| 附 注 |

本种喜温暖湿润环境，在肥沃、富含腐殖质的黏土和砂壤土中生长好，产量高。土壤水分不宜较多，否则易引起根部腐烂。低洼、积水地区不宜栽培。生产中采用种子繁殖方式，可育苗和直播。

菊科 Compositae 水飞蓟属 *Silybum*

水飞蓟 *Silybum marianum* (L.) Gaertn.

水飞蓟

| 药 材 名 |

水飞蓟（药用部位：瘦果。别名：水飞雉、奶蓟、老鼠簕）。

| 形态特征 |

一年生或二年生草本，高 1.2m。茎直立，茎枝有白色粉质复被物。莲座状基生叶与下部茎生叶有柄，椭圆形或倒披针形，长达50cm，宽达 30cm，羽状浅裂至全裂；中部与上部叶渐小，长卵形或披针形，羽状浅裂或边缘浅波状圆齿裂；最上部茎生叶更小，不裂，披针形；叶两面绿色，具白色花斑，质薄。头状花序生于枝端；总苞球形或卵圆形，直径 3 ~ 5cm；总苞片 6 层，无毛，中、外层苞片革质，宽匙形、椭圆形、长菱形或披针形，上部扩大成圆形、三角形、近菱形或三角形坚硬的叶质附属物，附属物边缘或基部有硬刺，内层苞片线状披针形，上部无叶质附属物；小花红紫色，稀白色。瘦果扁，长椭圆形或长倒卵圆形，长 7mm，有线状长椭圆形深褐色斑；冠毛白色，锯齿状，最内层冠毛极短，柔毛状。花果期 5 ~ 10 月。

| 生境分布 |

生于通风、凉爽、干燥、阳光充足的荒滩地、盐碱地等。分布于重庆南川、南岸等地。

| 资源情况 |

栽培资源稀少。药材主要来源于栽培。

| 采收加工 |

秋季果实成熟时采收果序，晒干，打下果实，除去杂质，晒干。

| 药材性状 |

本品呈长倒卵形或椭圆形，长 5 ~ 7mm，宽 2 ~ 3mm。表面淡灰棕色至黑褐色，光滑，有细纵纹，先端钝圆，稍宽，有 1 圆环，中间具点状花柱残迹，基部略窄。质坚硬，破开后可见子叶 2，浅黄白色，富油性。气微，味淡。

| 功能主治 |

苦，凉。归肝、胆经。清热解毒，疏肝利胆。用于肝胆湿热，胁痛，黄疸。

| 用法用量 |

供配制成药用。

| 附　　注 |

本种喜温暖、阳光充足的环境，耐寒，耐旱，耐高温，怕涝。对土壤要求不严，栽培以土质疏松、肥沃、排水良好的砂壤土为好，土质黏重、低洼积水、盐碱重的地方不宜栽培。

菊科 Compositae 华蟹甲属 *Sinacalia*

双花华蟹甲 *Sinacalia davidii* (Franch.) Koyama

双花华蟹甲

| 药 材 名 |

角麻（药用部位：根茎。别名：羊角天麻、猪肚子、鸡多囊）。

| 形态特征 |

多年生直立草本。茎粗壮，具粗厚块状根茎及多数纤维状根，基部直径 8 ～ 10mm，中空，高达 150cm，干时具明显条沟，无毛。基部及下部茎叶花期凋落，具叶柄；中部茎叶三角形或五角形，长 8 ～ 15cm，宽 9 ～ 20cm，基部截形或浅心形，边缘具锐小尖头齿，厚纸质，上面深绿色，被疏短糙毛或近无毛，下面浅绿色，沿脉被疏蛛丝状毛及短柔毛，具 3 ～ 5 基生掌状脉；叶柄较粗壮，长 3 ～ 5cm，基部扩大且半抱茎，被疏短柔毛或无毛；上部茎叶渐小，最上部叶卵状三角形，具短柄。头状花小，多数排成顶生复圆锥状花序，花序轴及总花梗被黄褐色短柔毛；花序梗短，长 2 ～ 5mm，通常具 2 ～ 3 线形或线状披针形小苞片；总苞圆柱形，长 8 ～ 10mm，宽 1.5 ～ 2mm；总苞片 4 ～ 5，线状长圆形，宽 0.5 ～ 1.5mm，先端钝，被微柔毛，边缘狭干膜质，无毛，具不明显脉 3；舌状花 2，黄色，管部长 5.5mm，舌片长圆状线形，长 10 ～ 12mm，宽 0.5 ～ 1.5mm，先端具小齿 2，具 4 脉；管状小花 2，稀 4，花冠黄色，长 8mm，管部长 2mm，檐部漏斗状，裂片披针形，长 1.5mm，先端尖；花药线状长圆形，长 3.5mm，基部具短尾，附片卵状长圆形；花柱分枝外弯，长 1.5mm，先端钝，具乳头状微毛。瘦果圆柱形，长约 3mm，具 4 肋，无毛；冠毛白色，稀变红色，长 5 ～ 6mm。花期 7 ～ 8 月。

| 生境分布 | 生于海拔 900 ～ 2500m 的草坡、悬崖、路边或林缘。分布于重庆城口、巫溪、南川、武隆等地。

| 资源情况 | 野生资源较少。药材来源于野生，自产自销。

| 采收加工 | 秋季采挖，除去须根，晒干。

| 药材性状 | 本品呈长椭圆形或纺锤形，微镰状弯曲，长 5 ～ 13cm，直径 1 ～ 2.5cm。表面黄白色或淡棕色，具环节及稀疏的纵皱纹，有须根痕，两端尖，一端具残留的茎基。质坚硬，不易折断，断面不平坦，灰白色或黄白色，有的内心有空隙。气微，味微甘。

| 功能主治 | 微辛，平；有小毒。归肝、肺经。疏风止痛，祛痰止咳，清热解毒。用于阳明头痛，胸肋胀满，咳嗽，疮疡等。

| 用法用量 | 内服煎汤，9 ～ 15g。外用适量。

| 附　　注 | 本种根茎与华蟹甲 *Sinacalia tangutica* (Maxim.) B. Nord. 的根茎同作角麻入药。

菊科 Compositae 华蟹甲属 Sinacalia

华蟹甲

Sinacalia tangutica (Maxim.) B. Nord.

| **药 材 名** | 参见"双花华蟹甲"条。

| **形态特征** | 多年生草本。根茎块状，直径1～1.5cm，具多数纤维状根。茎粗壮，中空，高50～100cm，基部直径5～6mm，不分枝，幼时被疏蛛丝状毛，或基部无毛，上部被褐色腺状短柔毛。叶具叶柄，下部茎叶花期常脱落；中部叶片厚纸质，卵形或卵状心形，长10～16cm，宽10～15cm，先端具小尖，羽状深裂，每边各有侧裂片3～4，侧裂片近对生，狭至宽长圆形，先端具小尖，边缘常具数个小尖齿，基部截形或浅心形，上面深绿色，被疏贴生短硬毛，下面浅绿色，至少沿脉被短柔毛及疏蛛丝状毛，具明显羽状脉，叶柄较粗壮，长3～6cm，基部扩大且半抱茎，被疏短柔毛或近无毛；上部茎叶渐小，具短柄。头状花序小，多数常排成多分枝宽塔状复圆锥状，花序轴

华蟹甲

及花序梗被黄褐色腺状短柔毛；花序梗细，长 2 ～ 3mm，具 2 ～ 3 线形渐尖的小苞片；总苞圆柱状，长 8 ～ 10mm，宽 1 ～ 1.5mm，总苞片 5，线状长圆形，长约 8mm，宽 1 ～ 1.5mm，先端钝，被微毛，边缘狭干膜质；舌状花 2 ～ 3，黄色，管部长 4.5mm，舌片长圆状披针形，长 13 ～ 14mm，宽 2mm，先端具小齿 2，具 4 脉；管状花 4，稀 7，花冠黄色，长 8 ～ 9mm，管部长 2 ～ 2.5mm，檐部漏斗状，裂片长圆状卵形，长 1.5mm，先端渐尖；花药长圆形，长 3.5 ～ 3.7mm，基部具短尾，附片长圆状渐尖；花柱分枝弯曲，长 1.5mm，先端钝，被乳头状微毛。瘦果圆柱形，长约 3mm，无毛，具肋；冠毛糙毛状，白色，长 7 ～ 8mm。花期 7 ～ 9 月。

| 生境分布 | 生于海拔 1250m 以上的山坡草地、悬崖、沟边、草甸、林缘或路边。分布于重庆黔江、城口、石柱、奉节、云阳、开州、巫溪等地。

| 资源情况 | 野生资源一般。药材来源于野生。

| 采收加工 | 参见"双花华蟹甲"条。

| 药材性状 | 参见"双花华蟹甲"条。

| 功能主治 | 辛，温；有毒。祛风除湿，散寒通络。用于风湿腰痛，风湿瘫痪，半身不遂，头痛，头疮，白秃，跌打损伤。

| 用法用量 | 内服煎汤，6 ～ 9g；或浸酒。

菊科 Compositae 蒲儿根属 Sinosenecio

蒲儿根 *Sinosenecio oldhamianus* (Maxim.) B. Nord.

蒲儿根

| 药 材 名 |

蒲儿根（药用部位：全草）。

| 形态特征 |

多年生或二年生茎叶草本。茎单生，直立，不分枝，被白色蛛丝状毛及疏长柔毛。基部叶在花期凋落，具长叶柄；下部茎叶具叶柄，叶片卵状圆形或近圆形，边缘具浅至深重齿或重锯齿，上面绿色，被疏蛛丝状毛至近无毛，下面被白色蛛丝状毛；最上部叶卵形或卵状披针形。复伞房状花序；花序梗细，被疏柔毛，基部通常具1线形苞片；总苞宽钟状；总苞片1层，长圆状披针形，紫色，草质，外面被白色蛛丝状毛或短柔毛至无毛；舌状花约13，无毛，舌片黄色；管状花多数，花冠黄色；花药长圆形，附片卵状长圆形；花柱分枝外弯，被乳头状毛。瘦果圆柱形，舌状花瘦果无毛，在管状花被短柔毛；管状花冠毛白色。花期1～12月。

| 生境分布 |

生于海拔360～2100m的林缘、溪边、潮湿岩石边或草坡、田边。重庆各地均有分布。

| **资源情况** | 野生资源丰富。药材主要来源于野生。

| **采收加工** | 春、夏、秋季采收，鲜用或晒干。

| **功能主治** | 辛、苦，凉；有小毒。清热解毒。用于痈疖肿毒。

| **用法用量** | 外用适量，鲜草捣烂敷患处。

| **附　注** | 本种在重庆广布，资源丰富，其分布范围与野菊相似，头状花序与野菊极其相似，但本种有小毒，应注意区别。

菊科 Compositae 一枝黄花属 Solidago

加拿大一枝黄花 *Solidago canadensis* L.

加拿大一枝黄花

药材名

加拿大一枝黄花（药用部位：全草）。

形态特征

多年生草本。有长根茎。茎直立，高达 2.5m。叶披针形或线状披针形，长 5～12cm。头状花序很小，长 4～6mm，在花序分枝上单面着生，多数弯曲的花序分枝与单面着生的头状花序形成开展的圆锥状花序；总苞片线状披针形，长 3～4mm；边缘舌状花很短。

生境分布

生于河滩、荒地、公路两旁、农田边、农村住宅四周等地，或栽培于庭院。分布于重庆忠县、云阳、万州、涪陵、江津、长寿、巴南、南川、南岸等地。

资源情况

野生资源较少，亦有零星栽培。药材来源于野生和栽培。

功能主治

疏风清热，抗菌消炎。用于毒蛇咬伤，痈，疖等。

|**用法用量**| 外用适量，捣敷。

菊科 Compositae 一枝黄花属 Solidago

一枝黄花 *Solidago decurrens* Lour.

一枝黄花

药材名

一枝黄花（药用部位：全草。别名：金柴胡、野黄菊、山边半枝香）。

形态特征

多年生草本，高（9 ~ ）35 ~ 100cm。茎直立，通常细弱，单生或少数簇生，不分枝或中部以上有分枝。中部茎叶椭圆形、长椭圆形、卵形或宽披针形，长 2 ~ 5cm，宽 1 ~ 1.5（ ~ 2）cm，下部楔形渐窄，有具翅的叶柄，仅中部以上边缘有细齿或全缘；向上叶渐小；下部叶与中部茎叶同形，有长 2 ~ 4cm或更长的翅柄；全部叶质地较厚，叶两面、沿脉及叶缘被短柔毛或下面无毛。头状花序较小，排列成总状花序或伞房圆锥花序，少有排列成复头状花序的；总苞片 4 ~ 6 层，披针形或狭披针形，先端急尖或渐尖，中、内层长 5 ~ 6mm；舌状花舌片椭圆形，长6mm。瘦果长 3mm，无毛，极少有在先端被稀疏柔毛的。花果期 4 ~ 11 月。

生境分布

生于阔叶林缘、林下、灌丛中或山坡草地上。分布于重庆黔江、綦江、彭水、城口、石柱、云阳、江津、酉阳、南川、丰都、武隆、忠县、奉节、铜梁、垫江、巫山、巴南、南岸等地。

| 资源情况 | 野生资源较少，亦有零星栽培。药材来源于野生和栽培。

| 采收加工 | 秋季花果期采挖，除去泥沙，晒干。栽培者当年收。

| 药材性状 | 本品长 9 ～ 100cm。根茎短粗，簇生淡黄色细根。茎圆柱形，直径 0.2 ～ 0.5cm；表面黄绿色、灰棕色或暗紫红色，有棱线，上部被毛；质脆，易折断，断面纤维性，有髓。单叶互生，多皱缩破碎，完整者展平后呈卵形或披针形，长 1 ～ 5cm，宽 0.3 ～ 1.5cm；先端稍尖或钝，全缘或有不规则疏锯齿，基部下延成柄。头状花序直径约 0.7cm，排成总状，偶有黄色舌状花残留，多皱缩扭曲；苞片卵状披针形。瘦果细小，冠毛黄白色。气微香，味微苦、辛。

| 功能主治 | 辛、苦，凉。归肺、肝经。清热解毒，疏散风热。用于喉痹，乳蛾，咽喉肿痛，疮疖肿毒，风热感冒。

| 用法用量 | 内服煎汤，9 ～ 15g。

| 附　　注 | 本种喜凉爽湿润气候，耐寒。以疏松、肥沃、富含腐殖质、排水良好的砂壤土栽培为宜。

菊科 Compositae 裸柱菊属 *Soliva*

裸柱菊 *Soliva anthemifolia* (Juss.) R. Br.

| 药 材 名 | 裸柱菊（药用部位：全草。别名：九龙吐珠、七星坠地、七星菊）。

| 形态特征 | 一年生矮小草本。茎极短，平卧。叶互生，有叶柄，长 5～10cm，2～3 回羽状分裂，裂片线形，全缘或 3 裂，被长柔毛或近无毛。头状花序近球形，无梗，生于茎基部，直径 6～12mm；总苞片 2 层，矩圆形或披针形，边缘干膜质；边缘雌花多数，无花冠；中央两性花少数，花冠管状，黄色，长约 1.2mm，先端 3 裂齿，基部渐狭，常不结实。瘦果倒披针形，扁平，有厚翅，长约 2mm，先端圆形，有长柔毛，花柱宿存，下部翅上有横皱纹。花果期全年。

| 生境分布 | 生于荒地、田野。分布于重庆潼南、涪陵、丰都、开州、九龙坡等地。

裸柱菊

| **资源情况** | 野生资源丰富。药材主要来源于野生。

| **采收加工** | 全年均可采收,鲜用或晒干。

| **功能主治** | 辛,温;有小毒。解毒散结。用于痈疮疖肿,风毒流注,瘰疬,痔疮。

| **用法用量** | 内服煎汤,6～15g。外用适量,捣敷。

菊科 Compositae 苣荬菜属 Sonchus

苣荬菜 *Sonchus arvensis* L.

苣荬菜

药材名

苣荬菜（药用部位：全草。别名：苦菜、败酱草、小蓟）。

形态特征

一年生草本，高 40 ~ 100cm。根有分枝。茎直立，单生，有纵条纹，上部有伞房花序状分枝，分枝与花梗被头状具柄的腺毛及稠密或稍密的白色绒毛。基生叶多数，匙形、长椭圆形或长倒披针状椭圆形，长 9.5 ~ 22cm，宽 2 ~ 6cm，下部收窄成翼柄，先端急尖、钝或圆形，边缘有锯齿或不明显锯齿；中下部茎叶与基生叶同形，有翼柄或无，基部半抱茎，向上的叶渐小，宽或狭线形、钻形；全部叶两面光滑无毛。头状花序少数，在茎枝先端排成伞房状花序；总苞宽钟状，长 1.5cm，宽 1cm，基部被白色绒毛；总苞片 3 层，外层长披针形，长 4 ~ 7mm，宽 1 ~ 1.5mm，中、内层长披针形，长 1.5cm，宽 2mm，全部总苞片先端急尖或渐尖，背面沿中脉有 1 行头状具柄的腺毛；舌状小花多数，黄色。瘦果长椭圆形，稍压扁，长 3mm，宽 1mm，每面有 5 细肋，肋间有横皱纹，先端无喙；冠毛白色，长 7mm，基部多少联合。花果期 7 ~ 10 月。

生境分布	生于海拔 200 ~ 2000m 的山坡草地、林间草地、潮湿地或近水旁、村边或河边砾石滩。分布于重庆黔江、垫江、丰都、涪陵、南川、江津、云阳、九龙坡、开州、万州、武隆、北碚等地。
资源情况	野生资源较丰富。药材来源于野生。
采收加工	春、夏季采挖，除去杂质，洗净，晒干。
药材性状	本品根茎呈细长圆柱形，向下渐细，长 3 ~ 10cm，直径 2 ~ 5mm；表面浅黄棕色，有纵皱纹，上部有近环状凸起的叶痕，下部有细小的不定根或凸起的根痕。基生叶卷缩或破碎，完整者展平后呈长圆状披针形或广披针形，长 4 ~ 16cm，宽 0.5 ~ 3.5cm，先端多圆钝或短尖，有小尖刺，叶缘具稀疏的缺刻或不整齐羽状分裂，边缘有小尖齿，上表面灰蓝绿色、灰黄绿色或灰绿色，下表面色较浅，基部渐窄成柄；幼叶表面密被毛茸；有的带幼茎，长 3 ~ 6cm；茎生叶互生，与基生叶相似，但基部耳形，抱茎，质脆。气微，味微咸。
功能主治	苦，寒。归肝、胃经。清热解毒，活血排脓，消肿止痒。用于痈疽肿毒，肠痈腹痛，下痢脓血，产后瘀血腹痛，丹毒，阑尾炎，肠炎，痔疮。
用法用量	内服煎汤，9 ~ 15g。外用适量，煎汤熏洗。
附注	本种喜光，光照充足时叶片肥厚，光照不足时叶片黄化，容易抽生嫩茎而倒伏。喜潮湿，土壤相对含水量为 40% ~ 60% 时生长良好，土壤长时间积水，根系容易腐烂死亡；土壤干旱时叶片边缘呈紫色且纤维素含量增多，食用时口感变差。对土壤要求不严，但因为匍匐茎生长于地下，是重要的繁殖器官，直接影响着种植密度，所以在土质疏松、肥沃的土壤中种植，更易获得高产。

菊科 Compositae 苦苣菜属 Sonchus

花叶滇苦菜 *Sonchus asper* (L.) Hill

| 药材名 | 大叶苣荬菜（药用部位：全草或根。别名：白花大蓟、苦荬、圆耳苦苣菜）。

| 形态特征 | 一年生草本。根倒圆锥状，褐色，垂直直伸。茎单生或少数茎成簇生；茎直立，高 20 ~ 50cm，有纵纹或纵棱，上部长或短、总状或伞房状花序分枝，或花序分枝极短缩，全部茎枝光滑无毛或上部及花梗被头状具柄腺毛。基生叶与茎生叶同形，但较小；中、下部茎叶长椭圆形、倒卵形、匙状或匙状椭圆形，连渐狭的翼柄长 7 ~ 13cm，宽 2 ~ 5cm，先端渐尖、急尖或钝，基部渐狭成短或较长的翼柄，柄基耳状抱茎或基部无柄，耳状抱茎；上部茎叶披针形，不裂，基部扩大，圆耳状抱茎；下部叶或全部茎叶羽状浅裂、半裂或深裂，侧裂片 4 ~ 5 对，椭圆形、三角形、宽镰刀形或半圆形；全部叶及

花叶滇苦菜

裂片与抱茎圆耳边缘有尖齿刺，两面光滑无毛，质地薄。头状花序少数（5）或较多（10）在茎枝先端排成稠密的伞房花序；总苞宽钟状，长约 1.5cm，宽 1cm；总苞片 3 ～ 4 层，向内层渐长，覆瓦状排列，绿色，草质，外层长披针形或长三角形，长 3mm，宽不足 1mm，中、内层长椭圆状披针形至宽线形，长达 1.5cm，宽 1.5 ～ 2mm；全部苞片先端急尖，外面光滑，无毛；舌状小花黄色。瘦果倒披针状，褐色，长 3mm，宽 1.1mm，压扁，两面各有 3 细纵肋，肋间无横皱纹；冠毛白色，长达 7mm，柔软，彼此纠缠，基部联合成环。花果期 5 ～ 10 月。

| 生境分布 |

生于海拔 1550 ～ 2500m 的山坡、林缘或水边。分布于重庆巫山、云阳等地。

| 资源情况 |

野生资源稀少。药材主要来源于野生。

| 采收加工 |

春、夏季采收，鲜用或切段晒干。

| 功能主治 |

苦，寒。清热解毒，止血。用于疮疡肿毒，小儿咳喘，肺痨咯血。

| 用法用量 |

内服煎汤，9 ～ 15g，鲜品加倍。外用适量，鲜品捣敷。

菊科 Compositae 苦苣菜属 Sonchus

苦苣菜
Sonchus oleraceus L.

| 药 材 名 | 北败酱草（药用部位：全草或幼苗）。

| 形态特征 | 一年生或二年生草本。根圆锥状，直伸，有须根。茎直立，单生，高 40 ~ 150cm，有纵条棱，伞房花序状分枝。全部基生叶基部渐狭成长或短的翼柄；中、下部茎叶羽裂，椭圆形，基部急狭成翼柄，柄基圆耳状抱茎，顶裂片与侧裂片等大或较大，侧生裂片 1 ~ 5 对，常下弯，先端急尖，下部茎叶披针形，基部半抱茎；叶两面光滑，无毛，质地薄。头状花序少数，排成伞房花序状；总苞宽钟状，长 1.5cm，宽 1cm；总苞片 3 ~ 4 层，覆瓦状排列，向内层渐长，外层长披针形，长 3 ~ 7mm，宽 1 ~ 3mm，中、内层线状披针形，长 8 ~ 11mm，宽 1 ~ 2mm；舌状小花多数，黄色。瘦果褐色，长椭圆形或长椭圆状倒披针形，长 3mm，宽不足 1mm，压扁，每面各有 3 细脉，肋间有横皱纹，先端狭，无喙；冠毛白色，长 7mm，单毛状，彼此纠缠。

苦苣菜

花果期 5 ~ 12 月。

| 生境分布 | 生于山坡或山谷林缘、林下或平地田间、空旷处或近水处。分布于重庆南岸、潼南、万州、合川、永川、铜梁、璧山、九龙坡、綦江、武隆、北碚、开州、石柱、巫溪、沙坪坝、荣昌等地。

| 资源情况 | 野生资源丰富。药材来源于野生和栽培。

| 采收加工 | 春、夏季花开前采收，除去杂质，洗净泥土，晒干。

| 药材性状 | 本品根圆锥形。茎圆柱形，断面中空。叶多茎生，完整者呈长圆形或圆状披针形，长 7 ~ 20cm，宽 2.5 ~ 10cm，羽状分裂，顶裂片大，边缘有刺状尖齿，下部叶柄有翅，基部扩大抱茎，中、上部叶无柄，叶基耳状。头状花序常见，花序梗和苞片外表面有褐色槌状腺毛。

| 功能主治 | 苦，微寒。归胃、大肠、肝经。清热解毒，消肿排脓，祛瘀止痛。用于肺痈，肠痈，痢疾，肠炎，疮疗痈肿，痔疮，产后瘀血腹痛。

| 用法用量 | 内服煎汤，9 ~ 15g。外用适量，鲜品捣烂敷患处；或煎汤熏洗。

| 附　　注 | 本种生产中采用种子繁殖和根茎繁殖两种方式。种子繁殖在春、夏、秋季均可进行，一般以春播为主，夏播、秋播为辅。春播可利用温床育苗以提早上市，夏播须防止徒长，秋播应在保护设施中进行。根茎繁殖应挖取野生苦苣菜的母根，摘除老叶，按株距 15cm、行距 25cm、开沟深 8 ~ 10cm 定植，栽后立即浇定根水，水渗后覆土，以不露母根为度。

菊科 Compositae 金腰箭属 Synedrella

金腰箭
Synedrella nodiflora (L.) Gaertn.

| 药 材 名 | 金腰箭（药用部位：全草。别名：苦草、水慈姑、猪毛草）。

| 形态特征 | 一年生草本。茎直立，高 0.5 ~ 1m，基部直径约 5mm，二歧分枝，被贴生粗毛或后脱毛，节间长 6 ~ 22cm，通常长约 10cm。下部和上部叶具柄，阔卵形至卵状披针形，连叶柄长 7 ~ 12cm，宽 3.5 ~ 6.5cm，基部下延成宽 2 ~ 5mm 的翅状宽柄，先端短渐尖或有时钝，两面被贴生、基部疣状的糙毛，在下面的毛较密，近基出主脉 3，在上面明显，在下面稍凸起，有时两侧的 1 对基部外向分枝而似 5 主脉，中脉中上部常有 1 ~ 4 对细弱的侧脉，网脉明显或仅在下面明显。头状花序直径 4 ~ 5mm，长约 10mm，无或有短花序梗，常 2 ~ 6 簇生于叶腋，或在先端呈扁球状，稀单生；小花黄色；总苞卵形或长圆形；苞片多数，外层总苞片绿色，叶状，卵状

金腰箭

长圆形或披针形，长 10 ～ 20mm，背面被贴生糙毛，先端钝或稍尖，基部有时渐狭，内层总苞片干膜质，鳞片状，长圆形至线形，长 4 ～ 8mm，背面被疏糙毛或无毛。托片线形，长 6 ～ 8mm，宽 0.5 ～ 1mm。舌状花连管部长约 10mm，舌片椭圆形，先端 2 浅裂；管状花向上渐扩大，长约 10mm，檐部 4 浅裂，裂片卵状或三角状渐尖。雌花瘦果倒卵状长圆形，扁平，深黑色，长约 5mm，宽约 2.5mm，边缘有增厚、污白色宽翅，翅缘有 6 ～ 8 长硬尖刺；冠毛 2，挺直，刚刺状，长约 2mm，向基部粗厚，先端锐尖；两性花瘦果倒锥形或倒卵状圆柱形，长 4 ～ 5mm，宽约 1mm，黑色，有纵棱，腹面压扁，两面有疣状突起，腹面突起粗密；冠毛 2 ～ 5，叉开，刚刺状，等长或不等长，基部略粗肿，先端锐尖。花期 6 ～ 10 月。

| **生境分布** | 生于旷野、耕地、路旁或宅旁。分布于重庆南川、武隆、黔江等地。

| **资源情况** | 野生资源较少。药材来源于野生。

| **采收加工** | 春、夏季采收，鲜用或切段晒干。

| **功能主治** | 微辛、微苦，凉。清热透疹，解毒消肿。用于感冒发热，斑疹，疮痈肿毒等。

| **用法用量** | 内服煎汤，15 ～ 30g。外用适量，捣敷；或煎汤洗。

菊科 Compositae 合耳菊属 Synotis

锯叶合耳菊
Synotis nagensium (C. B. Clarke) C. Jeffrey et Y. L. Chen

| 药 材 名 | 锯叶合耳菊（药用部位：全草或根）。

| 形态特征 | 多年生灌木状草本或亚灌木。茎直立，密被白色绒毛或黄褐色绒毛。叶具短柄，倒卵状椭圆形，纸质，两面被毛，叶柄常杂有红褐色短硬毛；上部及分枝上叶较小，狭椭圆形或披针形，具短柄。头状花序具异形小花，盘状或不明显辐射状；花序梗密被绒毛，有时杂有锈褐色短硬毛，具线形苞片；总苞倒锥状钟形；苞片约 8，明显长于总苞片；总苞片草质，外面被极密绒毛；边缘小花 12 ~ 13，花冠黄色；管状花 12 ~ 20，花冠黄色；花药长 3mm，附片卵状长圆形，向基部略膨大；花柱分枝长 1.5mm，具短乳头状毛。瘦果圆柱形，长 1.7mm，被疏柔毛；冠毛白色，长约 5mm。花期 8 月至翌年 3 月。

锯叶合耳菊

| 生境分布 | 生于海拔200～2000m的森林、灌丛或草地。分布于重庆北碚、秀山、合川、石柱、武隆、开州、铜梁、巫溪、南岸、永川、荣昌、城口、南川等地。

| 资源情况 | 野生资源较丰富。药材主要来源于野生。

| 采收加工 | 夏、秋季采收，晒干。

| 功能主治 | 淡，平。散风热，定喘咳，利水湿。用于感冒发热，尿赤尿闭，肾炎水肿，气管炎，支气管炎，哮喘。

| 用法用量 | 内服煎汤，15～30g。

菊科 Compositae 万寿菊属 Tagetes

万寿菊 *Tagetes erecta* L.

| 药 材 名 | 万寿菊花（药用部位：花序。别名：臭芙蓉、金菊、里苦艾）、万寿菊叶（药用部位：叶）、万寿菊根（药用部位：根）。

| 形态特征 | 一年生草本，高 50 ～ 150cm。茎直立，粗壮，具纵细条棱，分枝向上平展。叶羽状分裂，长 5 ～ 10cm，宽 4 ～ 8cm，裂片长椭圆形或披针形，边缘具锐锯齿，上部叶裂片的齿端有长细芒；沿叶缘有少数腺体。头状花序单生，直径 5 ～ 8cm，花序梗先端呈棍棒状膨大；总苞长 1.8 ～ 2cm，宽 1 ～ 1.5cm，杯状，先端具齿尖；舌状花黄色或暗橙色，长 2.9cm，舌片倒卵形，长 1.4cm，宽 1.2cm，基部收缩成长爪，先端微弯缺；管状花花冠黄色，长约 9mm，先端具 5 齿裂。瘦果线形，基部缩小，黑色或褐色，长 8 ～ 11mm，被短微毛；冠毛有 1 ～ 2 长芒和 2 ～ 3 短而钝的鳞片。花期 7 ～ 9 月。

万寿菊

| 生境分布 | 生于向阳、温暖、湿润地，或栽培于路边、庭园等。重庆各地均有分布。

| 资源情况 | 栽培资源一般，无野生资源。药材来源于栽培。

| 采收加工 | 万寿菊花：夏、秋季采收，鲜用或晒干。
万寿菊叶：夏、秋季采收，鲜用或晒干。
万寿菊根：秋、冬季采挖，鲜用或晒干。

| 功能主治 | 万寿菊花：苦、微辛，凉。清热解毒，化痰止咳。用于上呼吸道感染，百日咳，结膜炎，口腔炎，牙痛，咽炎，眩晕，小儿惊风，经闭，血瘀腹痛，痈疮肿毒等。
万寿菊叶：甘，寒。清热解毒，消肿止痛。用于疮痈疖疗，无名肿毒等。
万寿菊根：苦，凉。解毒消肿。用于痈疮肿毒等。

| 用法用量 | 万寿菊花：内服煎汤，3～9g；或研末。外用适量，煎汤熏洗；或研末调敷；或鲜品捣敷。
万寿菊叶：内服煎汤，4.5～10g。外用适量，捣敷；或煎汤洗。
万寿菊根：外用鲜品9～15g，捣敷。

| 附　注 | 本种喜温暖湿润环境，平原、山坡均可种植，对土壤要求不严，但以向阳处栽培为好。

菊科 Compositae 万寿菊属 *Tagetes*

孔雀草 *Tagetes patula* L.

| **药 材 名** | 孔雀草（药用部位：全草。别名：黄菊花、五瓣莲、老来红）。

| **形态特征** | 一年生草本，高 30 ～ 100cm。茎直立，通常近基部分枝，分枝斜开
展。叶羽状分裂，长 2 ～ 9cm，宽 1.5 ～ 3cm，裂片线状披针形，
边缘有锯齿，齿端常有长细芒，齿基部通常有 1 腺体。头状花序单生，
直径 3.5 ～ 4cm，花序梗长 5 ～ 6.5cm，先端稍增粗；总苞长 1.5cm，
宽 0.7cm，长椭圆形，上端具锐齿，有腺点；舌状花金黄色或橙色，
带有红色斑；舌片近圆形，长 8 ～ 10mm，宽 6 ～ 7mm，先端微凹；
管状花花冠黄色，长 10 ～ 14mm，与冠毛等长，具 5 齿裂。瘦果线形，
基部缩小，长 8 ～ 12mm，黑色，被短柔毛；冠毛鳞片状，其中 1 ～ 2
长芒状，2 ～ 3 短而钝。花期 7 ～ 9 月。

孔雀草

| 生境分布 | 生于海拔 750 ～ 1600m 的山坡草地、林中或庭园。分布于重庆潼南、合川等地。

| 资源情况 | 栽培资源一般，无野生资源。药材来源于栽培。

| 采收加工 | 夏、秋季采收，鲜用或晒干。

| 功能主治 | 苦，凉。清热解毒，止咳。用于风热感冒，咳嗽，百日咳，痢疾，腮腺炎，乳痈，疔肿，牙痛，口腔炎，目赤肿痛。

| 用法用量 | 内服煎汤，9 ～ 15g；或研末。外用适量，研末醋调敷；或鲜品捣敷。

| 附　　注 | （1）在 FOC 中，本种被修订为万寿菊 Tagetes erecta L.。
（2）本种喜光，但在半阴处栽培也能开花，对土壤要求不严，耐移栽，生长迅速，适应性极强。

菊科 Compositae 蒲公英属 *Taraxacum*

蒲公英 *Taraxacum mongolicum* Hand.-Mazz.

| 药 材 名 | 蒲公英（药用部位：全草。别名：凫公英、灯笼草、黄花地丁）。

| 形态特征 | 多年生草本。根圆柱状，黑褐色，粗壮。叶倒卵状披针形，边缘有齿或羽裂，叶柄及主脉常带红紫色，疏被蛛丝状白毛。花葶1至数个，与叶等长，上部紫红色，密被白毛；头状花序直径 30 ～ 40mm；总苞钟状，长 12 ～ 14mm，淡绿色；总苞片 2 ～ 3 层，外层总苞片卵状披针形，边缘宽膜质，基部淡绿色，上部紫红色，先端增厚或具小到中等的角状突起，内层总苞片线状披针形，先端紫红色，具小角状突起；舌状花黄色，舌片长约8mm，宽约 1.5mm；边缘花舌片背面具紫红色条纹；花药和柱头暗绿色。瘦果倒卵状披针形，暗褐色，长 4 ～ 5mm，宽 1 ～ 1.5mm，上部具小刺，下部具成行排列的小瘤，先端逐渐收缩为长约1mm的圆锥形至圆柱形喙基，喙长 6 ～ 10mm，纤细；冠毛白色，长约6mm。花期 4 ～ 9 月，果期 5 ～ 10 月。

蒲公英

| 生境分布 |

生于中、低海拔的山坡草地、路边、田野、河滩。重庆各地均有分布。

| 资源情况 |

野生资源丰富。药材来源于野生和栽培。

| 采收加工 |

春季至秋季花初开时采挖，除去杂质，洗净，晒干。

| 药材性状 |

本品为皱缩卷曲的团块。根呈圆锥状，多弯曲，长 3 ～ 7cm；表面棕褐色，抽皱；头部有棕褐色或黄白色绒毛，有的已脱落。叶基生，多皱缩破碎，完整者呈倒披针形，绿褐色或暗灰绿色，先端尖或钝，边缘浅裂或羽状分裂，基部渐狭，下延成柄状，下表面主脉明显。花茎 1 至数条，每条顶生头状花序，总苞片多层，内面 1 层较长，花冠黄褐色或淡黄白色。有的可见多数具白色冠毛的长椭圆形瘦果。气微，味微苦。

| 功能主治 |

苦、甘，寒。归肝、胃经。清热解毒，消肿散结，利尿通淋。用于疔疮肿毒，乳痈，瘰疬，目赤，咽痛，肺痈，肠痈，湿热黄疸，热淋涩痛。

| 用法用量 |

内服煎汤，10 ～ 15g。

菊科 Compositae 斑鸠菊属 *Vernonia*

毒根斑鸠菊 *Vernonia cumingiana* Benth.

毒根斑鸠菊

| 药 材 名 |

发痧藤（药用部位：藤茎、根。别名：过山龙、惊风红、夜牵牛）。

| 形态特征 |

攀缘灌木或藤本，长 3 ~ 12m。枝圆柱形，具条纹，被锈色或灰褐色密绒毛。叶具短柄，厚纸质，卵状长圆形，全缘或稀具疏浅齿，细脉明显网状，叶脉在下面明显凸起，上面除中脉和侧脉被短毛外，无毛或近无毛；叶柄密被锈色短绒毛。头状花序较多数，通常在枝端或上部叶腋排成顶生或腋生疏圆锥花序；花序梗长 5 ~ 10mm，常具 1 ~ 2 线形小苞片，密被锈色或灰褐色短绒毛和腺；总苞卵状球形或钟状；总苞片 5 层，花托平，直径约 3mm，被锈色短柔毛，具窝孔；花淡红色或淡红紫色；花冠管状。瘦果近圆柱形，长 4 ~ 4.5mm，具肋，被短柔毛；冠毛红色或红褐色，易脱落，内层糙毛状，长 8 ~ 10mm。花期 10 月至翌年 4 月。

| 生境分布 |

生于海拔 300 ~ 1500m 的河边、溪边、山谷阴处灌丛或疏林中。分布于重庆北碚、巫溪等地。

| 资源情况 | 野生资源较少。药材来源于野生,自采自用。 |

| 采收加工 | 全年均可采收,洗净,切片,晒干或鲜用。 |

| 功能主治 | 苦、辛,微温;有毒。祛风解表,舒筋活络。用于感冒,疟疾,喉痛,牙痛,风火赤眼,风湿痹痛,腰肌劳损,跌打损伤。 |

| 用法用量 | 内服煎汤,9 ~ 15g。外用适量,鲜品捣敷;煎汤洗或含漱。 |

菊科 Compositae 蟛蜞菊属 Wedelia

蟛蜞菊
Wedelia chinensis (Osbeck.) Merr.

| 药 材 名 | 蟛蜞菊（药用部位：全草。别名：路边菊、水兰、卤地菊）。

| 形态特征 | 多年生草本。茎匍匐，上部近直立，基部各节生出不定根，长 15 ～ 50cm，基部直径约 2mm，分枝，有阔沟纹，疏被贴生短糙毛或下部脱毛。叶无柄，椭圆形、长圆形或线形，长 3 ～ 7cm，宽 7 ～ 13mm，基部狭，先端短尖或钝，全缘或有 1 ～ 3 对疏粗齿，两面疏被贴生短糙毛，中脉在上面明显或有时不明显，在下面稍凸起，侧脉 1 ～ 2 对，通常仅有下部离基发出的 1 对较明显，无网状脉。头状花序少数，直径 15 ～ 20mm，单生枝顶或叶腋内；花序梗长 3 ～ 10cm，被贴生短粗毛；总苞钟形，宽约 1cm，长约 12mm；总苞 2 层，外层叶质，绿色，椭圆形，长 10 ～ 12mm，先端钝或浑圆，背面疏被贴生短糙毛，内层较小，长圆形，长 6 ～ 7mm，先端尖，

蟛蜞菊

上半部分有缘毛；托片折叠成线形，长约 6mm，无毛，先端渐尖，有时具 3 浅裂；舌状花 1 层，黄色，舌片卵状长圆形，长约 8mm，先端 2 ～ 3 深裂，管部细短，长为舌片的 1/5；管状花较多，黄色，长约 5mm，花冠近钟形，向上渐扩大，檐部 5 裂，裂片卵形，钝。瘦果倒卵形，长约 4mm，具疣状突起，先端稍收缩，舌状花的瘦果具 3 边，边缘增厚；无冠毛，而有具细齿的冠毛环。花期 3 ～ 9 月。

| 生境分布 | 生于路旁、田边、沟边或湿润草地上。分布于重庆酉阳等地。

| 资源情况 | 野生资源较少。药材来源于野生，自采自用。

| 采收加工 | 夏、秋季茎叶茂盛时采收，干燥。

| 药材性状 | 本品茎呈圆柱形，弯曲，长可达 40cm，直径 1.5 ～ 2mm；表面灰绿色或淡紫色，有纵皱纹，节上有的有细根，嫩茎被短毛。叶对生，近无柄；叶多皱缩，展平后呈椭圆形或长圆状披针形，长 3 ～ 7cm，宽 0.7 ～ 1.3cm；先端短尖或渐尖，边缘有粗锯齿或呈波状；上表面绿褐色，下表面灰绿色，两面均被白色短毛。头状花序通常单生于茎顶或叶腋，花序梗及苞片均被短毛，苞片 2 层，长 6 ～ 8mm，宽 1.5 ～ 3mm，灰绿色；舌状花和管状花均呈黄色。气微，味微涩。

| 功能主治 | 甘，平。清热解毒，泻火养阴。用于急性咽炎，扁桃体炎。

| 用法用量 | 内服煎汤，15 ～ 45g。

菊科 Compositae 苍耳属 Xanthium

苍耳
Xanthium sibiricum Patrin ex Widder

| 药 材 名 | 苍耳草（药用部位：地上部分）、苍耳子（药用部位：成熟带总苞的果实。别名：菜耳、苍刺头、毛苍子）、苍耳根（药用部位：根）。

| 形态特征 | 一年生草本，高 20 ~ 90cm。根纺锤状。茎直立，下部圆柱形，上部有纵沟，被灰白色毛。叶三角形，近全缘，或有 3 ~ 5 不明显浅裂，基部截形，基出脉 3，密被糙伏毛，上面绿色，下面苍白色。雄头状花序球形，直径 4 ~ 6mm，总苞片长圆状披针形，被短柔毛，花托柱状；雄花花冠钟形，管部上端有 5 宽裂片，花药长圆状线形。雌头状花序椭圆形，外层总苞片小，被短柔毛，内层总苞片结合成囊状，宽卵形，绿色，在瘦果成熟时变坚硬，连喙部长 12 ~ 15mm，宽 4 ~ 7mm，外面有钩状刺，基部微增粗或几不增粗，长 1 ~ 1.5mm，基部被柔毛，常有腺点，或全部无毛；喙坚硬，锥形，上端略呈镰状，长 1.5 ~ 2.5mm，常不等长，少有结合成 1 喙。瘦果 2，

苍耳

倒卵形。花期 7 ~ 8 月，果期 9 ~ 10 月。

| **生境分布** | 生于平原、丘陵、低山、荒野路边、田边。重庆各地均有分布。

| **资源情况** | 野生资源丰富。药材来源于野生和栽培。

| **采收加工** | 苍耳草：夏、秋季枝叶茂盛或花初开时采割，晒干。
苍耳子：秋季果实成熟时采收，干燥，除去枝、叶等杂质。
苍耳根：秋后采挖，鲜用或切片晒干。

| **药材性状** | 苍耳草：本品茎呈类圆柱形，有的分枝，长 20 ~ 90cm，直径 0.4 ~ 1.5cm；表面红褐色或黄褐色，具纵纹，被白色糙伏毛，散布黑褐色斑点；体轻，质脆，断面黄白色，具放射状纹理，髓部疏松，类白色。叶互生，多皱缩或破碎，完整者展平后呈卵状三角形或心形，叶片 3 ~ 5 浅裂，先端尖或钝；基部截形或心形，与叶柄连接处呈狭楔形；边缘具大小不等的粗锯齿；上表面黄绿色，下表面淡黄绿色，均具白色糙伏毛。有的可见头状花序，雌雄同株，黄绿色，雄花序球形，顶生；雌花序椭圆形，腋生。气微，味微苦。
苍耳子：本品呈纺锤形或卵圆形，长 1 ~ 1.5cm，直径 0.4 ~ 0.7cm。表面黄棕色或黄绿色，全体有钩刺，先端有 2 较粗的刺，分离或相连，基部有果梗痕。质硬而韧，横切面中央有纵隔膜，2 室，各有 1 瘦果。瘦果略呈纺锤形，一面较平坦，先端具 1 凸起的花柱基，果皮薄，灰黑色，具纵纹。种皮膜质，浅灰色，子叶 2，有油性。气微，味微苦。

| **功能主治** | 苍耳草：苦、辛，微寒；有小毒。归肺、脾、肝经。祛风散热，解毒杀虫。用于头风，鼻渊，目赤目翳，皮肤瘙痒，风湿痹痛，疥疮。
苍耳子：辛、苦，温；有毒。归肺经。散风寒，通鼻窍，祛风湿。用于风寒头痛，鼻塞流涕，鼻鼽，鼻渊，风疹瘙痒，湿痹拘挛。
苍耳根：微苦，平；有小毒。清热解毒，利湿。用于疔疮，痈疽，丹毒，缠喉风，阑尾炎，宫颈炎，痢疾，肾炎水肿，乳糜尿，风湿痹痛。

| **用法用量** | 苍耳草：6 ~ 9g，多作六神曲、建曲原料。
苍耳子：内服煎汤，3 ~ 10g。
苍耳根：内服煎汤，15 ~ 30g；或捣汁；或熬膏。外用适量，煎汤熏洗；或熬膏涂。

| **附　　注** | 本种喜温暖、稍湿润气候，宜选择疏松、肥沃、排水良好的砂壤土栽培；生产中采用种子繁殖方式，直播或育苗栽培。

菊科 Compositae 黄鹌菜属 Youngia

红果黄鹌菜 *Youngia erythrocarpa* (Vaniot) Babcock et Stebbins

红果黄鹌菜

| 药 材 名 |

红果黄鹌菜（药用部位：全草）。

| 形 态 特 征 |

一年生草本，高 50 ～ 100cm。根细。茎单生，直立，全茎多分枝。基生叶倒披针形，长 6cm，宽 3cm，大头羽状全裂，叶柄长 5cm，顶裂片宽卵状三角形，先端急尖或钝，边缘有齿，侧裂片 2 ～ 3 对或 1 对，先端急尖，边缘有锯齿；茎生叶多数，有短柄；接花序分枝处的叶不裂，长椭圆形；全部叶两面被毛或脱毛。头状花序在茎枝先端排成伞房圆锥状，花序梗纤细，含 10 ～ 13 舌状小花；总苞圆柱状，长 4 ～ 6mm；总苞片 4 层，外层及最外层极小，卵形，内层及最内层披针形，边缘白色狭膜质，内面被稀糙毛；全部总苞片外面无毛；舌状小花黄色，花冠管外面被白色短柔毛。瘦果红色，纺锤形，长达 2.5mm，向顶渐窄成粗短的喙状物，有 11 ～ 14 粗细不等的纵肋；冠毛白色，长 2.5mm，微糙毛状。花果期 4 ～ 8 月。

| 生 境 分 布 |

生于海拔 460 ～ 1850m 的山坡草丛、沟地或平原荒地。分布于重庆大足、綦江、涪陵、

江津、奉节、垫江、南川、长寿、丰都、合川、黔江、九龙坡、城口等地。

| **资源情况** | 野生资源一般。药材来源于野生。

| **采收加工** | 春、夏季采收，晒干。

| **功能主治** | 甘、微苦，凉。清热解毒，利尿消肿，止痛。用于咽炎，乳腺炎，牙痛，小便不利，肝硬化腹水。

| **用法用量** | 内服煎汤，适量。外用适量，鲜品捣敷。

异叶黄鹌菜

菊科 Compositae 黄鹌菜属 *Youngia*

异叶黄鹌菜
Youngia heterophylla (Hemsl.) Babcock et Stebbins

| 药 材 名 |

异叶黄鹌菜（药用部位：全草）。

| 形 态 特 征 |

一年生或二年生草本，高 30 ~ 100cm。根直伸，有须根。茎直立，单生或簇生，上部分枝伞房状，全部茎枝被多细胞节毛。基生叶椭圆形，边缘有凹尖齿，顶裂片戟形，全缘、几全缘或边缘有锯齿，侧裂片小，对生，椭圆形，基部收窄成宽翼柄，边缘有锯齿或无锯齿，基生叶柄及叶两面被短柔毛，叶下面紫红色，上面绿色；中、下部茎叶多数；最上部茎叶披针形，不分裂。头状花序排成伞房状，小花舌状；总苞圆柱状，长 6 ~ 7mm；总苞片 4 层，外层及最外层小，卵形，先端急尖，内层及最内层披针形，内面多少被短糙毛，全部总苞片外面无毛；舌状小花黄色，花冠管外被短柔毛。瘦果黑褐紫色，纺锤形，长 3mm，向先端渐窄，先端无喙，有纵肋，肋上有小刺毛；冠毛白色，糙毛状。花果期 4 ~ 10 月。

| 生 境 分 布 |

生于海拔 420 ~ 2250m 的山坡林缘、林下或荒地。分布于重庆合川、城口、潼南、永川、

铜梁、彭水、涪陵、长寿、云阳、忠县、武隆、梁平、九龙坡等地。

| **资源情况** | 野生资源较丰富。药材来源于野生。

| **采收加工** | 春、夏、秋季采收，鲜用或晒干。

| **功能主治** | 参见"红果黄鹌菜"条。

| **用法用量** | 内服煎汤，适量。外用适量，鲜品捣敷。

菊科 Compositae 黄鹌菜属 *Youngia*

黄鹌菜
Youngia japonica (L.) DC.

黄鹌菜

药材名

黄鹌菜（药用部位：全草或根。别名：黄瓜菜、黄花菜、山芥菜）。

形态特征

一年生草本。茎直立，先端伞房花序状分枝或下部有长分枝，下部被稀疏皱波状长或短毛。基生叶全形倒披针形、椭圆形、长椭圆形或宽线形，无茎叶或极少有1（～2）茎生叶，与基生叶同形并等样分裂；全部叶及叶柄被皱波状长或短柔毛。头状花序含10～20舌状小花，少数或多数在茎枝先端排成伞房花序，花序梗细；总苞圆柱状；总苞片4层，全部总苞片外面无毛；舌状小花黄色，花冠管外面被短柔毛。瘦果纺锤形，压扁，褐色或红褐色，长1.5～2mm，先端无喙，有肋，肋上被小刺毛；冠毛长2.5～3.5mm，糙毛状。花果期4～10月。

生境分布

生于山坡、山谷或山沟林缘、林下、林间草地及潮湿地、河边沼泽地、田间或荒地上。重庆各地均有分布。

| **资源情况** | 野生资源丰富。药材主要来源于野生。

| **采收加工** | 春季采收全草，秋季采挖根，鲜用或切段晒干。

| **功能主治** | 甘、微苦，凉。清热解毒，利尿消肿。用于感冒，咽痛，结膜炎，乳痛，疮疖肿毒，毒蛇咬伤，痢疾，肝硬化腹水，急性肾炎，淋浊，血尿，带下，风湿性关节炎，跌打损伤。

| **用法用量** | 内服煎汤，9 ~ 15g，鲜品 30 ~ 60g；或捣汁。外用适量，鲜品捣敷；或捣汁含漱。

菊科 Compositae 百日菊属 Zinnia

百日菊
Zinnia elegans Jacq.

百日菊

药材名

百日草（药用部位：全草。别名：十姊妹、火毡花、对叶菊）。

形态特征

一年生草本。茎直立，高 30 ~ 100cm，被糙毛或长硬毛。叶宽卵圆形或长圆状椭圆形，长 5 ~ 10cm，宽 2.5 ~ 5cm，基部稍心形抱茎，两面粗糙，下面被密短糙毛，基出脉 3。头状花序直径 5 ~ 6.5cm，单生枝端，无中空肥厚的花序梗；总苞宽钟状；总苞片多层，宽卵形或卵状椭圆形，外层长约 5mm，内层长约 10mm，边缘黑色；托片上端有延伸的附片；附片紫红色，流苏状三角形；舌状花深红色、玫瑰色、紫堇色或白色，舌片倒卵圆形，先端 2 ~ 3 齿裂或全缘，上面被短毛，下面被长柔毛；管状花黄色或橙色，长 7 ~ 8mm，先端裂片卵状披针形，上面被黄褐色密绒毛。雌花瘦果倒卵圆形，长 6 ~ 7mm，宽 4 ~ 5mm，扁平，腹面正中和两侧边缘各有 1 棱，先端截形，基部狭窄，被密毛；管状花瘦果倒卵状楔形，长 7 ~ 8mm，宽 3.5 ~ 4mm，极扁，被疏毛，先端有短齿。花期 6 ~ 9 月，果期 7 ~ 10 月。

| 生境分布 |

生于海拔 2700m 以下的路旁、田埂、溪岸等地，多栽培于路旁、花圃。重庆各地均有分布。

| 资源情况 |

野生资源稀少，栽培资源丰富。药材主要来源于栽培。

| 采收加工 |

春、夏季采收，鲜用或切段晒干。

| 功能主治 |

苦、辛，凉。清热，利湿，解毒。用于湿热痢疾，淋证，乳痈，疖肿。

| 用法用量 |

内服煎汤，15 ~ 30g。外用适量，鲜品捣敷。

| 附　　注 |

本种喜温暖环境，喜光，耐干旱、瘠薄，不耐寒，怕酷暑，生性强健，忌连作，生长期适宜温度 15 ~ 30℃；根深茎硬不易倒伏；宜在肥沃、土层深厚的土壤中栽培。

泽泻科 Alismataceae 泽泻属 Alisma

窄叶泽泻 *Alisma canaliculatum* A. Braun et Bouche.

| **药材名** | 大箭（药用部位：全草。别名：水泽泻、汗枪箭）。

| **形态特征** | 多年生水生或沼生草本。块茎直径 1 ~ 3cm。沉水叶条形；挺水叶窄披针形，稍镰状弯曲，长 6 ~ 45cm，3 ~ 5 脉；叶柄长 9 ~ 27cm，基部较宽，边缘膜质。花葶高 0.4 ~ 1m；花序长 35 ~ 65cm，分枝 3 ~ 6 轮，每轮具 3 ~ 9 分枝；花两性；花梗长 2 ~ 4.5cm；外轮花被片长圆形，长 3 ~ 3.5mm，5 ~ 7 脉，边缘膜质，内轮花被片近圆形，白色，边缘不整齐；雄蕊 6，花丝长约 1mm，基部宽约 0.5mm，向上渐窄；心皮多数，排列整齐，花柱长约 0.5mm，柱头极小，长约为花柱的 1/3，向背部弯曲；花托果期外凸，半球形。瘦果倒卵形或近三角形，长 2 ~ 2.5mm，背部边缘无棱，中部具深沟，两侧果皮厚纸质，不透明；果喙自顶部伸出；种子深紫色，矩圆形，长

窄叶泽泻

1.5mm，宽约 1mm。花果期 5 ~ 10 月。

| 生境分布 |

生于湖边、溪流、水塘、沼泽或积水湿地。分布于重庆奉节、涪陵、石柱、南川、綦江、江津、武隆等地。

| 资源情况 |

野生资源较丰富。药材主要来源于野生，外销内用。

| 采收加工 |

8 ~ 9 月采收，晒干或鲜用。

| 功能主治 |

淡，微寒。清热利湿，解毒消肿。用于小便不通，水肿，无名肿毒，皮肤疱疹，湿疹，蛇咬伤。

| 用法用量 |

内服煎汤，30 ~ 60g；或浸酒。外用适量，捣敷。

| 附　　注 |

本种喜浅水之地，对栽培环境适应性较强，但在生长过程中不可缺水，水深保持在 10cm 左右。在室内盆栽时，应将其栽培在硬度较低的微酸性至微碱性淡水中，注意盐度不宜过高。本种对肥料需求量较多，夏、秋季生长旺盛阶段，可每周追施 1 次固体或液体肥料。

泽泻科 Alismataceae 泽泻属 Alisma

东方泽泻
Alisma orientale (Samuel.) Juz.

| 药 材 名 | 泽泻（药用部位：块茎。别名：水泽、如意花、车苦菜）、泽泻叶（药用部位：叶）、泽泻实（药用部位：果实）。

| 形态特征 | 多年生水生或沼生草本。块茎直径 1 ~ 3.5cm，或更大。叶通常多数；沉水叶条形或披针形；挺水叶宽披针形、椭圆形至卵形，长 2 ~ 11cm，宽 1.3 ~ 7cm，先端渐尖，稀急尖，基部宽楔形、浅心形，叶脉通常 5，叶柄长 1.5 ~ 30cm，基部渐宽，边缘膜质。花葶高 78 ~ 100cm，或更高；花序长 15 ~ 50cm，或更长，具 3 ~ 8 轮分枝，每轮分枝 3 ~ 9；花两性，花梗长 1 ~ 3.5cm；外轮花被片广卵形，长 2.5 ~ 3.5mm，宽 2 ~ 3mm，通常具 7 脉，边缘膜质，内轮花被片近圆形，远大于外轮，边缘具不规则粗齿，白色、粉红色或浅紫色；心皮 17 ~ 23，排列整齐，花柱直立，长 7 ~ 15mm，长于心皮，柱头短，长为花柱的 1/9 ~ 1/5；花丝长 1.5 ~ 1.7mm，基部宽约 0.5mm，花药长约 1mm，椭圆形，黄色或淡绿色；花托平凸，高约 0.3mm，近圆形。瘦果椭圆形或近矩圆形，

东方泽泻

长约 2.5mm，宽约 1.5mm，背部具 1 ~ 2 不明显浅沟，下部平，果喙自腹侧伸出，喙基部凸起，膜质；种子紫褐色，具突起。花果期 5 ~ 10 月。

| 生境分布 | 生于湖泊、河湾、溪流、水塘的浅水带，沼泽、沟渠或低洼湿地亦有生长。分布于重庆石柱、南川、合川、大足、璧山、永川等地。

| 资源情况 | 野生资源较少。药材来源于野生。

| 采收加工 | 泽泻：冬季茎叶开始枯萎时采挖，洗净，干燥，除去须根和粗皮。

泽泻叶：夏季采收，晒干或鲜用。

泽泻实：夏、秋季果实成熟后分批采收，用刀割下果序，扎成小束，挂于空气流通处，脱粒，晒干。

| 药材性状 | 泽泻：本品呈类球形、椭圆形或卵圆形，长 2 ~ 7cm，直径 2 ~ 6cm。表面淡黄色至淡黄棕色，有不规则横向环状浅沟纹和多数细小凸起的须根痕，底部有的有瘤状芽痕。质坚实，断面黄白色，粉性，有多数细孔。气微，味微苦。

泽泻叶：本品皱缩卷曲，完整者展平后呈椭圆形、长椭圆形或宽卵形，长 6 ~ 11cm，宽 4 ~ 7cm。两面均呈绿色或黄绿色，先端锐尖或钝尖，基部圆形或心形，全缘；叶柄长 20 ~ 30cm，呈细长圆柱状，基部稍膨大成鞘状。质脆，易破碎。气微，味微酸、涩。

| 功能主治 | 泽泻：甘、淡，寒。归肾、膀胱经。利水渗湿，泄热，化浊降脂。用于小便不利，水肿胀满，泄泻尿少，痰饮眩晕，热淋涩痛，高脂血症。

泽泻叶：微咸，平。益肾，止咳，通脉，下乳。用于虚劳，咳喘，乳汁不下，疮肿等。

泽泻实：甘，平。祛风湿，益肾气。用于风痹，肾亏体虚，消渴等。

| 用法用量 | 泽泻：内服煎汤，6 ~ 10g。肾虚精滑无湿热者禁服。

泽泻叶：内服煎汤，15 ~ 30g。外用适量，捣敷。

泽泻实：内服煎汤，6 ~ 9g。

| 附　注 | （1）本种药材的混伪品有窄叶泽泻 *Alisma canaliculatum* A. Braun et Bouche.、草泽泻 *Alisma gramineum* Lej.、小泽泻 *Alisma nanum* D. F. Cui、野慈姑 *Sagittaria trifolia* L.、荆三棱 *Scirpus yagara* Ohwi、黑三棱 *Sparganium stoloniferum* (Graebn.) Buch.-Ham. ex Juz.、芋 *Colocasia esculenta* (L.) Schott 等的块茎。

（2）本种在重庆零星分布，为农田杂草。近年来因农田施用大量除草剂，导致本种资源锐减，已较为少见，产量较低。重庆地区暂无栽培。

泽泻科 Alismataceae 慈姑属 Sagittaria

矮慈姑 *Sagittaria pygmaea* Miq.

| 药 材 名 | 鸭舌头（药用部位：全草。别名：鸭舌草、鸭舌子、水充草）。

| 形态特征 | 一年生、稀多年生沼生或沉水草本。有时具短根茎；匍匐茎短细，根状，末端的芽几乎不膨大，通常当年萌发形成新株，稀有越冬者。叶条形，稀披针形，长 2 ~ 30cm，宽 0.2 ~ 1cm，光滑，先端渐尖或稍钝，基部鞘状，通常具横脉。花葶高 5 ~ 35cm，直立，通常挺水；花序总状，长 2 ~ 10cm，具花 2（~ 3）轮；苞片长 2 ~ 3mm，宽约 2mm，椭圆形，膜质；花单性，外轮花被片绿色，倒卵形，长 5 ~ 7mm，宽 3 ~ 5mm，具条纹，宿存，内轮花被片白色，长 1 ~ 1.5cm，宽 1 ~ 1.6cm，圆形或扁圆形；雌花 1，单生，或与 2 雄花组成 1 轮，心皮多数，两侧压扁，密集成球状，花柱从腹侧伸出，向上；雄花具梗，雄蕊多，花丝长短、宽窄随花期不同而异，通常长 1 ~ 2mm，

矮慈姑

宽 0.5 ～ 1mm，花药长椭圆形，长 1 ～ 1.5mm。瘦果两侧压扁，具翅，近倒卵形，长 3 ～ 5mm，宽 2.5 ～ 3.5mm，背翅具鸡冠状齿裂；果喙自腹侧伸出，长 1 ～ 1.5mm。花果期 5 ～ 11 月。

| 生境分布 |

生于沼泽、水田、沟溪浅水处。分布于重庆巫溪、奉节、石柱、武隆、彭水、酉阳、秀山、南川、合川、江津、潼南、永川等地。

| 资源情况 |

野生资源丰富。药材主要来源于野生，外销内用。

| 采收加工 |

夏、秋季采收，鲜用或晒干。

| 功能主治 |

淡，寒。清肺利咽，利湿解毒。用于肺热咳嗽，咽喉肿痛，小便热痛，痈疖肿毒，湿疮，烫伤，蛇咬伤。

| 用法用量 |

内服煎汤，鲜品 15 ～ 30g。外用适量，捣敷。

泽泻科 Alismataceae 慈姑属 Sagittaria

野慈姑 *Sagittaria trifolia* L.

| 药 材 名 | 慈姑（药用部位：球茎。别名：藕姑、槎牙、茨菰）、慈姑叶（药用部位：地上部分。别名：剪刀草、慈姑苗）。

| 形态特征 | 多年生水生草本。根茎横走。挺水叶箭形，通常顶裂片短于侧裂片，比值 1:1.2 ~ 1:1.5，有时侧裂片更长；叶柄基部渐宽，鞘状，边缘膜质，具横脉，或不明显。花葶直立，挺水，高 20 ~ 70cm；花序总状或圆锥状，长 5 ~ 20cm，具分枝 1 ~ 2，具花多轮，每轮 2 ~ 3；苞片 3，基部多少合生，先端尖；花单性；花被片反折，外轮花被片椭圆形或广卵形；内轮花被片白色或淡黄色，基部收缩，雌花通常 1 ~ 3 轮，花梗短粗，心皮多数，两侧压扁，花柱自腹侧斜上；雄花多轮，花梗斜举，长 0.5 ~ 1.5cm，雄蕊多数，花药黄色，花丝长短不一，通常外轮短，向里渐长。瘦果两侧压扁，倒卵形，具翅，背翅多少不整齐；果喙短，自腹侧斜上；种子褐色。花果期 5 ~ 10 月。

野慈姑

| **生境分布** | 生于湖泊、池塘、沼泽、沟渠、水田等水域。重庆各地均有分布。

| **资源情况** | 野生资源较丰富。药材来源于野生。

| **采收加工** | 慈姑：秋季初霜后至翌年春季发芽前，随时采收，洗净，鲜用或晒干。
慈姑叶：夏、秋季采收，鲜用或切段晒干。

| **药材性状** | 慈姑：本品鲜品呈长卵圆形或椭圆形，长 2.2 ～ 4.5cm，直径 1.8 ～ 3.2cm；表面黄白色或黄棕色，有的微呈青紫色，具纵皱纹和横环状节，节上残留红棕色鳞叶，鳞叶脱落后，显淡绿黄色，先端具芽，长 5 ～ 7cm，或具芽脱落的圆形痕；基部钝圆或平截，切断面类白色，水分较多，富含淀粉。干品多纵切或横切成块状，切面灰白色，粉性强。气微，味微苦、甘。

| **功能主治** | 慈姑：甘、微苦、微辛，微寒。归肝、肺、脾、膀胱经。活血凉血，止咳通淋，散结解毒。用于产后血闷，胎衣不下，带下，崩漏，衄血，呕血，咳嗽痰血，淋浊，疮肿，目赤肿痛，角膜白斑，瘰疬，睾丸炎，骨膜炎，毒蛇咬伤等。

慈姑叶：苦、微辛，寒。清热解毒，凉血化瘀，利水消肿。用于咽喉肿痛，黄疸，水肿，恶疮肿毒，丹毒，瘰疬，湿疹，蛇虫咬伤等。

| **用法用量** | 慈姑：内服煎汤，15 ～ 30g；或绞汁。外用适量，捣敷；或磨汁，沉淀后点眼。孕妇慎服。

慈姑叶：内服煎汤，10 ～ 30g；或捣汁。外用适量，研末调敷；或鲜品捣敷。不宜久敷。

| **附 注** | 本种在重庆分布广，为常见水田杂草，暂未发现有栽培。

泽泻科 Alismataceae 慈姑属 Sagittaria

慈姑 *Sagittaria trifolia* L. var. *sinensis* (Sims) Makino

| **药 材 名** | 慈姑（药用部位：球茎。别名：藕姑、槎牙、茨菇）、慈姑叶（药用部位：地上部分。别名：剪刀草、水慈姑、慈姑苗）、慈姑花（药用部位：花）。 |
| **形态特征** | 本种与原变种野慈姑的区别在于，植株高大，粗壮；匍匐茎末端膨大成球茎，球茎卵圆形或球形，长可达（5 ~ ）8cm，宽可达 4（~ 6）cm；叶片宽大，肥厚，顶裂片先端钝圆，卵形至宽卵形；圆锥花序高大，长 20 ~ 60cm，有时可达 80cm 以上，分枝（1 ~ ）2（~ 3），着生于下部，具 1 ~ 2 轮雌花，主轴雌花 3 ~ 4 轮，位于侧枝之上；雄花多轮，生于上部，组成大型圆锥花序，果期常斜卧水中；果期花托扁球形，直径 4 ~ 5mm，高约 3mm；种子褐色，具小突起。 |

慈姑

| 生境分布 | 生于沼泽、水塘、水田。重庆各地均有分布。

| 资源情况 | 栽培资源一般。药材主要来源于栽培，外销内用。

| 采收加工 | 慈姑：参见"野慈姑"条。
慈姑叶：参见"野慈姑"条。
慈姑花：秋季花开时采收，鲜用。

| 药材性状 | 慈姑：参见"野慈姑"条。

| 功能主治 | 慈姑：参见"野慈姑"条。
慈姑叶：参见"野慈姑"条。
慈姑花：微苦，寒。清热解毒，利湿。用于疔肿，痔漏，湿热黄疸。

| 用法用量 | 慈姑：参见"野慈姑"条。
慈姑叶：参见"野慈姑"条。
慈姑花：内服煎汤，3～9g。外用适量，鲜品捣敷。孕妇忌用。

| 附　注 | （1）在 FOC 中，本种被修订为华夏慈姑 *Sagittaria trifolia* L. subsp. *leucopetala* (Miquel) Q. F. Wang。
（2）本种喜温暖、光照充足环境，抗风、耐寒力极弱。因本种属于水生作物，在生长期间，水不可缺乏。本种喜有机质丰富的黏质壤土，宜栽培在稍黏质的肥沃地。忌连作。

泽泻科 Alismataceae 慈姑属 Sagittaria

剪刀草
Sagittaria trifolia L. var. *trifolia* f. *longiloba* (Turcz.) Makino

| 药 材 名 | 剪刀草（药用部位：全草）。

| 形态特征 | 本种与原变种野慈姑的区别在于，植株细弱；匍匐根茎末端通常不膨大成球形；叶片明显窄小，呈飞燕状，长约15cm或更长，顶裂片与侧裂片宽0.5 ~ 1.5cm；花序多总状，通常具雌花（1 ~ ）2 ~ 3轮，稀圆锥花序，仅具1分枝，无雌花，罕1轮雌花。

| 生境分布 | 生于平原、丘陵或山地湖泊、沼泽、沟渠、水塘、稻田等水域的浅水处。分布于重庆巫溪、奉节、涪陵、石柱、彭水、酉阳、南川等地。

| 资源情况 | 野生资源一般。药材来源于野生。

| 采收加工 | 夏、秋季采收，洗净，切段，晒干或鲜用。

剪刀草

| **功能主治** | 辛，寒；有小毒。清热解毒，消肿。用于蛇咬伤及一切肿毒恶疮。

| **用法用量** | 内服煎汤，适量；或绞汁。外用适量，捣敷。孕妇慎服。

| **附　　注** | 在 FOC 中，本种被修订为野慈姑 *Sagittaria trifolia* L.。

眼子菜科 Potamogetonaceae 眼子菜属 Potamogeton

眼子菜
Potamogeton distinctus A. Benn.

| 药 材 名 | 眼子菜（药用部位：带根茎的芽。别名：水案板、水板凳、案板芽）、眼子菜根（药用部位：嫩根）。

| 形态特征 | 多年生水生草本。根茎发达，白色，直径 1.5 ~ 2mm，多分枝，先端具纺锤状休眠芽体，节处生须根。茎圆柱形，直径 1.5 ~ 2mm，通常不分枝。浮水叶革质，披针形、宽披针形或卵状披针形，长 2 ~ 10cm，叶脉多条，先端连接，叶柄长 5 ~ 20cm；沉水叶披针形或窄披针形，草质，常早落，具柄；托叶膜质，长 2 ~ 7cm，鞘状抱茎。穗状花序顶生，花多轮，开花时伸出水面，花后沉没水中；花序梗稍膨大，粗于茎，花时直立，花后自基部弯曲，长 3 ~ 10cm；花小，花被片 4，绿色；雌蕊 2（稀 1 或 3）。果实宽倒卵圆形，长约 3.5mm，背部 3 脊，中脊锐，于果实上部隆起，侧脊稍钝，基部及上部各具

眼子菜

2 突起，喙略下陷而斜，斜生于腹面先端。花果期 5 ～ 10 月。

| 生境分布 | 生于海拔 400 ～ 1200m 的稻田、水沟或静水池沼中。重庆各地均有分布。

| 资源情况 | 野生资源丰富。药材主要来源于野生，外销内用。

| 采收加工 | 眼子菜：春季采收，洗净，鲜用或晒干。
眼子菜根：春季采挖，除去泥土、杂质，洗净，鲜用或晒干。

| 药材性状 | 眼子菜：本品呈不规则扇形，根茎长 0.5 ～ 3cm，直径约 0.2cm，节间长约 0.5cm，节上有鞘状膜质鳞叶。根茎上并排排列 2 ～ 5 芽，每节上着生 1 芽。芽圆锥形，略弯曲，长 2 ～ 5cm，直径 0.2 ～ 0.3cm；表面黄色至棕黄色，光滑。质脆，易折断，断面层片状。气微，味苦。

| 功能主治 | 眼子菜：苦、甘，寒。归肝、胆、膀胱经。清热解毒，清肝明目，除湿利水，凉血止血。用于赤白痢，疮疖痈肿，湿热黄疸，小便赤痛，鼻衄，痔疮出血。
眼子菜根：理气和中，止血。用于气痞腹痛，腰痛，痔疮出血。

| 用法用量 | 眼子菜：内服煎汤，9 ～ 12g，鲜品 30 ～ 60g。
眼子菜根：内服煎汤，9 ～ 15g；或研末。

| 附　注 | 本种药材眼子菜的另一来源为鸡冠眼子菜 *Potamogeton cristatus* Rgl. et Maack。

百合科 Liliaceae 粉条儿菜属 Aletris

疏花粉条儿菜
Aletris laxiflora Bur. et Franch.

| 药材名 | 疏花粉条儿菜（药用部位：全草）。

| 形态特征 | 多年生草本，具细长的纤维根。叶簇生，硬纸质，条形，长 5 ~ 35cm，宽 2 ~ 5mm，先端渐尖或急尖。花葶高 10 ~ 50cm，上部密生短毛，中、下部有几枚长 0.5 ~ 2cm 的苞片状叶；总状花序长 2.5 ~ 20cm，疏生 8 ~ 25 花；苞片 2，窄披针形，位于花梗的上端、中部或基部，长 3 ~ 10mm，长于花或短于花；花梗通常较短，有时长可达 4mm；花被白色，长 4.5 ~ 7mm，分裂到中部以下；裂片窄披针形，长 3 ~ 6mm，宽 0.8 ~ 1mm，开展，有时反卷；雄蕊着生于花被裂片下部，花丝长 1 ~ 3mm，花药卵形；子房卵形，花柱长 1.5 ~ 4mm，柱头稍膨大。蒴果球形，长 4 ~ 4.5mm，宽约 4mm，无毛。花果期 7 ~ 8 月。

疏花粉条儿菜

| **生境分布** |

生于海拔 540 ～ 2500m 林下或岩石上。分布于重庆黔江、忠县、长寿、云阳、酉阳、涪陵、丰都、江津、武隆等地。

| **资源情况** |

野生资源稀少。药材主要来源于野生。

| **采收加工** |

夏季采收，洗净，鲜用或晒干。

| **功能主治** |

清热，润肺，止咳。

| **用法用量** |

内服煎汤，适量。

百合科 Liliaceae 粉条儿菜属 Aletris

少花粉条儿菜
Aletris pauciflora (Klotz.) Franch.

| 药 材 名 | 少花粉条儿菜（药用部位：全草。别名：百味参、虎须草）。

| 形态特征 | 多年生草本，较粗壮，具肉质纤维根。叶簇生，披针形或条形，有时下弯，长5～25cm，宽2～8mm，先端渐尖，无毛。花葶高8～20cm，直径1.5～2mm，密生柔毛，中、下部有几枚长1.5～5cm的苞片状叶；总状花序长2.5～8cm，具较稀疏的花；苞片2，条形或条状披针形，位于花梗上端，长8～18mm，其中1枚超过花1～2倍，绿色；花被近钟形，暗红色、浅黄色或白色，长5～7mm，于上端约1/4处分裂；裂片卵形，长约2mm，宽约1.2mm，膜质；雄蕊着生于花被筒上；花丝短，长约0.5mm；花药椭圆形，长约0.5mm；子房卵形，向上逐渐狭窄，无明显的花柱。蒴果圆锥形，长4～5mm，无毛。花果期6～9月。

少花粉条儿菜

| **生境分布** | 生于海拔 2300m 以下的高山草坡。分布于重庆奉节、彭水、南川等地。

| **资源情况** | 野生资源稀少。药材主要来源于野生。

| **采收加工** | 全年均可采收，洗净，晒干或鲜用。

| **功能主治** | 辛、微苦，温。补气，止血。用于体虚多汗，吐血，下血等。

| **用法用量** | 内服煎汤，15 ～ 30g；或炒炭存性，研末。

粉条儿菜

百合科 Liliaceae 粉条儿菜属 Aletris

粉条儿菜 *Aletris spicata* (Thunb.) Franch.

| 药 材 名 |

肺筋草（药用部位：全草。别名：小肺筋草、蛆儿草、一窝蛆）。

| 形态特征 |

多年生草本，高 35 ～ 60cm。具多数须根，根毛局部膨大；膨大部分长 3 ～ 6mm，宽 0.5 ～ 0.7mm，白色。叶簇生，纸质，条形，有时下弯，长 10 ～ 25cm，宽 3 ～ 4mm，先端渐尖。花葶高 40 ～ 70cm，有棱，密生柔毛，中、下部有几枚长 1.5 ～ 6.5cm 的苞片状叶；总状花序长 6 ～ 30cm，疏生多花；苞片 2，窄条形，位于花梗基部，长 5 ～ 8mm，短于花；花梗极短，被毛；花被黄绿色，上端粉红色，外面被柔毛，长 6 ～ 7mm，分裂部分占 1/3 ～ 1/2；裂片条状披针形，长 3 ～ 3.5mm，宽 0.8 ～ 1.2mm；雄蕊着生于花被裂片基部，花丝短，花药椭圆形；子房卵形，花柱长 1.5mm。蒴果倒卵形或矩圆状倒卵形，有棱角，长 3 ～ 4mm，宽 2.5 ～ 3mm，密生柔毛。花期 4 ～ 5 月，果期 6 ～ 7 月。

| 生境分布 |

生于海拔 350 ～ 2500m 的山坡、路边、灌丛边或草地上。分布于重庆彭水、秀山、巫山、

涪陵、奉节、石柱、万州、丰都、铜梁、酉阳、南川、武隆、江津、忠县、黔江、开州、巫溪、北碚、梁平等地。

| 资源情况 | 野生资源一般。药材主要来源于野生。

| 采收加工 | 夏季采挖，除去杂质，洗净，晒干。

| 药材性状 | 本品长 30 ~ 60cm。根茎短，须根丛生，纤细弯曲，有的着生多数白色小块根，习称"金线吊白米"。叶丛生，完整者展平后呈带状，稍反曲，长 10 ~ 20cm，宽 0.3 ~ 0.4cm，灰绿色，先端尖，全缘。花茎细柱形，稍波状弯曲，直径 0.2 ~ 0.3cm，被毛，总状花序穗状，花几无梗，黄棕色，花被 6 裂，长约 0.5cm，裂片条状披针形。蒴果倒卵状三棱形。气微，味淡。

| 功能主治 | 甘、苦，平。归肺、肝经。清肺止咳，活血调经，杀虫。用于咳嗽，咯血，百日咳，肺痈，乳痈，经闭，缺乳，小儿疳积，蛔虫病等。

| 用法用量 | 内服煎汤，10 ~ 30g。外用适量，捣敷。

百合科 Liliaceae 粉条儿菜属 Aletris

狭瓣粉条儿菜 *Aletris stenoloba* Franch.

| 药 材 名 | 狭瓣粉条儿菜（药用部位：全草。别名：狭瓣蛆儿草）。

| 形态特征 | 多年生草本。具多数须根，少数根毛局部稍膨大。叶簇生，条形，长 8 ~ 11cm，宽 3 ~ 4mm，先端渐尖，两面无毛。花葶高30 ~ 80cm，被毛，中、下部有几枚长 1 ~ 4cm、宽 1 ~ 1.5mm 的苞片状叶；总状花序长 7 ~ 35cm，疏生多花；苞片 2，披针形，位于花梗上端，长 5 ~ 7mm，短于花；花梗极短；花被白色，被毛，分裂到中部或中部以下；裂片条状披针形，开展，膜质；雄蕊着生于花被裂片基部，花丝下部贴生于花被裂片上，上部分离，长约1mm，花药球形，短于花丝；子房卵形，长 2.5 ~ 3mm。蒴果卵形，无棱角，被毛，长 3 ~ 5mm，宽 3 ~ 3.5mm。花果期 5 ~ 7 月。

狭瓣粉条儿菜

| 生境分布 | 生于海拔 300 ～ 2500m 的林边草坡上、山坡林下或路边。分布于荣昌、城口、奉节、忠县、垫江、丰都、石柱、黔江、彭水、酉阳、南川等地。 |

| 资源情况 | 野生资源稀少。药材主要来源于野生。 |

| 采收加工 | 秋、冬季采收，洗净，蒸后，晒干。 |

| 功能主治 | 甘、苦、平。清热止痛，润肺止咳，活血调经，消积驱虫。用于咳嗽咯血，风火牙痛，百日咳，肺痈，乳痈，经闭，缺乳，小儿疳积，蛔虫、蛲虫病。 |

| 用法用量 | 内服煎汤，适量。 |

百合科 Liliaceae 葱属 Allium

火葱
Allium ascalonicum L.

| **药 材 名** | 细香葱（药用部位：新鲜鳞茎。别名：四季葱、冻葱、冬葱）、鲜葱（药用部位：全草）。 |

| **形态特征** | 多年生草本，高 30 ~ 44cm。鳞茎聚生，矩圆状卵形、狭卵形或卵状圆柱形；鳞茎外皮红褐色、紫红色、黄红色至黄白色，膜质或薄革质，不破裂。叶呈中空圆筒状，向先端渐尖，深绿色，常略带白粉。 |

| **生境分布** | 生于河边等地，或栽培于菜地。重庆各地均有分布。 |

| **资源情况** | 野生资源稀少，栽培资源丰富。药材主要来源于栽培。 |

| **采收加工** | 细香葱：全年均可采收，洗净，鲜用。
鲜葱：全年均可采收，洗净，鲜用。 |

火葱

| 功能主治 | 细香葱：辛，温。归肺、胃经。解表，通阳，解毒。用于风寒感冒，阴寒腹痛，小便不通，痈疽肿毒，跌打肿痛。

鲜葱：辛，温。归肺、胃经。发表，通阳，解毒，杀虫。用于风寒感冒，阴寒腹痛，虫积内阻，小便不通，痢疾，肌肤肿痛。

| 用法用量 | 细香葱：内服煎汤，5 ~ 10g。外用适量，捣敷；或炒熨。

鲜葱：内服煎汤，5 ~ 10g。外用适量。

| 附　注 | （1）在 FOC 中，本种的拉丁学名被修订为 *Allium cepa* L. var. *aggregatum* G. Don。

（2）本种生产中常采用鳞茎分株繁殖方式。

百合科 Liliaceae 葱属 Allium

薤头
Allium chinense G. Don

| 药 材 名 | 薤白（药用部位：鳞茎。别名：野薤、薤白头、薤头）。

| 形态特征 | 多年生草本。鳞茎数枚聚生，狭卵状，直径（0.5～）1～1.5（～2）cm；鳞茎外皮白色或带红色，膜质，不破裂。叶2～5，具3～5棱，圆柱状，中空，近与花葶等长，直径1～3mm。花葶侧生，圆柱状，下部被叶鞘；总苞2裂，较伞形花序短；伞形花序近半球形，较松散；小花梗近等长，比花被片长1～4倍，基部具小苞片；花淡紫色至暗紫色；花被片宽椭圆形至近圆形，先端钝圆，长4～6mm，宽3～4mm，内轮稍长；花丝等长，约为花被片长的1.5倍，仅基部合生并与花被片贴生，内轮基部扩大，扩大部分每侧各具1齿，外轮无齿，锥形；子房倒卵球形，腹缝线基部具有帘的凹陷蜜穴；花柱伸出花被外。花果期10～11月。

薤头

| 生境分布 | 生于耕地杂草中或山地较干燥处，或栽培于菜地。重庆各地均有分布。

| 资源情况 | 野生资源稀少。药材主要来源于栽培。

| 采收加工 | 夏、秋季采挖，洗净，除去须根，蒸透或置沸水中烫透，晒干。

| 药材性状 | 本品呈略扁的长卵形，长 1 ~ 3cm，直径 0.3 ~ 1.2cm。表面淡黄棕色或棕褐色，具浅纵皱纹。质较软，断面可见鳞叶 2 ~ 3 层。嚼之黏牙。

| 功能主治 | 辛、苦，温。归心、肺、胃、大肠经。通阳散结，行气导滞。用于胸痹疼痛，痰饮咳喘，泻痢后重。

| 用法用量 | 内服煎汤，5 ~ 9g。

| 附　　注 | 本种喜较温暖湿润气候，以疏松、肥沃、富含腐殖质、排水良好的壤土或砂壤土栽培为宜。本种在生产中采用鳞茎繁殖方式，春季或秋末挖取鳞茎，大的供药用，小的留作繁殖材料。8 ~ 9 月在整好的畦上按行距 20 ~ 25cm、穴距 8 ~ 10cm 开穴，每穴栽鳞茎 3 ~ 5 个，芽嘴向上，施人畜粪水，盖草木灰，覆土厚 3cm。栽后中耕除草 3 次，第 1 次在苗出齐后，第 2 次、第 3 次在 2 月、4 月进行，并稍加培土。在第 1 次、第 2 次中耕除草后，施人畜粪水。

百合科 Liliaceae 葱属 Allium

野葱

Allium chrysanthum Regel

| 药 材 名 | 野葱（药用部位：全草）。

| 形态特征 | 草本。鳞茎圆柱形至狭卵状圆柱形，直径 0.5 ~ 1（~ 1.5）cm；鳞茎外皮红褐色至褐色，薄革质，常条裂。叶圆柱形，中空，比花葶短，直径 1.5 ~ 4mm。花葶圆柱形，中空，高 20 ~ 50cm，中部直径 1.5 ~ 3.5mm，下部被叶鞘；总苞 2 裂，近与伞形花序等长；伞形花序球形，具多而密集的花；小花梗近等长，略短于花被片至为其长的 1.5 倍，基部无小苞片；花黄色至淡黄色；花被片卵状矩圆形，钝头，长 5 ~ 6.5mm，宽 2 ~ 3mm，外轮稍短；花丝比花被片长 0.25 ~ 1 倍，锥形，无齿，等长，在基部合生并与花被片贴生；子房倒卵球形，腹缝线基部无凹陷的蜜穴；花柱伸出花被外。花果期 7 ~ 9 月。

野葱

| **生境分布** | 生于海拔 800m 以上的山坡或草地上。分布于重庆南岸、奉节、巫溪、巫山、梁平、开州等地。

| **资源情况** | 野生资源稀少。药材主要来源于野生。

| **采收加工** | 夏季花将开时采收，抖净泥土，晾干。

| **功能主治** | 散风寒，通阳气。用于风寒感冒，阴寒腹痛，四肢逆冷，小便不通。

| **用法用量** | 内服煎汤，适量。

百合科 Liliaceae 葱属 Allium

葱
Allium fistulosum L.

| 药 材 名 | 鲜葱（药用部位：全草）、葱叶（药用部位：叶）、葱白（药用部位：鳞茎。别名：葱茎白、葱白头）、葱汁（药材来源：汁液。别名：葱苒、葱涕、葱油）、葱花（药用部位：花）、葱子（药用部位：种子。别名：葱实）、葱须（药用部位：须根。别名：葱根）。

| 形态特征 | 多年生草本，高可达 50cm。鳞茎单生，圆柱形，稀为基部膨大的卵状圆柱形，直径 1 ～ 2cm，有时可达 4.5cm；鳞茎外皮白色，稀淡红褐色，膜质至薄革质，不破裂。叶圆筒状，中空，向先端渐狭，约与花葶等长，直径 0.5cm 以上。花葶圆柱状，中空，高 30 ～ 50（～ 100）cm，中部以下膨大，向先端渐狭，约 1/3 以下被叶鞘；总苞膜质，2 裂；伞形花序球形，多花，较疏散；小花梗纤细，与花被片等长或为其 2 ～ 3 倍，基部无小苞片；花白

葱

色；花被片长 6 ~ 8.5mm，近卵形，先端渐尖，具反折的尖头，外轮稍短；花丝长为花被片的 1.5 ~ 2 倍，锥形，在基部合生并与花被片贴生；子房倒卵状，腹缝线基部具不明显的蜜穴；花柱细长，伸出花被外。花果期 4 ~ 7 月。

| **生境分布** | 多栽培于菜园。重庆各地均有分布。

| **资源情况** | 野生资源稀少。药材主要来源于栽培。

| **采收加工** | 鲜葱：全年均可采收，洗净，鲜用。

葱叶：全年均可采收，鲜用或烘干。

葱白：全年均可采收，除去须根及叶，剥除外膜，洗净，鲜用。

葱汁：全年均可采茎或全株，捣汁，鲜用。

葱花：花开时采收，阴干。

葱子：夏、秋季种子成熟时采收果序，晒干，搓取种子，除去杂质。

葱须：全年均可采收，鲜用或晒干。

| **药材性状** | 葱白：本品呈圆柱形，常多数簇生成束，先端稍大，长短不一，直径 3 ~ 10mm，白色。表面光滑，具白色纵纹，上端为数层膜质叶鞘，基部有黄白色鳞茎盘。质嫩，不易折断，断面白色，不平坦，可见数层同心性环纹，并有白色黏液渗出。气清香、特异，味辛、辣。

葱子：本品呈三角状卵形，长 3 ~ 4mm，宽 2 ~ 3mm。表面黑色，一面微凹，一面隆起，隆起面有棱线 1 ~ 2，光滑或有疏皱缩纹，基部有 2 小突起，较短的突起为种脐，先端灰棕色或白色；较长的突起先端为珠孔。质坚硬，种皮较薄，破开后可见灰白色胚乳，富油性。气特异，味如葱。

| 功能主治 | 鲜葱：辛，温。归肺、胃经。发表，通阳，解毒，杀虫。用于风寒感冒，阴寒腹痛，虫积内阻，小便不通，痢疾，肌肤肿痛。

葱叶：温，辛。祛风发汗，解毒消肿。用于风寒感冒，头痛鼻塞，身热无汗，中风，面目浮肿，疮痈肿痛，跌仆创伤。

葱白：辛，温。归肺、大肠经。发表，通阳，解毒。用于伤寒头痛，阴寒腹痛，虫积内阻，二便不通，痢疾，痈肿。

葱汁：辛，温。散瘀止血，通窍，驱虫，解毒。用于衄血，尿血，头痛，耳聋，虫积，外伤出血，跌打损伤，疮痈肿痛。

葱花：辛，温。散寒通阳。用于脘腹冷痛，胀痛。

葱子：辛，温。归肺、肝、胃经。补中益精，明目散风。用于肾虚，目眩，风寒感冒。

葱须：辛，平。祛风散寒，解毒，散瘀。用于风寒头痛，喉疮，痔疮，冻伤。

| **用法用量** | 鲜葱：内服煎汤，10 ~ 15g。外用适量。 表虚多汗者慎服。

葱叶：内服煎汤，15 ~ 25g。外用适量，捣敷；或煎汤洗。

葱白：内服煎汤，10 ~ 15g。外用适量，捣敷；或炒熨；或煎汤洗；或塞耳、鼻窍中。

葱汁：内服单饮，5 ~ 10ml；或和酒服；或泛丸。外用适量，涂搽；或滴鼻、耳。

葱花：内服煎汤，6 ~ 12g。

葱子：内服煎汤，3 ~ 9g。

葱须：内服煎汤，6 ~ 9g；或研末。外用适量，研末吹；或煎汤熏洗。

百合科 Liliaceae 葱属 *Allium*

宽叶韭
Allium hookeri Thwaites

| 药 材 名 | 宽叶韭（药用部位：全草）。

| 形态特征 | 多年生草本，高20～60cm。鳞茎圆柱形，具粗壮的根；鳞茎外皮白色，膜质，不破裂。叶条形至宽条形，稀倒披针状条形，比花葶短或近等长，宽5～28mm，具明显的中脉。花葶侧生，圆柱形，或略呈三棱柱状，高10～60cm，下部被叶鞘；总苞2裂，常早落；伞形花序近球形，多花，花较密集；小花梗纤细，近等长，长为花被片的2～4倍，基部无小苞片；花白色，星芒状开展；花被片等长，披针形至条形，长4～7.5mm，宽1～1.2mm；先端渐尖或不等的2裂；花丝等长，比花被片短或近等长，在最基部合生并与花被片贴生；子房倒卵形，基部收狭成短柄，外壁平滑，每室1胚珠；花柱比子房长；柱头点状。花果期8～9月。

宽叶韭

| 生境分布 | 生于海拔 1500 ～ 2600m 的湿润山坡或林下。分布于重庆武隆、黔江、彭水、酉阳、南川、江津、丰都、涪陵等地。 |

| 资源情况 | 野生资源一般。药材主要来源于野生，亦有零星栽培。 |

| 采收加工 | 全年均可采收，洗净，鲜用或晒干。 |

| 功能主治 | 理气宽中，通阳散结，消肿止痛。用于胸痹，食积腹胀，跌打损伤。 |

| 用法用量 | 内服煎汤，适量。 |

| 附　　注 | 本种喜阳、喜湿，忌高温，怕霜冻，具有较强的耐瘠、抗旱、抗涝和抗虫害能力。栽培宜选择微酸性或中性砂壤土。 |

百合科 Liliaceae 葱属 Allium

卵叶韭

Allium ovalifolium Hand.-Mzt.

卵叶韭

| 药 材 名 |

卵叶韭（药用部位：鳞茎。别名：天蒜）。

| 形态特征 |

多年生草本。鳞茎单一或 2 ~ 3 聚生，近圆柱形；鳞茎外皮灰褐色至黑褐色，破裂成纤维状，呈明显网状。叶 2，靠近或近对生，极少 3，披针状矩圆形至卵状矩圆形，长（6 ~ ）8 ~ 15cm，宽（2 ~ ）3 ~ 7cm，先端渐尖或近短尾状，基部圆形至浅心形，很少为深心形；叶柄明显，长 1cm 以上（可与叶片等长），叶片两面和叶缘常具乳头状突起，较少光滑。花葶圆柱形，高 30 ~ 60cm，下部被叶鞘；总苞 2 裂，宿存，稀早落；伞形花序球形，具多而密集的花；小花梗近等长，长为花被片的 1.5 ~ 4 倍，果期伸长，基部无小苞片；花白色，稀淡红色；花被片长 3.5 ~ 6mm，内轮披针状矩圆形至狭矩圆形，长（3.5 ~ ）4 ~ 6mm，宽 1 ~ 1.6mm，先端钝或凹陷，或具不规则小齿，外轮较宽而短，狭卵形、卵形或卵状矩圆形，长 3.5 ~ 5mm，宽 1.4 ~ 2mm，先端钝或凹陷，或具不规则小齿；花丝等长，比花被片长 1/4 ~ 1/2，基部合生并与花被片贴生，内轮狭长三角形，基部宽 0.8 ~ 1.1mm，外轮锥形；子房具 3 圆棱，基部收狭成长约 0.5mm 的短柄，每室 1 胚珠。花果期 7 ~ 9 月。

| **生境分布** | 生于海拔 1500 ~ 2500m 的林下、阴湿山坡、湿地、沟边或林缘。分布于重庆万州、南川、巫山、武隆等地。

| **资源情况** | 野生资源较少。药材来源于野生，自采自用。

| **采收加工** | 夏、秋季采挖，洗净，鲜用或晒干。

| **功能主治** | 活血散瘀，止血止痛。用于跌打损伤，瘀血肿痛，衄血。

| **用法用量** | 内服煎汤，适量。外用适量，鲜品捣敷。

百合科 Liliaceae 葱属 Allium

天蒜
Allium paepalanthoides Airy-Shaw

| 药 材 名 | 天蒜（药用部位：全草）。

| 形态特征 | 多年生草本。鳞茎单生，狭卵状圆柱形，直径 0.5 ～ 1.5cm；鳞茎外皮黄褐色或黑褐色，有时带红色，纸质，条裂，有时近纤维状，在标本上常因外皮脱落而仅余灰白色膜质内皮。叶宽条形至条状披针形，比花葶短或近等长，宽 0.5 ～ 1.5（ ～ 2.3）cm，先端渐尖，具钝头。花葶圆柱形，高（15 ～ ）30 ～ 50cm，中部以下被叶鞘，稀仅下部被叶鞘；总苞单侧开裂，具长喙，有时喙长可达 7cm，宿存或早落；伞形花序多花，松散；小花梗近等长，比花被片长 2 ～ 4 倍，果期更长，基部无小苞片；花白色；花被片常具绿色中脉，长 3 ～ 5mm，宽 1.5 ～ 2.5mm，内轮卵状矩圆形，先端平截或钝圆，外轮卵形、舟状，稍短；花丝等长，长为花被片的 1.5 ～ 2 倍，仅基部合生并

天蒜

与花被片贴生，内轮基部扩大，扩大部分每侧各具 1 齿片，齿片高 1.5 ～ 2.5mm，先端具 2 至数枚不规则小齿，外轮锥形；子房倒卵形，腹缝线基部具有帘的凹陷蜜穴；花柱伸出花被外。花果期 8 ～ 9 月。

| 生境分布 | 生于海拔 1400 ～ 2000m 的阴湿山坡、沟边或林下。分布于重庆城口等地。

| 资源情况 | 野生资源稀少。药材主要来源于野生。

| 采收加工 | 夏、秋季采收，洗净，鲜用或晒干。

| 功能主治 | 发表，散寒，通阳。

| 用法用量 | 内服煎汤，适量。

太白韭

百合科 Liliaceae 葱属 Allium

太白韭 *Allium prattii* C. H. Wright apud Forb. et Hemsl.

药材名

太白韭（药用部位：全草。别名：野葱、野蒜、太白山葱）。

形态特征

多年生草本。鳞茎单生或 2 ～ 3 聚生，近圆柱形；鳞茎外皮灰褐色至黑褐色，破裂成纤维状，呈明显网状。叶 2，紧靠或近对生，很少 3，常呈条形、条状披针形、椭圆状披针形或椭圆状倒披针形，稀呈狭椭圆形，短于或近等于花葶，宽 0.5 ～ 4（ ～ 7）cm，先端渐尖，基部逐渐收狭成不明显的叶柄。花葶圆柱状，高 10 ～ 60cm，下部被叶鞘；总苞 1 ～ 2 裂，宿存；伞形花序半球状，具多而密集的花；小花梗近等长，比花被片长 2 ～ 4 倍，果期更长，基部无小苞片；花紫红色至淡红色，稀白色；内轮花被片披针状矩圆形至狭矩圆形，长 4 ～ 7mm，宽 1 ～ 1.5（ ～ 2.5）mm，先端钝或凹缺，或具不规则小齿，外轮宽而短，狭卵形、矩圆状卵形或矩圆形，长 3.2 ～ 5.5mm，宽 1.4 ～ 2（ ～ 2.9）mm，先端钝或凹缺，或具不规则小齿；花丝比花被片略长或长得多，基部合生并与花被片贴生，内轮狭卵状长三角形，基部宽 0.8 ～ 1.5mm，外轮锥形；子房具 3

圆棱，基部收狭成长约 0.5mm 的短柄，每室 1 胚珠。花果期 6 月底至 9 月。

| 生境分布 |

生于海拔 1800 ～ 2500m 的山坡、沟边草地上、灌丛中、林下或林缘。分布于重庆巫山、南川、武隆等地。

| 资源情况 |

野生资源较少。药材来源于野生，自采自用。

| 采收加工 |

夏、秋季采收，洗净，鲜用。

| 功能主治 |

辛，温。发汗，散寒，健胃，接骨。用于伤风感冒，头痛鼻塞，脘腹冷痛，消化不良，跌打骨折。

| 用法用量 |

内服煎汤，9 ～ 15g。外用适量，加蜂蜜捣敷。

百合科 Liliaceae 葱属 Allium

蒜
Allium sativum L.

| 药 材 名 | 大蒜（药用部位：鳞茎。别名：蒜、蒜头、独头蒜）。

| 形态特征 | 越年生草本，具强烈蒜臭气。鳞茎球形至扁球形，通常由多数肉质、瓣状的小鳞茎紧密地排列而成，外面被数层白色至带紫色的膜质鳞茎外皮。叶宽条形至条状披针形，扁平，先端长渐尖，比花葶短，宽可达 2.5cm。花葶实心，圆柱形，中部以下被叶鞘；伞形花序密具珠芽，间有数花；小花梗纤细；小苞片大，卵形，膜质，具短尖；花常为淡红色；花被片披针形至卵状披针形，长 3 ~ 4mm，内轮较短；花丝比花被片短，基部合生并与花被片贴生，内轮基部扩大，扩大部分每侧各具 1 齿，齿端呈长丝状，长超过花被片，外轮锥形；花柱不伸出花被外。花期 7 月。

蒜

| 生境分布 | 多栽培于菜园。重庆各地均有分布。

| 资源情况 | 野生资源稀少，栽培资源丰富。药材主要来源于栽培。

| 采收加工 | 夏季叶枯时采挖，除去须根和泥沙，通风晾晒至外皮干燥。

| 药材性状 | 本品呈类球形，直径 3 ~ 6cm，表面被白色、淡紫色或紫红色膜质鳞皮，先端略尖，中间有残留花葶，基部有多数须根痕。剥去外皮，可见独头或 6 ~ 16 瓣状小鳞茎，着生于残留花茎基周围。鳞茎瓣略呈卵圆形，外皮膜质，先端略尖，一面弓状隆起，剥去皮膜，白色，肉质。气特异，味辛、辣、具刺激性。

| 功能主治 | 辛，温。归脾、胃、肺经。解毒消肿，杀虫，止痢。用于痈肿疮疡，疥癣，肺痨，顿咳，泄泻，痢疾。

| 用法用量 | 内服煎汤，9 ~ 15g。

| 附 注 | 本种适应性强，耐寒，喜光。宜选择背风、向阳、土层肥沃深厚、排水良好的砂壤土栽培。

百合科 Liliaceae 葱属 Allium

韭

Allium tuberosum Rottl. ex Spreng.

| 药 材 名 | 韭菜子（药用部位：种子。别名：韭子、韭菜仁）、韭菜（药用部位：全草。别名：丰本、草钟乳、起阳草）、韭根（药用部位：根、根茎。别名：韭黄）。

| 形态特征 | 多年生草本，高 20 ～ 45cm，具特殊强烈气味。具倾斜横生根茎。鳞茎簇生，近圆柱形；鳞茎外皮暗黄色至黄褐色，破裂成纤维状，呈网状或近网状。叶条形，扁平，实心，比花葶短，宽 1.5 ～ 8mm，边缘平滑。花葶圆柱状，常具 2 纵棱，高 25 ～ 60cm，下部被叶鞘；总苞单侧开裂或 2 ～ 3 裂，宿存；伞形花序半球形或近球形，具多但较稀疏的花；小花梗近等长，比花被片长 2 ～ 4 倍，基部具小苞片，且数枚小花梗的基部又为 1 共同的苞片所包围；花白色；花被片常具绿色或黄绿色中脉，内轮矩圆状倒卵形，稀矩圆状卵形，先

韭

端具短尖头或钝圆，长 4 ~ 7（~ 8）mm，宽 2.1 ~ 3.5mm，外轮常较窄，矩圆状卵形至矩圆状披针形，先端具短尖头，长 4 ~ 7（~ 8）mm，宽 1.8 ~ 3mm；花丝等长，长为花被片的 2/3 ~ 4/5，基部合生并与花被片贴生，合生部分高 0.5 ~ 1mm，分离部分狭三角形，内轮稍宽；子房倒圆锥状球形，具 3 圆棱，外壁具细疣状突起。花果期 7 ~ 9 月。

| **生境分布** | 多栽培于菜园。重庆各地均有分布。

| **资源情况** | 野生资源稀少，栽培资源较丰富。药材来源于栽培。

| **采收加工** | 韭菜子：秋季果实成熟时采收果实，晒干，搓出种子，簸去果皮及杂质。
韭菜：全年均可采收，除去杂质，晒干或鲜用。
韭根：全年均可采收，洗净，鲜用或晒干。

| **药材性状** | 韭菜子：本品呈半圆形或半卵圆形，略扁，长 2 ~ 4mm，宽 1.5 ~ 3mm。表面黑色，一面凸起，粗糙，有细密网状皱纹，另一面微凹，皱纹不甚明显。先端钝，基部稍尖，有点状凸起的种脐。质硬。气特异，味微辛。
韭菜：本品鲜者鳞茎簇生，近圆柱状；叶基生，狭长而尖，呈条形，扁平，实心，长 20 ~ 45cm，宽 1.8 ~ 8mm，上、下表面及边缘平滑；花葶圆柱状，常具 2 纵棱，高 25 ~ 50cm，下部被叶鞘，伞形花序半球形或近球形，花白色；花被片常具绿色或黄绿色中脉；具特殊香气。干者长 20 ~ 40cm，全体暗黄色或黄褐色；

根茎短小，倾斜横生；鳞茎簇生，近圆柱状，破裂后呈纤维状；叶皱缩卷曲，展平后呈扁平条形，宽 1.5 ~ 8mm，先端渐尖，上、下表面灰黄色至黄褐色；花葶圆柱状，略比叶片长，常具 2 纵棱；气浓香，味辛、淡。

韭根：本品根茎呈圆柱形；表面棕褐色，具多数须根，上有 1 ~ 3 丛生的鳞茎，呈卵状圆柱形。须根棕黄色，细圆柱形，表面皱缩不平。质脆，易折断。气强烈、特异，味淡。

| 功能主治 | 韭菜子：辛、甘，温。归肝、肾经。温补肝肾，壮阳固精。用于阳痿遗精，腰膝酸痛，遗尿尿频，白浊带下。

韭菜：辛、甘，温。归肾、胃、肺、肝经。补肾，温中行气，散瘀，解毒。用于肾虚阳痿，里寒腹痛，噎膈反胃，胸痹疼痛，衄血，吐血，尿血，痢疾，痔疮，痈疮肿毒，漆疮，跌打损伤。

韭根：辛，温。温中，行气，散瘀。用于胸痹，食积腹胀，赤白带下，吐血，衄血，癣疮，跌打损伤。

| 用法用量 | 韭菜子：内服煎汤，6 ~ 12g；或入丸、散。

韭菜：内服捣汁饮，60 ~ 120g；或煮粥、炒熟、做羹。外用适量，捣敷；煎汤熏洗；热熨。

韭根：内服煎汤，10 ~ 20g，鲜品 40 ~ 80g；或捣汁服。外用适量，捣烂敷；

或研末调敷。

| **附　注** | 本种抗寒，耐热，适应性强，对土壤要求不严，但以耕作层深厚、富含有机质、保水力强、透气性好的壤土栽培为最适宜。土壤过分黏重、排水不良，遇到雨季容易死苗；砂土容易脱肥，生长一般较瘦弱。生产中采用种子繁殖方式。北方适合春播，南方适合秋播。

百合科 Liliaceae 芦荟属 Aloe

芦荟

Aloe vera L. var. *chinensis* (Haw.) Berg.

| 药 材 名 | 芦荟（药材来源：叶汁经浓缩的干燥品。别名：油葱）、芦荟叶（药用部位：叶）、芦荟花（药用部位：花）、芦荟根（药用部位：根）。

| 形态特征 | 多年生草本。茎较短。叶近簇生或稍 2 列，肥厚多汁，条状披针形，粉绿色，长 15 ～ 35cm，基部宽 4 ～ 5cm，先端有几个小齿，边缘疏生刺状小齿。花葶高 60 ～ 90cm，不分枝或有时稍分枝；总状花序具几十朵花；苞片近披针形，先端锐尖；花点垂，稀疏排列，淡黄色而有红色斑；花被长约 2.5cm，裂片先端稍外弯；雄蕊与花被近等长或略长，花柱明显伸出花被外。

| 生境分布 | 多栽培于庭园或阳台。重庆各地均有分布。

| 资源情况 | 野生资源稀少，栽培资源较丰富。药材主要来源于栽培。

芦荟

| 采收加工 |

芦荟：种植 2 ~ 3 年后即可收获，将中、下部生长良好的叶片分批采收，鲜叶片切口向下直放于盛器中，取其流出的液汁干燥即成。

芦荟叶：全年均可采收，鲜用或晒干。

芦荟花：7 ~ 8 月采收，鲜用或阴干。

芦荟根：全年均可采收，切段，晒干。

| 功能主治 |

芦荟：苦，寒。归肝、胃、大肠经。泻下通便，清肝，杀虫疗疳。用于热结便秘，小儿疳积。外用于湿癣。

芦荟叶：苦、涩，寒。归肝、胃、大肠经。清肝热，通便。用于便秘，小儿疳积，惊风。外用于湿癣。

芦荟花：甘、淡，凉。止咳，凉血化瘀。用于咳嗽，咯血，吐血，白浊。

芦荟根：甘、淡，凉。清热利湿，化瘀。用于小儿疳积，尿路感染。

| 用法用量 |

芦荟：内服入丸、散，2 ~ 5g。外用适量，研末敷患处。

芦荟叶：内服煎汤，2 ~ 5g。外用适量，榨汁涂搽。

芦荟花：内服煎汤，3 ~ 6g。外用适量，煎汤洗。

芦荟根：内服煎汤，15 ~ 30g。

| 附　　注 |

本种喜阴湿环境，耐寒。宜选择疏松、肥沃、排水良好的砂壤土栽培。

百合科 Liliaceae 天门冬属 Asparagus

天门冬

Asparagus cochinchinensis (Lour.) Merr.

| 药 材 名 | 天冬（药用部位：块根。别名：天门冬、明天冬、天冬草）。

| 形态特征 | 攀缘植物。根在中部或近末端呈纺锤状膨大，膨大部分长 3 ~ 5cm，直径 1 ~ 2cm。茎平滑，常弯曲或扭曲，长可达 1 ~ 2m，分枝具棱或狭翅。叶状枝通常每 3 枚成簇，扁平或由于中脉龙骨状而略呈锐三棱形，稍镰状，长 0.5 ~ 8cm，宽 1 ~ 2mm；茎上鳞片状叶基部延伸为长 2.5 ~ 3.5mm 的硬刺，在分枝上的刺较短或不明显。花通常每 2 朵腋生，淡绿色；花梗长 2 ~ 6mm，关节一般位于中部，有时位置有变化；雄花花被长 2.5 ~ 3mm；花丝不贴生于花被片上；雌花大小和雄花相似。浆果直径 6 ~ 7mm，成熟时红色，有 1 种子。花期 5 ~ 6 月，果期 8 ~ 10 月。

天门冬

| 生境分布 | 生于海拔 1750m 以下的山坡、路旁、疏林下、山谷或荒地上。分布于重庆长寿、丰都、巫山、彭水、石柱、秀山、酉阳、涪陵、忠县、云阳、武隆、綦江、黔江、奉节、开州、垫江、巫溪、梁平、巴南、合川、沙坪坝等地。

| 资源情况 | 野生资源丰富，亦有零星栽培。药材来源于野生和栽培。

| 采收加工 | 秋、冬季采挖，洗净，除去茎基和须根，置沸水中煮或蒸至透心，趁热除去外皮，洗净，干燥。

| 药材性状 | 本品呈长纺锤形，略弯曲，长 5 ~ 18cm，直径 0.5 ~ 2cm。表面黄白色至淡黄棕色，半透明，光滑或具深浅不等的纵皱纹，偶有残存的灰棕色外皮。质硬或柔润，有黏性，断面角质样，中柱黄白色。气微，味甘、微苦。

| 功能主治 | 甘、苦，寒。归肺、肾经。养阴润燥，清肺生津。用于肺燥干咳，顿咳痰黏，咽干口渴，肠燥便秘。

| 用法用量 | 内服煎汤，6 ~ 12g。

| 附　　注 | 本种喜温暖湿润气候，不耐严寒，忌干旱、积水。宜选择土层深厚、肥沃、富含腐殖质、排水良好的壤土或砂壤土栽培，不宜在黏土或瘠薄土及排水不良处种植。

百合科 Liliaceae 天门冬属 Asparagus

羊齿天门冬

Asparagus filicinus Ham. ex D. Don

| **药 材 名** | 羊齿天冬（药用部位：块根。别名：峡州百部、月牙一支蒿、千锤打）。

| **形态特征** | 直立草本，通常高 50 ～ 70cm。根成簇，从基部开始或在距基部几厘米处呈纺锤状膨大，膨大部分长短不一。茎近平滑，分枝通常有棱，有时稍具软骨质齿。叶状枝每 5 ～ 8 成簇，扁平，镰状，长 3 ～ 15mm，宽 0.8 ～ 2mm，有中脉；鳞片状叶基部无刺。花每 1 ～ 2 腋生，淡绿色，有时稍带紫色；花梗纤细，长 12 ～ 20mm，关节位于近中部；雄花花被长约 2.5mm，花丝不贴生于花被片上；花药卵形，长约 0.8mm；雌花和雄花近等大或略小。浆果直径 5 ～ 6mm，有 2 ～ 3 种子。花期 5 ～ 7 月，果期 8 ～ 9 月。

| **生境分布** | 生于海拔 1200 ～ 2500m 的丛林下或山谷阴湿处。分布于重庆綦江、

羊齿天门冬

奉节、城口、涪陵、江津、忠县、石柱、巫溪、开州、南岸、沙坪坝等地。

| **资源情况** | 野生资源一般，亦有零星栽培。药材主要来源于栽培。

| **采收加工** | 春、秋季采挖，除去茎，洗净，煮沸约 30 分钟，捞出，剥除外皮，晒干。

| **药材性状** | 本品呈长纺锤形，长 2.5～5cm，直径 5～10mm，有时成簇。表面棕黑色，有细密根毛，纵皱纹深浅不等。质坚韧，有黏性，断面角质样，中心中柱细，黄白色。有豆腥气，味淡。

| **功能主治** | 甘、苦，平。归肺经。润肺止咳，杀虫止痒。用于阴虚肺燥，肺痨久咳，咳痰不爽，痰中带血，疥癣瘙痒。

| **用法用量** | 内服煎汤，6～15g。外用适量，煎汤洗；或研末调敷。

百合科 Liliaceae 天门冬属 *Asparagus*

短梗天门冬

Asparagus lycopodineus Wall. ex Baker

| 药 材 名 | 一窝鸡（药用部位：块根。别名：土百部、乌小天冬、乌麦冬）。

| 形态特征 | 直立草本，高 45 ~ 100cm。根通常在距基部 1 ~ 4cm 处呈纺锤状膨大，膨大部分一般长 1.5 ~ 3.5cm，直径 5 ~ 8mm，较少近不膨大。茎平滑或略有条纹，上部有时具翅，分枝全部有翅。叶状枝通常每 3 枚成簇，扁平，镰状，长（2 ~ ）5 ~ 12mm，宽 1 ~ 3mm，有中脉；鳞片状叶基部近无距。花每 1 ~ 4 腋生，白色；花梗很短，长 1 ~ 1.5mm；雄花花被长 3 ~ 4mm；雄蕊不等长，花丝下部贴生于花被片上；雌花较小，花被长约 2mm。浆果直径 5 ~ 6mm，通常有 2 种子。花期 5 ~ 6 月，果期 8 ~ 9 月。

| 生境分布 | 生于海拔 450 ~ 2600m 的灌丛或林下。分布于重庆城口、石柱、彭水、

短梗天门冬

酉阳、秀山、南川、大足、江津、永川、黔江、丰都、石柱等地。

| **资源情况** | 野生资源一般。药材主要来源于野生。

| **采收加工** | 秋、冬季采挖，洗净泥土，除去须根，置沸水中煮或蒸至外皮易剥落时为度，捞出浸入清水中，趁热除去外皮，洗净，微火烘干。

| **功能主治** | 甘，平。化痰，平喘，止咳。用于咳嗽气喘，咳痰不爽。

| **用法用量** | 内服煎汤，3 ~ 9g。

百合科 Liliaceae 蜘蛛抱蛋属 Aspidistra

丛生蜘蛛抱蛋 *Aspidistra caespitosa* C. Pei

丛生蜘蛛抱蛋

药材名

丛生蜘蛛抱蛋（药用部位：根茎。别名：狭叶蜘蛛抱蛋）。

形态特征

多年生草本。根茎较粗，直径约 6mm，具节和鳞片。叶常 3 枚簇生，带形，最长可达 80cm，宽 0.9 ~ 2.5cm，先端渐尖，叶柄长 10 ~ 18cm 或很短。总花梗长 2 ~ 11cm，平卧或膝曲状弯曲；苞片 4 ~ 5，其中 2 位于花基部，卵形，长 5 ~ 7mm，有紫色细点；花被坛状，长 20 ~ 22mm，直径 16 ~ 20mm，外面具紫色细点，内面暗紫色，上部 6 裂；花被筒长 10 ~ 12mm；裂片卵状披针形，长约 10mm；雄蕊 6，生于花被筒近基部，低于柱头；花丝很短；花柱无关节；子房短，3 室，每室有胚珠 3；柱头盾状膨大，直径 10 ~ 12mm，边缘波状 3 浅裂。浆果卵形，直径约 6mm，外面紫色，粗糙，每室有 2 形状不规则的种子。花果期 3 ~ 4 月。

生境分布

生于海拔 500 ~ 1100m 的林下或竹林下。分布于重庆云阳、涪陵、武隆、南川、巴南、江北、北碚、江津等地。

| **资源情况** | 野生资源一般。药材主要来源于野生。

| **采收加工** | 全年均可采挖，除去须根及叶，鲜用或晒干。

| **功能主治** | 辛、温。祛风除湿，止咳化痰，活血镇痛。用于风湿疼痛，湿热咳嗽，跌打肿痛。

| **用法用量** | 内服煎汤，9 ～ 15g，鲜品 30 ～ 60g。外用适量，捣敷。

百合科 Liliaceae 蜘蛛抱蛋属 Aspidistra

蜘蛛抱蛋

Aspidistra elatior Bl.

| 药材名 | 蜘蛛抱蛋（药用部位：根茎。别名：一帆青、飞天蜈蚣、九龙盘）。

| 形态特征 | 多年生常绿草本，高达 90cm。根茎近圆柱形，具节和鳞片。叶单生，矩圆状披针形、披针形至近椭圆形，长 22 ~ 46cm，宽 8 ~ 11cm，先端渐尖，基部楔形，边缘多少皱波状，两面绿色，常具黄白色斑点或条纹。总花梗长 0.5 ~ 2cm；苞片 3 ~ 4，宽卵形，淡绿色，有时有紫色细点；花被钟状，外面带紫色或暗紫色，内面下部淡紫色或深紫色，上部 8 裂；裂片近三角形，向外扩展或外弯，先端钝，边缘和内侧上部淡绿色，内面具 4 特别肥厚的肉质脊状隆起，中间 2 细而长，两侧 2 粗而短，紫红色；雄蕊 8，生于花被筒近基部；花丝短，花药椭圆形；雌蕊高约 8mm，子房几不膨大；柱头盾状膨大，圆形，紫红色，上面具 4 深裂，裂缝两边多少向上凸出，中心部分微凸，

蜘蛛抱蛋

裂片边缘常向上反卷。

| 生境分布 |

多栽培于庭园。重庆各地均有分布。

| 资源情况 |

野生资源稀少。药材主要来源于栽培。

| 采收加工 |

全年均可采收，除去须根及叶，洗净，鲜用或切片晒干。

| 药材性状 |

本品粗壮，稍肉质，直径 5 ~ 10mm。外表面棕色，有明显节和鳞片。

| 功能主治 |

辛、甘，微寒。活血止痛，清肺止咳，利尿通淋。用于跌打损伤，风湿痹痛，腰痛，经闭腹痛，肺热咳嗽，石淋，小便不利等。

| 用法用量 |

内服煎汤，9 ~ 15g，鲜品 30 ~ 60g；或作酒剂。外用适量，捣敷。忌生冷食物。孕妇忌服。

| 附　　注 |

本种喜温暖湿润的半阴环境，耐阴性强，比较耐寒，不耐盐碱、瘠薄、干旱，怕烈日暴晒。宜选择疏松、肥沃、排水良好的砂壤土栽培。

百合科 Liliaceae 蜘蛛抱蛋属 Aspidistra

九龙盘
Aspidistra lurida Ker-Gawl.

| 药 材 名 | 九龙盘（药用部位：根茎。别名：青蛇莲、花色莲、盘龙七）。

| 形态特征 | 多年生草本。根茎圆柱形，直径 4 ~ 10mm，具节和鳞片。叶单生，矩圆状披针形、近椭圆形、披针形、矩圆状倒披针形或带形，长 13 ~ 46cm，宽 2.5 ~ 11cm，先端渐尖，两面绿色，有时多少具黄白色斑点；叶柄明显。总花梗长 2.5 ~ 5cm；苞片 3 ~ 6；花被近钟状；花被筒长 5 ~ 8mm，内面褐紫色，上部 6 ~ 8（~ 9）裂，裂片矩圆状三角形，长 5 ~ 7mm，基部宽 2 ~ 4mm，先端钝，向外扩展，内面淡橙绿色或带紫色；雄蕊 6 ~ 8（~ 9），生于花被筒基部，花丝不明显；花药卵形；雌蕊长 9mm，高于雄蕊；子房基部膨大；花柱无关节；柱头盾状膨大，圆形，直径 4 ~ 9mm，中部微凸，上面通常有 3 ~ 4 微凸的棱，边缘波状浅裂，裂片边缘不向上反卷。

九龙盘

| **生境分布** | 生于海拔 600 ～ 1700m 的山坡林下或沟边，或栽培于庭园。重庆各地均有分布。 |

| **资源情况** | 野生资源较少。药材主要来源于野生。 |

| **采收加工** | 全年均可采收，洗净，鲜用或切片晒干。 |

| **药材性状** | 本品呈圆柱形，直径 4 ～ 10cm，有明显的节和节间，节部稍显膨大，密被灰褐色鳞片。质较硬。 |

| **功能主治** | 祛风，活血，止痛。用于腰痛，风湿疼痛，跌打损伤。 |

| **用法用量** | 内服煎汤，6 ～ 15g；或浸酒。外用适量，捣敷；或研末调敷。 |

百合科 Liliaceae 大百合属 *Cardiocrinum*

大百合 *Cardiocrinum giganteum* (Wall.) Makino

| 药 材 名 | 水百合（药用部位：鳞茎。别名：八仙贺寿草、山丹草、山丹）。

| 形态特征 | 多年生草本。小鳞茎卵形，高 3.5 ~ 4cm，直径 1.2 ~ 2cm，干时淡褐色。茎直立，中空，高 1 ~ 2m，无毛。叶纸质，网状脉；基生叶卵状心形或近宽矩圆状心形；茎生叶卵状心形，叶柄长 15 ~ 20cm，向上渐小，靠近花序的几枚为船形。总状花序有花 10 ~ 16，无苞片；花狭喇叭形，白色，内面具淡紫红色条纹；花被片条状倒披针形；雄蕊长 6.5 ~ 7.5cm，约为花被片的 1/2；花丝向下渐扩大，扁平；花药长椭圆形；子房圆柱形；花柱长 5 ~ 6cm，柱头膨大，微 3 裂。蒴果近球形，先端有 1 小尖凸，基部有粗短果柄，红褐色，具 6 钝棱和多数细横纹，3 瓣裂；种子呈扁钝三角形，红棕色，周围具淡红棕色半透明的膜质翅。花期 6 ~ 7 月，果期 9 ~ 10 月。

大百合

生境分布	生于海拔 1450 ～ 2300m 的林下草丛中。分布于重庆彭水、城口、石柱、南川、武隆、开州、巫溪、巫山等地。

资源情况	野生资源一般。药材主要来源于野生。

采收加工	春、夏季采挖，洗净，鲜用或晒干。

药材性状	本品由数片基生叶膨大的叶柄基部组成。尚有植株四周形成的小鳞茎。小鳞茎高约 3cm，直径约 2cm，外具纤维质鳞茎皮。

功能主治	甘、淡，凉。清肺止咳，解毒消肿。用于感冒，肺热咳嗽，咯血，鼻渊，聤耳，乳痈，无名肿毒。

用法用量	内服煎汤，6 ～ 15g。外用适量，捣烂绞汁，滴鼻、耳；或捣敷。

百合科 Liliaceae 吊兰属 *Chlorophytum*

吊兰 *Chlorophytum comosum* (Thunb.) Baker

药 材 名	吊兰（药用部位：全草或根。别名：挂兰、倒挂兰、折鹤兰）。
形态特征	多年生草本。根茎短；根稍肥厚。叶剑形，绿色或有黄色条纹，长10～30cm，宽1～2cm，向两端稍变狭。花葶比叶长，有时长可达50cm，常变为匍枝而在近顶部具叶簇或幼小植株；花白色，常2～4簇生，排成疏散的总状花序或圆锥花序；花梗长7～12mm，关节位于中部至上部；花被片长7～10mm，3脉；雄蕊稍短于花被片；花药矩圆形，长1～1.5mm，明显短于花丝，开裂后常卷曲。蒴果三棱状扁球形，长约5mm，宽约8mm，每室具种子3～5。花期5月，果期8月。
生境分布	多栽培于庭园或阳台。重庆各地均有分布。

吊兰

| **资源情况** | 野生资源稀少。药材主要来源于栽培。 |

| **采收加工** | 全年均可采收，洗净，鲜用。 |

| **药材性状** | 本品须根呈圆柱状纺锤形，上有短根茎。完整叶片条形至条状披针形，长20～30cm，直径1～2cm，先端渐尖，基部抱茎；表面深绿色，有的具黄色纵条纹或边缘为黄色；质较坚硬。有的尚具花葶及花序。气微，味淡。 |

| **功能主治** | 甘、微苦，凉。化痰止咳，散瘀消肿，清热解毒。用于痰热咳嗽，跌打损伤，骨折，痈肿，痔疮，烧伤。 |

| **用法用量** | 内服煎汤，6～15g，鲜品15～30g。外用适量，捣敷；或煎汤洗。 |

| **附　注** | 本种喜温暖湿润环境，对光照、温度变化适应性强，最佳生长温度为13℃。生产中采用分株繁殖方式。幼株种植后，在其发根完整、有新的生长点以前，不要急于将母株切断。此外，用肉质根繁殖也可。冬季温度低时，务必使植株保持干燥。在春、夏季生长期，应保持土壤湿润。秋、冬季减少浇水量，但冬季也不能使土壤全干。生长期每旬施用腐熟稀薄的肥水1次，冬季每月施1次。 |

百合科 Liliaceae 山菅属 Dianella

山菅

Dianella ensifolia (L.) DC.

山菅

| **药 材 名** |

山猫儿（药用部位：全草或根茎。别名：碟碟草、桔梗兰、老鼠砒）。

| **形态特征** |

草本，高1~2m。根茎圆柱形，横走，直径5~8mm。叶狭条状披针形，长30~80cm，宽1~2.5cm，基部稍收狭成鞘状，套迭或抱茎，边缘和背面中脉具锯齿。先端圆锥花序长10~40cm，分枝疏散；花常多朵生于侧枝上端；花梗长7~20mm，常稍弯曲，苞片小；花被片条状披针形，长6~7mm，绿白色、淡黄色至青紫色，5脉；花药条形，比花丝略长或近等长，花丝上部膨大。浆果近球形，深蓝色，直径约6mm，具5~6种子。花果期3~8月。

| **生境分布** |

生于海拔1700m以下的林下、山坡或草丛中。分布于重庆永川、江津、璧山、铜梁、九龙坡、南岸、沙坪坝、荣昌等地。

| **资源情况** |

野生资源一般。药材主要来源于野生。

| **采收加工** | 全年均可采收，洗净，鲜用。

| **功能主治** | 辛，温；有毒。拔毒消肿，散瘀止痛。用于瘰疬，痈疽疮癣，跌打损伤。

| **用法用量** | 外用适量，捣敷；或研末醋调敷。禁内服。

百合科 Liliaceae 竹根七属 Disporopsis

散斑竹根七

Disporopsis aspera (Hua) Engl. ex Krause

| 药 材 名 | 散斑竹根七（药用部位：根茎）。

| 形态特征 | 多年生草本。根茎圆柱形，直径 3 ~ 10mm。茎高 10 ~ 40cm。叶厚纸质，卵形、卵状披针形或卵状椭圆形，长 3 ~ 8cm，宽 1 ~ 4cm，先端渐尖或稍尾状，基部通常近截形或略带心形，具叶柄，两面无毛。花 1 ~ 2 生于叶腋，黄绿色，多少具黑色斑点，俯垂；花被钟形，长 10 ~ 14mm；花被筒长约为花被全长的 1/3，口部不缢缩；裂片近矩圆形，副花冠裂片膜质，与花被裂片互生，披针形，长 3 ~ 4mm，先端 2 深裂或 2 浅裂；花药长约 1mm，背部以极短花丝着生于副花冠 2 裂片之间的凹缺处；雌蕊长约 5mm，花柱与子房近等长。浆果近球形，直径约 8mm，成熟时蓝紫色，具 2 ~ 4 种子。花期 5 ~ 6 月，果期 9 ~ 10 月。

散斑竹根七

| 生境分布 |

生于海拔 700 ~ 1920m 的林下、荫蔽山谷或溪边。分布于重庆城口、奉节、涪陵、石柱、武隆、黔江、彭水、酉阳、南川、江津等地。

| 资源情况 |

野生资源稀少。药材主要来源于野生。

| 采收加工 |

夏、秋季采收，除去茎叶，洗净，鲜用或晒干。

| 功能主治 |

养阴润燥，生津止渴，止血散瘀。用于阴虚咳嗽，痰中带血。

| 用法用量 |

内服煎汤，适量。

| 附　注 |

在 FOC 中，本种的拉丁学名被修订为 *Disporopsis aspersa* (Hua) Engler。

■百合科■ Liliaceae ■竹根七属■ Disporopsis

竹根七

Disporopsis fuscopicta Hance

| 药 材 名 | 竹根七（药用部位：根茎。别名：玉竹、阿青果）。

| 形态特征 | 多年生草本。根茎连珠状，直径 1 ~ 1.5cm。茎高 25 ~ 50cm。叶纸质，卵形、椭圆形或矩圆状披针形，长 4 ~ 9（~ 15）cm，宽 2.3 ~ 4.5cm，先端渐尖，基部钝、宽楔形或稍心形，具叶柄，两面无毛。花 1 ~ 2 生于叶腋，白色，内带紫色，稍俯垂；花梗长 7 ~ 14mm；花被钟形，长 15 ~ 22mm；花被筒长约为花被的 2/5，口部不缢缩，裂片近矩圆形；副花冠裂片膜质，与花被裂片互生，卵状披针形，长约 5mm，先端通常 2 ~ 3 齿裂或 2 浅裂；花药长约 2mm，背部以极短花丝着生于副花冠 2 裂片之间的凹缺处；雌蕊长 8 ~ 9mm；花柱与子房近等长。浆果近球形，直径 7 ~ 14mm，具 2 ~ 8 种子。花期 4 ~ 5 月，果期 11 月。

竹根七

| 生境分布 | 生于海拔 300 ~ 2400m 的林下或山谷中。分布于重庆开州、武隆、黔江、酉阳、南川、长寿、渝北、彭水、巴南等地。 |

| 资源情况 | 野生资源稀少。药材主要来源于野生。 |

| 采收加工 | 秋季采挖，除去须根，洗净，晒至柔软后，反复揉搓，晾晒至无硬心，晒干；或蒸透后揉至半透明，晒干。 |

| 药材性状 | 本品呈圆柱形，弯曲，长 5 ~ 20cm，直径 0.2 ~ 0.7cm。表面黄棕色至棕褐色，每隔 2 ~ 4cm 有 1 圆盘状茎痕，黄棕色，直径 0.2 ~ 0.6cm，在 2 茎痕之间有隆起的浅棕色环节，节间疏密不等，并有小圆点状细根痕散在。质较坚硬，易折断，断面角质状，有明显的内皮层环。气微，味微甘、稍苦，具黏性。 |

| 功能主治 | 甘、微辛，平。归肺、胃经。养阴清燥，生津止渴。用于热病口燥咽干，干咳少痰，心烦心悸，消渴。 |

| 用法用量 | 内服煎汤，9 ~ 15g。外用适量，捣敷。 |

百合科 Liliaceae 竹根七属 Disporopsis

深裂竹根七 *Disporopsis pernyi* (Hua) Diels

| 药 材 名 | 竹根七（药用部位：根茎。别名：玉竹、深裂肖万寿竹、十样错）。

| 形态特征 | 多年生草本，高 20 ～ 30cm。根茎圆柱形，直径 5 ～ 10mm。茎具紫色斑点。叶纸质，披针形、矩圆状披针形、椭圆形或近卵形，长 5 ～ 13cm，宽 1.2 ～ 6cm，先端渐尖或近尾状，基部圆形或钝，具叶柄，两面无毛。花 1 ～ 2（～ 3）生于叶腋，白色；花被钟形；花被筒长约为花被的 1/3 或略长，口部不缢缩，裂片近矩圆形；副花冠裂片膜质，披针形或条状披针形，长 3 ～ 4（～ 5）mm，先端为程度不同的 2 深裂；花药近矩圆状披针形，长 1.5 ～ 2mm，背部以极短花丝着生于副花冠裂片先端凹缺处；雌蕊长 6 ～ 8mm；花柱稍短于子房，长 2 ～ 3.5mm；子房近球形。浆果近球形或稍扁，直径 7 ～ 10mm，成熟时暗紫色，具 1 ～ 3 种子。花期 4 ～ 5 月，果期 11 ～ 12 月。

深裂竹根七

| **生境分布** | 生于海拔 350 ～ 2500m 的林下石山或荫蔽山谷水旁。分布于重庆巫溪、石柱、彭水、酉阳、秀山、南川、綦江、璧山、江津、铜梁、武隆、黔江等地。 |

| **资源情况** | 野生资源较少。药材主要来源于野生。 |

| **采收加工** | 秋季采挖，除去须根，洗净，晒至柔软后，反复揉搓，晾晒至无硬心，晒干；或蒸透后揉至半透明，晒干。 |

| **药材性状** | 本品呈圆柱形，弯曲，长 5 ～ 20cm，直径 0.2 ～ 0.7cm。表面黄棕色至棕褐色，每隔 2 ～ 4cm 有 1 圆盘状茎痕，黄棕色，直径 0.2 ～ 0.6cm，在 2 茎痕之间，有隆起的浅棕色环节，节间疏密不等，并有小圆点状细根痕散在。质较坚硬，易折断，断面角质状，有明显的内皮层环。气微，味微甘、稍苦，具黏性。 |

| **功能主治** | 甘、微辛，平。归肺、胃经。养阴清燥，生津止渴。用于热病口燥咽干，干咳少痰，心烦心悸，消渴。 |

| **用法用量** | 内服煎汤，15 ～ 30g；或浸酒。外用适量，鲜品捣敷；或浸酒搽。 |

百合科 Liliaceae 万寿竹属 Disporum

长蕊万寿竹

Disporum bodinieri (Lévl. et Vnt.) Wang et Tang

| 药 材 名 | 竹林霄（药用部位：根、根茎。别名：石竹根、摇竹霄）。

| 形态特征 | 多年生草本。根茎横出，呈结节状，有残留的茎基和圆盘状疤痕；根肉质，长可达 30cm，灰黄色。茎高 30 ~ 70（~ 100）cm，上部有分枝。叶厚纸质，椭圆形、卵形至卵状披针形，长 5 ~ 15cm，宽 2 ~ 6cm，先端渐尖至尾状渐尖，基部近圆形。伞形花序有花 2 ~ 6，生于茎及分枝先端；花梗长 1.5 ~ 2.5cm，有乳头状突起；花被片白色或黄绿色，倒卵状披针形，先端尖，基部有长 1（~ 2）mm 的短距；花丝等长或稍长于花被片，花药长 3mm，露出于花被外；花柱连同 3 裂的柱头明显高出花药。浆果直径 5 ~ 10mm，有 3 ~ 6 种子；种子珠形或三角状卵形，直径 3 ~ 4mm，棕色，有细皱纹。花期 3 ~ 5 月，果期 6 ~ 11 月。

长蕊万寿竹

生境分布

生于海拔 400 ~ 2200m 的灌丛、竹林中或林下岩石上。分布于重庆黔江、垫江、南岸、綦江、忠县、彭水、酉阳、长寿、合川、石柱、涪陵、奉节、城口、铜梁、云阳、南川、璧山、永川、丰都、江津、武隆、开州、巫溪、巫山、巴南、荣昌等地。

资源情况

野生资源较丰富。药材主要来源于野生。

采收加工

夏、秋季采挖，洗净，鲜用或晒干。

药材性状

本品根茎有分枝，环节明显，上有残茎痕，下侧有多数须状痕。根表面黄白色或棕黄色，具细纵纹，常弯曲，长 6 ~ 10cm，直径约1mm。质硬脆，易折断，断面中间有 1 黄色木心，皮部色淡。气微，味淡、微甘，嚼之有黏性。

功能主治

甘、淡，平。清肺化痰，润肺止咳，健脾消食，舒筋活络，清热解毒。用于肺热咳嗽，肺痨咯血，食积胀满，风湿痹痛，腰腿痛，骨折，烫火伤。

用法用量

内服煎汤，9 ~ 15g。外用适量，鲜品捣敷；熬膏涂擦；或研末调敷。

附　　注

在 FOC 中，本种的中文学名被修订为短蕊万寿竹。

百合科 Liliaceae 万寿竹属 Disporum

短蕊万寿竹

Disporum brachystemon Wang et Tang

| **药 材 名** | 短蕊万寿竹（药用部位：根、根茎。别名：百味参、百尾笋）。

| **形态特征** | 多年生草本。根茎短；根较细而质硬。茎高 25 ~ 60cm，不分枝或
上部分枝。叶纸质或厚纸质，椭圆形至卵形，长 2 ~ 5cm，宽 1 ~ 3cm，
先端急尖或有小尖头，基部圆形，下面脉上和边缘稍粗糙。伞形花
序有花 2 ~ 6，常生于茎和分枝先端；花梗长 1 ~ 2cm，下弯，有
棱和乳头状突起；花被片绿黄色，倒卵形或矩圆形，长 7 ~ 13mm，
宽 3 ~ 4mm，有棕色腺点和微毛，先端尖或微凹，边缘有乳头状突
起，基部具长 0.5 ~ 1mm 的短距；雄蕊内藏，花药长 3 ~ 4mm，花
丝短于或等长于花药；子房倒卵形，长约 2.5mm；花柱长 3 ~ 5mm，
柱头 3 裂，扁平，有乳头状突起。浆果直径 6 ~ 9mm；种子褐色，
直径 2 ~ 3mm。花期 5 ~ 7 月，果期 8 ~ 10 月。

短蕊万寿竹

| 生境分布 |

生于海拔 900 ~ 2100m 的林下或灌丛中。分布于重庆城口、奉节、石柱、南川、合川、开州等地。

| 资源情况 |

野生资源较少。药材主要来源于野生。

| 采收加工 |

夏、秋季采收，除去茎叶，洗净，鲜用或晒干。

| 药材性状 |

本品根茎约呈结节状，稍扁。表面棕色至棕褐色，具皱纹，先端有 1 或数个茎基或芽基，周围密生多数须根。质较硬，断面白色。

| 功能主治 |

甘、微苦，凉。养阴润肺，止咳，止血。用于阴虚咳嗽，痰中带血。

| 用法用量 |

内服煎汤，6 ~ 12g。

| 附　注 |

在 FOC 中，本 种 的 拉 丁 学 名 被 修 订 为 *Disporum bodinieri* (Lévl. et Vant.) Wang et Tang。

百合科 Liliaceae 万寿竹属 Disporum

万寿竹 *Disporum cantoniense* (Lour.) Merr.

| 药 材 名 | 百尾笋（药用部位：根、根茎。别名：竹叶参、石竹根、摇竹霄）。

| 形态特征 | 多年生草本，高可达 1m。根茎横出，质地硬，呈结节状；根粗长，肉质。茎直径约 1cm，上部有较多的叉状分枝。叶纸质，披针形至狭椭圆状披针形，长 5 ~ 12cm，宽 1 ~ 5cm，先端渐尖至长渐尖，基部近圆形，下面脉上和边缘有乳头状突起，叶柄短。伞形花序有花 3 ~ 10，着生于与上部叶对生的短枝先端；花被片斜出，倒披针形，长 1.5 ~ 2.8cm，宽 4 ~ 5mm，先端尖，边缘有乳头状突起，基部有长 2 ~ 3mm 的距；雄蕊内藏，花药长 3 ~ 4mm，花丝长 8 ~ 11mm；子房长约 3mm，花柱连同柱头长为子房的 3 ~ 4 倍。浆果直径 8 ~ 10mm，具 2 ~ 3（~ 5）种子；种子暗棕色，直径约 5mm。花期 5 ~ 7 月，果期 8 ~ 10 月。

万寿竹

| 生境分布 | 生于海拔 500 ~ 2500m 的林下、林缘或灌丛中。分布于重庆黔江、万州、彭水、江津、酉阳、奉节、巫山、石柱、南川、巫溪、城口、武隆、丰都、忠县、开州、璧山、北碚、大足、梁平等地。

| 资源情况 | 野生资源丰富。药材主要来源于野生。

| 采收加工 | 夏、秋季采挖，洗净，干燥。

| 药材性状 | 本品根茎曲折横走，呈结节状；表面红棕色至红褐色，有的残存棕褐色鳞片及纤维状叶鞘。根圆柱形，稍弯曲，长 6 ~ 20cm，直径 1 ~ 3.5mm；表面灰黄色；断面皮部黄白色至淡棕色，中间有细小木心。气微，味淡，嚼之发黏。

| 功能主治 | 甘，凉。归肺、脾、肝经。益气养阴，润肺止咳，养血活络。用于肺燥咳嗽，阴虚潮热，盗汗，痛经，产后体虚，风湿疼痛。

| 用法用量 | 内服煎汤，9 ~ 30g。

| 附　注 | 索贝贝等人对适合本种丛生芽诱导的培养基进行了筛选，认为本种组织培养以具 1 个节的茎段进行诱导丛生芽时，选择培养基配方为 MS 培养基 +6- 苄氨基腺嘌呤 1.2mg/L+ 激动素 0.45mg/L+ 蔗糖 20g/L，可明显提高本种丛生芽的增殖能力，为本种繁殖提供基础。

百合科 Liliaceae 万寿竹属 Disporum

大花万寿竹 *Disporum megalanthum* Wang et Tang

大花万寿竹

药材名

大花万寿竹（药用部位：根、根茎。别名：大花石竹根、山竹花、白龙须）。

形态特征

多年生草本。根茎短；根肉质，直径 2 ～ 3mm。茎直立，高 30 ～ 60cm，直径 5 ～ 6mm，中部以上生叶，有少数分枝。叶纸质，卵形、椭圆形或宽披针形，长 6 ～ 12cm，宽 2 ～ 5（～ 8）cm，先端渐尖，基部近圆形，常稍对折抱茎，有短柄，下面平滑，边缘有乳头状突起。伞形花序有花（2 ～）4 ～ 8，着生于茎和分枝先端及与上部叶对生的短枝先端；花梗长 1 ～ 2cm，有棱；花大，白色；花被片斜出，狭倒卵状披针形，长 25 ～ 38mm，宽 5 ～ 8mm，先端稍钝，基部有长约 1mm 的短距；雄蕊内藏，花丝长 12 ～ 20mm，花药长 4 ～ 6mm；花柱长 10 ～ 15mm；柱头 3 裂，长 6 ～ 10mm，向外弯卷，连花柱长约为子房的 6 倍。浆果直径 6 ～ 15mm，具 4 ～ 6 种子。

生境分布

生于海拔 1600 ～ 2500m 的林下、林缘或草坡上。分布于重庆云阳、巫山、丰都、彭水、南川等地。

| **资源情况** | 野生资源稀少。药材主要来源于野生。

| **采收加工** | 夏、秋季采挖，洗净，晒干。

| **功能主治** | 甘，平。润肺止咳，健脾消积。用于肺热咳喘，痰中带血，肠风下血，食积胀满等。

| **用法用量** | 内服煎汤，适量。

百合科 Liliaceae 万寿竹属 *Disporum*

宝铎草

Disporum sessile D. Don

| 药 材 名 | 竹林霄（药用部位：根茎、根。别名：万寿竹、白龙须、百尾笋）。

| 形态特征 | 多年生草本。根茎肉质，横出；根簇生。茎直立，高 30 ~ 80cm，上部具叉状分枝。叶薄纸质至纸质，矩圆形、卵形、椭圆形至披针形，长 4 ~ 15cm，宽 1.5 ~ 5（~ 9）cm，下面色浅，脉上和边缘有乳头状突起，具横脉，先端骤尖或渐尖，基部圆形或宽楔形，有短柄或近无柄。花黄色、绿黄色或白色，1 ~ 3（~ 5）着生于分枝先端；花梗长 1 ~ 2cm，较平滑；花被片近直出，倒卵状披针形，长 2 ~ 3cm，上部宽 4 ~ 7mm，下部渐窄，内面被细毛，边缘有乳头状突起，基部具长 1 ~ 2mm 的短距；雄蕊内藏，花丝长约 15mm，花药长 4 ~ 6mm；花柱长约 15mm，具 3 裂而外弯的柱头。浆果椭圆形或球形，直径约 1cm，具 3 种子；种子直径约 5mm，深棕色。

宝铎草

花期 3 ～ 6 月，果期 6 ～ 11 月。

| 生境分布 | 生于海拔 600 ～ 2500m 的林下或灌丛中。分布于重庆彭水、綦江、南川、涪陵、酉阳、武隆、巫山等地。

| 资源情况 | 野生资源一般。药材主要来源于野生。

| 采收加工 | 夏、秋季采挖，洗净，鲜用或晒干。

| 药材性状 | 本品根茎有分枝，环节明显，上有残茎痕，下侧有多数须状痕。根表面黄白色或棕黄色，具细纵纹，常弯曲，长 6 ～ 10cm，直径约 1mm。质硬脆，易折断，断面中间有 1 黄色木心，皮部色淡。气微，味淡、微甘，嚼之有黏性。

| 功能主治 | 甘、淡，平。润肺止咳，健脾消食，舒筋活络，清热解毒。用于肺热咳嗽，肺痨咯血，食积胀满，风湿痹痛，腰腿痛，骨折，烫火伤等。

| 用法用量 | 内服煎汤，9 ～ 15g。外用适量，鲜品捣敷；或熬膏涂擦；或研粉调敷。

| 附　注 | 在 FOC 中，本种被修订为少花万寿竹 *Disporum uniflorum* Baker ex S. Moore。

百合科 Liliaceae 鹭鸶草属 Diuranthera

鹭鸶草
Diuranthera major Hemsl.

鹭鸶草

药材名

鹭鸶兰（药用部位：根。别名：土洋参、山韭菜）。

形态特征

多年生草本，高 30 ~ 80cm。根稍粗厚，多少肉质。叶条形或舌状，长 17 ~ 67cm，宽 1.3 ~ 3.2cm，先端长渐尖，基部明显变窄，边缘有极细的锯齿，质软。花葶直立；总状花序或圆锥花序疏生多数花；花白色，常双生，逐一开放；花梗长 6 ~ 12mm，上具 1 明显关节；花被片条形，均具 3 脉，长 20 ~ 23mm，宽 2 ~ 3mm，外轮 3 稍窄于内轮 3；雄蕊叉开，花丝长 8.5 ~ 12mm；花药长 13mm，多少呈"丁"字状，基部尾状附属物长 2.5 ~ 3mm，先端极锐尖；子房每室具 4 ~ 11 胚珠（通常为 7 ~ 8）。花果期 7 ~ 10 月。

生境分布

生于海拔 1000 ~ 1900m 的山坡上或林下草地。分布于重庆南川、酉阳、合川、铜梁、黔江等地。

| **资源情况** | 野生资源较少。药材来源于野生，自采自用。

| **采收加工** | 秋季采挖，洗净，鲜用或晒干。

| **功能主治** | 甘，平。散瘀止痛，止血生肌。用于跌打损伤，外伤出血。

| **用法用量** | 外用适量，研末撒；或鲜品捣敷。

| **附　　注** | 本种喜温暖湿润气候，对土壤要求不严，宜选择疏松、肥沃、排水良好的夹砂土栽培。

百合科 Liliaceae 贝母属 Fritillaria

湖北贝母

Fritillaria hupehensis Hsiao et K. C. Hsia

| 药 材 名 | 湖北贝母（药用部位：鳞茎。别名：板贝、窑贝、奉节贝母）。

| 形态特征 | 多年生草本，高 26 ~ 50cm。鳞茎由 2 鳞片组成，直径 1.5 ~ 3cm。叶 3 ~ 7 轮生，中间常兼有对生或散生，矩圆状披针形，长 7 ~ 13cm，宽 1 ~ 3cm，先端不卷曲或多少弯曲。花 1 ~ 4，紫色，有黄色小方格；叶状苞片通常 3，极少为 4，多花时先端花具 3 苞片，下面具 1 ~ 2 苞片，先端卷曲；花梗长 1 ~ 2cm；花被片长 4.2 ~ 4.5cm，宽 1.5 ~ 1.8cm，外花被片稍狭些；蜜腺窝在背面稍凸出；雄蕊长约为花被片的 1/2，花药近基着生，花丝常稍具小乳凸；柱头裂片长 2 ~ 3mm。蒴果长 2 ~ 2.5cm，宽 2.5 ~ 3cm，棱上翅宽 4 ~ 7mm。花期 4 月，果期 5 ~ 6 月。

湖北贝母

| 生境分布 | 生于海拔 1600m 以上的竹类灌丛或灌木林下。分布于重庆巫溪、奉节、云阳、南川等地。

| 资源情况 | 野生资源稀少。药材主要来源于栽培。

| 采收加工 | 夏初植株枯萎后采挖，用石灰水或清水浸泡，干燥。

| 药材性状 | 本品呈扁圆球形，高 0.8 ~ 2.2cm，直径 0.8 ~ 3cm。表面类白色至淡棕色，外层鳞叶 2，肥厚，略呈肾形，或大小悬殊，大瓣紧抱小瓣，先端闭合或开裂，内有鳞叶 2 ~ 6 及干缩的残茎；内表面淡黄色至类白色，基部凹陷成窝状，残留淡棕色表皮及少数须根；单瓣鳞叶呈元宝状，长 2.5 ~ 3.2cm，直径 1.8 ~ 2cm。质脆，断面类白色，富粉性。气微，味苦。

| 功能主治 | 微苦，凉。归肺、心经。清热化痰，止咳，散结。用于热痰咳嗽，痰核瘰疬，痈肿疮毒。

| 用法用量 | 3 ~ 9g，研粉冲服。不宜与川乌、制川乌、草乌、制草乌、附子同用。

| 附　　注 | （1）在 FOC 中，本种被修订为天目贝母 *Fritillaria monantha* Migo。
（2）本种生产中多采用鳞茎繁殖方式。

百合科 Liliaceae 贝母属 Fritillaria

浙贝母 *Fritillaria thunbergii* Miq.

浙贝母

| 药 材 名 |

浙贝母（药用部位：鳞茎。别名：浙贝、大贝、象贝）。

| 形态特征 |

多年生草本，高 50 ~ 80cm。鳞茎由 2（~ 3）鳞片组成，直径 1.5 ~ 3cm。叶在最下面对生或散生，向上常兼有散生、对生和轮生，近条形至披针形，长 7 ~ 11cm，宽 1 ~ 2.5cm，先端不卷曲或稍弯曲。花 1 ~ 6，淡黄色，有时稍带淡紫色，先端花具 3 ~ 4 叶状苞片，其余的具 2 苞片；苞片先端卷曲；花被片长 2.5 ~ 3.5cm，宽约 1cm，内、外轮相似；雄蕊长约为花被片的 2/5；花药近基着生，花丝无小乳凸；柱头裂片长 1.5 ~ 2mm。蒴果长 2 ~ 2.2cm，宽约 2.5cm，棱上有宽 6 ~ 8mm 的翅。花期 3 ~ 4 月，果期 5 月。

| 生境分布 |

生于海拔较低的山丘荫蔽处或竹林下。分布于重庆南川等地。

| 资源情况 |

野生资源稀少。药材主要来源于栽培。

| **采收加工** | 初夏植株枯萎时采挖，洗净，大小分开；大者除去芯芽，习称"大贝"，小者不去芯芽，习称"珠贝"，分别撞擦，除去外皮，拌以煅过的贝壳粉，吸去擦出的浆汁，干燥；或取鳞茎，大小分开，洗净，除去芯芽，趁鲜切厚片，洗净，干燥，习称"浙贝片"。

| **药材性状** | 本品大贝为鳞茎外层的单瓣鳞叶，略呈新月形，长 1 ~ 2cm，直径 2 ~ 3.5cm；外表面类白色至淡黄色，内表面白色或淡棕色，被白色粉末；质硬而脆，易折断，断面白色至黄白色，富粉性；气微，味微苦。珠贝为完整的鳞茎，呈扁圆形，高 1 ~ 1.5cm，直径 1 ~ 2.5cm；表面类白色，外层鳞叶 2，肥厚，略似肾形，互相抱合，内有小鳞叶 2 ~ 3 及干缩的残茎。浙贝片为鳞茎外层单瓣鳞叶切成的片，椭圆形或类圆形，直径 1 ~ 2cm；边缘淡黄色；切面平坦，粉白色；质脆，易折断，断面粉白色，富粉性。

| **功能主治** | 苦，寒。归肺、心经。清热化痰，止咳，解毒，散结消痈。用于风热咳嗽，痰核咳嗽，肺痈，乳痈，瘰疬，疮毒。

| **用法用量** | 内服煎汤，5 ~ 10g。不宜与川乌、制川乌、草乌、制草乌、附子同用。

| **附　　注** | 本种喜温和、湿润、阳光充足的环境。宜选择排水良好、疏松、肥沃的砂壤土栽培。生产中采用鳞茎繁殖方式。

百合科 Liliaceae 萱草属 Hemerocallis

黄花菜
Hemerocallis citrina Baroni

黄花菜

药材名

野金针菜根（药用部位：根、根茎）、金针菜（药用部位：花蕾。别名：萱草花、川草花、宜男花）、萱草嫩苗（药用部位：嫩苗）。

形态特征

多年生草本，植株一般较高大。根近肉质，中下部常有纺锤状膨大。叶7～20，长50～130cm，宽6～25mm。花葶长短不一，一般稍长于叶，基部三棱形，上部多少圆柱形，有分枝；苞片披针形，下面的长3～10cm，自下向上渐短，宽3～6mm；花梗较短，通常长不到1cm；花多朵，最多可超过100；花被淡黄色，有时在花蕾时先端带黑紫色；花被管长3～5cm，花被裂片长（6～）7～12cm，内轮3，宽2～3cm。蒴果钝三棱状椭圆形，长3～5cm；种子约20，黑色，有棱，从开花到种子成熟需40～60天。花果期5～9月。

生境分布

生于海拔2000m以下的山坡、山谷、荒地或林缘。重庆各地均有分布。

| 资源情况 | 野生资源一般。药材主要来源于栽培。

| 采收加工 | 野金针菜根：秋季采挖，除去泥土及地上部分，晒干或置沸水中略烫后晒干。

金针菜：5 ~ 8 月花将开放时采收，蒸后晒干。

萱草嫩苗：春季采收，鲜用。

| 药材性状 | 野金针菜根：本品根茎呈圆柱形，长 1 ~ 2cm，直径约 1cm；外表面灰棕色或棕褐色，先端常具纤维状或片状叶柄残基，四周簇生有数至十数条乃至更多的根。根呈圆柱形，多干瘪皱缩或卷曲，长约 10cm，直径 2 ~ 3mm；外表面灰褐色或棕褐色，具不规则纵皱纹或横向皱襞。体轻，质实，断面棕色，具孔隙。气微，味微苦、涩。

金针菜：本品呈弯曲条状。表面黄棕色或淡棕色，湿润后展开呈喇叭状，花被管较长，先端 5 瓣裂，雄蕊 6，有的花基部具细而硬的花梗。质韧。气微香，味微甘。

| 功能主治 | 野金针菜根：苦、辛，寒；有毒。祛风痰，杀虫。用于风痰壅盛，缠喉风，疥癣。

金针菜：甘，凉。清热利湿，宽胸解郁，凉血解毒。用于小便短赤，黄疸，胸闷心烦，少寐，痔疮便血，疮痈。

萱草嫩苗：甘，凉。清热利湿。用于胸膈烦热，黄疸，小便短赤。

| 用法用量 | 野金针菜根：内服煎汤，1.5 ~ 3g。

金针菜：内服煎汤，15 ~ 30g；或煮汤、炒菜。外用适量，捣敷；或研末，调蜜涂敷。

萱草嫩苗：内服煎汤，鲜品 15 ~ 30g。外用适量，捣敷。

萱草

Hemerocallis fulva (L.) L.

萱草

| 药 材 名 |

萱草根（药用部位：根、根茎）、萱草（药用部位：全草）、萱草嫩苗（药用部位：嫩苗）。

| 形态特征 |

多年生草本。根近肉质，中下部有纺锤状膨大。叶一般较宽。花早上开放晚上凋谢，无香味，橘红色至橘黄色，内花被裂片下部一般有"∧"形彩斑。花果期 5 ~ 7 月。

| 生境分布 |

生于海拔 350 ~ 2300m 的溪边或阴湿林缘。分布于重庆涪陵、南川、巴南、渝北、长寿、合川、铜梁、万州、秀山、江津、巫山等地。

| 资源情况 |

野生资源较少。药材主要来源于栽培。

| 采收加工 |

萱草根：春、秋季采挖，洗净，略烫，晒干。
萱草：全年均可采收，晒干。
萱草嫩苗：春季采收，鲜用。

| 药材性状 |

萱草根：本品根茎圆柱形，先端常残留叶基。根簇生，干瘪皱缩，长 3 ~ 20cm，直径 0.3 ~

1.5cm，末端或中部常肥大成纺锤形；表面灰黄色或淡棕色，有多数横纹及纵皱纹，末端残留细须根。体轻，质松软，不易折断，断面灰黄色或灰棕色，多裂隙。气微香，味淡。

萱草：本品根茎呈短圆柱形，长 1 ~ 1.5cm，先端常残留叶基。根簇生，多数已折断，完整者长 3 ~ 20cm，中、下部膨大成纺锤形块根，直径 0.5 ~ 1cm，多干瘪皱缩，有多数纵皱纹及少数横纹；表面淡黄色至淡灰棕色；体轻，质松软，稍有韧性，不易折断，断面灰棕色或灰黄色，有多数放射状裂隙。完整叶片展平后呈宽线形，长 30 ~ 60cm，宽约 1.5cm，有棱脊，下部重叠，主脉较粗，基部枯烂后常残存灰褐色纤维状维管束。气微香，味稍甘。

| 功能主治 | 萱草根：甘，凉；有小毒。利尿消肿。用于浮肿，小便不利。

萱草：甘，寒；有小毒。归肝、脾、膀胱经。清热利湿，凉血止血，解毒消肿。用于黄疸，水肿，小便不利，带下，便血，乳痈。

萱草嫩苗：甘，凉。清热利湿。用于胸膈烦热，黄疸，小便短赤。

| 用法用量 | 萱草根：内服煎汤，3 ~ 6g。

萱草：内服煎汤，3 ~ 6g。外用适量，捣烂敷。本品有小毒，过量使用可能损害视力。

萱草嫩苗：内服煎汤，鲜品 15 ~ 30g。外用适量，捣敷。

重瓣萱草

Hemerocallis fulva (L.) L. var. *kwanso* Regel

| **药 材 名** | 重瓣萱草（药用部位：根。别名：千叶萱草）。

| **形态特征** | 多年生草本。根近肉质，中下部有纺锤状膨大。叶一般较宽。花早上开放晚上凋谢，无香味，橘黄色，内花被裂片下部一般有"∧"形彩斑；花被裂片多数，雌、雄蕊发育不全。花果期 5 ~ 7 月。

| **生境分布** | 生于花坛、马路隔离带、疏林草坡等处。分布于重庆南川等地。

| **资源情况** | 野生资源稀少。药材主要来源于栽培。

| **采收加工** | 夏、秋季采挖，除去残茎、须根，洗净泥土，晒干。

重瓣萱草

| 功能主治 |

清热解毒，利水，凉血。用于腮腺炎，黄疸，膀胱炎，尿血，小便不利，乳汁缺乏，月经不调，衄血，便血。

| 用法用量 |

内服煎汤，适量。

华肖菝葜 *Heterosmilax chinensis* Wang

| **药 材 名** | 白土茯苓（药用部位：块茎）。

| **形态特征** | 攀缘灌木，有时被长硬毛。小枝有棱。叶纸质，矩圆形至披针形，边缘常微波状，主脉 5，边缘 2 靠近叶缘，但不与叶缘结合，支脉密网状，在两面明显；叶柄长 0.5 ~ 2.5cm，在下部 1/3 处有卷须和狭鞘。伞形花序生于叶腋或褐色苞片腋内；花序托球形；雄花花被筒矩圆形，长 5 ~ 6mm，先端具 3 长而尖的齿；雄蕊 3；雌花花被筒卵形，先端 3 齿明显，内有 3 退化雄蕊。浆果近球形，成熟时深绿色，内含 1 种子；种子卵圆形。花期 5 ~ 6 月，果期 9 ~ 12 月。

| **生境分布** | 生于海拔 300 ~ 2100m 的山谷密林中或灌丛下。分布于重庆丰都、武隆、石柱、南川、北碚、铜梁、合川、大足、永川、綦江等地。

华肖菝葜

| 资源情况 |

野生资源一般。药材主要来源于野生。

| 采收加工 |

秋、冬季采挖，除去须根及泥沙，洗净，趁鲜切薄片，干燥。

| 功能主治 |

清热利湿,解毒消肿。用于小便淋涩,白浊,带下,痈疮肿毒。

| 用法用量 |

内服煎汤，15 ~ 60g，用于钩端螺旋体病可至250g。

百合科 Liliaceae 肖菝葜属 Heterosmilax

肖菝葜 *Heterosmilax japonica* Kunth

肖菝葜

药 材 名

白土茯苓（药用部位：块茎。别名：白萆薢、白土苓、土茯苓）。

形态特征

攀缘灌木。小枝有钝棱。叶纸质，卵形、卵状披针形或近心形，长 6 ～ 20cm，宽 2.5 ～ 12cm，先端渐尖或短渐尖，有短尖头，基部近心形，主脉 5 ～ 7，边缘 2 到先端与叶缘汇合，支脉网状，在两面明显；叶柄长 1 ～ 3cm，在下部 1/4 ～ 1/3 处有卷须和狭鞘。伞形花序有花 20 ～ 50，生于叶腋或褐色苞片内；总花梗扁，长 1 ～ 3cm；花序托球形，直径 2 ～ 4mm；花梗纤细，长 2 ～ 7mm；雄花花被筒矩圆形或狭倒卵形，先端有 3 钝齿；雄蕊 3，长约为花被的 2/3，花丝约一半合生成柱，花药长为花丝的 1/2 以上；雌花花被筒卵形，具 3 退化雄蕊，子房卵形，柱头 3 裂。浆果球形而稍扁，长 5 ～ 10mm，宽 6 ～ 10mm，成熟时黑色。花期 6 ～ 8 月，果期 7 ～ 11 月。

生境分布

生于海拔 500 ～ 1800m 的山坡密林中或路边杂木林下。分布于重庆南川、巫溪、黔江、秀山、巴南等地。

资源情况

野生资源较少。药材主要来源于野生。

采收加工

春、秋季采挖，除去芦茎，洗净，切片，晒干。

药材性状

本品呈不规则块状，长 10 ～ 30cm，直径 5 ～ 8cm。表面黄褐色，粗糙，有坚硬的须根残基。断面周围白色，中心黄色；粉性饮片厚 1 ～ 3cm，切面稍粗糙，亦有小亮点。质软。味淡。

功能主治

甘、淡，平。清热利湿，解毒消肿。用于小便淋涩，白浊，带下，痈疮肿毒等。

用法用量

内服煎汤，15 ～ 30g。

百合科 Liliaceae 肖菝葜属 Heterosmilax

短柱肖菝葜 *Heterosmilax yunnanensis* Gagnep.

短柱肖菝葜

| 药 材 名 |

短柱肖菝葜（药用部位：块茎）。

| 形态特征 |

攀缘灌木，无毛。小枝有明显的棱。叶纸质或近革质，卵形、卵状心形或卵状披针形，长 6 ~ 16cm，宽 4.5 ~ 15cm，先端三角状短渐尖，基部心形或近圆形，主脉5 ~ 7，在下面隆起，支脉网状，在两面明显。伞形花序具花 20 ~ 60；花序托球形；花梗长 1.2 ~ 2.5cm；雄花花被筒椭圆形，长 5 ~ 9mm，宽 3 ~ 4mm，先端有 3 钝齿，雄蕊 8 ~ 10，花丝长于花药，基部多少合生成 1 短柱状体，花药卵形，长约 1.2mm；雌花花被筒卵圆形，长 3 ~ 5mm，宽 3 ~ 3.5mm，先端有 3 钝齿，约具 6 退化雄蕊，子房卵形。果实近球形，长 5 ~ 10mm，宽 6 ~ 8mm，紫色。花期 5 ~ 6 月，果期 9 ~ 11 月。

| 生境分布 |

生于海拔 700 ~ 2400m 的山坡密林中、河沟边或路边。分布于重庆合川、城口、巫溪、巫山、奉节、黔江、彭水、酉阳、秀山、南川、綦江等地。

| 资源情况 | 野生资源较丰富。药材主要来源于野生。

| 采收加工 | 秋、冬季采收，洗净，蒸后晒干。

| 功能主治 | 甘、淡，平。清热解毒，利湿。用于风湿关节痛，疮疖肿毒，湿疹，皮炎。

| 用法用量 | 内服煎汤，15 ~ 60g，用于钩端螺旋体病可至250g。

| 附　　注 | 在FOC中，本种的中文学名被修订为云南肖菝葜。

百合科 Liliaceae 玉簪属 Hosta

紫玉簪
Hosta albo-marginata (Hook.) Ohwi

| 药 材 名 | 紫玉簪（药用部位：根。别名：彩叶玉簪）。

| 形态特征 | 多年生草本。叶狭椭圆形或卵状椭圆形，长 6 ~ 13cm，宽 2 ~ 6cm，先端渐尖或急尖，基部钝圆或近楔形，具 4 ~ 5 对侧脉；叶柄长 10 ~ 22cm，最上部由于叶片稍下延而多少具狭翅，翅每侧宽 1 ~ 2mm。花葶高 33 ~ 60cm，具数朵至十数朵花；苞片近宽披针形，长 7 ~ 10mm，膜质；花单生，长约 4cm，盛开时从花被管向上逐渐扩大，紫色；雄蕊稍伸出于花被管之外，完全离生。花期 8 ~ 9 月。

| 生境分布 | 生于山坡林下的阴湿地。分布于重庆南川、酉阳等地。

| 资源情况 | 野生资源稀少。药材主要来源于栽培。

紫玉簪

| 采收加工 | 秋季采挖，除去茎叶、须根，洗净，鲜用或切片晾干。

| 功能主治 | 清热解毒。用于痈肿疮疡，咽喉肿痛。

| 用法用量 | 内服煎汤，适量。外用适量，鲜品捣敷。

| 附　　注 | 本种喜温暖湿润气候，喜阴，忌长期阳光直射，分蘖力和耐寒力极强。宜选择土层深厚、肥沃、湿润、排水良好的砂壤土栽培。

百合科 Liliaceae 玉簪属 Hosta

玉簪
Hosta plantaginea (Lam.) Aschers.

| 药 材 名 | 玉簪花（药用部位：花。别名：内消花、白鹤花、白鹤仙）、玉簪（药用部位：全草或叶）、玉簪根（药用部位：根茎。别名：玉簪花根）。

| 形态特征 | 多年生草本。根茎粗厚，直径 1.5 ~ 3cm。叶卵状心形、卵形或卵圆形，长 14 ~ 24cm，宽 8 ~ 16cm，先端近渐尖，基部心形，具 6 ~ 10 对侧脉；叶柄长 20 ~ 40cm。花葶高 40 ~ 80cm，具数朵至十数朵花；花外苞片卵形或披针形，长 2.5 ~ 7cm，宽 1 ~ 1.5cm，内苞片很小；花单生或 2 ~ 3 簇生，长 10 ~ 13cm，白色，芳香；花梗长约 1cm；雄蕊与花被近等长或略短，基部 15 ~ 20mm 贴生于花被管上。蒴果圆柱状，有 3 棱，长约 6cm，直径约 1cm。花果期 8 ~ 10 月。

| 生境分布 | 生于海拔 2200m 以下的林下、草坡或岩石边。重庆各地均有分布。

玉簪

| 资源情况 | 野生资源一般。药材主要来源于栽培。

| 采收加工 | 玉簪花：夏、秋季花将开放时采摘，及时阴干。

玉簪：夏、秋季采收，洗净，鲜用或晾干。

玉簪根：秋季采挖，除去茎叶、须根，洗净，鲜用或切片晾干。

| 药材性状 | 玉簪花：本品多皱缩成条状，完整者长 8～12.5cm；花被漏斗状，黄白色或褐色，6 裂，裂片椭圆形，先端渐尖；雄蕊 6，与花被等长，下部与花被管贴生；花柱细长，超出雄蕊。体轻，质软。气微，味微苦。

| 功能主治 | 玉簪花：甘，凉。清热，解毒，止咳，利咽。用于肺热，咽喉肿痛，声音嘶哑，毒热。

玉簪：苦、辛，寒；有毒。清热解毒，散结消肿。用于乳痈，痈肿疮疡，瘰疬，毒蛇咬伤。

玉簪根：甘、辛，寒；有毒。消肿，解毒，止血。用于痈疽，瘰疬，咽肿，吐血，骨鲠。

| 用法用量 | 玉簪花：内服煎汤，6～9g。

玉簪：内服煎汤，鲜品 15～30g；或捣汁和酒。外用适量，捣敷；或捣汁涂。

玉簪根：内服煎汤，9～15g；鲜品倍量，捣汁。外用适量，捣敷。

百合科 Liliaceae 玉簪属 Hosta

紫萼
Hosta ventricosa (Salisb.) Stearn

药 材 名	紫玉簪（药用部位：花。别名：紫鹤、鸡骨丹、红玉簪）、紫玉簪叶（药用部位：叶）、紫玉簪根（药用部位：根。别名：红玉簪花头）。
形态特征	多年生草本。根茎直径 0.3 ~ 1cm。叶卵状心形、卵形至卵圆形，长 8 ~ 19cm，宽 4 ~ 17cm，先端通常近短尾状或骤尖，基部心形或近截形，极少叶片基部下延而略呈楔形，具 7 ~ 11 对侧脉；叶柄长 6 ~ 30cm。花葶高 60 ~ 100cm，具花 10 ~ 30；苞片矩圆状披针形，长 1 ~ 2cm，白色，膜质；花单生，长 4 ~ 5.8cm，盛开时从花被管向上骤然呈近漏斗状扩大，紫红色；花梗长 7 ~ 10mm；雄蕊伸出花被外，完全离生。蒴果圆柱形，有 3 棱，长 2.5 ~ 4.5cm，直径 6 ~ 7mm。花期 6 ~ 7 月，果期 7 ~ 9 月。

紫萼

| **生境分布** | 生于海拔500～2400m的林下、草坡或路旁。分布于重庆黔江、彭水、丰都、石柱、酉阳、涪陵、奉节、城口、巫溪、武隆、秀山、南川、巴南、江津、永川、潼南、荣昌等地。 |

| **资源情况** | 野生资源较丰富。药材主要来源于野生。 |

| **采收加工** | 紫玉簪：夏、秋季间采收，晾干。
紫玉簪叶：夏、秋季采收，洗净，鲜用。
紫玉簪根：全年均可采收，洗净，鲜用或晒干。 |

| **功能主治** | 紫玉簪：甘、微苦，凉。凉血止血，解毒。用于吐血，崩漏，湿热带下，咽喉肿痛等。
紫玉簪叶：苦、微甘，凉。凉血止血，解毒。用于崩漏，湿热带下，疮肿，溃疡等。
紫玉簪根：苦、微辛，凉。清热解毒，散瘀止痛，止血，下骨鲠。用于咽喉肿痛，痈肿疮疡，跌打损伤，胃痛，牙痛，吐血，崩漏，骨鲠等。 |

| **用法用量** | 紫玉簪：内服煎汤，9～15g。
紫玉簪叶：内服煎汤，9～15g，鲜品倍量。外用适量，捣敷；或用沸水泡软敷。
紫玉簪根：内服煎汤，9～15g，鲜品倍量。外用适量，捣敷。 |

| **附　注** | 本种喜温暖湿润气候，喜阴，忌长期阳光直射，分蘖力和耐寒力极强。对土壤要求不严格，在一般的土质中均能良好地生长。 |

百合科 Liliaceae 百合属 Lilium

野百合

Lilium brownii F. E. Brown ex Miellez

野百合

| 药 材 名 |

百合（药用部位：鳞叶。别名：岩瓣花）。

| 形态特征 |

多年生草本。鳞茎球形，直径 2 ～ 4.5cm；鳞叶披针形，长 1.8 ～ 4cm，宽 0.8 ～ 1.4cm，无节，白色。茎高 0.7 ～ 2m，有的有紫色条纹，有的下部有小乳头状突起。叶散生，通常自下向上渐小，披针形、窄披针形至条形，长 7 ～ 15cm，宽（0.6 ～）1 ～ 2cm，先端渐尖，基部渐狭，具 5 ～ 7 脉，全缘，两面无毛。花单生或几朵排成近伞形；花梗长 3 ～ 10cm，稍弯；苞片披针形，长 3 ～ 9cm，宽 0.6 ～ 1.8cm；花喇叭形，有香气，乳白色，外面稍带紫色，无斑点，向外张开或先端外弯而不卷，长 13 ～ 18cm；外轮花被片宽 2 ～ 4.3cm，先端尖；内轮花被片宽 3.4 ～ 5cm，蜜腺两边具小乳头状突起；雄蕊向上弯，花丝长 10 ～ 13cm，中部以下密被柔毛，少有被稀疏的毛或无毛；花药长椭圆形，长 1.1 ～ 1.6cm；子房圆柱形，长 3.2 ～ 3.6cm，宽 4mm，花柱长 8.5 ～ 11cm，柱头 3 裂。蒴果矩圆形，长 4.5 ～ 6cm，宽约 3.5cm，有棱，具多数种子。花期 5 ～ 6 月，果期 9 ～ 10 月。

| 生境分布 | 生于海拔 500 ～ 2150m 的山坡、灌木林下、路边、溪旁或石缝中。分布于重庆黔江、涪陵、酉阳、巫山、长寿、丰都、垫江、南川、武隆、綦江、江津、开州、石柱、梁平、大足、城口、奉节、璧山、铜梁、永川、荣昌等地。

| 资源情况 | 野生资源丰富。药材主要来源于野生。

| 采收加工 | 9 ～ 10 月茎叶枯萎后采挖，除去茎秆、须根，将大鳞茎洗净，从基部横切 1 刀，使鳞叶分开，置沸水中烫 5 ～ 10min，当鳞叶边缘变软、背面有微裂时，迅速捞起，清水洗去黏液，薄摊，晒干或烘干。

| 功能主治 | 甘、微苦，平。润肺止咳，清心安神。用于肺痨久咳，心烦惊悸，神志恍惚，脚气浮肿等。

| 用法用量 | 内服煎汤，6 ～ 12g；或入丸、散；亦可蒸食、煮粥。外用适量，捣敷。风寒咳嗽及中寒便溏者忌服。

| 附　　注 | 本种喜温暖湿润环境，不耐干旱，怕炎热，怕涝。宜选择土层深厚、疏松、肥沃的砂壤土栽培。

百合科 Liliaceae 百合属 Lilium

百合

Lilium brownii F. E. Brown ex Miellez var. *viridulum* Baker

百合

药材名

百合（药用部位：鳞叶。别名：家百合、大百合、山大蒜）、百合花（药用部位：花）、百合子（药用部位：种子）。

形态特征

本种与原变种野百合的区别在于叶倒披针形至倒卵形。

生境分布

生于海拔 300 ~ 2000m 的山坡草丛中、疏林下、山沟旁、地边或村旁。分布于重庆巫山、秀山、城口、潼南、合川、奉节、酉阳、石柱、彭水、垫江、南川、綦江、长寿、江津、忠县、黔江、武隆、开州、巫溪、丰都、北碚、梁平、巴南等地。

资源情况

野生资源一般。药材主要来源于栽培。

采收加工

百合：秋季采挖，洗净，剥取鳞叶，置沸水中略烫，干燥。

百合花：花期内采摘，阴干或晒干。

百合子：夏、秋季采收，晒干。

| **药材性状** | 百合：本品呈长椭圆形，长 2 ~ 4cm，宽 1 ~ 1.4cm，中部厚 1.3 ~ 4mm。表面黄白色至淡棕黄色，有的微带紫色，有数条纵直平行的白色维管束，先端稍尖，基部较宽，边缘薄，微波状，略向内弯曲。质硬而脆，断面较平坦，角质样。气微，味微苦。

| **功能主治** | 百合：甘，寒。归心、肺经。养阴润肺，清心安神。用于阴虚燥咳，劳嗽咯血，虚烦惊悸，失眠多梦，精神恍惚等。

百合花：甘、微苦，微寒。归肺、心经。清热润肺，宁心安神。用于咳嗽痰少或黏，眩晕，心烦，夜寐不安，天疱湿疮等。

百合子：甘、微苦，凉。归大肠经。清热止血。用于肠风下血等。

| **用法用量** | 百合：内服煎汤，6 ~ 12g；或入丸、散；亦可蒸食、煮粥。外用适量，捣敷。风寒咳嗽及中寒便溏者忌服。

百合花：内服煎汤，6 ~ 12g。外用适量，研末调敷。

百合子：内服研末，3 ~ 9g。

| **附　　注** | （1）《中国药典》记载卷丹 *Lilium lancifolium* Thunb. 和细叶百合 *Lilium pumilum* DC. 为药材百合的基原，其他百合属植物在各地作为药材百合的混伪品使用。

（2）本种宜选择疏松、肥沃、排水良好的砂壤土栽培。

百合科 Liliaceae 百合属 Lilium

宝兴百合 *Lilium duchartrei* Franch.

宝兴百合

| 药 材 名 |

宝兴百合（药用部位：鳞叶。别名：小百合）。

| 形态特征 |

多年生草本。鳞茎卵圆形，具走茎；鳞叶卵形至宽披针形，长 1 ～ 2cm，宽 0.5 ～ 1.8cm，白色。茎高 50 ～ 85cm，有淡紫色条纹。叶散生，披针形至矩圆状披针形，两面无毛，具 3 ～ 5 脉。花单生或数朵排成总状花序或近伞房花序、伞形总状花序；苞片叶状，披针形；花梗长 10 ～ 22cm；花下垂，有香味，白色或粉红色，有紫色斑点；花被片反卷，长 4.5 ～ 6cm，宽 1.2 ～ 1.4cm，蜜腺两边有乳头状突起；花丝长 3.5cm，无毛，花药窄矩圆形，长约 1cm，黄色；子房圆柱形，长 1.2cm，宽 1.5 ～ 3mm；花柱长为子房的 2 倍或更长，柱头膨大。蒴果椭圆形，长 2.5 ～ 3cm，宽约 2.2cm；种子扁平，具宽 1 ～ 2mm 的翅。花期 7 月，果期 9 月。

| 生境分布 |

生于海拔 800 ～ 2500m 的高山草地、林缘或灌丛中。分布于重庆巫溪、黔江、南川等地。

| **资源情况** | 野生资源一般。药材主要来源于野生。

| **采收加工** | 秋季采挖，洗净，剥取鳞叶，置沸水中略烫，干燥。

| **功能主治** | 微苦，寒。润肺止咳，清心安神。用于肺痨久咳，心烦惊悸，神志恍惚，脚气浮肿。

| **用法用量** | 内服煎汤，适量；亦可煮食、煮粥。外用适量，捣敷。

百合科 Liliaceae 百合属 Lilium

卷丹

Lilium lancifolium Thunb.

卷丹

药 材 名

百合（药用部位：鳞叶。别名：红花百合、野百合、喇叭筒）。

形态特征

多年生草本。鳞茎近宽球形，直径 4 ~ 8cm；鳞叶宽卵形，长 2.5 ~ 3cm，宽 1.4 ~ 2.5cm，白色。茎高 0.8 ~ 1.5m，带紫色条纹，被白色绵毛。叶散生，矩圆状披针形或披针形，长 6.5 ~ 9cm，宽 1 ~ 1.8cm，两面近无毛，先端被白毛，上部叶腋有珠芽。花 3 ~ 6 或更多；苞片叶状，卵状披针形，先端钝，被白色绵毛；花梗长 6.5 ~ 9cm，紫色，被白色绵毛；花下垂，花被片披针形，反卷，橙红色，有紫黑色斑点；外轮花被片长 6 ~ 10cm，宽 1 ~ 2cm，内轮花被片稍宽，蜜腺两边有乳头状突起，尚有流苏状突起；雄蕊四面张开；花丝长 5 ~ 7cm，淡红色，无毛，花药矩圆形，长约 2cm；子房圆柱形，长 1.5 ~ 2cm，宽 2 ~ 3mm，花柱长 4.5 ~ 6.5cm，柱头稍膨大，3 裂。蒴果狭长卵形，长 3 ~ 4cm。花期 7 ~ 8 月，果期 9 ~ 10 月。

| 生境分布 | 生于海拔400～2500m的山坡灌木林下、草地路边或水旁。分布于重庆城口、奉节、云阳、石柱、秀山、南岸、南川、巫山、黔江、武隆等地。 |

| 资源情况 | 野生资源较少。药材主要来源于栽培。 |

| 采收加工 | 秋季采挖，洗净，剥取鳞叶，置沸水中略烫，干燥。 |

| 药材性状 | 本品呈长椭圆形，长2～3cm，宽1～2cm，中部厚1.3～4mm。表面类白色、淡棕黄色或微带紫色，有数条纵直平行的白色维管束，先端稍尖，基部较宽，边缘薄，微波状，略向内弯曲。质硬而脆，断面较平坦，角质样。无臭，味微苦。 |

| 功能主治 | 甘，寒。归心、肺经。养阴润肺，清心安神。用于阴虚久咳，痰中带血，虚烦惊悸，失眠多梦，精神恍惚。 |

| 用法用量 | 内服煎汤，6～12g。 |

| 附　　注 | （1）在FOC中，本种的拉丁学名被修订为 *Lilium tigrinum* Ker Gawler。
（2）本种喜温暖、稍冷凉而干燥气候，耐阴性较强，耐寒，耐干旱，忌酷热和雨水过多，适宜生长温度为15～25℃。为长日照植物，生长前期和中期喜光照。宜选择向阳、土层深厚、疏松、肥沃、排水良好的砂壤土栽培，低湿地不宜种植。忌连作，与豆类和禾本科作物轮作较好。 |

百合科 Liliaceae 百合属 Lilium

宜昌百合
Lilium leucanthum (Baker) Baker

| 药 材 名 | 宜昌百合（药用部位：鳞叶。别名：小百合）。

| 形态特征 | 多年生草本。鳞茎近球形，高 3.5 ～ 4cm，直径约 3cm；鳞叶披针形，长 3.5cm，宽约 1cm，干时褐黄色或紫色。茎高 60 ～ 150cm，有小乳头状突起。叶散生，披针形，长 8 ～ 17cm，宽 6 ～ 10mm，边缘无乳头状突起，上部叶腋间无珠芽。花单生或 2 ～ 4；苞片矩圆状披针形，长 5 ～ 6cm，稍宽于叶，宽 1.2 ～ 1.6cm；花梗长可达 6cm，紫色；花喇叭形，有微香，白色，里面淡黄色，背脊及近脊处淡绿黄色，长 12 ～ 15cm；外轮花被片披针形，宽 1.6 ～ 2.8cm，内轮花被片匙形，宽 2.6 ～ 3.8cm，先端钝圆，蜜腺无乳头状突起；花丝长 10 ～ 12cm，下部密被毛，花药椭圆形，长约 1cm；子房圆柱形，淡黄色，花柱长可达 10cm，基部被毛，柱头膨大，3 裂。花期 6 ～ 7 月。

宜昌百合

| **生境分布** | 生于海拔 450 ~ 1500m 的山沟、河边草丛中。分布于重庆黔江、忠县、彭水、丰都、酉阳、南川、武隆、石柱等地。 |

| **资源情况** | 野生资源一般。药材主要来源于野生。 |

| **采收加工** | 9 ~ 10 月茎叶枯萎后采挖，除去茎秆、须根，将大鳞茎洗净，从基部横切 1 刀，使鳞叶分开，置沸水中烫 5 ~ 10 分钟，当鳞叶边缘变软、背面有微裂时，迅速捞起，清水洗去黏液，薄摊，晒干或烘干。 |

| **功能主治** | 甘，平。清热解毒，润肺止咳，清心安神。用于肺结核，肺痈，阴虚久咳，痰中带血，虚烦惊悸，失眠多梦，精神恍惚，毒疮，中耳炎等。 |

| **用法用量** | 内服煎汤，适量；亦可蒸食、煮粥。外用适量，捣敷。 |

南川百合

百合科 Liliaceae 百合属 Lilium

南川百合

Lilium rosthornii Diels

药材名

山百合（药用部位：鳞叶。别名：野百合、喇叭筒、山百合）。

形态特征

多年生草本。鳞茎未见。茎高 40 ～ 100cm，无毛。叶散生，中、下部条状披针形，长 8 ～ 15cm，宽 8 ～ 10mm，先端渐尖，基部渐狭成短柄，两面无毛，全缘；上部卵形，长 3 ～ 4.5cm，宽 10 ～ 12mm，先端急尖，基部渐狭，中脉明显，两面无毛，全缘。总状花序可具多达 9 花，少有花单生；苞片宽卵形，长 3 ～ 3.5cm，宽 1.5 ～ 2cm，先端急尖，基部渐狭；花梗长（3 ～）7 ～ 8cm；花被片反卷，黄色或黄红色，有紫红色斑点，长 6 ～ 6.5cm，宽 9 ～ 11mm，全缘，蜜腺两边具多数流苏状突起；雄蕊四面张开；花丝长 6 ～ 6.5cm，无毛，花药长 1.2 ～ 1.4cm；子房圆柱形，长 1.5 ～ 2cm，宽约 2mm；花柱长 4 ～ 4.5cm，柱头稍膨大。蒴果长矩圆形，长 5.5 ～ 6.5cm，宽 1.4 ～ 1.8cm，棕绿色。

生境分布

生于海拔 350 ～ 900m 的山沟、溪边或林下。分布于重庆武隆、酉阳、南川、江津等地。

| **资源情况** | 野生资源稀少。药材主要来源于野生。 |

| **采收加工** | 秋季采挖，洗净，剥取鳞叶，置沸水中略烫，干燥。 |

| **药材性状** | 本品呈长圆形或长圆状披针形，长 2 ~ 2.5cm，宽 0.5 ~ 1cm。表面紫褐色。 |

| **功能主治** | 甘、微苦，微寒。归心、肺经。养阴润肺，清心安神。用于阴虚久咳，失眠多梦。 |

| **用法用量** | 内服煎汤，6 ~ 20g。 |

百合科 Liliaceae 百合属 Lilium

通江百合 *Lilium sargentiae* Wilson

通江百合

药材名

通江百合（药用部位：鳞叶。别名：泸定百合）。

形态特征

多年生草本。鳞茎近球形或宽卵圆形，高 4 ~ 4.5cm，直径 5 ~ 6cm；鳞叶披针形，长 3.5 ~ 4cm，宽 1.5 ~ 1.7cm。茎高 45 ~ 160cm，有小乳头状突起。叶散生，披针形或矩圆状披针形，长 5.5 ~ 12cm，宽 1 ~ 3cm，上部叶腋间有珠芽。苞片卵状披针形；花梗长 5.5 ~ 8.5cm；花 1 ~ 4，喇叭形，白色，基部淡绿色；花丝长 11 ~ 13cm，下部密被毛；花药矩圆形，长 1.4 ~ 2cm，花粉褐黄色；子房圆柱形，长 3.5 ~ 4.5cm，直径 3 ~ 5mm，紫色；花柱长 10 ~ 11cm，上端稍弯，柱头膨大，直径 8 ~ 10mm，3 裂。蒴果矩圆形，长 6 ~ 7cm，宽约 3.5cm。花期 7 ~ 8 月，果期 10 月。

生境分布

生于海拔 500 ~ 2000m 的山坡草丛中、灌木林旁。分布于重庆酉阳、长寿、垫江、南川等地。

| **资源情况** | 野生资源一般。药材主要来源于野生。

| **采收加工** | 秋季采挖，洗净，剥取鳞叶，置沸水中略烫，干燥。

| **功能主治** | 润肺止咳，清心安神。用于阴虚久咳，痰中带血，虚烦惊悸。

| **用法用量** | 内服煎汤，适量；亦可蒸食、煮粥。外用适量，捣敷。

| **附　　注** | 本种曾经广泛分布于四川盆地边缘山区，但由于采挖严重，几近濒危。近年来本种组织培养技术已获得成功，种源和繁殖已不再是问题。

百合科 Liliaceae 百合属 Lilium

大理百合 *Lilium taliense* Franch.

大理百合

药材名

大理百合（药用部位：鳞叶）。

形态特征

多年生草本。鳞茎卵形，高约 3cm，直径 2.5cm；鳞叶披针形，长 2～2.5cm，宽 5～8mm，白色。茎高 70～150cm，有的有紫色斑点，具小乳头状突起。叶散生，条形或条状披针形，长 8～10cm，宽 6～8mm，中脉明显，两面无毛，边缘具小乳头状突起。总状花序具花 2～5，少有达 13；苞片叶状，长 3～5cm，宽 4～8mm，边缘有小乳头状突起；花下垂；花被片反卷，矩圆形或矩圆状披针形，长 4.5～5cm，宽约 1cm，内轮花被片较外轮稍宽，白色，有紫色斑点，蜜腺两边无流苏状突起；花丝钻状，长约 3cm，无毛；子房圆柱形，长 1.4～1.6cm，宽 3～4mm；花柱与子房等长或稍长，柱头头状，3 裂。蒴果矩圆形，长 3.5cm，宽 2cm，褐色。花期 7～8 月，果期 9 月。

生境分布

生于海拔 1500～2160m 的林缘、林中、山坡草地上。分布于重庆忠县、丰都、武隆、南川等地。

| 资源情况 | 野生资源稀少。药材来源于野生，自采自用。

| 采收加工 | 秋季采挖，洗净，剥取鳞叶，置沸水中略烫，干燥。

| 功能主治 | 甘，寒。养阴润肺，清心安神。用于阴虚久咳，痰中带血，虚烦惊悸，失眠多梦，精神恍惚。

| 用法用量 | 内服煎汤，适量；亦可蒸食、煮粥。外用适量，捣敷。

| 附　　注 | 本种有较高的观赏价值和药用价值，因此被大量采挖，野生品濒临灭绝。研究表明，以本种鳞片为外植体进行离体培养可获得再生植株，能提高本种的繁殖速度，以挽救濒危局势。

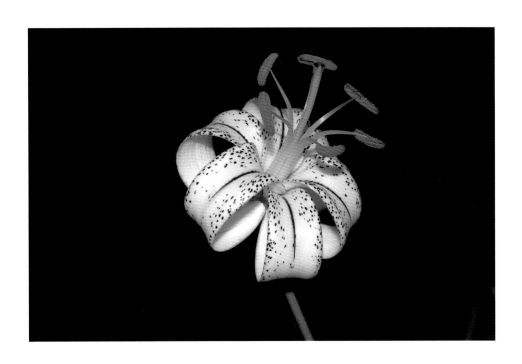

百合科 Liliaceae 山麦冬属 *Liriope*

阔叶山麦冬

Liriope platyphylla Wang et Tang

阔叶山麦冬

| 药 材 名 |

土麦冬（药用部位：块根。别名：麦门冬、阔叶麦冬、大叶麦冬）。

| 形态特征 |

多年生草本。根细长，分枝多，有时局部膨大成纺锤形小块根；小块根长达3.5cm，宽7～8mm，肉质；根茎短，木质。叶密集成丛，革质，长25～65cm，宽1～3.5cm，先端急尖或钝，基部渐狭，具9～11脉，有明显的横脉，边缘几不粗糙。花葶通常长于叶，长45～100cm；总状花序长25～40cm，具许多花；花4～8簇生于苞片腋内；苞片小，近刚毛状，长3～4mm，有时不明显；小苞片卵形，干膜质；花梗长4～5mm，关节位于中部或中部偏上；花被片矩圆状披针形或近矩圆形，长约3.5mm，先端钝，紫色或红紫色；花丝长约1.5mm；花药近矩圆状披针形；子房近球形，柱头3齿裂。种子球形，直径6～7mm，初期绿色，成熟时变黑紫色。花期7～8月，果期9～11月。

| 生境分布 |

生于海拔500～1500m的山地、山谷林下或潮湿处。分布于重庆酉阳、南川、长寿、巫溪、北碚等地。

| 资源情况 | 野生资源较少。药材主要来源于野生。

| 采收加工 | 夏季采挖，洗净，反复暴晒、堆置、摊晒，至七八成干，除去须根，干燥。

| 药材性状 | 本品呈长椭圆形，两头略尖，长 2 ~ 3cm，直径 0.5 ~ 0.8cm。表面土黄色或暗黄色，不透明，有宽大的纵槽纹及皱纹。未干透时质柔韧；干后外层变硬，质松脆，易折断，断面平坦，黄白色，角质样，中柱细小。气微，味甘，嚼之发黏。

| 功能主治 | 甘、微苦，微寒。养阴润肺，清心除烦，益胃生津。用于肺燥干咳，咽干口燥，心烦失眠，消渴，热病伤津，便秘等。

| 用法用量 | 内服煎汤，6 ~ 12g。

| 附　注 | 在 FOC 中，本种的拉丁学名被修订为 *Liriope muscari* (Decaisne) L. H. Bailey。

百合科 Liliaceae 山麦冬属 Liriope

山麦冬

Liriope spicata (Thunb.) Lour.

| 药 材 名 | 土麦冬（药用部位：块根。别名：麦冬门、大叶麦冬）。

| 形态特征 | 多年生草本。植株有时丛生。根稍粗，直径 1 ~ 2mm，有时分枝多，近末端处常膨大成矩圆形、椭圆形或纺锤形肉质小块根；根茎短，木质，具地下走茎。叶长 25 ~ 60cm，宽 4 ~ 6mm，先端急尖或钝，基部常包以褐色的叶鞘，上面深绿色，背面粉绿色，具 5 脉，中脉比较明显，边缘具细锯齿。花葶通常长于或近等于叶，少数稍短于叶，长 25 ~ 65cm；总状花序长 6 ~ 15cm，具多数花；花通常 3 ~ 5 簇生于苞片腋内；苞片小，披针形，干膜质；花梗关节位于中部以上或近先端；花被片矩圆形、矩圆状披针形，先端钝圆，淡紫色或淡蓝色；花丝长约 2mm；花药狭矩圆形；子房近球形，花柱长约 2mm，稍弯，柱头不明显。种子近球形，直径约 5mm。花期 5 ~ 7 月，果期 8 ~ 10 月。

山麦冬

生境分布	生于海拔 900 ~ 2000m 的山地路旁或阴湿林下。分布于重庆江津、南川、武隆等地。
资源情况	野生资源较少。药材主要来源于野生。
采收加工	夏季采挖，洗净，反复暴晒、堆置、摊晒，至七八成干，除去须根，干燥。
药材性状	本品呈纺锤形，有的略弯曲，两端狭尖，中部略粗，长 1.5 ~ 2（~ 5）cm，直径 0.3 ~ 0.5cm。表面淡黄色或黄棕色，具粗糙的纵皱纹。质柔韧，木心较粗。味较淡。
功能主治	甘、微苦，微寒。养阴润肺，清心除烦，益胃生津。用于肺燥干咳，咽干口燥，心烦失眠，消渴，热病伤津，便秘等。
用法用量	内服煎汤，6 ~ 12g。

百合科 Liliaceae 沿阶草属 Ophiopogon

连药沿阶草

Ophiopogon bockianus Diels

| 药 材 名 | 连药沿阶草（药用部位：块根。别名：野麦冬）。

| 形态特征 | 多年生草本。根稍粗，直径 1 ~ 3mm，密被白色根毛，末端有时膨大成纺锤形小块根。茎较短，直径约 1cm 或更粗，每年延长后老茎上的叶枯萎，残留膜质叶鞘和部分撕裂成的纤维，并生新根，形如根茎。叶丛生，多少呈剑形，长 20 ~ 30（~ 80）cm，宽（7 ~）14 ~ 22mm，先端急尖，基部具膜质鞘，上面深绿色，背面粉绿色，具多数脉，边缘具细齿，基部逐渐收狭成不明显的柄。花葶长 18 ~ 28cm，总状花序长 5 ~ 14cm，具 10 余至多数花；花每 2 朵着生于苞片腋内；苞片披针形，最下面长 12 ~ 15mm；花梗长 6 ~ 9mm，关节位于中部以下；花被片卵形，长 6 ~ 7mm，先端常向外卷，淡紫色；花丝很短，几不明显；花药卵形，长 2.5 ~ 3mm，联合成短

连药沿阶草

圆锥形；花柱细，长约 5mm。种子椭圆形或近球形，长约 1cm，宽约 8mm。花期 6 ~ 7 月，果期 8 月。

| 生境分布 |

生于海拔 900 ~ 1300m 的山坡林下或山谷溪边岩缝中。分布于重庆南川等地。

| 资源情况 |

野生资源稀少。药材主要来源于野生。

| 采收加工 |

夏季采挖，洗净，反复暴晒、堆置，至七八成干，除去须根，干燥。

| 功能主治 |

辛，寒。归肺经。养阴，生津，润肺，止咳。用于外感风热，温病，疮痈疖肿。

| 用法用量 |

内服煎汤，9 ~ 15g。

百合科 Liliaceae 沿阶草属 Ophiopogon

沿阶草
Ophiopogon bodinieri Lévl.

药 材 名	麦门冬（药用部位：块根。别名：虋冬、不死药、禹余粮）。
形态特征	多年生草本。根纤细，近末端有时具膨大成纺锤形的小块根，地下走茎长，直径 1～2mm，节上具膜质鞘。茎很短。叶基生成丛，禾叶状，长 20～40cm，宽 2～4mm，先端渐尖，具 3～5 脉，边缘具细锯齿。花葶较叶稍短或近等长，总状花序长 1～7cm，具数朵至十数朵花；花常单生或 2 簇生于苞片腋内；苞片条形或披针形，少数呈针形，稍带黄色，半透明，最下面长约 7mm，少数更长；花梗长 5～8mm，关节位于中部；花被片卵状披针形、披针形或近矩圆形，长 4～6mm，内轮 3 宽于外轮 3，白色或稍带紫色；花丝很短，长不及 1mm；花药狭披针形，长约 2.5mm，常呈绿黄色；花柱细，长 4～5mm。种子近球形或椭圆形，直径 5～6mm。花期 6～8 月，果期 8～10 月。

沿阶草

| 生境分布 | 生于海拔 200 ~ 2500m 的山坡、山谷潮湿处、沟边、灌丛下或林下。分布于重庆黔江、綦江、垫江、城口、合川、酉阳、彭水、长寿、永川、忠县、石柱、铜梁、南川、涪陵、开州、九龙坡、梁平、巴南、奉节、武隆、潼南等地。

| 资源情况 | 野生资源丰富。药材主要来源于野生。

| 采收加工 | 栽培后 2 ~ 3 年收获，选晴天挖取麦冬，抖去泥土，切下块根和须根，洗净泥土，晒干水汽后，揉搓，再晒，再搓，反复 4 ~ 5 次，直到去尽须根后，干燥即得；也可将洗净的块根晒 3 ~ 5 天，放在笋筐内闷放 2 ~ 3 天，再翻晒 3 ~ 5 天，剪去须根，晒干或鲜用。

| 药材性状 | 本品呈纺锤形，长 0.8 ~ 2cm，中部直径 2 ~ 4mm。表面有细纵纹。断面黄白色，中柱细小。味淡。以肥大、色淡黄白、半透明、质柔、嚼之有黏性者为佳。

| 功能主治 | 甘、微苦，微寒。滋阴润肺，益胃生津，清心除烦。用于肺燥干咳，肺痈，阴虚劳嗽，津伤口渴，消渴，心烦失眠，咽喉疼痛，肠燥便秘，血热吐衄等。

| 用法用量 | 内服煎汤，6 ~ 15g；或入丸、散、膏。外用适量，研末调敷；煎汤涂；或鲜品捣汁搽。虚寒泄泻、湿浊中阻、风寒或寒痰咳喘者禁服。

百合科 Liliaceae | 沿阶草属 Ophiopogon

长茎沿阶草

Ophiopogon chingii Wang et Tang

| **药 材 名** | 长茎沿阶草根（药用部位：块根。别名：高脚麦冬）、长茎沿阶草（药用部位：全草）。

| **形态特征** | 多年生草本。根一般较粗，常多少木质化而稍坚硬。茎长，上端或多或少向上斜升，直径 2 ~ 5mm，每年延长后，老茎上的叶枯萎而残留叶鞘，常平卧地面并生根，有时具分枝。叶散生于长茎上，剑形，稍呈镰刀状，长 7 ~ 20cm，宽 2.5 ~ 8mm，先端急尖或钝，基部具白色膜质鞘，鞘上常具横皱纹，上面深绿色，背面粉绿色，具 5 ~ 9 明显的脉，基部收狭成柄，叶柄稍明显。总状花序生于叶腋或茎先端的叶束中，长 8 ~ 15cm，下部常为叶鞘所包裹，具花 5 ~ 10；花常单生或 2 ~ 4 簇生于苞片腋内；苞片卵形或披针形，除中脉外，薄膜质，白色，透明，先端长渐尖，最

长茎沿阶草

下面长约6mm，向上渐短；花梗长6～9mm，关节位于中部以下；花被片矩圆形或卵状矩圆形，长约5mm，白色或淡紫色；花丝长约1mm；花药卵形，长约2mm；花柱细，长约4mm；花药卵形，长8～12mm。花期5～6月。

| 生境分布 | 生于海拔500～900m的溪边阴湿林下。分布于重庆涪陵、南川、合川、江津等地。

| 资源情况 | 野生资源较少。药材来源于野生。

| 采收加工 | 长茎沿阶草根：夏季采挖，洗净，反复暴晒、堆置，至七八成干，除去须根，干燥。
长茎沿阶草：全年均可采收，鲜用。

| 功能主治 | 长茎沿阶草根：滋阴润肺，益胃生津。用于肺燥干咳，肺痈，阴虚劳嗽，津伤口渴，消渴。
长茎沿阶草：清热，解毒。用于脓疮。

| 用法用量 | 长茎沿阶草根：内服煎汤，适量。
长茎沿阶草：外用适量，鲜品捣烂敷。

百合科 Liliaceae 沿阶草属 Ophiopogon

棒叶沿阶草

Ophiopogon clavatus C. H. Wright ex Oliver

| 药 材 名 | 棒叶沿阶草（药用部位：块根）。

| 形态特征 | 多年生草本。植株由地下细长的走茎相连接。茎短。叶基生成丛，狭矩圆状倒披针形，长5～12cm，宽5～13mm，先端钝或钝圆，基部渐狭成叶柄，上面绿色，下面粉绿色，具5～7明显的脉；叶柄长2.5～10cm。花葶长7～11cm，总状花序具1～3（～4）花；苞片卵形，边缘膜质，长约7mm；花梗长5～8mm，关节位于近先端；花被片矩圆形，内轮3稍宽，长约12mm，白色稍带淡紫色，开花时花被片不向外张开；花丝明显，长约2mm；花药狭披针形，长约7mm；花柱细长，长约1cm。种子椭圆形，长约8mm，绿色，成熟时深蓝色。花期5～6月。

棒叶沿阶草

| **生境分布** | 生于海拔 1400 ~ 2000m 的疏林下。分布于重庆南川等地。

| **资源情况** | 野生资源稀少。药材主要来源于野生。

| **采收加工** | 夏季采挖，洗净，反复暴晒、堆置，至七八成干，除去须根，干燥。

| **功能主治** | 滋阴润肺，养胃生津。用于肺燥干咳，肺痈，阴虚劳嗽，津伤口渴，消渴。

| **用法用量** | 内服煎汤，适量。

百合科 Liliaceae 沿阶草属 Ophiopogon

间型沿阶草

Ophiopogon intermedius D. Don

| 药 材 名 | 间型沿阶草（药用部位：块根。别名：野麦冬、紫花沿阶草、长葶沿阶草）。

| 形态特征 | 多年生草本。植株常丛生。有粗短的块状根茎；根细长，分枝多，常在近末端膨大成椭圆形或纺锤形的小块根。茎很短。叶基生成丛，禾叶状，长 15 ~ 55（ ~ 70）cm，宽 2 ~ 8mm，具 5 ~ 9 脉，背面中脉明显隆起，边缘具细齿，基部常包以褐色膜质鞘及其枯萎后撕裂成的纤维。花葶长 20 ~ 50cm，通常短于叶，有时等于叶；总状花序长 2.5 ~ 7cm，具 15 ~ 20 花；花常单生或 2 ~ 3 簇生于苞片腋内；苞片钻形或披针形，最下面长可达 2cm，有的较短；花梗长 4 ~ 6mm，关节位于中部；花被片矩圆形，先端钝圆，长 4 ~ 7mm，白色或淡紫色；花丝极短；花药条状狭卵形，长 3 ~ 4mm；花柱细，

间型沿阶草

长约 3.5mm。种子椭圆形。花期 5 ~ 8 月，果期 8 ~ 10 月。

| **生境分布** | 生于海拔 500 ~ 2500m 的山谷、林下阴湿处或水沟边。分布于重庆奉节、九龙坡、丰都、垫江、西阳、长寿、武隆、沙坪坝等地。

| **资源情况** | 野生资源一般。药材主要来源于野生。

| **采收加工** | 夏季采挖，洗净，晒干。

| **功能主治** | 甘、酸、苦，微寒。滋阴清热，润肺止咳。用于虚劳烦热，咳嗽，咯血，热病伤津，口干咽燥，慢性咽炎，便秘，皮肤瘙痒。

| **用法用量** | 内服煎汤，10 ~ 15g。

百合科 Liliaceae 沿阶草属 Ophiopogon

麦冬

Ophiopogon japonicus (L. f.) Ker-Gawl.

| 药 材 名 | 麦冬(药用部位:块根。别名:土麦冬)。

| 形态特征 | 多年生草本,高 12 ～ 40cm。根较粗,中间或近末端常膨大成椭圆形或纺锤形的小块根;小块根长 1 ～ 1.5cm,或更长些,宽 5 ～ 10mm,淡褐黄色;地下走茎细长,直径 1 ～ 2mm,节上具膜质鞘。茎很短。叶基生成丛,禾叶状,长 10 ～ 50cm,少数更长,宽 1.5 ～ 3.5mm,具 3 ～ 7 脉,边缘具细锯齿。花葶长 6 ～ 15(～ 27)cm,通常比叶短得多;总状花序长 2 ～ 5cm,或有时更长,具数朵至十数朵花;花单生或成对着生于苞片腋内;苞片披针形,先端渐尖,最下面长可达 8mm;花梗长 3 ～ 4mm,关节位于中部以上或近中部;花被片常稍下垂而不展开,披针形,长约 5mm,白色或淡紫色;花药三角状披针形,长 2.5 ～ 3mm;花柱长约 4mm,较粗,宽约 1mm,基部宽阔,向上渐狭。种子球形,直径 7 ～ 8mm。花期 5 ～ 8 月,果期 8 ～ 9 月。

麦冬

| 生境分布 | 生于海拔 200 ~ 2000m 的山坡阴湿处、林下、溪边，或栽培于庭园。分布于重庆黔江、万州、綦江、大足、城口、巫山、潼南、彭水、长寿、秀山、忠县、合川、酉阳、涪陵、丰都、永川、江津、铜梁、石柱、璧山、南川、云阳、武隆、巫溪、北碚、开州、巴南、沙坪坝等地。 |

| 资源情况 | 野生和栽培资源均丰富。药材来源于野生和栽培。 |

| 采收加工 | 夏季采挖，洗净，反复暴晒、堆置，至七八成干，除去须根，干燥。 |

| 药材性状 | 本品呈纺锤形，两端略尖，长 1.5 ~ 3cm，直径 0.3 ~ 0.6cm。表面黄白色或淡黄色，有细纵纹。质柔韧，断面黄白色，半透明，中柱细小。气微香，味甘、微苦。 |

| 功能主治 | 甘、微苦，微寒。养阴生津，润肺清心。用于肺燥干咳，虚劳咳嗽，津伤口渴，心烦失眠，内热消渴，肠燥便秘，白喉。 |

| 用法用量 | 内服煎汤，6 ~ 12g。 |

| 附注 | 本种喜温暖湿润气候，喜荫蔽的环境，耐寒，怕高温，苗期要求阴湿条件，可与其他作物间作或给以适当遮阴。宜选择疏松、肥沃、湿润、排水良好的中性或微碱性壤土或砂壤土栽培，过砂、过黏或酸性土壤不适合栽培。忌连作。 |

百合科 Liliaceae 沿阶草属 Ophiopogon

西南沿阶草 *Ophiopogon mairei* Lévl.

| **药 材 名** | 西南沿阶草（药用部位：块根。别名：野麦冬、麦冬）。

| **形态特征** | 多年生草本。根稍粗，柔软，多而长，近末端常有膨大成纺锤形的小块根。茎较短或中等长，每年稍延长，老茎上叶枯萎后残留叶鞘撕裂成的纤维，并生根，形如根茎。叶丛生，近禾叶状或稍带剑形，长 20 ~ 40cm，宽 7 ~ 14mm，先端急尖或钝，基部具膜质鞘，鞘常具横皱纹，上面绿色，下面粉绿色，通常具 9 脉，边缘具细齿，基部逐渐收狭成不明显的柄。花葶较叶短很多，长 10 ~ 15cm，下部常被嫩叶所包；总状花序长 5 ~ 7cm，密生许多花；花 1 ~ 2 着生于苞片腋内；苞片钻形，最下面长 5 ~ 7mm；花梗长 4 ~ 5mm或更短，关节位于中部或中部偏上；花被片卵形，长 4 ~ 5mm，白色或蓝色；花丝明显；花药卵形，长约 2mm；花柱稍粗短，长约

西南沿阶草

2.5mm。种子椭圆形或卵圆形，长约 8mm，蓝灰色。花期 5 月中旬至 7 月上旬。

|生境分布|

生于海拔 400 ～ 1800m 的林下阴湿处。分布于重庆涪陵、石柱、南川、武隆、璧山等地。

|资源情况|

野生资源稀少。药材主要来源于野生。

|采收加工|

夏季采挖，洗净，晒干。

|功能主治|

甘、苦，微寒。滋阴润肺，养胃生津。用于肺燥干咳，肺痈，阴虚劳嗽，津伤口渴，消渴。

|用法用量|

内服煎汤，10 ～ 15g。

百合科 Liliaceae 重楼属 Paris

巴山重楼

Paris bashanensis Wang et Tang

| 药 材 名 | 巴山重楼（药用部位：根茎。别名：长孙、海孙、白功草）。

| 形态特征 | 多年生直立草本，高25～45cm。根茎细长，直径4～8mm。叶4轮生，稀为5，矩圆状披针形或卵状椭圆形，长4～9cm，宽2～3.5cm，先端渐尖，基部楔形，具短柄或近无柄。花梗长2～7cm；外轮花被片4，狭披针形，长1.5～3cm，宽3～4mm，反折；内轮花被片线形，与外轮同数且近等长；雄蕊通常8，花药长1～1.2cm，花丝短，长3～4mm，药隔突出部分长6～10mm；子房球形，花柱具4～5分枝，分枝细长。浆果状蒴果不开裂，紫色，具多数种子。花期4月。

| 生境分布 | 生于海拔1400～2300m的阔叶林或竹林内。分布于重庆巫山、城口、

巴山重楼

巫溪、万州、石柱、南川、开州、奉节等地。

| **资源情况** | 野生资源稀少。药材主要来源于野生。

| **采收加工** | 夏、秋季采挖，除去茎叶及须根，洗净，鲜用或晒干。

| **药材性状** | 本品直径 2 ~ 4mm，近等粗。表面灰棕色或棕褐色，节间较长。断面粉性。气微，味微苦。

| **功能主治** | 苦、辛，温。散寒祛湿，通络止痛，止血生肌。用于寒湿久痹，腰肢冷痛，外伤出血等。

| **用法用量** | 内服煎汤，3 ~ 9g。外用适量，捣敷；或研末撒。

百合科 Liliaceae 重楼属 Paris

短梗重楼 Paris polyphylla Sm. var. appendiculata Hara

| **药 材 名** | 短梗重楼（药用部位：根茎）。

| **形态特征** | 多年生草本。叶 6 ~ 9（~ 10）轮生，矩圆形或矩圆状披针形，长 6 ~ 12cm，宽 1.5 ~ 3cm，先端短尖或渐尖，基部楔形或近圆形；叶柄长 1 ~ 2cm，很少较短，带紫色。花梗通常短于叶，极少稍长于叶；内轮花被片狭线形，长 1 ~ 1.5cm，为外轮的 1/2，暗紫色或黄绿色；雄蕊 6 ~ 10，长 1 ~ 1.5cm，花丝扁平，长为花药的 1/5，药隔凸出部分长 1 ~ 3（~ 5）mm。花期 5 ~ 6 月。

| **生境分布** | 生于海拔 450 ~ 2700m 的竹林、杂木林或灌丛下。分布于重庆巫溪、巫山、奉节、涪陵、武隆、石柱、南川、江津、城口等地。

| **资源情况** | 野生资源稀少。药材主要来源于野生。

短梗重楼

| 采收加工 | 秋季采挖，除去泥土及须根，洗净，晒干。

| 功能主治 | 苦，微寒；有小毒。清热解毒，消肿止痛，凉肝定惊。用于痈疮肿毒，咽肿，小儿惊风，蛇虫咬伤。外用于疖肿，痄腮。

| 用法用量 | 内服煎汤，3～10g；或研末，每次 1～3g。外用适量，研末调敷；或鲜品捣敷。

| 附　　注 | 在 FOC 中，本种被修订为黑籽重楼 *Paris thibetica* Franchet。

百合科 Liliaceae 重楼属 Paris

球药隔重楼 *Paris fargesii* Franch.

| 药 材 名 | 球药隔重楼（药用部位：根茎）。

| 形态特征 | 多年生草本，高 50 ~ 100cm。根茎直径达 2cm。叶 3 ~ 6，宽卵圆形，长 9 ~ 20cm，宽 4.5 ~ 14cm，先端短尖，基部略呈心形；叶柄长 2 ~ 4cm。花梗长 20 ~ 40cm；外轮花被片通常 5，极少 3 ~ 4，卵状披针形，先端具长尾尖，基部变狭成短柄，内轮花被片通常长 1 ~ 1.5cm，少有长 3 ~ 4.5cm；雄蕊 8，花丝长 1 ~ 2mm，花药短条形，稍长于花丝，药隔凸出部分圆头状，肉质，长约 1mm，紫褐色。花期 5 月。

| 生境分布 | 生于海拔 550 ~ 2100m 的常绿阔叶林、竹林或灌丛中。分布于重庆城口、云阳、奉节、开州、丰都、石柱、武隆、酉阳、南川、江津、

球药隔重楼

巫溪、渝北等地。

资源情况

野生资源稀少。药材主要来源于野生。

采收加工

秋季采挖，除去泥土及须根，洗净，晒干。

药材性状

本品呈结节状扁圆柱形，略弯曲，长 7 ～ 13cm，直径 0.8 ～ 2cm。表面黄棕色或灰棕色，外皮脱落处呈白色，密具层状凸起的粗环纹；一面结节明显，结节上具椭圆形凹陷茎痕，另一面有疏生的须根或疣状须根痕；先端具鳞叶和茎的残基。质坚实，断面平坦，白色至浅棕色，粉性或角质。气微，味苦、麻。

功能主治

苦，微寒。清热解毒，消肿止痛，凉肝定惊。用于疗疮痈肿，咽喉肿痛，蛇虫咬伤，跌打伤痛，惊风抽搐。

用法用量

内服煎汤，3 ～ 9g。外用适量，研末调敷。

百合科 Liliaceae 重楼属 Paris

具柄重楼 *Paris fargesii* Franch. var. *petiolata* (Baker ex C. H. Wright) Wang et Tang

| 药 材 名 | 具柄重楼（药用部位：根茎）。

| 形态特征 | 本种与原变种球药隔重楼的区别在于叶为宽卵形，基部近圆形，极少为心形；内轮花被片长 4.5 ~ 5.5cm，雄蕊 12，长 1.2cm，药隔凸出部分呈小尖头状，长 1 ~ 2mm；花期 6 月。

| 生境分布 | 生于海拔 1400 ~ 2100m 的沟谷阔叶林下阴湿处。分布于重庆石柱、巫山等地。

| 资源情况 | 野生资源稀少。药材主要来源于野生。

| 采收加工 | 秋季采挖，除去泥土及须根，洗净，晒干。

具柄重楼

| **功能主治** | 苦，微寒。清热解毒，消肿止痛，凉肝定惊。用于疔疮痈肿，咽喉肿痛，蛇虫咬伤，跌打伤痛，惊风抽搐。

| **用法用量** | 内服煎汤，3 ~ 9g。外用适量，研末调敷。

百合科 Liliaceae 重楼属 Paris

花叶重楼 *Paris violacea* Lévl.

| 药 材 名 | 花叶重楼（药用部位：根茎）。

| 形态特征 | 多年生直立草本，高 7 ~ 18cm。根茎粗短，直径达 8mm。叶 4 ~ 6 轮生，披针形或狭披针形，长 5.5 ~ 6.5cm，宽 1.4 ~ 2.1cm，上表面深绿色，沿脉具白色斑纹，下表面紫褐色，近无柄。花梗长 7 ~ 20mm；外轮花被片 3 ~ 4，狭披针形，长 2 ~ 3cm，宽 5 ~ 10mm，先端渐尖；内轮花被片条形，长 1.7 ~ 2cm，上部稍变宽；雄蕊 6 ~ 8，花药长 1.5mm，药隔完全不凸出于花药之上；子房近球形，绿色，长 3mm，宽 3.5mm，花柱粗短，上端 3 深裂。蒴果深紫色，开裂。

| 生境分布 | 生于海拔 2000m 以上的阔叶林或竹林下。分布于重庆南川等地。

花叶重楼

| **资源情况** | 野生资源稀少。药材主要来源于野生。

| **采收加工** | 秋季采挖，除去泥土及根，洗净晒干。

| **功能主治** | 清热解毒，消肿。用于疥癣，肿毒。

| **用法用量** | 内服煎汤，9 ~ 12g。外用研末调敷。

| **附　　注** | （1）在 FOC 中，本种的拉丁学名被修订为 *Paris marmorata* Stearn。
（2）本种喜凉爽阴湿环境。宜选择砂壤土或富含腐殖质的壤土栽培。

百合科 Liliaceae 重楼属 Paris

七叶一枝花 *Paris polyphylla* Sm.

| **药 材 名** | 重楼（药用部位：根茎。别名：蚤休、灯台七、铁灯台）。

| **形态特征** | 多年生草本，高 35 ～ 100cm，无毛。根茎粗厚，直径 1 ～ 2.5cm，外面棕褐色，密生多数环节及须根。茎通常带紫红色，直径（0.8 ～）1 ～ 1.5cm，基部有灰白色干膜质鞘 1 ～ 3。叶（5 ～）7 ～ 10，矩圆形、椭圆形或倒卵状披针形，长 7 ～ 15cm，宽 2.5 ～ 5cm，先端短尖或渐尖，基部圆形或宽楔形；叶柄明显，长 2 ～ 6cm，带紫红色。花梗长 5 ～ 16（～ 30）cm；外轮花被片绿色，（3 ～）4 ～ 6，狭卵状披针形，长（3 ～）4.5 ～ 7cm，内轮花被片狭条形，通常比外轮长；雄蕊 8 ～ 12，花药短，长 5 ～ 8mm，与花丝近等长或稍长，药隔凸出部分长 0.5 ～ 1（～ 2）mm；子房近球形，具棱，先端具 1 盘状花柱基，花柱粗短，具（4 ～）5分枝。蒴果紫色，直径1.5 ～ 2.5cm，3 ～ 6

七叶一枝花

瓣裂开；种子多数，具鲜红色多浆汁的外种皮。花期 4 ~ 7 月，果期 8 ~ 11 月。

| 生境分布 | 生于海拔 730 ~ 2700m 的常绿针阔混交林、竹林或灌丛中。分布于重庆北碚、巫山、忠县、城口、丰都、石柱、涪陵、秀山、云阳、江津、奉节、巫溪、梁平、沙坪坝等地。

| 资源情况 | 野生资源稀少。药材来源于野生。

| 采收加工 | 秋季采挖，除去须根，洗净，晒干。

| 药材性状 | 本品呈结节状扁圆柱形，略弯曲，长 5 ~ 12cm，直径 1 ~ 2.5cm。表面黄棕色或灰棕色，外皮脱落处呈白色，密具层状凸起的粗环纹；一面结节明显，结节上具椭圆形凹陷茎痕，另一面有疏生的须根或疣状须根痕；先端具鳞叶和茎残基。质坚实，断面平坦，白色至浅棕色，粉性或角质。气微，味微苦、麻。

| 功能主治 | 苦，微寒。清热解毒，消肿止痛，凉肝定惊。用于疔疮痈肿，咽喉肿痛，蛇虫咬伤，跌打伤痛，惊风抽搐等。

| 用法用量 | 内服煎汤，3 ~ 9g。外用适量，研末调敷。

| 附　注 | 本种喜冷凉阴湿环境。宜选择土层深厚、疏松、肥沃、富含腐殖质的砂壤土栽培。近些年本种药材价格暴涨，农民大量采挖，有农户小规模栽培，与其他重楼属植物混合栽种于房前屋后。

百合科 Liliaceae 重楼属 Paris

长药隔重楼
Paris polyphylla Sm. var. *thibetica* H. Li

| 药 材 名 | 长药隔重楼（药用部位：根茎）。

| 形态特征 | 多年生草本，高35～90cm。根茎直径8～20mm。叶7～12，披针形至倒披针形，长5～15cm，宽1～5cm，很少狭至7mm，先端具短尖头或渐尖，全缘，基部楔形，通常近无柄，极少具短柄。内轮花被片5，条形，长3.5～4.5cm，与外轮花被片近等长或超过；雄蕊10～12，长2～3.5cm，花丝远比花药短，药隔凸出部分长6～16mm，呈条状钻形，极少短至3mm。花期5月。

| 生境分布 | 生于海拔1000～2300m的林下。分布于重庆巫溪、万州、忠县、南川、北碚、开州、城口等地。

长药隔重楼

资源情况	野生资源稀少。药材主要来源于野生。
采收加工	秋季采挖,除去泥土及须根,洗净,晒干。
功能主治	清热解毒,消肿止痛。用于痈肿疮毒,咽肿喉痹,乳痈,蛇虫咬伤,跌打伤痛。
用法用量	内服煎汤,适量。外用适量,研末调敷。
附　注	在 FOC 中,本种被修订为黑籽重楼 *Paris thibetica* Franchet。

百合科 Liliaceae 重楼属 Paris

狭叶重楼
Paris polyphylla Sm. var. *stenophylla* Franch.

狭叶重楼

| 药 材 名 |

浙重楼（药用部位：根茎）。

| 形态特征 |

本种与原变种七叶一枝花的区别在于叶
8 ～ 13（～ 22）轮生，披针形、倒披针
形或条状披针形，有时略弯曲成镰刀状，
长 5.5 ～ 19cm，通常宽 1.5 ～ 2.5cm，很少
3 ～ 8mm，先端渐尖，基部楔形，具短叶柄。
外轮花被片叶状，5 ～ 7，狭披针形或卵状
披针形，长 3 ～ 8cm，宽（0.5 ～）1 ～ 1.5cm，
先端渐尖，基部渐狭成短柄，内轮花被片狭
条形，远比外轮长；雄蕊 7 ～ 14，花药长
5 ～ 8mm，与花丝近等长；药隔凸出部分极
短，长 0.5 ～ 1mm；子房近球形，暗紫色，
花柱明显，长 3 ～ 5mm，先端具 4 ～ 5 分枝。
花期 6 ～ 8 月，果期 9 ～ 10 月。

| 生境分布 |

生于海拔 1000 ～ 2700m 的林下或草丛阴湿
处。分布于重庆城口、巫溪、忠县、开州、
丰都、石柱、武隆、彭水、秀山、南川等地。

| 资源情况 |

野生资源稀少。药材主要来源于野生。

采收加工

秋季采挖，除去须根，洗净，干燥。

药材性状

本品呈结节状扁圆柱形，略弯曲，长 1.3 ~ 8cm，直径 1.1 ~ 2cm。表面淡棕黄色，略有皱纹，具层状凸起的环纹；一面结节明显，结节上具扁圆形略凹陷的茎痕，另一面有疏生的须根残存或具须根痕；先端具鳞叶及茎的残基。质硬，易折断，断面类白色，粉性。气微，味微苦、麻。

功能主治

苦，微寒；有小毒。清热解毒，消肿止痛，凉肝定惊。用于疔疮痈肿，咽喉肿痛，毒蛇咬伤，跌打伤痛，惊风抽搐。

用法用量

内服煎汤，3 ~ 9g。外用适量，研末调敷。

百合科 Liliaceae 重楼属 Paris

云南重楼 *Paris polyphylla* Sm. var. *yunnanensis* (Franch.) Hand.-Mazz.

云南重楼

| 药 材 名 |

重楼（药用部位：根茎。别名：七叶一枝花、灯台七、铁灯台）。

| 形态特征 |

本种与原变种七叶一枝花的区别在于叶 6 ~ 12，厚纸质，披针形、卵状矩圆形或倒卵状披针形，叶柄长 0.5 ~ 2cm；外轮花被片披针形或狭披针形，长 3 ~ 4.5cm，内轮花被片 6 ~ 8（~ 12），条形，中部以上宽 3 ~ 6mm，长为外轮的 1/2 或近等长；雄蕊 8 ~ 12，花药长 1 ~ 1.5cm，花丝极短，药隔凸出部分长 1 ~ 3mm；子房球形，花柱粗短，上端具 5 ~ 10 分枝。花期 6 ~ 7 月，果期 9 ~ 10 月。

| 生境分布 |

生于海拔 840 ~ 2700m 的常绿阔叶林或林边阴湿处。分布于重庆巫溪、南川、北碚等地。

| 资源情况 |

野生资源稀少。药材主要来源于野生，亦有零星栽培。

| **采收加工** | 秋季采挖，除去须根，洗净，晒干。

| **药材性状** | 本品呈结节状扁圆柱形，略弯曲，长 5 ~ 12cm，直径 1 ~ 2.5cm。表面黄棕色或灰棕色，外皮脱落处呈白色，密具层状凸起的粗环纹；一面结节明显，结节上具椭圆形凹陷茎痕，另一面有疏生的须根或疣状须根痕；先端具鳞叶及茎的残基。质坚实，断面平坦，白色至浅棕色，粉性或角质。无臭，味微苦、麻。

| **功能主治** | 苦，微寒；有小毒。清热解毒，消肿止痛，凉肝定惊。用于疔疮痈肿，咽喉肿痛，毒蛇咬伤，跌打伤痛，惊风抽搐。

| **用法用量** | 内服煎汤，3 ~ 9g。外用适量，研末调敷。

| **附　　注** | （1）在 FOC 中，本种的中文名被修订为滇重楼。
（2）本种喜凉爽阴湿环境。宜选择透水性好的微酸性腐殖质壤土或红壤土栽培，黏重、积水和易板结的土壤不宜种植。

百合科 Liliaceae 重楼属 Paris

华重楼
Paris polyphylla Sm. var *chinensis* (Franch.) Hara

华重楼

| 药 材 名 |

重楼（药用部位：根茎。别名：灯台七、铁灯台、蚤休）。

| 形态特征 |

本种与原变种七叶一枝花的区别在于叶 5 ~ 8 轮生，通常 7，倒卵状披针形、矩圆状披针形或倒披针形，基部通常楔形；内轮花被片狭条形，通常中部以上变宽，宽 1 ~ 1.5mm，长 1.5 ~ 3.5cm，长为外轮的 1/3 至近等长或稍超过；雄蕊 8 ~ 10，花药长 1.2 ~ 1.5（~ 2）cm，长为花丝的 3 ~ 4 倍，药隔凸出部分长 1 ~ 1.5（~ 2）mm。花期 5 ~ 7 月，果期 8 ~ 10 月。

| 生境分布 |

生于海拔 600 ~ 2000m 的林下阴湿处或沟边草丛中。分布于重庆万州、大足、长寿、酉阳、南川、永川、北碚、云阳、忠县、武隆、璧山、开州、铜梁、梁平、巫山、巫溪、奉节、石柱、丰都、涪陵、巴南、江津、南岸、渝北、江北、城口、黔江、彭水、合川等地。

| 资源情况 |

野生资源稀少。药材主要来源于野生。

| **采收加工** | 秋季采挖，除去须根，洗净，晒干。

| **药材性状** | 本品呈结节状扁圆柱形，略弯曲，长 5 ~ 12cm，直径 1 ~ 2.5cm。表面黄棕色或灰棕色，外皮脱落处呈白色，密具层状凸起的粗环纹；一面结节明显，结节上具椭圆形凹陷茎痕，另一面有疏生的须根或疣状须根痕；先端具鳞叶和茎的残基。质坚实，断面平坦，白色至浅棕色，粉性或角质。气微，味微苦、麻。

| **功能主治** | 苦，微寒。归肝经。清热解毒，消肿止痛，凉肝定惊。用于疔疮痈肿，咽喉肿痛，蛇虫咬伤，跌打伤痛，惊风抽搐等。

| **用法用量** | 内服煎汤，3 ~ 9g。外用适量，研末调敷。

| **附　　注** | 本种喜凉爽阴湿环境。宜选择肥沃的砂壤土或腐殖质壤土栽培。本种在重庆广泛分布，近些年农民大量采挖，偶见农户小规模栽培，与其他重楼属植物混合栽种于房前屋后，规模小的仅两三平方米，大的有一两亩。

百合科 Liliaceae 重楼属 Paris

黑籽重楼
Paris thibetica Franchet

| 药 材 名 | 黑籽重楼（药用部位：根茎。别名：独角莲、九重台）。

| 形态特征 | 多年生草本。根茎黄褐色，断面白色，长 4 ~ 12cm，直径 0.5 ~ 1.5cm，节较疏松，一面结节明显，结节上具椭圆形凹陷茎痕，另一面有疏生的须根或疣状须根痕。茎多绿色，少数紫色，无毛，高 15 ~ 70cm。叶较多，7 ~ 14，绿色，背面色较淡，无毛，线形、线状长圆形或披针形，先端长渐尖，基部楔形；通常无柄，或具长 2 ~ 3mm 的短柄。花梗长 3.5 ~ 12cm，果期伸长幅度不大，但从基部外折；花 4 ~ 5 基数，远低于叶数；萼片绿色，线状披针形；花瓣淡绿色，丝状，斜伸，比萼片短；雄蕊 2 轮，花丝淡绿色，药隔凸出部分长 8 ~ 27mm，淡绿色。蒴果近球形；种子多数，卵形，亮黑色，光滑，坚硬，于一侧包以深红色多汁的鸡冠状假种皮。花

黑籽重楼

期 4 月，果期 6 月。

| **生境分布** | 生于海拔 1900 ～ 2700m 的常绿阔叶林、针阔混交林或灌丛中。分布于重庆城口、巫溪、南川、巫山等地。

| **资源情况** | 野生资源稀少。药材主要来源于野生。

| **采收加工** | 秋季采挖，除去杂质、须根，晒干。

| **药材性状** | 本品呈结节状扁圆柱形，略弯曲，长 4 ～ 12cm，直径 0.5 ～ 1.5cm。表面黄褐色，内面白色；节较疏松，一面结节明显，结节上具椭圆形凹陷茎痕，另一面有疏生的须根或疣状须根痕；先端具鳞叶和茎的残基。质坚实，断面平坦，白色至浅棕色，粉性或角质。气微，味苦、麻。

| **功能主治** | 苦，微寒。清热解毒，消肿止痛，凉肝定惊。用于疔疮痈肿，咽喉肿痛，蛇虫咬伤，跌打伤痛，惊风抽搐。

| **用法用量** | 内服煎汤，3 ～ 9g。外用适量，研末调敷。

百合科 Liliaceae 球子草属 Peliosanthes

大盖球子草
Peliosanthes macrostegia Hance

大盖球子草

| 药 材 名 |

大盖球子草（药用部位：全草）。

| 形态特征 |

多年生草本。茎短，长约1cm。叶2～5，披针状狭椭圆形，长15～25cm，宽5～6cm，有5～9主脉；叶柄长20～30cm。花葶长15～35cm；总状花序长9～25cm，每苞片内着生1花；苞片膜质，披针形或卵状披针形，长0.6～1.5cm；小苞片1，长3～5mm；花紫色，直径5.5～12mm；花被筒短，长2mm，部分与子房合生；裂片三角状卵形，为花被全长的2/3；花梗长5～6mm；花药长0.5～1mm；花丝合生的肉质环先端波状；子房每室有3～4胚珠；花柱粗短，柱头3裂。种子近圆形，长约1cm；种皮肉质，蓝绿色。花期4～6月，果期7～9月。

| 生境分布 |

生于海拔350～1500m的灌丛、河边或林下阴湿处。分布于重庆城口、武隆、南川、江北、北碚、璧山等地。

| 资源情况 |

野生资源稀少。药材主要来源于野生。

| **采收加工** | 夏、秋季采收，洗净，晒干或鲜用。

| **功能主治** | 甘、淡，平、微温。祛风除湿，活络。用于咳嗽痰稠，胸痛，胁痛，跌打损伤，小儿疳积。

| **用法用量** | 内服煎汤，3 ～ 12g。外用适量，鲜品捣敷。

百合科 Liliaceae 黄精属 Polygonatum

卷叶黄精

Polygonatum cirrhifolium (Wall.) Royle

| 药 材 名 | 老虎姜（药用部位：根茎。别名：盘龙七、算盘七、鸡头参）。

| 形态特征 | 多年生草本。根茎肥厚，圆柱形，直径 1 ～ 1.5cm，或根茎连珠状，结节直径 1 ～ 2cm。茎高 30 ～ 90cm。叶通常每 3 ～ 6 轮生，很少下部有少数散生，细条形至条状披针形，少有矩圆状披针形，长 4 ～ 9（～ 12）cm，宽 2 ～ 8（～ 15）mm，先端拳卷或弯曲成钩状，边缘常外卷。花序轮生，通常具 2 花，总花梗长 3 ～ 10mm，花梗长 3 ～ 8mm，俯垂；苞片透明，膜质，无脉，长 1 ～ 2mm，位于花梗上或基部，或无苞片；花被淡紫色，全长 8 ～ 11mm，花被筒中部稍缢狭，裂片长约 2mm；花丝长约 0.8mm，花药长 2 ～ 2.5mm；子房长约 2.5mm，花柱长约 2mm。浆果红色或紫红色，直径 8 ～ 9mm，具 4 ～ 9 种子。花期 5 ～ 7 月，果期 9 ～ 10 月。

卷叶黄精

| **生境分布** | 生于海拔 1100 ～ 2700m 的林缘或灌丛。分布于重庆城口、巫溪、涪陵、彭水、秀山、南川、开州、武隆、丰都、石柱等地。 |

| **资源情况** | 野生资源丰富。药材主要来源于野生，亦有零星栽培。 |

| **采收加工** | 秋季采挖，除去须根及烂疤，蒸至透心后，晒干或烘干。 |

| **功能主治** | 甘，平。补脾润肺，益气滋阴。用于肺结核，干咳无痰，久病津亏，口干，倦怠乏力，糖尿病，高血压，心绞痛，足癣。 |

| **用法用量** | 内服煎汤，9 ～ 15g；或研末；或浸酒。外用适量，磨汁涂。 |

百合科 Liliaceae 黄精属 Polygonatum

多花黄精 *Polygonatum cyrtonema* Hua

多花黄精

| 药 材 名 |

黄精（药用部位：根茎。别名：姜形黄精、竹姜、南黄精）。

| 形态特征 |

多年生草本。根茎肥厚，通常连珠状或结节成块，少有近圆柱形，直径 1 ～ 2cm。茎高 50 ～ 100cm，通常具 10 ～ 15 叶。叶互生，椭圆形、卵状披针形至矩圆状披针形，少有稍作镰状弯曲，长 10 ～ 18cm，宽 2 ～ 7cm，先端尖至渐尖。花序具（1 ～ ）2 ～ 7（ ～ 14）花，伞形，总花梗长 1 ～ 4（ ～ 6）cm，花梗长 0.5 ～ 1.5（ ～ 3）cm；苞片微小，位于花梗中部以下，或不存在；花被黄绿色，全长 18 ～ 25mm，裂片长约 3mm；花丝长 3 ～ 4mm，两侧扁或稍扁，具乳头状突起至短绵毛，先端稍膨大乃至具囊状突起，花药长 3.5 ～ 4mm；子房长 3 ～ 6mm，花柱长 12 ～ 15mm。浆果黑色，直径约 1cm，具 3 ～ 9 种子。花期 5 ～ 6 月，果期 8 ～ 10 月。

| 生境分布 |

生于海拔 500 ～ 2100m 的林下、灌丛或山坡阴处。分布于重庆忠县、巫山、丰都、城口、石柱、酉阳、南川、开州、巫溪、奉节、云阳、万州、武隆、江津等地。

| **资源情况** | 野生资源稀少。药材主要来源于栽培。

| **采收加工** | 春、秋季采挖，除去须根，洗净，置沸水中略烫或蒸至透心，干燥。

| **药材性状** | 本品呈连珠状或块状，稍带圆柱形，直径 1 ~ 2cm；每结节上茎痕明显，圆盘状，直径约 1cm；圆柱形处环节明显，有众多须根痕，直径约 1mm。表面黄棕色，有细皱纹。质坚实，稍带柔韧，折断面颗粒状，有众多黄棕色维管束小点散列。气微，味微甘。

| **功能主治** | 甘，平。补气养阴，健脾，润肺，益肾。用于脾胃气虚，体倦乏力，胃阴不足，口干食少，肺虚燥咳，劳嗽咯血，精血不足，腰膝酸软，须发早白，内热消渴等。

| **用法用量** | 内服煎汤，10 ~ 15g，鲜品30 ~ 60g；或入丸、散，熬膏。中寒泄泻、痰湿痞满气滞者忌服。

| **附　　注** | 本种喜凉爽阴湿环境。宜选择疏松、肥沃、保水力好的砂壤土或腐殖质壤土栽培。

距药黄精

百合科 Liliaceae 黄精属 Polygonatum

距药黄精 *Polygonatum franchetii* Hua

| 药 材 名 |

黄精（药用部位：根茎）。

| 形态特征 |

多年生草本。根茎连珠状，直径 7 ~ 10mm。茎高 40 ~ 80cm。叶互生，矩圆状披针形，少有长矩圆形，长 6 ~ 12cm，先端渐尖。花序具 2（~ 3）花，总花梗长 2 ~ 6cm，花梗长约 5mm，基部具 1 与之等长的膜质苞片；苞片在花芽时特别明显，似 2 颖片包着花芽；花被淡绿色，全长约 20mm，裂片长约 2mm；花丝长约 3mm，略弯曲，两侧扁，具乳头状突起，先端在药背处有长约 1.5mm 的距，花药长 2.5 ~ 3mm；子房长约 5mm，花柱长约 15mm。浆果紫色，直径 7 ~ 8mm，具 4 ~ 6 种子。花期 5 ~ 6 月，果期 9 ~ 10 月。

| 生境分布 |

生于海拔 1000 ~ 2200m 的林下或林缘。分布于重庆巫山、巫溪、奉节、南川等地。

| 资源情况 |

野生资源较少。药材来源于野生，自采自用。

| **采收加工** | 春、秋季采挖，除去须根，洗净，置沸水中略烫或蒸至透心，干燥。

| **功能主治** | 甘，平。补气养阴，健脾，润肺，益肾。用于脾虚胃弱，体倦乏力，口干食少，肺虚燥咳，精血不足，内热消渴。

| **用法用量** | 内服煎汤，适量。

独花黄精 *Polygonatum hookeri* Baker

| 药 材 名 | 独花黄精（药用部位：根茎。别名：太阳草）。

| 形态特征 | 多年生草本，矮小，高不到 10cm。根茎圆柱形，结节处稍有增粗，节间长 2 ~ 3.5cm，直径 3 ~ 7mm。叶数枚至十数枚，常紧接在一起，当茎伸长时，显出下部叶为互生，上部叶为对生或 3 叶轮生，条形、矩圆形或矩圆状披针形，长 2 ~ 4.5cm，宽 3 ~ 8mm，先端略尖。通常全株仅生 1 花，位于最下的 1 个叶腋内，少有 2 朵生于 1 总花梗上，花梗长 4 ~ 7mm；苞片微小，膜质，早落；花被紫色，全长 15 ~ 20（~ 25）mm，花被筒直径 3 ~ 4mm，裂片长 6 ~ 10mm；花丝极短，长约 0.5mm，花药长约 2mm；子房长 2 ~ 3mm，花柱长 1.5 ~ 2mm。浆果红色，直径 7 ~ 8mm，具 5 ~ 7 种子。花期 5 ~ 6 月，果期 9 ~ 10 月。

独花黄精

| **生境分布** | 生于海拔 2500 ～ 2700m 的灌丛、山坡草地。分布于重庆巫山、城口、巫溪等地。

| **资源情况** | 野生资源稀少。药材主要来源于野生。

| **采收加工** | 春、秋季采挖，除去须根，洗净，置沸水中略烫或蒸至透心，干燥。

| **功能主治** | 补虚，镇静，安神。用于体虚乏力，头晕目眩，失眠多梦，头痛，高血压等。

| **用法用量** | 内服煎汤，适量。

百合科 Liliaceae 黄精属 Polygonatum

滇黄精
Polygonatum kingianum Coll. et Hemsl.

| 药 材 名 | 黄精（药用部位：根茎。别名：老虎姜、鸡头参、黄鸡菜）。

| 形态特征 | 多年生草本，高 1 ～ 2cm。根茎近圆柱形或近连珠状，结节有时不规则菱状，肥厚，直径 1 ～ 3cm。茎高 1 ～ 3m，先端攀缘状。叶轮生，每轮 3 ～ 10，条形、条状披针形或披针形，长 6 ～ 20（～ 25）cm，宽 3 ～ 30mm，先端拳卷。花序具（1 ～）2 ～ 4（～ 6）花，总花梗下垂，长 1 ～ 2cm，花梗长 0.5 ～ 1.5cm；苞片膜质，微小，通常位于花梗下部；花被粉红色，长 18 ～ 25mm，裂片长 3 ～ 5mm；花丝长 3 ～ 5mm，丝状或两侧扁，花药长 4 ～ 6mm；子房长 4 ～ 6mm，花柱长（8 ～）10 ～ 14mm。浆果红色，直径 1 ～ 1.5cm，具 7 ～ 12 种子。花期 3 ～ 5 月，果期 9 ～ 10 月。

滇黄精

| 生境分布 | 生于海拔 700 ～ 2160m 的灌丛中。分布于重庆黔江、綦江、大足、秀山、长寿、潼南、彭水、云阳、南川、酉阳、涪陵、丰都、武隆、垫江、巫溪、璧山、开州、合川、荣昌、沙坪坝等地。 |

| 资源情况 | 野生资源较少，栽培资源一般。药材主要来源于栽培。 |

| 采收加工 | 春、秋季采挖，除去须根，洗净，置沸水中略烫或蒸至透心，干燥。 |

| 药材性状 | 本品呈肥厚、肉质的结节块状，结节长可超过 10cm，宽 3cm，厚 2 ～ 3cm。表面淡黄色至黄棕色，具环节，有皱纹及须根痕，结节上侧茎痕呈圆盘状，圆周凹入，中部凸出。质硬而韧，不易折断，断面角质样，淡黄色至黄棕色。气微，味甘，嚼之有黏性。 |

| 功能主治 | 甘，平。归脾、肺、肾经。补气养阴，健脾，润肺，益肾。用于脾胃气虚，体倦乏力，胃阴不足，口干食少，肺虚燥咳，劳嗽咯血，精血不足，腰膝酸软，须发早白，内热消渴。 |

| 用法用量 | 内服煎汤，9 ～ 15g。 |

| 附　　注 | 本种喜温暖湿润气候和阴湿环境，耐寒，对气候适应性较强。可在半高山或平地栽培，以土层深厚、肥沃、疏松、湿润的土壤栽培为宜。 |

百合科 Liliaceae 黄精属 Polygonatum

节根黄精 *Polygonatum nodosum* Hua

| **药 材 名** | 节根黄精（药用部位：根茎）。

| **形态特征** | 多年生草本。根茎较细，结节膨大成连珠状或多少成连珠状，直径 5 ~ 7mm。茎高 15 ~ 40cm，具 5 ~ 9 叶。叶互生，卵状椭圆形或椭圆形，长 5 ~ 7cm，先端尖。花序具 1 ~ 2 花，总花梗长 1 ~ 2cm；花被淡黄绿色，全长 2 ~ 3cm，花被筒里面花丝贴生部分粗糙至被短绵毛，口部稍缢缩，裂片长约 3mm；花丝长 2 ~ 4mm，两侧扁，稍弯曲，具乳头状突起至被短绵毛，花药长约 4mm；子房长 4 ~ 5mm，花柱长 17 ~ 20mm。浆果直径约 7mm，具 4 ~ 7 种子。

| **生境分布** | 生于海拔 800 ~ 2600m 的林下、草丛或沟谷阴湿处。分布于重庆武隆、南川、江津、涪陵、城口、秀山等地。

节根黄精

| **资源情况** | 野生资源稀少。药材主要来源于野生。

| **采收加工** | 春、秋季采挖，除去须根，洗净，置沸水中略烫或蒸至透心，干燥。

| **功能主治** | 苦，凉。清热解毒，消肿止痛。用于疮痈肿毒，跌打肿痛。

| **用法用量** | 内服煎汤，适量。外用适量，磨汁涂。

百合科 Liliaceae 黄精属 Polygonatum

玉竹
Polygonatum odoratum (Mill.) Druce

| 药 材 名 | 玉竹（药用部位：根茎。别名：玉竹参、甜黄精、竹七根）。

| 形态特征 | 多年生草本。根茎圆柱形，直径 5 ~ 14mm。茎高 20 ~ 50cm，具 7 ~ 12 叶。叶互生，椭圆形至卵状矩圆形，长 5 ~ 12cm，宽 3 ~ 6cm，先端尖，下面带灰白色，下面脉上平滑至呈乳头状粗糙。花序具 1 ~ 4 花（在栽培情况下，可多至 8），总花梗（单花时为花梗）长 1 ~ 1.5cm；无苞片或有条状披针形苞片；花被黄绿色至白色，全长 13 ~ 20mm，花被筒较直，裂片长 3 ~ 4mm；花丝丝状，近平滑至具乳头状突起，花药长约 4mm；子房长 3 ~ 4mm，花柱长 10 ~ 14mm。浆果蓝黑色，直径 7 ~ 10mm，具 7 ~ 9 种子。花期 5 ~ 6 月，果期 7 ~ 9 月。

玉竹

| 生境分布 | 生于海拔 500 ~ 2560m 的向阳坡或草丛。分布于重庆巫溪、奉节、垫江、石柱、武隆、南川、巫山、丰都、酉阳、黔江、开州等地。 |

| 资源情况 | 野生资源较少。药材主要来源于野生，亦有栽培。 |

| 采收加工 | 秋季采挖，除去须根，洗净，晒至柔软后，反复揉搓、晾晒至无硬心，晒干；或蒸透后，揉至半透明，晒干。 |

| 药材性状 | 本品呈长圆柱形，略扁，少有分枝，长 4 ~ 18cm，直径 0.3 ~ 1.4cm。表面黄白色或淡黄棕色，半透明，具纵皱纹及微隆起的环节，有白色圆点状须根痕和圆盘状茎痕。质硬而脆，或稍软，易折断，断面角质样或显颗粒性。气微，味甘，嚼之发黏。 |

| 功能主治 | 甘，微寒。养阴润燥，生津止渴。用于肺胃阴伤，燥热咳嗽，咽干口渴，内热消渴。 |

| 用法用量 | 内服煎汤，6 ~ 12g；熬膏、浸酒；或入丸、散。外用适量，鲜品捣敷；或熬膏涂。 |

| 附　注 | （1）本种喜温暖湿润气候和阴湿环境，较耐寒。可在山区和平坝栽培，以土层深厚、肥沃、排水良好的微酸性砂壤土栽培为宜，不宜在黏土、湿度过大的地方种植。忌连作。
（2）与本种药材玉竹功能主治相同的还有毛筒玉竹 *Polygonatum inflatum* Kom.、小玉竹 *Polygonatum humile* Fisch. ex Maxim.、热河黄精 *Polygonatum macropodium* Turcz.、新疆黄精 *Polygonatum roseum* (Ledeb.) Kunth、康定玉竹 *Polygonatum prattii* Baker。 |

百合科 Liliaceae 黄精属 Polygonatum

轮叶黄精

Polygonatum verticillatum (L.) All.

| 药 材 名 | 羊角参（药用部位：根茎。别名：臭儿参、地吊、玉竹参）。

| 形态特征 | 多年生草本。根茎的节间长 2 ~ 3cm，一头粗，一头较细，粗的一头有短分枝，直径 7 ~ 15mm。茎高（20 ~）40 ~ 80cm。叶通常 3 叶轮生，或间有少数对生或互生，矩圆状披针形（长 6 ~ 10cm，宽 2 ~ 3cm）至条状披针形或条形（长达 10cm，宽仅 5mm），先端尖至渐尖。花单朵或 2（3 ~ 4）成花序，总花梗长 1 ~ 2cm，花梗长 3 ~ 10mm，俯垂；花被淡黄色或淡紫色，全长 8 ~ 12mm，裂片长 2 ~ 3mm；花丝长 0.5 ~ 1（~ 2）mm，花药长约 2.5mm；子房长约 3mm，具约与之等长或稍短的花柱。浆果红色，直径 6 ~ 9mm，具 6 ~ 12 种子。花期 5 ~ 6 月，果期 8 ~ 10 月。

轮叶黄精

| 生境分布 | 生于海拔 2050 ~ 2300m 的亚高山杂木林下。分布于重庆南川、城口、永川等地。

| 资源情况 | 野生资源较少。药材来源于野生。

| 采收加工 | 夏、秋季间采挖，除去茎叶及须根，洗净，蒸后晒干。

| 药材性状 | 本品呈圆柱形，长 5 ~ 15cm，直径 3 ~ 7mm，粗细较均匀。表面深棕色，具圆形茎痕，2 茎痕间距 4 ~ 6cm；节明显，呈波状环，节间较长，可见少数点状须根痕。质韧，断面角质样，可见类白色小点散在（维管束）。气微，味微甘，带黏性。

| 功能主治 | 甘、微苦，凉。平肝息风，养阴明目，清热凉血。用于头痛目疾，咽喉肿痛，高血压，癫痫。

| 用法用量 | 内服煎汤，6 ~ 9g；或研末；或浸酒。外用适量，捣敷。

百合科 Liliaceae 黄精属 Polygonatum

湖北黄精
Polygonatum zanlanscianense Pamp.

| 药 材 名 | 老虎姜（药用部位：根茎。别名：苦黄精、白药子）。

| 形态特征 | 多年生草本。根茎连珠状或姜块状。茎直立或上部多少有些攀缘，高可超过 1m。叶轮生，每轮 3 ~ 6，叶形变异较大，椭圆形、矩圆状披针形、披针形至条形，先端拳卷至稍弯曲。花序具 2 ~ 6（~ 11）花，近伞形，总花梗长 5 ~ 20（~ 40）mm，花梗长（2 ~）4 ~ 7（~ 10）mm；苞片位于花梗基部，具 1 脉；花被白色或淡黄绿色或淡紫色，全长 6 ~ 9mm，花被筒近喉部稍缢缩，裂片长约 1.5mm；花丝长 0.7 ~ 1mm，花药长 2 ~ 2.5mm；子房长约 2.5mm，花柱长1.5 ~ 2mm。浆果直径 6 ~ 7mm，紫红色或黑色，具 2 ~ 4 种子。花期 6 ~ 7 月，果期 8 ~ 10 月。

湖北黄精

生境分布

生于海拔 400 ~ 2300m 的林下灌丛中。分布于重庆城口、巫溪、巫山、奉节、石柱、秀山、南川、云阳、铜梁等地。

资源情况

野生资源稀少。药材主要来源于野生，亦有零星栽培。

采收加工

春、秋季采收，除去须根，洗净，切薄片，鲜用或晒干。

功能主治

甘、微苦，凉。养阴生津，补脾益气，强筋壮骨。用于阴虚劳嗽，脾虚乏力，食少口干，腰膝酸软，阳痿遗精，耳鸣目暗，须发少白。

用法用量

内服煎汤，6 ~ 9g；或研末。外用适量，研末撒。

百合科 Liliaceae 吉祥草属 Reineckia

吉祥草

Reineckia carnea (Andr.) Kunth

吉祥草

药材名

吉祥草（药用部位：全草。别名：千里马、观音草、小竹根七）。

形态特征

多年生草本。茎直径 2 ~ 3mm，蔓延于地面，逐年向前延长或发出新枝，每节上有 1 残存的叶鞘，先端叶簇由于茎的连续生长，有时似长在茎中部，两叶簇间可相距数至十数厘米。叶每簇 3 ~ 8，条形至披针形，长 10 ~ 38cm，宽 0.5 ~ 3.5cm，先端渐尖，向下渐狭成柄，深绿色。花葶长 5 ~ 15cm；穗状花序长 2 ~ 6.5cm，上部花有时仅具雄蕊；苞片长 5 ~ 7mm；花芳香，粉红色；裂片矩圆形，长 5 ~ 7mm，先端钝，稍肉质；雄蕊短于花柱，花丝丝状，花药近矩圆形，两端微凹，长 2 ~ 2.5mm；子房长 3mm，花柱丝状。浆果直径 6 ~ 10mm，成熟时鲜红色。花果期 7 ~ 11 月。

生境分布

生于海拔 400 ~ 1800m 的阴湿林下。分布于重庆黔江、綦江、彭水、城口、涪陵、奉节、酉阳、秀山、忠县、云阳、石柱、南川、璧山、长寿、武隆、垫江、巫山、开州、梁平、沙坪坝等地。

| **资源情况** | 野生和栽培资源均丰富。药材主要来源于野生。

| **采收加工** | 全年均可采收，除去杂质，洗净，晒干。

| **药材性状** | 本品呈黄褐色。根茎呈圆柱形，直径 2 ~ 5mm；表面黄棕色或黄绿色，节稍膨大，具皱缩纹，常有残留的膜质叶鞘和须根。叶簇生于茎顶或节处，叶片绿褐色或棕褐色，多皱缩或破碎，完整者展平后呈条状披针形，全缘，无柄；叶脉平行，中脉明显。气微，味甘、微苦。

| **功能主治** | 甘，凉。清肺止咳，凉血止血，解毒利咽。用于肺热咳嗽，咯血，吐血，衄血，便血，咽喉肿痛，目赤翳障，疮疖痈肿等。

| **用法用量** | 内服煎汤，6 ~ 12g，鲜品 30 ~ 60g。外用适量，捣敷。

| **附　　注** | 在 FOC 中，本种的拉丁学名被修订为 *Reineckea carnea* (Andrews) Kunth。

百合科 Liliaceae 万年青属 Rohdea

万年青
Rohdea japonica (Thunb.) Roth

万年青

药材名

万年青（药用部位：根、根茎。别名：牛尾七、冲天七、开口剑）、万年青花（药用部位：花）、万年青子（药用部位：果实）、万年青叶（药用部位：叶）。

形态特征

多年生草本。根茎直径1.5～2.5cm。叶3～6，厚纸质，矩圆形、披针形或倒披针形，长15～50cm，宽2.5～7cm，先端急尖，基部稍狭，绿色，纵脉明显浮凸；鞘叶披针形，长5～12cm。花葶短于叶，长2.5～4cm；穗状花序长3～4cm，宽1.2～1.7cm；具数十朵密集的花；苞片卵形，膜质，短于花，长2.5～6mm，宽2～4mm；花被长4～5mm，宽6mm，淡黄色，裂片厚；花药卵形，长1.4～1.5mm。浆果直径约8mm，成熟时红色。花期5～6月，果期9～11月。

生境分布

生于海拔450～1700m的阴湿杂林下。分布于重庆黔江、彭水、长寿、秀山、丰都、巫溪、奉节、垫江、涪陵、石柱、武隆、酉阳、南川、大足、合川、璧山、江津、铜梁、潼南、永川、开州、巴南、渝北、南岸、江北等地。

| **资源情况** | 野生资源较少。药材主要来源于野生。

| **采收加工** | 万年青：全年均可采收，挖取根及根茎，洗净，除去须根，鲜用或切片晒干。

万年青花：5 ～ 6 月花开时采收，阴干或烘干。

万年青子：果实成熟时采收，开水略烫，晒干。

万年青叶：全年均可采收，鲜用或晒干。

| **药材性状** | 万年青：本品根茎呈圆柱形，长 5 ～ 18cm，直径 1.5 ～ 2.5cm。表面灰黄色，皱缩，具密集的波状环节，并散有圆点状根痕，有时留有长短不等的须根；先端有时可见地上茎痕和叶痕。质带韧性，折断面不平坦，黄白色（晒干品）或浅棕色至棕红色（烘干品），略带海绵性，有黄色维管束小点散布。气微，味苦、辛。以大小均匀、色白者为佳。

万年青子：本品呈类球形或不规则的多面体团粒状，直径 0.8cm。表面棕褐色至黑褐色，极皱缩，具 1 ～ 4 粗纵沟，于放大镜下可见先端具浅棕色三角形柱头痕，基部具圆形果梗痕。果皮紧贴种子，质坚硬，分离后呈革质状，脆性；种子 1 ～ 5，球形、半球形、橘瓣形，长 0.6 ～ 0.9cm，宽 4 ～ 6mm，表面深棕色至棕黑色，角质化，半透明。气微，味略酸、涩，果皮嚼之有柔滑感。

| **功能主治** | 万年青：苦、微甘，寒。清热解毒，强心利尿，凉血止血。用于咽喉肿痛，白喉，疮疡肿毒，蛇虫咬伤，心力衰竭，水肿臌胀，咯血，吐血，崩漏等。

万年青花：祛瘀止痛，补肾。用于跌打损伤，肾虚腰痛等。

万年青子：甘、苦，寒。催生。用于难产。

万年青叶：苦、涩，微寒。清热解毒，强心利尿，凉血止血。用于咽喉肿痛，疮毒，蛇伤，心力衰竭，咯血，吐血等。

| **用法用量** | 万年青：内服煎汤，3 ～ 9g，鲜品可用至 30g；或浸酒；或捣汁。外用适量，鲜品捣敷；或捣汁涂；或塞鼻；或煎汤熏洗。孕妇禁服。

万年青花：内服煎汤，3 ～ 9g；或入丸剂。

万年青子：内服煎汤，4.5 ～ 9g。

万年青叶：内服煎汤，3 ～ 9g，鲜品 9 ～ 15g。外用适量，煎汤熏洗；或捣汁涂。

百合科 Liliaceae 鹿药属 *Smilacina*

管花鹿药
Smilacina henryi (Baker) Wang et Tang

| **药 材 名** | 鹿药（药用部位：根、根茎。别名：偏头七、磨盘七、盘龙七）。

| **形态特征** | 多年生草本，高 50 ～ 80cm。根茎直径 1 ～ 2cm。茎中部以上被短硬毛或微硬毛，少有无毛。叶纸质，椭圆形、卵形或矩圆形，长 9 ～ 22cm，宽 3.5 ～ 11cm，先端渐尖或具短尖。花淡黄色或带紫褐色，单生，通常排成总状花序；花序长 3 ～ 7（～ 17）cm，被毛；花梗长 1.5 ～ 5mm，被毛；花被呈高脚碟状，筒部长 6 ～ 10mm，为花被全长的 2/3 ～ 3/4，裂片开展，长 2 ～ 3mm；雄蕊生于花被筒喉部，花丝通常极短，极少长达 1.5mm，花药长约 0.7mm；花柱长 2 ～ 3mm，稍长于子房，柱头 3 裂。浆果球形，直径 7 ～ 9mm，未成熟时绿色而带紫斑点，成熟时红色，具 2 ～ 4 种子。花期 5 ～ 6（～ 8）月，果期 8 ～ 10 月。

管花鹿药

| **生境分布** | 生于海拔 1150 ~ 2650m 的林下、林缘路边、水沟旁潮湿草丛或灌丛中。分布于重庆巫溪、武隆、南川、江津、城口、石柱、开州、巫山等地。 |

| **资源情况** | 野生资源一般。药材主要来源于野生。 |

| **采收加工** | 春、秋季采挖，洗净，鲜用或晒干。 |

| **药材性状** | 本品根茎约呈结节状，稍扁。表面棕色至棕褐色，具皱纹，先端具 1 个或数个茎基或芽基，周围密生多数须根。质较硬，断面白色。 |

| **功能主治** | 甘、苦，温。归肝、肾经。补肾壮阳，活血祛瘀，祛风止痛。用于肾虚阳痿，月经不调，偏正头痛，风湿痹痛，痈肿疮毒，跌打损伤。 |

| **用法用量** | 内服煎汤，6 ~ 15g；或浸酒。外用适量，捣敷。 |

| **附　　注** | 在 FOC 中，本种的拉丁学名被修订为 *Maianthemum henryi* (Baker) LaFrankie，属名被修订为舞鹤草属 *Maianthemum*。 |

百合科 Liliaceae 鹿药属 *Smilacina*

鹿药

Smilacina japonica A. Gray

鹿药

| 药 材 名 |

鹿药（药用部位：根、根茎。别名：盘龙七、偏头七、磨盘七）。

| 形态特征 |

多年生草本，高 30 ~ 60cm。根茎横走，多少呈圆柱状，直径 6 ~ 10mm，有时具膨大结节。茎中部以上或仅上部被粗伏毛，具 4 ~ 9 叶。叶纸质，卵状椭圆形、椭圆形或矩圆形，长 6 ~ 13（~ 15）cm，宽 3 ~ 7cm，先端近短渐尖，两面疏生粗毛或近无毛，具短柄。圆锥花序长 3 ~ 6cm，被毛，具 10 ~ 20 花；花单生，白色；花梗长 2 ~ 6mm；花被片分离或仅基部稍合生，矩圆形或矩圆状倒卵形，长约 3mm；雄蕊长 2 ~ 2.5mm，基部贴生于花被片上，花药小；花柱长 0.5 ~ 1mm，与子房近等长，柱头几不裂。浆果近球形，直径 5 ~ 6mm，成熟时红色，具 1 ~ 2 种子。花期 5 ~ 6 月，果期 8 ~ 9 月。

| 生境分布 |

生于海拔 900 ~ 1950m 的阴湿林下或岩石缝中。分布于重庆巫山、巫溪、城口、黔江、秀山、石柱、南川等地。

| **资源情况** | 野生资源较少。药材来源于野生。

| **采收加工** | 春、秋季采挖，洗净，鲜用或晒干。

| **药材性状** | 本品根茎略呈结节状，稍扁，长 6 ~ 15cm，直径 0.5 ~ 1cm。表面棕色至棕褐色，具皱纹，先端有 1 至数个茎基或芽基，周围密生多数须根。质较硬，断面白色，粉性。气微，味甘、微辛。以根茎粗壮、断面白色、粉性足者为佳。

| **功能主治** | 甘、苦，温。补肾壮阳，活血祛瘀，祛风止痛。用于肾虚阳痿，月经不调，偏正头痛，风湿痹痛，痈肿疮毒，跌打损伤等。

| **用法用量** | 内服煎汤，6 ~ 15g；或浸酒。外用适量，捣敷；或烫热熨。

| **附　　注** | 在 FOC 中，本种的拉丁学名被修订为 *Maianthemum japonicum* (A. Gray) LaFrankie，属名被修订为舞鹤草属 *Maianthemum*。

■ 百合科 ■ Liliaceae ■ 鹿药属 ■ Smilacina

窄瓣鹿药 *Smilacina paniculata* (Baker) Wang et Tang

| 药 材 名 | 窄瓣鹿药（药用部位：根茎。别名：盘龙七、鹿药）。

| 形态特征 | 多年生草本，高 30 ~ 80cm。根茎近块状或有结节状膨大，直径（2.5 ~）7 ~ 16mm。茎无毛，具 6 ~ 8 叶。叶纸质，卵形、矩圆状披针形或近椭圆形，长 7 ~ 21cm，宽 2 ~ 7.5cm，先端渐尖，基部圆形，具短柄，无毛。通常为圆锥花序，较少为总状花序，无毛；花序长 2.5 ~ 11cm，通常侧枝较长；花单生，淡绿色或稍带紫色；花梗长 2 ~ 12（~ 18）mm；花被片仅基部合生，窄披针形，长 2.5 ~ 5mm；花丝扁平，离生部分稍长于花药或近等长；花柱极短，柱头 3 深裂；子房球形，稍长于花柱。浆果近球形，直径 6 ~ 7mm，成熟时红色，具 1 ~ 5 种子。花期 5 ~ 6 月，果期 8 ~ 10 月。

窄瓣鹿药

| **生境分布** | 生于海拔 1500 ~ 2500m 的林下、林缘、路边或草坡。分布于重庆巫山、石柱、南川、彭水、丰都等地。 |

| **资源情况** | 野生资源稀少。药材主要来源于野生。 |

| **采收加工** | 春、秋季采挖，鲜用或晒干。 |

| **功能主治** | 甘、苦，温。补气益肾，祛风除湿，活血调经。用于劳伤腰痛，肾虚阳痿，跌打损伤，乳痈，月经不调。 |

| **用法用量** | 内服煎汤，适量；或浸酒。外用适量，捣敷。 |

| **附　注** | 在 FOC 中，本种的拉丁学名被修订为 *Maianthemum tatsienense* (Franchet) LaFrankie，属名被修订为舞鹤草属 *Maianthemum*。 |

百合科 Liliaceae 菝葜属 *Smilax*

尖叶菝葜
Smilax arisanensis Hay.

| 药 材 名 | 尖叶菝葜（药用部位：根茎）。

| 形态特征 | 攀缘灌木，具粗短的根茎。茎长可达 10m，无刺或具疏刺。叶纸质，矩圆形、矩圆状披针形或卵状披针形，先端渐尖或长渐尖，基部圆形，干后常带古铜色；叶柄长 7 ～ 20mm，常扭曲，具约占全长 1/2 的狭鞘，一般有卷须，脱落点位于近先端。伞形花序生于叶腋或披针形苞片的腋部；总花梗纤细，比叶柄长 3 ～ 5 倍；花序托几不膨大；花绿白色；雄花内、外花被片相似，长 2.5 ～ 3mm，宽约 1mm；雄蕊长约为花被片的 2/3；雌花比雄花小，花被片长约 1.5mm，内花被片较狭，具 3 退化雄蕊。浆果直径约 8mm，成熟时紫黑色。花期 4 ～ 5月，果期 10 ～ 11 月。

尖叶菝葜

| 生境分布 |

生于海拔 800 ～ 1500m 的林中、灌丛下或山谷溪边荫蔽处。分布于重庆城口、石柱、巫溪、武隆等地。

| 资源情况 |

野生资源较少。药材主要来源于野生。

| 采收加工 |

秋末至翌年春季采挖，除去须根，洗净，晒干；或趁鲜切片，干燥。

| 功能主治 |

微苦，温。清热利尿，通淋调经。用于小便赤黄，淋证，白浊，月经不调。

| 用法用量 |

内服煎汤，适量。

百合科 Liliaceae 菝葜属 Smilax

西南菝葜 *Smilax bockii* Warb.

西南菝葜

药材名

西南金刚藤（药用部位：根茎。别名：金刚藤、金刚菜）。

形态特征

攀缘灌木，具粗短的根茎。茎长 2 ～ 5m，无刺。叶纸质或薄革质，矩圆状披针形、条状披针形至狭卵状披针形，长 7 ～ 15cm，宽 1 ～ 5cm，先端长渐尖，基部浅心形至宽楔形，中脉区在上面多少凹陷，主脉 5 ～ 7，最外侧的几与叶缘结合；叶柄长 5 ～ 20mm，具鞘部分不及全长的 1/3，有卷须，脱落点位于近先端。伞形花序生于叶腋或苞片腋部，具数至十数朵花；总花梗纤细，比叶柄长许多倍；花序托稍膨大；花紫红色或绿黄色；雄花内、外花被片相似，长 2.5 ～ 3mm，宽约 1mm；雌花略小于雄花，具 3 退化雄蕊。浆果直径 8 ～ 10mm，成熟时蓝黑色。花期 5 ～ 7 月，果期 10 ～ 11 月。

生境分布

生于海拔 800 ～ 1900m 的林下、山坡或灌丛中。分布于重庆丰都、璧山、秀山、铜梁、永川、垫江、大足、武隆、涪陵等地。

| 资源情况 | 野生资源一般。药材主要来源于野生。

| 采收加工 | 8 ~ 9 月采挖，洗净，切片，晒干。

| 药材性状 | 本品根茎横走，结节状，有短茎基；表面灰黄色至灰褐色，凹凸不平，有不规则皱纹，栓皮脱落处呈深褐色，茎基的栓皮具横裂纹；质硬，断面深黄色。须根多已折断，着生处呈圆锥状隆起，基部直径 1 ~ 3mm；表面深褐色；质硬，断面黄棕色。气微，味微涩。

| 功能主治 | 辛，温。祛风除湿，活血祛瘀，解毒散结。用于风湿痹证，跌打肿痛，疔疮瘰疬。

| 用法用量 | 内服煎汤，3 ~ 9g。

| 附　注 | 在 FOC 中，本种的拉丁学名被修订为 *Smilax biumbellata* T. Koyama。

百合科 Liliaceae 菝葜属 Smilax

密疣菝葜 *Smilax chapaensis* Gagnep.

| 药 材 名 | 密疣菝葜（药用部位：根茎）。

| 形态特征 | 攀缘灌木。茎长 1 ~ 2m，枝条具 2 ~ 3 棱，密生疣状突起，无刺或少有具疏刺。叶通常纸质，卵状矩圆形、狭椭圆形至披针形，长 6 ~ 17cm，宽 2 ~ 8cm，先端渐尖或骤凸，基部圆形或宽楔形，除中脉在上面稍凹陷外，其余主、支脉浮凸；叶柄长 1 ~ 2（~ 2.5）cm，一般有卷须，脱落点位于近中部，叶柄基部多少有疣状突起。伞形花序通常单生叶腋，具几十朵花；花序托稍膨大，果期近球形；花黄绿色；雄花外花被片长 4 ~ 5mm，宽约 1mm，内花被片稍狭；雄蕊与花被片近等长或稍长，花药近矩圆形；雌花比雄花小一半，具 6 退化雄蕊。浆果直径 6 ~ 7mm，具 1 ~ 2 种子；种子无沟或有时具 1 ~ 3 纵沟。花期 2 ~ 3 月，果期 10 ~ 11 月。

密疣菝葜

| **生境分布** | 生于海拔 600 ～ 1500m 的林下、灌丛中或山坡荫蔽处。分布于重庆云阳、彭水、南川、黔江、潼南、铜梁等地。 |

| **资源情况** | 野生资源稀少。药材主要来源于野生。 |

| **采收加工** | 秋末至翌年春季采挖，除去须根，洗净，晒干；或趁鲜切片，干燥。 |

| **功能主治** | 辛、苦，温。清热利湿，祛风散结。用于筋骨酸软，皮肤瘙痒，风湿疼痛，崩漏，尿血，带下。 |

| **用法用量** | 内服煎汤，适量。 |

百合科 Liliaceae 菝葜属 Smilax

菝葜
Smilax china L.

| 药 材 名 | 菝葜(药用部位:根茎。别名:金刚藤、冷饭巴、铁菱角)、菝葜叶(药用部位:叶)。

| 形态特征 | 攀缘灌木。根茎粗厚,坚硬,呈不规则的块状。茎长,疏生刺。叶薄革质或坚纸质,干后通常红褐色或近古铜色,圆形、卵形或其他形状,长 3 ~ 10cm,宽 1.5 ~ 6cm,下面通常淡绿色,较少苍白色;叶柄长 5 ~ 15mm,具占全长 1/2 ~ 2/3、宽 0.5 ~ 1mm(一侧)的鞘,几乎都有卷须,少有例外,脱落点位于靠近卷须处。伞形花序生于叶尚幼嫩的小枝上,具十数朵或更多的花,常呈球形;总花梗长 1 ~ 2cm;花序托稍膨大,近球形,较少稍延长,具小苞片;花绿黄色,外花被片长 3.5 ~ 4.5mm,宽 1.5 ~ 2mm,内花被片稍狭;雄花花药比花丝稍宽,常弯曲;雌花与雄花大小相似,具 6 退化雄蕊。

菝葜

浆果直径 6 ~ 15mm，成熟时红色，具粉霜。花期 2 ~ 5 月，果期 9 ~ 11 月。

| **生境分布** | 生于海拔 2000m 以下的疏林下或灌丛中。重庆各地均有分布。

| **资源情况** | 野生资源丰富。药材来源于野生。

| **采收加工** | 菝葜：秋末至翌年春季采挖，除去须根，洗净，晒干；或趁鲜切片，干燥。
菝葜叶：夏、秋季采收，鲜用或晒干。

| **药材性状** | 菝葜：本品呈不规则块状或弯曲扁柱形，有结节状隆起，长 10 ~ 20cm，直径 2 ~ 4cm；表面黄棕色或紫棕色，具圆锥状凸起的茎基痕，并残留坚硬的刺状须根残基或细根；质坚硬，难折断，断面棕黄色或红棕色，纤维性，可见点状维管束和多数小亮点。切片不规则形，厚 0.3 ~ 1cm，边缘不整齐，切面粗纤维性；质硬，折断时有粉尘飞扬。气微，味微苦、涩。

| **功能主治** | 菝葜：甘、微苦、涩，平。利湿去浊，祛风除痹，解毒散瘀。用于小便淋浊，带下，风湿痹痛，疔疮痈肿等。
菝葜叶：甘，平。祛风，利湿，解毒。用于风肿，疮疖，肿毒，臁疮，烫火伤，蜈蚣咬伤等。

| **用法用量** | 菝葜：内服煎汤，10 ~ 30g；或浸酒；或入丸、散。
菝葜叶：内服煎汤，15 ~ 30g；或浸酒。外用适量，捣敷；或研末调敷；或煎汤洗。

百合科 Liliaceae 菝葜属 Smilax

柔毛菝葜 *Smilax chingii* Wang et Tang

| 药 材 名 | 柔毛菝葜（药用部位：根茎）。

| 形态特征 | 攀缘灌木。茎长 1 ～ 7m，枝条有不明显的纵棱，通常疏生刺。叶革质或厚纸质，卵状椭圆形至矩圆状披针形，长 5 ～ 18cm，宽 1.5 ～ 7（～ 11）cm，先端渐尖，基部近圆形或钝，下面苍白色且多少被棕色或白色短柔毛；叶柄长 5 ～ 20mm，具约占全长 1/2 的鞘，少数有卷须，脱落点位于近中部。伞形花序生于叶尚幼嫩的小枝上，具几朵花；总花梗长 5 ～ 30mm，偶尔有关节；花序托常延长，使花序多少呈总状，具宿存小苞片；雄花外花被片长约 8mm，宽 3.5 ～ 4mm，内花被片稍狭；雌花比雄花略小，具 6 退化雄蕊。浆果直径 10 ～ 14mm，成熟时红色。花期 3 ～ 4 月，果期 11 ～ 12 月。

柔毛菝葜

| 生境分布 |

生于海拔 400 ～ 1600m 的林下、灌丛中或山坡、河谷阴处。分布于重庆开州、北碚、奉节、石柱、武隆、彭水、南川、巴南等地。

| 资源情况 |

野生资源较少。药材主要来源于野生。

| 采收加工 |

夏、秋季采挖，除去须根，洗净，干燥。

| 功能主治 |

甘、淡，平。祛风利湿，消肿止血。用于筋骨酸痛，皮肤瘙痒，风湿疼痛，崩漏，尿血，带下。

| 用法用量 |

内服煎汤，适量。

百合科 Liliaceae 菝葜属 *Smilax*

银叶菝葜 *Smilax cocculoides* Warb.

| **药材名** | 银叶菝葜（药用部位：根茎）。

| **形态特征** | 灌木，多少攀缘，具粗短的根茎。茎长 0.5 ~ 2m，枝条常有不明显的钝棱，无刺。叶纸质或近革质，卵形、椭圆状卵形或近披针形，长 5 ~ 12cm，宽 2.5 ~ 4（~ 6.5）cm，先端骤凸或长渐尖，基部楔形，下面浅绿色且稍有光泽；叶柄常弯曲，基部有狭鞘，无卷须，脱落点位于近中部；鞘向前延伸，呈舌状，较小或有时不明显。伞形花序通常单生叶腋；总花梗长 1 ~ 2cm，近基部有关节，着生点上方有 1 与叶柄相对的鳞片（先出叶）；花序托几不膨大；雄花黄绿色，外花被片长 2.5 ~ 3.5mm，宽约 1.5mm，内花被片较狭；雄蕊极短，长约 0.7mm。浆果直径约 8mm，成熟时黑蓝色。花期 2 ~ 4 月，果期 11 月。

银叶菝葜

| 生境分布 |

生于海拔 500 ～ 1900m 的林下、山坡灌丛中或路旁。分布于重庆巫山、云阳、石柱、武隆、南川、彭水、城口、奉节等地。

| 资源情况 |

野生资源较少。药材主要来源于野生。

| 采收加工 |

夏、秋季采挖，除去须根，洗净，干燥。

| 功能主治 |

甘，温。清热利尿，祛风除湿，消肿解毒。用于小便赤黄，淋证，白浊，风湿麻木，疮痈肿毒。

| 用法用量 |

内服煎汤，适量。外用适量，捣敷。

百合科 Liliaceae 菝葜属 Smilax

托柄菝葜 *Smilax discotis* Warb.

| 药 材 名 | 短柄菝葜（药用部位：根茎。别名：土茯苓、金刚豆藤、土萆薢）。

| 形态特征 | 灌木，多少攀缘。茎长 0.5 ~ 3m，疏生刺或近无刺。叶纸质，通常近椭圆形，长 4 ~ 10（~ 20）cm，宽 2 ~ 5（~ 10）cm，基部心形，下面苍白色；叶柄长 3 ~ 5（~ 15）mm，脱落点位于近先端，有时有卷须；鞘与叶柄等长或稍长，宽 3 ~ 5mm（一侧），近半圆形或卵形，多少呈贝壳状。伞形花序生于叶尚稍幼嫩的小枝上，通常具几朵花；总花梗长 1 ~ 4cm；花序托稍膨大，有时延长，具多枚小苞片；花绿黄色；雄花外花被片长约 4mm，宽约 1.8mm，内花被片宽约 1mm；雌花比雄花略小，具 3 退化雄蕊。浆果直径 6 ~ 8mm，成熟时黑色，具粉霜。花期 4 ~ 5 月，果期 10 月。

托柄菝葜

| **生境分布** | 生于海拔650~2100m的林下、灌丛或路旁山坡上。分布于重庆城口、黔江、忠县、酉阳、石柱、奉节、云阳、武隆、九龙坡等地。 |

| **资源情况** | 野生资源一般。药材来源于野生，自采自用。 |

| **采收加工** | 夏、秋季采挖，洗净，切片，干燥。 |

| **功能主治** | 辛、微苦，凉。祛风，清热，利湿，凉血止血。用于风湿热痹，足膝肿痛，血淋，崩漏。 |

| **用法用量** | 内服煎汤，15~30g。 |

| **附　　注** | 刘永提等人以本种幼嫩的茎段为外植体，以MS、1/2MS、1/4MS、B₅为基本培养基，研究了不同植物激素组合对本种组织培养快速繁殖的影响，为种苗繁殖提供了技术支持。 |

百合科 Liliaceae 菝葜属 Smilax

长托菝葜
Smilax ferox Wall. ex Kunth

| 药 材 名 | 刺萆薢（药用部位：根茎。别名：红萆薢、川萆薢、美人扇）。

| 形态特征 | 攀缘灌木。茎长可达 5m，枝条多少具纵条纹，疏生刺。叶厚革质至坚纸质，椭圆形、卵状椭圆形至矩圆形，变化较大，长 3 ~ 16cm，宽 1.5 ~ 9cm，下面通常苍白色，主脉一般 3，很少 5；叶柄长 5 ~ 25mm，具占全长 1/2 ~ 3/4 的鞘，少数叶柄具卷须，少有例外，脱落点位于鞘上方。伞形花序生于叶尚幼嫩的小枝上，具数至十数朵花；总花梗长 1 ~ 2.5cm，偶尔有关节；花序托常延长而使花序多少呈总状，具多枚宿存小苞片；花黄绿色或白色；雄花外花被片长 4 ~ 8mm，宽 2 ~ 3mm，内花被片稍狭；雌花比雄花小，花被片长 3 ~ 6mm，具 6 退化雄蕊。浆果直径 8 ~ 15mm，成熟时红色。花期 3 ~ 4 月，果期 10 ~ 11 月。

长托菝葜

生境分布	生于海拔 550 ~ 2800m 的灌丛中。分布于重庆城口、巫溪、巫山、彭水、南川、开州、武隆、江津、奉节、涪陵、酉阳、云阳、铜梁等地。
资源情况	野生资源一般。药材主要来源于野生。
采收加工	春、秋、冬季采挖，除去茎叶和须根，切片，晒干。
功能主治	辛、苦，平。祛风湿，利小便，解疮毒。用于风湿痹痛，小便淋浊，疮疹瘙痒。
用法用量	内服煎汤，9 ~ 15g。外用适量，煎汤洗。

百合科 Liliaceae 菝葜属 Smilax

土茯苓

Smilax glabra Roxb.

土茯苓

| 药 材 名 |

土茯苓（药用部位：根茎。别名：光叶菝葜、短柄菝葜、金刚藤）。

| 形态特征 |

攀缘灌木。根茎粗厚，块状，常由匍匐茎相连接，直径 2 ~ 5cm。茎长 1 ~ 4m，枝条光滑，无刺。叶薄革质，狭椭圆状披针形至狭卵状披针形，长 6 ~ 12（~ 15）cm，宽 1 ~ 4（~ 7）cm，先端渐尖，下面通常绿色，有时带苍白色；叶柄长 5 ~ 15（~ 20）mm，具占全长 1/4 ~ 3/5 的狭鞘，有卷须，脱落点位于近先端。伞形花序通常具 10 余花；总花梗长 1 ~ 5（~ 8）mm，通常明显短于叶柄，极少与叶柄近等长；在总花梗与叶柄之间有 1 芽；花序托膨大，连同多数宿存的小苞片多少呈莲座状，宽 2 ~ 5mm；花绿白色，六棱状球形，直径约 3mm；雄花外花被片近扁圆形，宽约 2mm，兜状，背面中央具纵槽，内花被片近圆形，宽约 1mm，边缘有不规则的齿；雄蕊靠合，与内花被片近等长，花丝极短；雌花外形与雄花相似，但内花被片边缘无齿，具 3 退化雄蕊。浆果直径 7 ~ 10mm，成熟时紫黑色，具粉霜。花期 7 ~ 11 月，果期 11 月至翌年 4 月。

| 生境分布 | 生于海拔 200 ~ 1800m 的林下、灌丛或路旁山坡上。分布于重庆黔江、北碚、城口、巫山、合川、江津、永川、酉阳、璧山、云阳、南川、长寿、涪陵、武隆、铜梁、垫江、开州、石柱、丰都、大足、荣昌等地。 |

| 资源情况 | 野生资源较丰富。药材主要来源于野生。 |

| 采收加工 | 夏、秋季采挖，除去须根，洗净，干燥；或趁鲜切薄片，干燥。 |

| 药材性状 | 本品略呈圆柱形，稍扁或呈不规则条块状，有结节状隆起，具短分枝，长 5 ~ 22cm，直径 2 ~ 5cm；表面黄棕色或灰褐色，凹凸不平，有坚硬的须根残基，分枝先端有圆形芽痕，有的外皮具不规则裂纹，并有残留的鳞叶；质坚硬。切片呈长圆形，厚 1 ~ 5mm，边缘不整齐；切面类白色至淡红棕色，粉性，可见点状维管束及多数小亮点；质略韧，折断时有粉尘飞扬，以水湿润后有黏滑感。无臭，味微甘、涩。 |

| 功能主治 | 甘、淡，平。除湿，解毒，通利关节。用于湿热淋浊，带下，痈肿，瘰疬，疥癣，梅毒及汞中毒所致的肢体拘挛、筋骨疼痛。 |

| 用法用量 | 内服煎汤，15 ~ 60g。外用适量，研末调敷。 |

| 附　注 | 本种喜温暖湿润气候，耐干旱、荫蔽。宜选择砂壤土或黏壤土栽培。 |

百合科 Liliaceae 菝葜属 Smilax

黑果菝葜 *Smilax glaucochina* Warb.

| 药 材 名 | 陕土茯苓（药用部位：根茎。别名：粉菝葜、金刚藤头、冷饭巴）。

| 形态特征 | 攀缘灌木，具粗短的根茎。茎长 0.5 ~ 4m，通常疏生刺。叶厚纸质，通常椭圆形，长 5 ~ 8（~ 20）cm，宽 2.5 ~ 5（~ 14）cm，先端微凸，基部圆形或宽楔形，下面苍白色，多少可以抹掉；叶柄长 7 ~ 15（~ 25）mm，具约占全长 1/2 的鞘，有卷须，脱落点位于上部。伞形花序通常生于叶稍幼嫩的小枝上，具数至十数朵花；总花梗长 1 ~ 3cm；花序托稍膨大，具小苞片；花绿黄色；雄花花被片长 5 ~ 6mm，宽 2.5 ~ 3mm，内花被片宽 1 ~ 1.5mm；雌花与雄花大小相似，具 3 退化雄蕊。浆果直径 7 ~ 8mm，成熟时黑色，具粉霜。花期 3 ~ 5 月，果期 10 ~ 11 月。

黑果菝葜

生境分布

生于海拔 250 ～ 1650m 的山地灌丛中或林缘、林下。分布于重庆城口、巫溪、巫山、奉节、黔江、彭水、酉阳、秀山、南川、酉阳、长寿、开州等地。

资源情况

野生资源较丰富。药材主要来源于野生。

采收加工

秋末至翌年春季采挖，除去须根，洗净，晒干；或趁鲜切片，干燥。

药材性状

本品略呈圆柱形，结节状，有分枝；表面凹凸不平，灰褐色至深褐色；质硬，断面浅红棕色，纤维性。或呈不规则片状；外表面灰褐色至深褐色，边缘不整齐，切面浅红棕色，纤维性；质硬，折断时几无粉尘飞扬。气微，味淡。

功能主治

淡，平。归肝、胃经。除湿，解毒，通利关节。用于湿热淋浊，带下，痈肿，瘰疬，疥癣，梅毒及汞中毒所致的肢体拘挛、筋骨疼痛。

用法用量

内服煎汤，15 ～ 50g；或浸酒。外用适量，捣敷。

百合科 Liliaceae 菝葜属 Smilax

粗糙菝葜
Smilax lebrunii Lévl.

| 药 材 名 |　粗糙菝葜（药用部位：根茎）。

| 形态特征 |　攀缘灌木。茎长 1 ~ 2m，枝条有不明显的纵棱，多少具疣状突起或短刺状突起，疏生刺或近无刺。叶薄革质，椭圆形、卵形至披针形，长 4 ~ 10cm，宽 1.5 ~ 5.5cm，下面苍白色或淡绿色；叶柄长 5 ~ 15mm，具约占全长 2/3 的鞘，有时有卷须，脱落点位于上部。伞形花序生于叶尚幼嫩的小枝上，具几朵花；总花梗长 1 ~ 2.5cm；花序托稍膨大，有时延长；花绿黄色；外花被片长 4.5 ~ 5mm，宽约 2mm，内花被片宽约 1mm；雌、雄花大小相似，具 6 退化雄蕊。浆果直径 1 ~ 1.5cm，成熟时红色。花期 3 ~ 4 月，果期 10 ~ 11 月。

| 生境分布 |　生于海拔 1150 ~ 2200m 的林下、林缘、水沟旁潮湿草丛或灌丛中。

粗糙菝葜

分布于重庆南川等地。

| **资源情况** | 野生资源稀少。药材主要来源于野生。

| **采收加工** | 秋末至翌年春季采挖，除去须根，洗净，晒干；或趁鲜切片，干燥。

| **功能主治** | 辛、苦，温。清热利湿，祛风散结。用于筋骨酸软，皮肤瘙痒，风湿疼痛，崩漏，尿血，带下。

| **用法用量** | 内服煎汤，适量。外用适量，捣敷。

百合科 Liliaceae 菝葜属 Smilax

小叶菝葜

Smilax microphylla C. H. Wright

| 药 材 名 | 刺瓜米草（药用部位：根茎。别名：刺瓜米草、乌鱼刺）。

| 形态特征 | 攀缘灌木。茎长 1 ~ 5m，枝条多少具刺；叶革质，披针形、卵状披针形或近条状披针形，长 3.5 ~ 9cm，宽 1 ~ 5cm，先端急尖并具尖凸，基部钝或浅心形，干后一般暗绿色，下面苍白色；叶柄长 0.5 ~ 1.5（~ 2）cm，具占全长 1/2 ~ 2/3 的狭鞘，脱落点位于近先端，一般有卷须。伞形花序具几朵或更多的花；总花梗稍扁或近圆柱形，宽约 0.5mm，常稍粗糙，明显短于叶柄；花淡绿色；雌花比雄花稍小，具 3 退化雄蕊。浆果直径 5 ~ 7mm，成熟时蓝黑色。花期 6 ~ 8 月，果期 10 ~ 11 月。

| 生境分布 | 生于海拔 500 ~ 1600m 的林下、灌丛中或山坡阴处。分布于重庆黔江、

小叶菝葜

西阳、涪陵、彭水、铜梁、云阳、长寿、丰都、忠县、武隆、垫江、巫溪、开州、合川、沙坪坝、荣昌等地。

| **资源情况** | 野生资源丰富。药材主要来源于野生。

| **采收加工** | 全年均可采收，洗净，切片，晒干。

| **功能主治** | 辛、苦，凉。祛风，清热，利湿。用于风湿热痹，小便赤涩，带下，疮疖。

| **用法用量** | 内服煎汤，6 ~ 15g。

百合科 Liliaceae 菝葜属 Smilax

红果菝葜 *Smilax polycolea* Warb.

| 药材名 | 红果菝葜（药用部位：根茎）。

| 形态特征 | 落叶灌木，攀缘。茎长 6 ~ 7m，枝条多少具纵棱，疏生刺或近无刺。叶草质，干后膜质或薄纸质，椭圆形、矩圆形至卵形，长 4 ~ 7（~ 12）cm，宽 2.5 ~ 4（~ 6）cm，先端渐尖，基部楔形或近截形，下面苍白色；叶柄长 5 ~ 10（~ 20）mm，基部至中部具宽 1 ~ 2mm 的鞘，部分有卷须，脱落点位于近中部。伞形花序生于叶尚幼嫩的小枝上，具数至十数朵花；总花梗长 5 ~ 30mm；花序托常稍膨大，有时延长，有几枚宿存小苞片；花黄绿色；雄花外花被片长 3.5 ~ 4.5mm，宽约 2mm，内花被片宽约 1.2mm；雌花与雄花大小相似，具 6 退化雄蕊。浆果直径 7 ~ 8mm，成熟时红色，具粉霜。花期 4 ~ 5 月，果期 9 ~ 10 月。

红果菝葜

| 生境分布 | 生于海拔900～2200m的林下、灌丛中或山坡阴处。分布于重庆忠县、丰都、云阳、南川、九龙坡、武隆、垫江、巫溪、巫山等地。

| 资源情况 | 野生资源较丰富。药材主要来源于野生。

| 采收加工 | 秋末至翌年春季采挖，除去须根，洗净，晒干；或趁鲜切片，干燥。

| 功能主治 | 解毒，消肿，利湿。用于关节炎。

| 用法用量 | 内服煎汤，适量。

百合科 Liliaceae 菝葜属 Smilax

牛尾菜 *Smilax riparia* A. DC.

| 药 材 名 | 牛尾菜（药用部位：根、根茎。别名：草菝葜、马尾伸根、过江蕨）。

| 形态特征 | 多年生草质藤本，具根茎。茎中空，有少量髓，干后凹瘪并具槽，无刺。叶互生；叶柄长 7 ~ 20mm，脱落点位于上部，中部以下有卷须；叶片较厚，卵形、椭圆形至长圆状披针形，长 7 ~ 15cm，宽 2.5 ~ 11cm，下面绿色，无毛。伞形花序腋生，总花梗较纤细，小苞片花期一般不落；花单性，雌雄异株；花被片 6，离生，长 4 ~ 5mm，淡绿色；雄花具雄蕊 6，长 2 ~ 3mm，花药条形，多少弯曲，长约 1.5mm；雌花比雄花略小，不具或具钻形退化雄蕊，子房 3 室，柱头 3 裂。浆果球形，直径 7 ~ 9mm，成熟时黑色。花期 6 ~ 7 月，果期 10 月。

| 生境分布 | 生于海拔 2000m 以下的林下、灌丛、山沟或山坡草丛中。分布于重

牛尾菜

庆巫山、奉节、石柱、武隆、酉阳、秀山、南川、北碚、黔江、忠县等地。

| 资源情况 |

野生资源稀少。药材主要来源于野生。

| 采收加工 |

夏、秋季采挖，洗净，晾干。

| 药材性状 |

本品根茎呈不规则结节状，横走，有分枝；表面黄棕色至棕褐色，每节具凹陷的茎痕或短而坚硬的残基。根着生于根茎一侧，圆柱状，细长而扭曲，长 20 ~ 30cm，直径约 2mm，少数有细小支根；表面灰黄色至浅褐色，具细纵纹和横裂纹，皮部常横裂露出木部。质韧，断面中央有黄色木心。气微，味微苦、涩。以根多而长、质韧者为佳。

| 功能主治 |

甘、微苦，平。祛风湿，通经络，消炎镇痛，祛痰止咳。用于风湿痹痛，劳伤腰痛，跌打损伤，咳嗽气喘。

| 用法用量 |

内服煎汤，9 ~ 15g。外用适量，捣敷。孕妇慎用。

百合科 Liliaceae 菝葜属 Smilax

短梗菝葜

Smilax scobinicaulis C. H. Wright

| 药 材 名 | 铁丝灵仙（药用部位：根、根茎。别名：黑刺菝葜、铁丝根、铁杆威灵仙）。

| 形态特征 | 攀缘灌木或半灌木。茎和枝条通常疏生刺或近无刺，较少密生刺（只见于湖北、河北、四川），刺针状，长 4 ~ 5mm，稍黑色，茎上的刺有时较粗短。叶卵形或椭圆状卵形，干后有时变黑褐色，长 4 ~ 12.5cm，宽 2.5 ~ 8cm，基部钝或浅心形；叶柄长 5 ~ 15mm。总花梗很短，一般不及叶柄长的 1/2；雌花具 3 退化雄蕊。浆果直径 6 ~ 9mm。花期 5 月，果期 10 月。

| 生境分布 | 生于海拔 400 ~ 2300m 的溪边、林下山坡灌丛中或路旁。分布于重庆城口、巫溪、巫山、奉节、丰都、石柱、武隆、彭水、南川、黔江、

短梗菝葜

酉阳、綦江、云阳、涪陵等地。

| 资源情况 |

野生资源较丰富。药材主要来源于野生。

| 采收加工 |

夏、秋季采挖，除去茎叶，洗净，捆成小把，晒干或鲜用。

| 药材性状 |

本品根茎横向延长，略弯，具针状小刺，下侧着生多数细根。根长 20 ～ 100cm，直径 1 ～ 2mm；表面灰褐色或灰棕色，有细小的钩状刺及少数须根。质韧，富弹性，不易折断，断面外侧为浅棕色环（石细胞），导管小孔状，排成 1 圈。气无，味淡。

| 功能主治 |

辛、微苦，平。祛风除湿，活血通络，解毒散结。用于风湿痹痛，关节不利，疮疖肿毒，瘰疬。

| 用法用量 |

内服煎汤，6 ～ 9g，大剂量可用 15 ～ 30g；或入丸、散；或浸酒。外用适量，捣敷；或研末调敷；或煎汤洗。

| 附　注 |

在不同地区，本种根茎与北京菝葜 *Smilax pekingensis* A. DC.、黑叶菝葜 *Smilax nigrescens* Wang et Tang ex P. Y. Li 的根茎同作铁丝灵仙入药。

百合科 Liliaceae 菝葜属 Smilax

鞘柄菝葜 *Smilax stans* Maxim.

| **药 材 名** | 铁丝灵仙（药用部位：根、根茎。别名：铁丝根、铁杆威灵仙、铁脚威灵仙）。

| **形态特征** | 落叶灌木或半灌木，直立或披散，高 0.3 ~ 3m。茎和枝条稍具棱，无刺。叶纸质，卵形、卵状披针形或近圆形，长 1.5 ~ 4（~ 6）cm，宽 1.2 ~ 3.5（~ 5）cm，下面稍苍白色或有时有粉尘状物；叶柄长 5 ~ 12mm，向基部渐宽成鞘状，背面有多条纵槽，无卷须，脱落点位于近先端。花序具 1 ~ 3 或更多朵花；总花梗纤细，比叶柄长 3 ~ 5 倍；花序托不膨大；花绿黄色，有时淡红色；雄花外花被片长 2.5 ~ 3mm，宽约 1mm，内花被片稍狭；雌花比雄花略小，具 6 退化雄蕊，退化雄蕊有时具不育花药。浆果直径 6 ~ 10mm，成熟时黑色，具粉霜。花期 5 ~ 6 月，果期 10 月。

鞘柄菝葜

| **生境分布** | 生于海拔 400 ～ 2700m 的林下灌丛中、山坡上或沟边阴湿处。分布于重庆城口、巫溪、奉节、云阳、石柱、丰都、黔江、彭水、酉阳、南川、开州、巴南等地。 |

| **资源情况** | 野生资源一般。药材来源于野生。 |

| **采收加工** | 夏、秋季采挖，除去茎叶，洗净，捆成小把，晒干或鲜用。 |

| **功能主治** | 辛、微苦，平。祛风除湿，活血通络，解毒散结。用于风湿痹痛，关节不利，疮疖肿毒。 |

| **用法用量** | 内服煎汤，6 ～ 9g，大剂量可用 15 ～ 30g；或入丸、散；或浸酒。外用适量，捣敷；或研末调敷；或煎汤洗。 |

百合科 Liliaceae 岩菖蒲属 Tofieldia

岩菖蒲 *Tofieldia thibetica* Franch.

| 药 材 名 | 岩菖蒲（药用部位：全草）。

| 形态特征 | 多年生草本，植株大小变化较大，一般较高大。叶长 3 ~ 22cm，宽 3 ~ 7mm。花葶高 8 ~ 35cm；总状花序长 2 ~ 10cm；花梗长（3 ~） 5 ~ 12mm；花白色，上举或斜立。蒴果倒卵状椭圆形，不下垂，上端分裂一般不到中部，宿存花柱长（0.3 ~）1 ~ 1.5mm。种子一侧具 1 纵贯的白色带（种脊）。花期 6 ~ 7 月，果期 7 ~ 9 月。

| 生境分布 | 生于海拔 700 ~ 2300m 的灌丛下、草坡或沟边的石壁或岩缝中。分布于重庆南川、綦江、武隆、巫山等地。

| 资源情况 | 野生资源较少。药材来源于野生。

岩菖蒲

| **采收加工** | 夏、秋季采收，洗净，晒干。

| **功能主治** | 甘、淡，平。祛风除湿，活血散瘀，利尿消肿，止痛止泻。用于风湿疼痛，跌打瘀肿，小便不利，痢疾。

| **用法用量** | 内服煎汤，适量。

百合科 Liliaceae 油点草属 *Tricyrtis*

黄花油点草

Tricyrtis maculata (D. Don) Machride

| **药 材 名** | 黑点草（药用部位：全草。别名：立竹根、山黄瓜、黄瓜菜）。

| **形态特征** | 多年生草本，高 50 ~ 100cm。茎无毛或上部被微糙毛。叶互生，无柄；叶片广椭圆形，长 5 ~ 14cm，宽 3 ~ 5cm，先端渐尖，边缘被棕色短柔毛，上部叶基部心形，抱茎。聚伞花序顶生或生于上部叶腋，总花梗和花梗密被微毛和腺毛，花梗长 1.5 ~ 2.5cm；花被片 6，通常黄绿色，有紫褐色斑点，椭圆形，长 15 ~ 18mm，外轮花被基部具囊，开放后花被片向上斜展或近水平伸展；雄蕊 6，花丝稍长于花被片，开花时先端外反，密生腺毛。蒴果棱状长圆形，具 3 棱，长 2.5 ~ 3.5cm；种子多数。花果期 7 ~ 9 月。

| **生境分布** | 生于海拔 800 ~ 2500m 的林下、灌丛、草坡或路旁。分布于重庆城口、

黄花油点草

彭水、巫山、丰都、云阳、涪陵、奉节、开州、石柱等地。

| **资源情况** | 野生资源一般。药材来源于野生。

| **采收加工** | 夏、秋季采挖，洗净，捆成小把，晒干或鲜用。

| **药材性状** | 本品常切成段，长 5 ～ 10cm。茎圆柱形，直径 1.5 ～ 7mm，无毛或上部被微糙毛；外表面棕黄色至深棕色；质硬，易折断，断面中空，外围深黄色。叶互生，无柄；椭圆形至倒卵形，长 5 ～ 10cm，宽 2 ～ 4.5cm，先端渐尖，基部略呈心形而抱茎，上面褐绿色，下面灰绿色，两面疏生微糙毛，下面叶脉上较密，叶缘具短糙毛；叶脉常 7。蒴果长 2.5 ～ 3.5cm，具 3 棱。

| **功能主治** | 甘，微寒。清热除烦，活血消肿。用于胃热口渴，烦躁不安，劳伤，水肿。

| **用法用量** | 内服煎汤，9 ～ 15g；或用酒磨汁。

| **附　　注** | 在 FOC 中，本种的拉丁学名被修订为 *Tricyrtis pilosa* Wallich。

百合科 Liliaceae 开口箭属 Tupistra

开口箭 *Tupistra chinensis* Bzker

| 药 材 名 | 开口箭（药用部位：根茎。别名：牛尾七、大竹根七、包谷七）。

| 形态特征 | 多年生草本。根茎长圆柱形，直径 1 ～ 1.5cm，多节，绿色至黄色。叶基生，4 ～ 8（～ 12），近革质或纸质，倒披针形、条状披针形、条形或矩圆状披针形，长 15 ～ 65cm，宽 1.5 ～ 9.5cm，先端渐尖，基部渐狭；鞘叶 2，披针形或矩圆形，长 2.5 ～ 10cm。穗状花序直立，少有弯曲，密生多花，长 2.5 ～ 9cm；总花梗短，长 1 ～ 6cm；苞片绿色，卵状披针形至披针形，除每花有 1 苞片外，另有几枚无花的苞片在花序先端聚生成丛；花短钟状，长 5 ～ 7mm；花被筒长 2 ～ 2.5mm；裂片卵形，先端渐尖，长 3 ～ 5mm，宽 2 ～ 4mm，肉质，黄色或黄绿色；花丝基部扩大，其扩大部分有的贴生于花被片上，有的加厚，肉质，边缘不贴生于花被片上，有的彼此联合，花丝上

开口箭

部分离，长 1 ～ 2mm，内弯，花药卵形；子房近球形，直径 2.5mm，花柱不明显，柱头钝三棱形，先端 3 裂。浆果球形，成熟时紫红色，直径 8 ～ 10mm。花期 4 ～ 6 月，果期 9 ～ 11 月。

| **生境分布** | 生于海拔 1000 ～ 2000m 的阴湿林下或溪边岩石缝隙中。分布于重庆城口、巫溪、石柱、武隆、南川、巫山、忠县、黔江等地。

| **资源情况** | 野生资源较少。药材来源于野生。

| **采收加工** | 秋、冬季采挖，除去须根，洗净，干燥。

| **药材性状** | 本品呈圆柱形，长 3 ～ 15cm，直径 0.5 ～ 1.5cm，微弯曲，上端留有茎痕及叶痕。表面灰棕色至黄绿色，节明显，具点状须根痕；节间具环纹，近节处环纹较密。质硬，易折断，断面黄白色至淡黄棕色。气微，味微甘而后苦。

| **功能主治** | 苦、辛，寒。归肺、肝、大肠经。清热解毒，祛风除湿，散瘀止痛。用于白喉，咽喉肿痛，风湿痹痛，跌打损伤，胃痛，痈疮肿毒，毒蛇咬伤，狂犬咬伤等。

| **用法用量** | 内服煎汤，1.5 ～ 3g；研末，0.6 ～ 0.9g。外用适量，捣敷。孕妇禁服。

| **附　　注** | 在 FOC 中，本种的拉丁学名被修订为 *Campylandra chinensis* (Baker) M. N. Tamura et al.，属的拉丁学名被修订为 *Campylandra*。

百合科 Liliaceae 开口箭属 *Tupistra*

筒花开口箭 *Tupistra delavayi* Franch.

| 药 材 名 | 开口箭（药用部位：根茎。别名：牛尾七、大竹根七、包谷七）。

| 形态特征 | 多年生草本。根茎圆柱形，直径 1 ~ 1.5cm，淡褐色。叶基生，3 ~ 4，近 2 列的套迭，纸质或近革质，矩圆形或长椭圆形，长 25 ~ 45cm，宽 5 ~ 9cm，边缘微波状；鞘叶 2。穗状花序密生多花，长 5 ~ 6cm；总花梗长 4.5 ~ 10cm；苞片三角状披针形或卵形，长 4 ~ 7mm，宽 4 ~ 5mm，白色或淡褐色，膜质，边缘不分裂成流苏状；花筒状钟形，黄色，肉质，长 7 ~ 11mm；花被筒长 4 ~ 6mm；裂片卵形或近圆形，长 2 ~ 3mm，宽 2.5 ~ 3mm；花丝贴生于花被筒上，上部稍分离；花药宽卵形，长 1 ~ 1.5mm；雌蕊长 4.5 ~ 5mm；子房卵形，花柱明显或不明显，柱头三棱形，先端 3 裂。浆果近球形，直径 0.6 ~ 1cm，紫红色。花期 4 月，果期 8 月。

筒花开口箭

No crops

| 生境分布 |

生于海拔 600 ～ 2600m 的灌丛中或杂木林下阴湿处。分布于重庆巫溪、云阳、奉节、万州、开州、涪陵、石柱、南川等地。

| 资源情况 |

野生资源稀少。药材来源于野生。

| 采收加工 |

秋、冬季采挖，除去须根，洗净，干燥。

| 药材性状 |

本品呈圆柱形，长 3 ～ 15cm，直径 0.5 ～ 1.5cm，微弯曲，上端留有茎痕及叶痕。表面灰棕色至黄绿色，节明显，具点状须根痕；节间具环纹，近节处环纹较密。质硬，易折断，断面黄白色至淡黄棕色。气微，味微甘而后苦。

| 功能主治 |

苦、辛，寒。归肺、肝、大肠经。清热解毒，祛风除湿，散瘀止痛。用于白喉，咽喉肿痛，风湿痹痛，跌打损伤，胃痛，痈疮肿毒，毒蛇咬伤，狂犬咬伤等。

| 用法用量 |

内服煎汤，1.5 ～ 3g；研末，0.6 ～ 0.9g。外用适量，捣敷。孕妇禁服。

| 附　　注 |

在 FOC 中，本种的拉丁学名被修订为 *Campylandra delavayi* (Franchet) M. N. Tamura et al.，属的拉丁学名被修订为 *Campylandra*。

百合科 Liliaceae 开口箭属 Tupistra

剑叶开口箭

Tupistra ensifolia Wang et Tang

| 药 材 名 | 开口箭（药用部位：根茎。别名：牛尾七、大竹根七、包谷七）。

| 形态特征 | 多年生草本。根茎圆柱形，褐色或绿色。茎长达 10cm，多节。叶多数，明显成 2 列，纸质，带形，长 35 ~ 50cm，宽 5 ~ 12mm，先端长渐尖，基部扩大，抱茎，干时边缘稍反卷。穗状花序密生多花，长 4 ~ 5.5cm；总花梗长 4 ~ 5cm；苞片披针形或三角状披针形，长于花，长 0.7 ~ 1.2cm，绿色或淡褐色，除每花有 1 苞片外，另有几片无花的苞片聚生于花序先端；花筒状钟形，长 5 ~ 5.5mm；花被筒长 2 ~ 2.5mm，裂片卵形，开展，长 2 ~ 2.5mm，宽 1.5 ~ 2mm，肉质，先端急尖，褐色或绿色，边缘白膜质，呈啮蚀状；花丝粗，基部扩大而有皱褶，贴生于花被筒上，上部分离，短于花药，花药卵形；子房卵形，花柱不明显，柱头钝三棱形，先端 3 裂。浆果直

剑叶开口箭

径 5 ~ 8mm，红黑色。花期 6 月，果期 10 月。

| **生境分布** | 生于海拔 1100 ~ 2200m 的阔叶林下或岩壁上。分布于重庆石柱、南川、武隆等地。

| **资源情况** | 野生资源较少。药材来源于野生。

| **采收加工** | 秋、冬季采挖，除去须根，洗净，干燥。

| **药材性状** | 本品呈圆柱形，长 3 ~ 15cm，直径 0.5 ~ 2.5cm，微弯曲，上端留有茎痕及叶痕。表面灰棕色至黄绿色，节明显，具点状须根痕；节间具环纹，近节处环纹较密。质硬，易折断，断面黄白色至淡黄棕色。气微，味微甘而后苦。

| **功能主治** | 苦、辛，寒。归肺、肝、大肠经。清热解毒，祛风除湿，散瘀止痛。用于白喉，咽喉肿痛，风湿痹痛，跌打损伤，胃痛，痈疮肿毒，毒蛇咬伤，狂犬咬伤等。

| **用法用量** | 内服煎汤，1.5 ~ 3g；研末，0.6 ~ 0.9g。外用适量，捣敷。孕妇禁服。

| **附　　注** | 在 FOC 中，本种的拉丁学名被修订为 *Campylandra ensifolia* (F. T. Wang et T. Tang) M. N. Tamura et al.，属的拉丁学名被修订为 *Campylandra*。

百合科 Liliaceae 开口箭属 *Tupistra*

尾萼开口箭

Tupistra urotepala (Hand.-Mzt.) Wang et Tang

| 药 材 名 | 尾萼开口箭（药用部位：根茎）。

| 形态特征 | 多年生草本。根茎圆柱形，直径 1 ～ 1.5cm。叶 5 ～ 7 生于短茎上，纸质或近纸质，披针形，长 30 ～ 45cm，宽 2 ～ 4cm，先端渐尖，边缘皱波状；鞘叶披针形，长 7 ～ 15cm，先端渐尖，基部鞘状，膜质，黄色或黄绿色。穗状花序直立，长 3 ～ 4.5cm，宽 1 ～ 1.5cm；总花梗长 1 ～ 6cm，宽 3 ～ 4mm；苞片卵形，长 3.5 ～ 6.5cm，宽 3.5 ～ 5mm，先端渐尖，膜质，白色或淡绿色；花被长 5 ～ 10mm，花被喉部向内扩展成环状体，环状体表面平滑；花被筒长 2 ～ 5mm；裂片稍平展，三角状卵形，长 3 ～ 5mm，宽 3 ～ 4.5mm，肉质，黄色，边缘较薄，全缘；雄蕊着生于环状体里面，花丝极短，花药卵形，长 1 ～ 1.5mm；子房卵形，长 3mm，宽 2mm，花柱短，长约

尾萼开口箭

1mm，柱头 3 裂。浆果球形。花期 5 ～ 6 月。

| **生境分布** | 生于海拔 800 ～ 1700m 的疏林下潮湿处。分布于重庆南川等地。

| **资源情况** | 野生资源较少。药材来源于野生。

| **采收加工** | 夏、秋季采挖，除去须根，洗净，晒干。

| **功能主治** | 活血散瘀，祛风止痛。用于风湿痹痛，跌打损伤。

| **用法用量** | 内服煎汤，适量。外用适量，捣敷。

| **附　　注** | 在 FOC 中，本种的拉丁学名被修订为 *Campylandra urotepala* (Handel-Mazzetti) M. N. Tamura et al.，属的拉丁学名被修订为 *Campylandra*。

百合科 Liliaceae 藜芦属 *Veratrum*

毛叶藜芦
Veratrum grandiflorum (Maxim.) Loes. f.

毛叶藜芦

药材名

藜芦（药用部位：根、根茎。别名：人头发、蒜藜芦、毒药草）。

形态特征

多年生草本，植株高大，高达 1.5m，基部具无网眼的纤维束。叶宽椭圆形至矩圆状披针形，下部叶较大，长约 15cm，最长可达 26cm，通常宽 6 ～ 9（～ 16）cm，先端钝圆至渐尖，无柄，基部抱茎，背面密生褐色或淡灰色短柔毛。圆锥花序塔状，长 20 ～ 50cm，侧生总状花序直立或斜升，长 5 ～ 10（～ 14）cm，顶生总状花序较侧生的约长 1 倍；花大，密集，绿白色；花被片宽矩圆形或椭圆形，长 11 ～ 17mm，宽约 6mm，先端钝，基部略具柄，边缘具啮蚀状牙齿，外花被片背面尤其中下部密生短柔毛；花梗短，长 2 ～ 3（～ 5）mm，较小苞片短，密生短柔毛或几无毛；雄蕊长约为花被片的 3/5；子房长圆锥状，密生短柔毛。蒴果长 1.5 ～ 2.5cm，宽 1 ～ 1.5cm。花果期 7 ～ 8 月。

生境分布

生于海拔 1760 ～ 2700m 的山坡、林下、草甸。分布于重庆城口、奉节、开州、巫溪、巫山、武隆等地。

| **资源情况** | 野生资源较少。药材来源于野生。

| **采收加工** | 5 ~ 6 月未抽花葶前采挖，除去叶，晒干或烘干。

| **药材性状** | 本品根茎长 1 ~ 2cm，直径 0.8 ~ 1.3cm。根长 4 ~ 12cm，直径 1 ~ 3cm。

| **功能主治** | 辛、苦，寒；有毒。涌吐风痰，杀虫。用于中风痰壅，癫痫，疟疾，疥癣，疮痈肿毒。

| **用法用量** | 内服入丸、散，0.3 ~ 0.6g。外用适量，研末，油或水调涂。

百合科 Liliaceae 藜芦属 *Veratrum*

藜芦
Veratrum nigrum L.

| 药 材 名 | 藜芦（药用部位：根、根茎。别名：葱苒、葱葵、山葱）。

| 形态特征 | 多年生草本，高可达 1m，通常粗壮，基部鞘枯死后残留为具网眼的黑色纤维网。叶椭圆形、宽卵状椭圆形或卵状披针形，大小常有较大变化，通常长 22 ～ 25cm，宽约 10cm，薄革质，先端锐尖或渐尖，基部无柄或生于茎上部的具短柄，两面无毛。圆锥花序密生黑紫色花；侧生总状花序近直立伸展，长 4 ～ 12（～ 22）cm，通常具雄花；顶生总状花序常较侧生花序长 2 倍以上，几乎全部着生两性花；总轴和枝轴密生白色绵状毛；小苞片披针形，边缘和背面被毛；生于侧生花序上的花梗长约 5mm，约等长于小苞片，密生绵状毛；花被片开展或在两性花中略反折，矩圆形，长 5 ～ 8mm，宽约 3mm，先端钝或浑圆，基部略收狭，全缘；雄蕊长为花被片的 1/2；子房无毛。

藜芦

蒴果长 1.5 ～ 2cm，宽 1 ～ 1.3cm。花果期 7 ～ 9 月。

| 生境分布 | 生于海拔 1200 ～ 2700m 的山坡林下或草丛中。分布于重庆黔江、丰都、城口、云阳、奉节、武隆、巫溪、巫山等地。

| 资源情况 | 野生资源一般。药材来源于野生。

| 采收加工 | 春季采挖，除去苗叶、泥沙，晒干。

| 药材性状 | 本品根茎圆柱形或圆锥形，长 2 ～ 4cm，直径 0.5 ～ 1.5cm；表面棕黄色或土黄色，先端残留叶基及黑色纤维，形如蓑衣，有的可见斜方形网眼，下部着生 10 ～ 30 条细根。根细长，略弯曲，长 10 ～ 20cm，直径 0.1 ～ 0.4cm；表面黄白色或黄褐色，具细密的横皱纹；体轻，质坚脆，断面类白色，中心有淡黄色细木心，与皮部分离。气微，味苦、辛，有刺喉感；粉末有强烈的催嚏性。

| 功能主治 | 苦、辛，寒。吐风痰，杀虫毒。用于中风痰壅，喉痹不通，久疟，癫痫等。外用于疥癣，秃疮。

| 用法用量 | 内服入丸、散，0.3 ～ 0.9g。外用适量，研末调敷。体虚气弱者及孕妇忌服。

丫蕊花
Ypsilandra thibetica Franch.

丫蕊花

药材名

峨眉石凤丹（药用部位：全草。别名：石凤丹、一枝花、随身丹）。

形态特征

多年生草本，高超过 30cm。根茎直径约 1cm，长 1 ~ 5cm。叶宽（0.6 ~ ）1.5 ~ 4.8cm，连柄长 6 ~ 27cm。花葶通常比叶长，较少短于叶，长 7 ~ 52cm；总状花序具几朵至二十几朵花，花梗比花被稍长；花被片白色、淡红色至紫色，近匙状倒披针形，长 6 ~ 10mm，具 3 ~ 5 脉；雄蕊长 10 ~ 18mm，至少有 1/3 伸出花被；子房上部 3 裂达 1/3 ~ 2/5，花柱长 16 ~ 20mm，稍高于雄蕊，在果期则明显高出雄蕊，柱头小，头状，稍 3 裂。蒴果长为宿存花被片的 1/2 ~ 2/3；种子细梭状，两端有长尾，连尾长 4 ~ 5mm。花期 3 ~ 4 月，果期 5 ~ 6 月。

生境分布

生于海拔 1300 ~ 1850m 的山谷林下阴湿岩壁上。分布于重庆丰都、石柱、武隆、黔江、南川、綦江、合川、江津等地。

| 资源情况 | 野生资源一般。药材来源于野生。

| 采收加工 | 夏季采收，洗净，晒干或鲜用。

| 功能主治 | 苦，微寒。清热，解毒，散结，利小便。用于瘰疬，小便不利，水肿等。

| 用法用量 | 内服煎汤，6 ~ 9g。外用适量，捣敷。

百部科 Stemonaceae 百部属 Stemona

大百部 *Stemona tuberosa* Lour.

大百部

| 药 材 名 |

百部（药用部位：块根。别名：白并、玉箫、箭杆）。

| 形态特征 |

多年生攀缘草本。块根通常纺锤状，长达30cm。茎常具少数分枝，攀缘状，下部木质化，分枝表面具纵槽。叶对生或轮生，极少兼有互生，卵状披针形、卵形或宽卵形，长6 ～ 24cm，宽（2 ～）5 ～ 17cm，先端渐尖至短尖，基部心形，边缘稍波状，纸质或薄革质；叶柄长 3 ～ 10cm。花单生或 2 ～ 3 排成总状花序，生于叶腋或偶尔贴生于叶柄上，花柄或花序柄长 2.5 ～ 5（～ 12）cm；苞片小，披针形，长 5 ～ 10mm；花被片黄绿色，带紫色脉纹，长 3.5 ～ 7.5cm，宽7 ～ 10mm，先端渐尖，内轮比外轮稍宽，具 7 ～ 10 脉；雄蕊紫红色，短于或近等长于花被；花丝粗短，长约 5mm；花药长1.4cm，先端具短钻状附属物；药隔肥厚，向上延伸为长钻状或披针形的附属物；子房小，卵形，花柱近无。蒴果光滑，具多数种子。花期 4 ～ 7 月，果期（5 ～）7 ～ 8 月。

| **生境分布** | 生于海拔 370 ~ 2240m 的山坡丛林下、溪边、路旁、山谷或阴湿岩石中。分布于重庆万州、垫江、涪陵、石柱、武隆、南川、长寿、綦江、南岸、江津等地。

| **资源情况** | 野生资源较丰富。药材来源于野生。

| **采收加工** | 春、秋季采挖，除去须根，洗净，置沸水中略烫或蒸至无白心，取出，晒干。

| **药材性状** | 本品呈长纺锤形或长条形，长 8 ~ 24cm，直径 0.8 ~ 2cm。表面浅黄棕色至灰棕色，具浅纵皱纹或不规则纵槽。质坚实，断面黄白色至暗棕色，中柱较大，髓部类白色。

| **功能主治** | 甘、苦，微温。润肺下气，止咳，杀虫灭虱。用于新久咳嗽，肺痨咳嗽，顿咳。外用于头虱，体虱，蛲虫病，阴痒。

| **用法用量** | 内服煎汤，3 ~ 9g。外用适量，煎汤洗；或浸酒。

| **附　　注** | 本种喜荫蔽湿润环境，怕旱，耐寒。宜选择土层深厚、疏松、肥沃、富含腐殖质、排水良好的壤土、砂壤土、夹砂土栽培。生产中采用种子繁殖和分株繁殖方式。

龙舌兰科 Agavaceae 龙舌兰属 Agave

龙舌兰 *Agave americana* L.

| 药 材 名 | 龙舌兰（药用部位：叶。别名：剑兰、剑麻）。

| 形态特征 | 多年生植物。叶呈莲座状排列，通常 30 ~ 40，有时 50 ~ 60，大型，肉质，倒披针状线形，长 1 ~ 2m，中部宽 15 ~ 20cm，基部宽 10 ~ 12cm，叶缘具疏刺，先端有 1 硬尖刺，刺暗褐色，长 1.5 ~ 2.5cm。圆锥花序大型，长 6 ~ 12m，多分枝；花黄绿色；花被管长约 1.2cm，花被裂片长 2.5 ~ 3cm；雄蕊长约为花被的 2 倍。蒴果长圆形，长约 5cm。开花后花序上生成的珠芽极少。

| 生境分布 | 生于庭院、公园。分布于重庆涪陵、南川、南岸等地。

| 资源情况 | 栽培资源较丰富。药材来源于栽培。

龙舌兰

| 采收加工 | 全年均可采收，洗净，鲜用；或置沸水烫后晒干。

| 药材性状 | 本品皱缩卷曲，完整者展平后呈匙状披针形，长 30 ~ 65cm，宽 1.7 ~ 6.2cm。两面黄绿色或暗绿色，具密集的纵直纹理和折断痕，有的断痕处可见黄棕色颗粒状物；先端尖刺状，基部渐窄，两侧边缘微显浅波状，在凸起处均具棕色硬刺。质坚韧，难折断。气微臭，味酸、涩。

| 功能主治 | 苦、酸，温。解毒拔脓，杀虫，止血。用于痈疽疮疡，疥癣，盆腔炎，子宫出血。

| 用法用量 | 内服煎汤，10 ~ 15g。外用适量，捣敷。

| 附　　注 | 本种喜温暖干燥、阳光充足的环境。气温不低于5℃时能正常生长；成年者在 −6 ~ −5℃低温下，叶片仅受轻度冻害；−13℃时地上部分受冻腐烂，地下茎不死，翌年可萌发展叶，正常生长。宜选择排水良好的砂质或黏质壤土栽培，耐干燥、贫瘠的土壤。

石蒜科 Amaryllidaceae 仙茅属 Curculigo

大叶仙茅

Curculigo capitulata (Lour.) O. Kuntze

| **药 材 名** | 大地棕根（药用部位：根茎。别名：松兰、竹灵芝、岩棕）。

| **形态特征** | 粗壮草本，高超过 1m。根茎粗厚，块状，具细长的走茎。叶通常
4 ~ 7，长圆状披针形或近长圆形，长 40 ~ 90cm，宽 5 ~ 14cm，
纸质，全缘，先端长渐尖，具折扇状脉，背面脉上被短柔毛或无毛；
叶柄长 30 ~ 80cm，上面有槽，侧、背面均密被短柔毛。花茎通常
短于叶，长（10 ~）15 ~ 30cm，被褐色长柔毛；总状花序强烈缩
短成头状，球形或近卵形，俯垂，长 2.5 ~ 5cm，具多数排列密集
的花；苞片卵状披针形至披针形，长 1.5 ~ 2.5cm，被毛；花黄色，
具长约 7mm 的花梗；花被裂片卵状长圆形，长约 8mm，宽 3.5 ~
4mm，先端钝，外轮背面被毛，内轮仅背面中脉或中脉基部被毛；
雄蕊长约为花被裂片的 2/3；花丝很短，长不超过 1mm；花药线形，

大叶仙茅

长约 5mm；花柱比雄蕊长，纤细，柱头近头状，极浅的 3 裂；子房长圆形或近球形，被毛。浆果近球形，白色，直径 4 ~ 5mm，无喙；种子黑色，表面具不规则的纵凸纹。花期 5 ~ 6 月，果期 8 ~ 9 月。

| **生境分布** | 生于海拔 850 ~ 2200m 的林下或阴湿处。分布于重庆北碚、忠县、潼南、合川、永川、江津、铜梁、璧山、巫山、南岸、巴南、荣昌等地。

| **资源情况** | 野生资源较丰富，亦有零星栽培。药材主要来源于野生。

| **采收加工** | 夏、秋季采挖，除去叶，洗净，切片，晒干。

| **功能主治** | 辛、微苦，温。归肾、肺、肝经。补肾壮阳，祛风除湿，活血调经。用于肾虚咳喘，阳痿遗精，白浊带下，腰膝酸软，风湿痹痛，宫冷不孕，月经不调，崩漏，子宫脱垂，跌打损伤。

| **用法用量** | 内服煎汤，6 ~ 9g；或入丸、散。外用适量，研末调敷。

石蒜科 Amaryllidaceae 仙茅属 Curculigo

疏花仙茅 Curculigo gracilis (Wall. ex Kurz) Hook. f.

| 药 材 名 | 大地棕根（药用部位：根茎。别名：牛尾七、大竹根七、包谷七）。

| 形态特征 | 根茎极短，具细长的走茎。叶 5 ~ 9，披针形或近长圆状披针形，长 20 ~ 50cm，中部宽 3 ~ 5cm，向两端渐狭，先端渐尖或近尾状，纸质或厚纸质，上面无毛，下面脉上多少被疏柔毛；叶柄长为叶片的 1/4 ~ 1/3，上面有槽，背、侧面被毛，基部扩大，多少具黑色膜质边缘。花茎长 13 ~ 20cm，外倾或近直立，被锈色绒毛；总状花序长 6 ~ 9cm，通常疏生 10 ~ 12 花；苞片线状披针形，下部的较花长，先端长尾状，上部的较短，边缘与先端均被毛；花黄色，具长 3 ~ 5mm 的花梗；花被裂片近长圆形，长约 1.1cm，宽约 4.5mm，先端钝，外轮背面中脉上被伏毛；雄蕊长约为花被片的 2/3，花丝极短，花药近线形，长 6 ~ 7mm；花柱与花被裂片近等长，柱头头状，

疏花仙茅

3浅裂，直径 1.5 ~ 2mm；子房近长圆形，先端具短喙（花被管），全长约 1cm（其中喙长 2 ~ 3mm），被锈色绒毛。浆果近瓶状，先端有长约 6mm 的喙，连喙长约 2cm，多少被毛；种子黑色，表面具纵凸纹。花期 5 月。

| 生境分布 | 生于海拔 450 ~ 1600m 的林下或阴湿山沟。分布于重庆綦江、璧山、南川、长寿、武隆、永川、南岸、合川等地。

| 资源情况 | 野生资源一般。药材来源于野生。

| 采收加工 | 夏、秋季采挖，除去叶，洗净，切片，晒干。

| 功能主治 | 辛、微苦，温。归肾、肺、肝经。补肾壮阳，祛风除湿，活血调经。用于肾虚咳喘，阳痿遗精，白浊带下，腰膝酸软，风湿痹痛，宫冷不孕，月经不调，崩漏，子宫脱垂，跌打损伤。

| 用法用量 | 内服煎汤，6 ~ 9g；或入丸、散。外用适量，研末调敷。

石蒜科 Amaryllidaceae 仙茅属 Curculigo

仙茅
Curculigo orchioides Gaertn.

仙茅

| 药 材 名 |

仙茅（药用部位：根茎。别名：小地棕根、独脚绿茅根、独茅根）。

| 形态特征 |

多年生草本。根茎近圆柱形，粗厚，直生，直径约1cm，长可达10cm。叶线形、线状披针形或披针形，大小变化甚大，长10～45（～90）cm，宽5～25mm，先端长渐尖，基部渐狭成短柄或近无柄，两面散生疏柔毛或无毛。花茎甚短，长6～7cm，大部分藏于鞘状叶柄基部之内，亦被毛；苞片披针形，长2.5～5cm，具缘毛；总状花序多少呈伞房状，通常具4～6花；花黄色；花梗长约2mm；花被裂片长圆状披针形，长8～12mm，宽2.5～3mm，外轮背面有时散生长柔毛；雄蕊长约为花被裂片的1/2，花丝长1.5～2.5mm，花药长2～4mm；柱头3裂，分裂部分较花柱长；子房狭长，先端具长喙，连喙长达7.5mm（喙约占1/3），被疏毛。浆果近纺锤状，长1.2～1.5cm，宽约6mm，先端有长喙；种子表面具纵凸纹。花果期4～9月。

| 生境分布 | 生于海拔 600 ～ 1500m 的林中、草地或荒坡上。分布于重庆南岸、大足、江津、合川、巫山、潼南、璧山、永川、涪陵、九龙坡、垫江、荣昌、沙坪坝等地。 |

| 资源情况 | 野生资源一般。药材主要来源于野生，亦有栽培。 |

| 采收加工 | 秋、冬季采挖，除去根头和须根，洗净，干燥。 |

| 药材性状 | 本品呈圆柱形，略弯曲，长 3 ～ 10cm，直径 0.4 ～ 1cm。表面棕色至褐色，粗糙，有细孔状须根痕和横皱纹。质硬而脆，易折断，断面不平坦，灰白色至棕褐色，近中心处色较深。气微香，味微苦、辛。 |

| 功能主治 | 辛，热；有毒。归肾、肝、脾经。补肾阳，强筋骨，祛寒湿。用于阳痿精冷，筋骨痿软，腰膝冷痛，阳虚冷泻。 |

| 用法用量 | 内服煎汤，3 ～ 10g。 |

石蒜科 Amaryllidaceae 虎耳兰属 Haemanthus

网球花 *Haemanthus multiflorus* Martyn

| 药 材 名 | 虎耳兰（药用部位：鳞茎）。

| 形态特征 | 多年生草本。鳞茎球形，直径 4 ~ 7cm。叶 3 ~ 4；叶柄短，鞘状；叶片长圆形，长 15 ~ 30cm，主脉两侧各有纵脉 6 ~ 8，横行细脉排列较密而偏斜。花茎直立，实心，稍扁平，高 30 ~ 90cm，先叶抽出，淡绿色或有红斑；伞形花序具多数花，排列稠密，直径 7 ~ 15cm，下有佛焰苞状总苞 1 轮，总苞片 3 至多数；花红色；花梗纤细；花被管圆筒状，长 6 ~ 12mm，花被裂片线形，长约为花被管的 2 倍；雄蕊着生于花被管喉部，长于花被裂片或有时伸出很长，花丝丝状，红色，花药黄色较小，长圆形，"丁"字形着生；子房下位，球形，3 室或花期退化为 1 室，花柱丝状，柱头不裂或微 3 裂。浆果球形或长圆形，鲜红色；种子球形，暗灰褐色。花期夏季。

网球花

生境分布	栽培于庭园。分布于重庆南川等地。
资源情况	栽培资源稀少。药材主要来源于栽培。
采收加工	秋季采挖，洗去泥沙，鲜用或切片晒干。
功能主治	解毒消肿。用于无名肿毒。
用法用量	外用适量，捣敷。
附　　注	本种喜温暖湿润环境，夏季需半阴，开花后宜干燥。生长期适宜温度为18 ~ 24℃，冬季为 13 ~ 15℃，不耐寒。宜选择微酸性的砂壤土栽培。

石蒜科 *Amaryllidaceae* 朱顶红属 *Hippeastrum*

朱顶红 *Hippeastrum rutilum* (Ker-Gawl.) Herb.

| **药 材 名** | 朱顶红（药用部位：鳞茎。别名：朱顶兰）。

| **形态特征** | 多年生草本。鳞茎近球形，直径5～7.5cm，并有匍匐枝。叶6～8，花后抽出，鲜绿色，带形，长约30cm，基部宽约2.5cm。花茎中空，稍扁，高约40cm，宽约2cm，具白粉；花2～4；佛焰苞状总苞片披针形，长约3.5cm；花梗纤细，长约3.5cm；花被管绿色，圆筒状，长约2cm，花被裂片长圆形，先端尖，长约12cm，宽约5cm，洋红色，略带绿色，喉部有小鳞片；雄蕊6，长约8cm，花丝红色，花药线状长圆形，长约6mm，宽约2mm；子房长约1.5cm，花柱长约10cm，柱头3裂。花期夏季。

| **生境分布** | 多栽培于庭园。重庆各地均有分布。

朱顶红

| **资源情况** | 野生资源稀少，栽培资源一般。药材来源于栽培。

| **采收加工** | 秋季采挖，洗去泥沙，鲜用或切片晒干。

| **功能主治** | 辛，温；有小毒。解毒消肿。用于痈疮肿毒。

| **用法用量** | 外用适量，捣敷。

石蒜科 Amaryllidaceae 小金梅草属 Hypoxis

小金梅草 *Hypoxis aurea* Lour.

药 材 名	野鸡草（药用部位：全株。别名：小仙茅、小金锁梅、山韭菜）。
形态特征	多年生矮小草本。根茎肉质，球形或长圆形，内面白色，外面包有老叶柄的纤维残迹。叶基生，4～12，狭线形，长7～30cm，宽2～6mm，先端长尖，基部膜质，被黄褐色疏长毛。花茎纤细，高2.5～10cm或更高；花序有花1～2，被淡褐色疏长毛；苞片小，2，刚毛状；花黄色；无花被管，花被片6，长圆形，长6～8mm，宿存，被褐色疏长毛；雄蕊6，着生于花被片基部，花丝短；子房下位，3室，长3～6mm，被疏长毛，花柱短，柱头3裂，直立。蒴果棒状，长6～12mm，成熟时3瓣开裂；种子多数，近球形，表面具瘤状突起。
生境分布	生于海拔700～1500m的山野荒地或杂木林中。分布于重庆南川、荣昌、黔江、奉节、武隆等地。

小金梅草

| **资源情况** | 野生资源一般。药材来源于野生。 |

| **采收加工** | 夏、秋季采收，洗净，晒干或鲜用。 |

| **功能主治** | 甘、微辛，温。温肾壮阳，理气止痛。用于肾虚腰痛，阳痿，失眠，寒疝腹痛。 |

| **用法用量** | 内服煎汤，9 ~ 15g。外用适量，捣敷；或煎汤熏洗。 |

石蒜科 Amaryllidaceae 石蒜属 Lycoris

忽地笑
Lycoris aurea (L'Her.) Herb.

| **药 材 名** | 铁色箭（药用部位：鳞茎。别名：岩大蒜、黄龙爪、独脚蒜头）。

| **形态特征** | 多年生草本。鳞茎卵形，直径约 5cm。秋季出叶，叶剑形，长约 60cm，最宽处达 2.5cm，向基部渐狭，宽约 1.7cm，先端渐尖，中间 淡色带明显。花茎高约 60cm；总苞片 2，披针形，长约 35cm，宽 约 0.8cm；伞形花序有花 4 ~ 8；花黄色；花被裂片背面具淡绿色中 肋，倒披针形，长约 6cm，宽约 1cm，强度反卷和皱缩，花被筒长 12 ~ 15cm；雄蕊略伸出花被外，比花被长 1/6 左右，花丝黄色；花 柱上部玫瑰红色。蒴果具 3 棱，室背开裂；种子少数，近球形，直 径约 0.7cm，黑色。花期 8 ~ 9 月，果期 10 月。

| **生境分布** | 生于海拔 800 ~ 1500m 的阴湿山坡。分布于重庆城口、石柱、武隆、

忽地笑

彭水、南川、巴南、巫山、巫溪、忠县等地。

| **资源情况** | 野生资源稀少。药材来源于野生和栽培。

| **采收加工** | 秋季采挖，选大者洗净，鲜用或晒干。

| **功能主治** | 辛、甘，微寒；有毒。润肺止咳，解毒消肿。用于肺热咳嗽，咯血，阴虚劳热，小便不利，痈疮肿毒，疔疮结核，烫火伤。

| **用法用量** | 外用适量，捣敷；或捣汁涂。

| **附　　注** | 本种适应性强，较耐寒，常野生于缓坡林缘、溪边等比较湿润及排水良好的地方。有夏季休眠习性，不择土壤，但喜富含腐殖质的土壤和阴湿且排水良好的环境。

石蒜科 Amaryllidaceae 石蒜属 Lycoris

石蒜
Lycoris radiata (L'Her.) Herb.

| 药 材 名 | 石蒜（药用部位：鳞茎。别名：老鸦蒜、乌蒜、银锁匙）。

| 形态特征 | 多年生草本。鳞茎近球形，直径 1 ~ 3cm。秋季出叶，叶狭带状，长约 15cm，宽约 0.5cm，先端钝，深绿色，中间有粉绿色带。花茎高约 30cm；总苞片 2，披针形，长约 35cm，宽约 0.5cm；伞形花序有花 4 ~ 7；花鲜红色；花被裂片狭倒披针形，长约 3cm，宽约 0.5cm，强度皱缩和反卷，花被筒绿色，长约 0.5cm；雄蕊显著伸出花被外，比花被长 1 倍左右。花期 8 ~ 9 月，果期 10 月。

| 生境分布 | 生于海拔 250 ~ 1200m 的阴湿山坡、溪沟边草丛中。分布于重庆万州、南川、长寿、石柱、梁平等地。

| 资源情况 | 野生资源稀少。药材来源于野生和栽培。

石蒜

| 采收加工 |

栽培品秋季采挖，选大者洗净，晒干。野生者全年均可采挖，洗净，鲜用或晒干。

| 药材性状 |

本品呈广椭圆形或类球形，长 4 ～ 5cm，直径 2.5 ～ 3cm，先端残留叶基，长约 3cm，基部生多数白色须根。表面有 2 ～ 3 层暗棕色干枯蜡质鳞片包被，内有 10 ～ 20 层白色富黏性的肉质鳞片，生于短缩的鳞茎盘上，中央有黄白色的芽。气特异而微带刺激性，味极苦。

| 功能主治 |

辛、甘，温；有小毒。祛痰催吐，解毒散结。用于喉风，单双乳蛾，咽喉肿痛，痰涎壅塞，食物中毒，胸腹积水，恶疮肿毒，痰核瘰疬，痔漏，跌打损伤，风湿关节痛，顽癣，烫火伤，蛇咬伤。

| 用法用量 |

内服煎汤，1.5 ～ 3g；或捣汁。外用适量，捣敷；或捣汁涂；或煎汤熏洗。

| 附　　注 |

本种喜半阴湿润环境，耐暴晒，耐干旱。北方稍加覆盖，可以在田间越冬。本种有夏季休眠习性。各类土壤均能栽培，但以富含腐殖质的砂壤土为最好。

石蒜科 Amaryllidaceae 水仙属 Narcissus

黄水仙 *Narcissus pseudo-narcissus* L.

黄水仙

| 药 材 名 |

黄水仙（药用部位：鳞茎）。

| 形态特征 |

多年生草本。鳞茎球形，直径 2.5 ～ 3.5cm。叶 4 ～ 6，直立向上，宽线形，长 25 ～ 40cm，宽 8 ～ 15mm，钝头。花茎高约 30cm，先端生 1 花；佛焰苞状总苞长 3.5 ～ 5cm；花梗长 12 ～ 18mm；花被管倒圆锥形，长 1.2 ～ 1.5cm，花被裂片长圆形，长 2.5 ～ 3.5cm，淡黄色；副花冠稍短于花被或近等长。花期春季。

| 生境分布 |

生于森林、草地或岩石地面上。重庆各地均有分布。

| 资源情况 |

栽培资源一般，无野生资源。药材来源于栽培，自产自销。

| 采收加工 |

春、秋季采挖，洗去泥沙，用沸水烫后，切片，晒干或鲜用。

| **功能主治** | 消炎解毒，抗癌。用于痈疽肿毒。

| **用法用量** | 外用适量，捣敷。

薯蓣科 Dioscoreaceae 薯蓣属 Dioscorea

参薯
Dioscorea alata L.

参薯

药材名

毛薯（药用部位：块茎。别名：大薯、薯子、脚板薯）。

形态特征

缠绕草质藤本。野生者的块茎多呈长圆柱形，栽培者变异大，长圆柱形、圆锥形、球形、扁圆形而重叠，或有各种分枝，通常圆锥形或球形的块茎外皮呈褐色或紫黑色，断面白色带紫色，其余的外皮呈淡灰黄色，断面白色，有时带黄色。茎右旋，无毛，通常有4狭翅，基部有时有刺。单叶，茎下部者互生，中部以上者对生；叶片绿色或带紫红色，纸质，卵形至卵圆形，长6～15（～20）cm，宽4～13cm，先端短渐尖、尾尖或凸尖，基部心形、深心形至箭形，有时为戟形，两耳钝，两面无毛；叶柄绿色或带紫红色，长4～15cm。叶腋内有大小不等的珠芽，珠芽球形、卵形或倒卵形，有时扁平。雌雄异株。雄花穗状花序，长1.5～4cm，通常2至多数簇生或单生于花序轴上排列成圆锥花序，圆锥花序长可达数十厘米；花序轴明显呈"之"字状曲折；外轮花被片宽卵形，长1.5～2mm，内轮倒卵形；雄蕊6。雌花穗状花序，1～3着生于叶腋；外轮花被片宽卵形，内轮倒卵状长圆形，较小而厚；退化雄蕊 6。蒴果不反折，三棱状扁圆形，有时为三棱状倒心形，长 1.5 ~ 2.5cm，宽 2.5 ~ 4.5cm；种子着生于每室中轴中部，四周有膜质翅。花期 11 月至翌年 1 月，果期 12 月至翌年 1 月。

| **生境分布** | 生于海拔 500 ~ 1600m 的向阳山地。分布于重庆彭水、秀山、南川、长寿、垫江等地。

| **资源情况** | 野生资源稀少。药材主要来源于栽培。

| **采收加工** | 冬、春季果实成熟时采挖，切去根头，洗净，除去外皮及须根，干燥。

| **药材性状** | 本品呈不规则圆柱形、圆锥形或棒状，有的稍弯曲，两端较细，长 7 ~ 25cm，直径 1 ~ 8cm。表面黄白色、淡棕色至棕黄色，有不规则纵皱纹，常具未除尽的栓皮痕迹。质坚实，断面淡黄白色，粉性，有少数淡棕色点状物。无臭，味甘、微酸，嚼之发黏。

| **功能主治** | 甘，平。归脾、肺、肾经。健脾，补肺，益精气，消肿，止痛。用于脾虚久泻，肺虚喘咳，水肿，小便不利，遗精，尿频。

| **用法用量** | 内服煎汤，9 ~ 19g。

薯蓣科 Dioscoreaceae 薯蓣属 Dioscorea

毛芋头薯蓣
Dioscorea kamoonensis Kunth

毛芋头薯蓣

药材名

滇白药子（药用部位：块茎。别名：毛狗苕、毛芋头、白药子）。

形态特征

缠绕草质藤本。块茎通常近卵圆形，外皮有多数细长须根。茎左旋，密生棕褐色短柔毛，老时变疏至近无毛。掌状复叶有 3 ~ 5 小叶；小叶片椭圆形至披针状长椭圆形或倒卵状长椭圆形，有时最外侧小叶片呈斜卵状椭圆形，长 2 ~ 14cm，宽 1 ~ 5cm，先端渐尖，全缘，两面疏生贴伏柔毛，或表面近无毛。叶腋内常有肉质球形珠芽，表面被柔毛。花序轴、小苞片、花被外面密生棕褐色或淡黄色短柔毛；雄花序为总状花序，或再排列成圆锥花序，常数个着生于叶腋；雄花有短梗；小苞片 2，三角状卵形，其中 1 先端尾状尖，3 发育雄蕊与 3 退化雄蕊互生；雌花序为穗状花序，1 ~ 2 着生于叶腋，雌花子房密生绒毛。蒴果三棱状长圆形，长 1.5 ~ 2cm，宽 1 ~ 1.2cm，疏生短柔毛；种子两两着生于每室中轴顶部，种翅向基部伸长。花期 7 ~ 9 月，果期 9 ~ 11 月。

生境分布

生于海拔 500 ~ 2200m 的林边、山沟、山谷路旁或次生灌丛中。分布于重庆城口、酉阳、秀山、南川、石柱等地。

资源情况

野生资源较少。药材来源于野生，自采自用。

采收加工

秋季采收，除去茎叶及须根，洗净，鲜用或切片晒干。

功能主治

甘、微苦，平。归脾、肺、肾经。补脾益肾，敛肺止咳，解毒消肿。用于脾虚便溏，肾虚阳痿，遗精，带下，虚劳久咳，缺乳，无名肿毒。

用法用量

内服煎汤，10 ~ 30g；或浸酒；或入丸、散。外用适量，捣敷。

雨久花科 Pontederiaceae 凤眼蓝属 Eichhornia

凤眼蓝 *Eichhornia crassipes* (Mart.) Solms

| 药 材 名 | 水葫芦（药用部位：全草或根。别名：大水萍、水浮莲、洋水仙）。

| 形态特征 | 浮水草本，高 30 ～ 60cm。须根发达，棕黑色，长达 30cm。茎极短，具长匍匐枝，匍匐枝淡绿色或带紫色，与母株分离后长成新植物。叶在基部丛生，排列成莲座状，一般 5 ～ 10；叶片圆形、宽卵形或宽菱形，长 4.5 ～ 14.5cm，宽 5 ～ 14cm，先端钝圆或微尖，基部宽楔形或在幼时浅心形，全缘，具弧形脉，表面深绿色，光亮，质地厚实，两边微向上卷，顶部略向下翻卷；叶柄长短不等，中部膨大成囊状或纺锤形，内有多数多边形柱状细胞组成的气室，维管束散布其间，黄绿色至绿色，光滑；叶柄基部有鞘状苞片，长 8 ～ 11cm，黄绿色，薄而半透明。花葶从叶柄基部的鞘状苞片腋内伸出，长 34 ～ 46cm，多棱；穗状花序长 17 ～ 20cm，通常具 9 ～ 12 花；花

凤眼蓝

被裂片 6,花瓣状,卵形、长圆形或倒卵形,紫蓝色,花冠略两侧对称,直径 4～6cm,上方 1 裂片较大,长约 3.5cm,宽约 2.4cm,三色（即四周淡紫红色,中间蓝色,在蓝色的中央有 1 黄色圆斑）,其余各片长约 3cm,宽 1.5～1.8cm,下方 1 裂片较狭,宽 1.2～1.5cm,花被片基部合生成筒,外面近基部有腺毛;雄蕊 6,贴生于花被筒上,3 长 3 短,长者从花被筒喉部伸出,长 1.6～2cm,短者生于近喉部,长 3～5mm;花丝上有腺毛,长约 0.5mm,先端膨大;花药箭形,基着,蓝灰色,2 室,纵裂;花粉粒长卵圆形,黄色;子房上位,长梨形,长 6mm,3 室,中轴胎座,胚珠多数;花柱 1,长约 2cm,伸出花被筒的部分有腺毛;柱头上密生腺毛。蒴果卵形。花期 7～10 月,果期 8～11 月。

| 生境分布 | 生于海拔 200～1500m 的水塘、沟渠或稻田中。重庆各地均有分布。

| 资源情况 | 野生资源丰富。药材来源于野生,自采自用。

| 采收加工 | 春、夏季采集,洗净,晒干或鲜用。

| 功能主治 | 辛、淡,寒。疏散风热,利水通淋,清热解毒。用于风热感冒,水肿,热淋,尿路结石,风疹,湿疮,疖肿。

| 用法用量 | 内服煎汤,15～30g。外用适量,捣敷。

| 附　　注 | 本种在淡水中亦能繁殖。对气候敏感,不耐霜冻,遇霜即枯死,在气温为 13℃或水温为 10℃时开始生长,气温为 30～35℃或水温为 27～30℃时生长最为旺盛,气温 5℃以下时需保护越冬。无性或有性繁殖均可。

雨久花科 Pontederiaceae 雨久花属 Monochoria

鸭舌草 *Monochoria vaginalis* (Burm. f.) Presl

| 药 材 名 | 鸭舌草（药用部位：全草。别名：薛草、薛荣、接水葱）。

| 形态特征 | 水生草本。根茎极短，具柔软须根。茎直立或斜上，高（6～）12～35（～50）cm，全株光滑，无毛。叶基生和茎生；叶片形状和大小变化较大，心状宽卵形、长卵形至披针形，长2～7cm，宽0.8～5cm，先端短凸尖或渐尖，基部圆形或浅心形，全缘，具弧状脉；叶柄长10～20cm，基部扩大成开裂的鞘，鞘长2～4cm，先端有舌状体，长7～10mm。总状花序从叶柄中部抽出，该处叶柄扩大成鞘状；花序梗短，长1～1.5cm，基部有1披针形苞片；花序在花期直立，果期下弯；花通常3～5（稀超过10），蓝色；花被片卵状披针形或长圆形，长10～15mm；花梗长不及1cm；雄蕊6，其中1较大，花药长圆形，其余5较小；花丝丝状。蒴果卵形至

鸭舌草

长圆形，长约1cm；种子多数，椭圆形，长约1mm，灰褐色，具8～12纵条纹。花期8～9月，果期9～10月。

生境分布

生于平原至海拔1500m的稻田、沟旁、浅水池塘等水湿处。分布于重庆涪陵、忠县、长寿、垫江、奉节、武隆、彭水、南川等地。

资源情况

野生资源一般。药材来源于野生。

采收加工

夏、秋季采收，鲜用或切段晒干。

功能主治

苦，凉。清热，凉血，利尿，解毒。用于感冒高热，肺热咳喘，百日咳，咯血，吐血，崩漏，尿血，热淋，痢疾，肠炎，肠痈，丹毒，疮肿，咽喉肿痛，牙龈肿痛，风火赤眼，毒蛇咬伤，毒菇中毒。

用法用量

内服煎汤，15～30g，鲜品30～60g；或捣烂绞汁。外用适量，捣敷。

鸢尾科 Iridaceae 番红花属 Crocus

番红花 *Crocus sativus* L.

| 药 材 名 | 西红花（药用部位：柱头。别名：番红花、藏红花、撒馥兰）。

| 形态特征 | 多年生草本。球茎扁圆球形，直径约 3cm，外有黄褐色膜质包被。叶基生，9 ~ 15，条形，灰绿色，长 15 ~ 20cm，宽 2 ~ 3mm，边缘反卷；叶丛基部包有 4 ~ 5 膜质鞘状叶。花茎甚短，不伸出地面；花 1 ~ 2，淡蓝色、红紫色或白色，有香味，直径 2.5 ~ 3cm；花被裂片 6，2 轮排列，内、外轮花被裂片皆为倒卵形，先端钝，长 4 ~ 5cm；雄蕊直立，长 2.5cm，花药黄色，先端尖，略弯曲；花柱橙红色，长约 4cm，上部 3 分枝，分枝弯曲而下垂，柱头略扁，先端楔形，有浅齿，较雄蕊长，子房狭纺锤形。蒴果椭圆形，长约 3cm。

| 生境分布 | 生于高海拔的寒冷地区。分布于重庆万州、北碚、巫溪、南川等地。

番红花

| 资源情况 | 栽培资源较少。药材来源于栽培，自产自销。

| 采收加工 | 10 月至 11 月下旬，选晴天早晨日出时采花，再摘取柱头，晒干或在 55 ~ 60℃ 下烘干。

| 药材性状 | 本品呈线形，3 分枝，长约 3cm。暗红色，上部较宽而略扁平，先端边缘呈不整齐的齿状，内侧有 1 短裂隙，下端有时残留 1 小段黄色花柱。体轻，质松软，无油润光泽，干燥后质脆、易断。气特异，微有刺激性，味微苦。

| 功能主治 | 甘，平。归心、肝经。活血化瘀，凉血解毒，解郁安神。用于经闭癥瘕，产后瘀阻，温毒发斑，忧郁痞闷，惊悸发狂。

| 用法用量 | 内服煎汤，1 ~ 3g；或沸水泡。孕妇慎用。

| 附　注 | 本种喜温暖湿润气候，怕酷热，耐寒。宜选择向阳、疏松、肥沃、富含腐殖质、排水良好的砂壤土栽培。忌连作，忌雨涝积水。生产中采用球茎繁殖方式。

灯心草科 Juncaceae 灯心草属 Juncus

翅茎灯心草 *Juncus alatus* Franch. et Savat.

翅茎灯心草

| 药 材 名 |

翅茎灯心草（药用部位：全草）。

| 形态特征 |

多年生草本，高 11 ～ 48cm。根茎短而横走，具淡褐色细弱的须根。茎丛生，直立，扁平，两侧有狭翅，宽 2 ～ 4mm，具不明显的横隔。叶基生或茎生，前者多枚，后者 1 ～ 2；叶片扁平，线形，长 5 ～ 16cm，宽 3 ～ 4mm，先端尖锐，通常具不明显的横隔或几无横隔；叶鞘两侧压扁，边缘膜质，松弛抱茎；叶耳小。花序由（4 ～）7 ～ 27 头状花序排列成聚伞状，花序分枝常 3，具长短不等的花序梗，长者达 8cm，上端分枝常向两侧伸展，花序长 3 ～ 12cm；叶状总苞片长 2 ～ 9cm；头状花序扁平，有 3 ～ 7 花，具 2 ～ 3 宽卵形膜质苞片，长 2 ～ 2.5mm，宽约 1.5mm，先端急尖；小苞片 1，卵形；花淡绿色或黄褐色；花梗极短；花被片披针形，长 3 ～ 3.5mm，宽 1 ～ 1.3mm，先端渐尖，边缘膜质，外轮背脊明显，内轮稍长；雄蕊 6，花药长圆形，长约 0.8mm，黄色；花丝基部扁平，长约 1.7mm；子房椭圆形，1 室；花柱短，柱头 3 分叉，长约 0.8mm。蒴果三棱状圆柱形，长 3.5 ～ 5mm，先端具短钝的凸尖，淡黄褐色；种子椭圆形，长约0.5mm，黄褐色，具纵条纹。花期4～7月，果期5～10月。

| 生境分布 |

生于海拔400～2300m的水边、田边、湿草地或山坡林下阴湿处。分布于重庆忠县、云阳、武隆、南川、巫溪、石柱等地。

| 资源情况 |

野生资源稀少。药材主要来源于野生。

| 采收加工 |

夏季采收，洗净，晒干。

| 功能主治 |

清心降火，利尿通淋。用于热淋，小便涩痛，水肿。

| 用法用量 |

内服煎汤，适量。

灯心草科 Juncaceae 灯心草属 Juncus

小灯心草
Juncus bufonius L.

| 药 材 名 | 野灯草（药用部位：全草）。

| 形态特征 | 一年生草本，高 4 ~ 20（~ 30）cm。有多数细弱的浅褐色须根。茎丛生，细弱，直立或斜升，有时稍下弯，基部常红褐色。叶基生和茎生，茎生叶常 1；叶片线形，扁平，长 1 ~ 13cm，宽约 1mm，先端尖；叶鞘具膜质边缘，无叶耳。花序呈二歧聚伞状，或排列成圆锥状，生于茎顶，占整个植株的 1/4 ~ 4/5，花序分枝细弱而微弯；叶状总苞片长 1 ~ 9cm，常短于花序；花排列疏松，很少密集，具花梗和小苞片；小苞片 2 ~ 3，三角状卵形，膜质，长 1.3 ~ 2.5mm，宽 1.2 ~ 2.2mm；花被片披针形，外轮长 3.2 ~ 6mm，宽 1 ~ 1.8mm，背部中间绿色，边缘宽膜质，白色，先端锐尖，内轮稍短，几乎全为膜质，先端稍尖；雄蕊 6，长为花被的 1/3 ~ 1/2，花药长圆形，

小灯心草

淡黄色；花丝丝状；雌蕊具短花柱，柱头 3，外向弯曲，长 0.5 ~ 0.8mm。蒴果三棱状椭圆形，黄褐色，长 3 ~ 4（~ 5）mm，先端稍钝，3 室；种子椭圆形，两端细尖，黄褐色，有纵纹，长 0.4 ~ 0.6mm。花期 5 ~ 7 月，果期 6 ~ 9 月。

| **生境分布** | 生于海拔 400 ~ 2300m 的水边、湿草地、湖岸、河边、沼泽。分布于重庆武隆、西阳、南川、巫溪、奉节、涪陵、长寿、九龙坡等地。

| **资源情况** | 野生资源较少。药材来源于野生。

| **采收加工** | 夏季采收，洗净，晒干。

| **功能主治** | 苦，凉。清热，通淋，利尿，止血。用于热淋，小便涩痛，水肿，尿血。

| **用法用量** | 内服煎汤，3 ~ 6g。

星花灯心草 *Juncus diastrophanthus* Buchen.

| 药 材 名 | 螃蟹脚（药用部位：全草）。

| 形态特征 | 多年生草本，高（5～）15～25（～35）cm。根茎短，具淡黄色或黄褐色须根。茎丛生，直立，微扁平，两侧略具狭翅，宽1～2.5mm，绿色。叶基生和茎生；低出叶鞘状，长1.5～2.5cm，基部紫褐色；基生叶松弛抱茎，叶片较短，叶鞘长1.5～3cm，边缘膜质；茎生叶1～3，叶片扁平，线形，长4～10cm，宽1～3.5mm，先端渐尖，具不明显的横隔，叶鞘较短，叶耳稍钝。花序由（3～）6～24头状花序组成，排列成顶生复聚伞状，花序分枝常2～3，稀更多，花序梗长短不等；头状花序呈星芒状球形，直径6～10mm，有5～14花；叶状总苞片线形，长3～7cm，短于花序；苞片2～3，披针形，先端锐尖；小苞片1，卵状披针形；花绿色，具长约1mm的短梗；

星花灯心草

花被片狭披针形，长 3 ～ 4mm，宽 0.7 ～ 0.9mm，内轮比外轮长，先端具刺状芒尖，边缘膜质，中脉明显；雄蕊 3，长为花被片的 1/2 ～ 2/3，花药长圆形；花丝淡黄色；子房 1 室；花柱短，柱头 3 分叉，长约 0.9mm，深褐色。蒴果三棱状长圆柱形，长 4 ～ 5mm，明显超过花被片，先端锐尖，黄绿色至黄褐色，光亮；种子倒卵状椭圆形，长 0.5 ～ 0.7mm，两端有小尖头，黄褐色，具纵条纹。花期 5 ～ 6 月，果期 6 ～ 7 月。

| **生境分布** | 生于海拔 350 ～ 900m 的溪边、田边、疏林下水湿处。分布于重庆武隆、长寿、丰都、涪陵、江津、九龙坡等地。

| **资源情况** | 野生资源一般。药材来源于野生。

| **采收加工** | 夏季采收，洗净，晒干。

| **功能主治** | 苦，凉。清热利尿，消食。用于小便赤涩热痛，宿食不化。

| **用法用量** | 内服煎汤，15 ～ 30g，大剂量可用 60g。

灯心草
Juncus effusus L.

| 药 材 名 | 灯心草（药用部位：茎髓。别名：秧草、水灯心、野席草）、灯心草根（药用部位：根、根茎。别名：灯草根）。

| 形态特征 | 多年生草本，高 27 ~ 91cm，有时更高。根茎粗壮横走，具黄褐色稍粗的须根。茎丛生，直立，圆柱形，淡绿色，具纵条纹，直径（1 ~ ）1.5 ~ 3（~ 4）mm，茎内充满白色的髓心。叶全部为低出叶，呈鞘状或鳞片状，包围在茎基部，长 1 ~ 22cm，基部红褐色至黑褐色；叶片退化为刺芒状。聚伞花序假侧生，含多花，排列紧密或疏散；总苞片圆柱形，生于先端，似茎的延伸，直立，长 5 ~ 28cm，先端尖锐；小苞片 2，宽卵形，膜质，先端尖；花淡绿色；花被片线状披针形，长 2 ~ 12.7mm，宽约 0.8mm，先端锐尖，背脊增厚凸出，黄绿色，边缘膜质，外轮稍长于内轮；雄蕊 3（偶 6），长约为花被

灯心草

片的 2/3，花药长圆形，黄色，长约 0.7mm，稍短于花丝；雌蕊具 3 室子房；花柱极短，柱头 3 分叉，长约 1mm。蒴果长圆形或卵形，长约 2.8mm，先端钝或微凹，黄褐色；种子卵状长圆形，长 0.5 ~ 0.6mm，黄褐色。花期 4 ~ 7 月，果期 6 ~ 9 月。

| 生境分布 | 生于海拔 300 ~ 2500m 的河边、池塘边、沟边、稻田旁。分布于重庆南岸、潼南、巫山、大足、涪陵、城口、石柱、九龙坡、江津、丰都、永川、铜梁、云阳、酉阳、南川、璧山、武隆、綦江、忠县、巫溪、黔江、开州、梁平、合川等地。

| 资源情况 | 野生资源较丰富。药材来源于野生。

| 采收加工 | 灯心草：夏末至秋季割取茎，晒干，取出茎髓，理直，扎成小把。
灯心草根：夏、秋季采挖，除去茎部，洗净，晒干。

| 药材性状 | 灯心草：本品呈细圆柱形，长达 90cm，直径 0.1 ~ 0.3cm。表面白色或淡黄白色，有细纵纹。体轻，质软，略有弹性，易拉断，断面白色。气微，味淡。

| 功能主治 | 灯心草：甘、淡，微寒。归心、肺、小肠经。清心火，利小便。用于心烦失眠，尿少涩痛，口舌生疮。
灯心草根：甘，寒。归心、膀胱经。利水通淋，清心安神。用于淋证，小便不利，湿热黄疸，心悸不安。

| 用法用量 | 灯心草：内服煎汤，1 ~ 3g。
灯心草根：内服煎汤，15 ~ 30g。

灯心草科 Juncaceae 灯心草属 Juncus

笄石菖
Juncus prismatocarpus R. Br.

| 药 材 名 | 笄石菖（药用部位：全草或茎髓）。

| 形态特征 | 多年生草本，高 17 ～ 65cm。具根茎和多数黄褐色须根。茎丛生，直立或斜上，有时平卧，圆柱形或稍扁，直径 1 ～ 3mm，下部节上有时生不定根。叶基生和茎生，短于花序；基生叶少；茎生叶 2 ～ 4；叶片线形，通常扁平，长 10 ～ 25cm，宽 2 ～ 4mm，先端渐尖，具不完全横隔，绿色；叶鞘边缘膜质，长 2 ～ 10cm，有时带红褐色；叶耳稍钝。花序由 5 ～ 20（～ 30）头状花序组成，排列成顶生复聚伞花序，花序常分枝，具长短不等的花序梗；头状花序半球形至近圆球形，直径 7 ～ 10mm，有（4 ～）8 ～ 15（～ 20）花；叶状总苞片常 1，线形，短于花序；苞片多枚，宽卵形或卵状披针形，长 2 ～ 2.5mm，先端锐尖或尾尖，膜质，背部中央有 1 脉；花具短梗；

笄石菖

花被片线状披针形至狭披针形，长 3.5 ~ 4mm，
宽约 1mm，内、外轮等长或内轮稍短，先端尖
锐，背面有纵脉，边缘狭膜质，绿色或淡红褐
色；雄蕊通常 3，花药线形，长 0.9 ~ 1mm，
淡黄色；花丝长 1.2 ~ 1.4mm；花柱甚短，柱
头 3 分叉，细长，常弯曲。蒴果三棱状圆锥形，
长 3.8 ~ 4.5mm，先端具短尖头，1 室，淡褐色
或黄褐色；种子长卵形，长 0.6 ~ 0.8mm，具
短小尖头，蜡黄色，表面具纵条纹及细微横纹。
花期 3 ~ 6 月，果期 7 ~ 8 月。

| 生境分布 |

生于海拔 500 ~ 1800m 的田地、溪边、路旁沟边、
疏林草地或山坡湿地。分布于重庆九龙坡等地。

| 资源情况 |

野生资源较少。药材主要来源于野生。

| 采收加工 |

秋季采收，割取茎部晒干；或将茎皮纵向剖开，
去皮取髓，晒干。

| 功能主治 |

清热利尿。用于淋证，小便不利。

| 用法用量 |

内服煎汤，全草 9 ~ 15g，茎髓 0.9 ~ 3g。

野灯心草

灯心草科 Juncaceae 灯心草属 Juncus

野灯心草 *Juncus setchuensis* Buchen.

| 药 材 名 |

石龙刍（药用部位：全草。别名：铁灯芯、龙须、草续断）、石龙刍根（药用部位：根。别名：秧草根、野席草根）。

| 形态特征 |

多年生草本，高 25 ~ 65cm。根茎短而横走，具黄褐色稍粗的须根。茎丛生，直立，圆柱形，有较深而明显的纵沟，直径 1 ~ 1.5mm，茎内充满白色髓心。叶全部为低出叶，呈鞘状或鳞片状，包围在茎基部，长 1 ~ 9.5cm，基部红褐色至棕褐色；叶片退化为刺芒状。聚伞花序假侧生；花多朵，排列紧密或疏散；总苞片生于先端，圆柱形，似茎的延伸，长 5 ~ 15cm，先端尖锐；小苞片 2，三角状卵形，膜质，长 1 ~ 1.2mm，宽约 0.9mm；花淡绿色；花被片卵状披针形，长 2 ~ 3mm，宽约 0.9mm，先端锐尖，边缘宽膜质，内轮与外轮等长；雄蕊 3，比花被片稍短，花药长圆形，黄色，长约 0.8mm，比花丝短；子房 1 室，3 隔膜发育不完全，侧膜胎座呈半月形；花柱极短，柱头 3 分叉，长约 0.8mm。蒴果通常卵形，比花被片长，先端钝，成熟时黄褐色至棕褐色；种子斜倒卵形，长 0.5 ~ 0.7mm，棕褐色。花期 5 ~ 7 月，果期 6 ~ 9 月。

| **生境分布** | 生于海拔 300 ~ 1800m 的山沟、林下阴湿地或溪旁、道旁的浅水处。分布于重庆黔江、北碚、丰都、垫江、綦江、南岸、忠县、秀山、江津、石柱、长寿、奉节、涪陵、彭水、合川、潼南、云阳、万州、酉阳、南川、九龙坡、开州、巫溪、武隆、巴南、荣昌、沙坪坝等地。

| **资源情况** | 野生资源丰富。药材来源于野生。

| **采收加工** | 石龙刍：全年均可采收，除去根、杂质，洗净，切段，鲜用或晒干。
石龙刍根：夏、秋季采挖，除去茎部，洗净，晒干。

| **药材性状** | 石龙刍：本品茎呈细长圆柱形，长 30 ~ 50cm，直径 1 ~ 1.5mm，上部渐细尖，基部稍粗；表面淡黄绿色，光滑，具细纵直纹理；质坚韧，断面黄白色，中央有髓，白色而疏松。茎上部无叶，侧生淡紫色花序或果穗，基部叶鞘红褐色至棕褐色。气微，味淡。

| **功能主治** | 石龙刍：苦，凉。归心、小肠经。利水通淋，泻热，安神，凉血止血。用于热淋，肾炎水肿，心热烦躁，心悸失眠，口舌生疮，咽痛，齿痛，目赤肿痛，衄血，咯血，尿血。
石龙刍根：甘、涩，微寒。归脾、心、肝经。清热利湿，凉血止血。用于淋浊，心烦失眠，鹤膝风，目赤肿痛，齿痛，鼻衄，便血，崩漏，带下。

| **用法用量** | 石龙刍：内服煎汤，9 ~ 15g；或烧存性，研末。
石龙刍根：内服煎汤，9 ~ 15g，大剂量可用 30 ~ 60g。

鸭跖草科 Commelinaceae 鸭跖草属 Commelina

饭包草
Commelina bengalensis L.

| 药 材 名 | 马耳草（药用部位：全草。别名：火柴头、竹菜、竹仔菜）。

| 形态特征 | 多年生披散草本。茎大部分匍匐，节上生根，上部及分枝上部上升，长可达 70cm，被疏柔毛。叶有明显的叶柄；叶片卵形，长 3 ~ 7cm，宽 1.5 ~ 3.5cm，先端钝或急尖，近无毛；叶鞘口沿有疏长睫毛。总苞片漏斗状，与叶对生，常数个集于枝顶，下部边缘合生，长 8 ~ 12mm，被疏毛，先端短急尖或钝，柄极短；花序下面 1 枝具细长梗，具 1 ~ 3 不孕花，伸出佛焰苞，上面 1 枝有花数朵，结实，不伸出佛焰苞；萼片膜质，披针形，长 2mm，无毛；花瓣蓝色，圆形，长 3 ~ 5mm，内面 2 具长爪。蒴果椭圆状，长 4 ~ 6mm，3 室，腹面 2 室每室具 2 种子，开裂，后面 1 室仅有 1 种子或无种子，不裂；种子长近 2mm，多皱，有不规则网纹，黑色。花期夏、秋季。

饭包草

| 生境分布 |

生于海拔 2300m 以下的湿地。分布于重庆长寿、九龙坡、北碚、垫江等地。

| 资源情况 |

野生资源一般。药材来源于野生。

| 采收加工 |

夏、秋季采收，洗净，鲜用或晒干。

| 功能主治 |

苦，寒。清热解毒，利水消肿。用于热病发热，烦渴，咽喉肿痛，热痢，热淋，痔疮，疔疮痈肿，蛇虫咬伤。

| 用法用量 |

内服煎汤，15 ～ 30g，鲜品 30 ～ 60g。外用适量，鲜品捣敷；或煎汤洗。

| 附　注 |

在 FOC 中，本种的拉丁学名被修订为 *Commelina benghalensis* Linnaeus。

鸭跖草科 Commelinaceae 鸭跖草属 Commelina

鸭跖草 *Commelina communis* L.

鸭跖草

药材名

鸭跖草（药用部位：地上部分。别名：竹叶菜、竹根菜、鸡舌草）。

形态特征

一年生披散草本。茎匍匐生根，多分枝，长可达 1m，下部无毛，上部被短毛。叶披针形至卵状披针形，长 3 ~ 9cm，宽 1.5 ~ 2cm。总苞片佛焰苞状，有长 1.5 ~ 4cm 的柄，与叶对生，折叠状，展开后呈心形，先端短急尖，基部心形，长 1.2 ~ 2.5cm，边缘常被硬毛；聚伞花序，下面 1 枝仅有花 1，具长 8mm 的梗，不孕，上面 1 枝具花 3 ~ 4，具短梗，几乎不伸出佛焰苞；花梗花期长仅 3mm，果期弯曲，长不过 6mm；萼片膜质，长约 5mm，内面 2 常靠近或合生；花瓣深蓝色，内面 2 具爪，长近 1cm。蒴果椭圆形，长 5 ~ 7mm，2 室，2 片裂，有种子 4；种子长 2 ~ 3mm，棕黄色，一端平截，腹面平，有不规则窝孔。

生境分布

生于海拔 100 ~ 2400m 的湿润阴处，在沟边、路边、田埂、荒地、宅旁、墙角、山坡或林缘草丛中均常见。分布于重庆北碚、黔江、万州、綦江、垫江、大足、涪陵、秀山、江津、潼南、永川、城口、彭水、合川、石柱、丰都、忠县、酉阳、南川、璧山、巫溪、巫山、九龙坡、云阳、武隆、开州、铜梁、南岸、梁平、巴南、沙坪坝、荣昌等地。

| **资源情况** | 野生资源丰富。药材来源于野生。

| **采收加工** | 夏、秋季采收，晒干。

| **药材性状** | 本品长可达 60cm，黄绿色或黄白色，较光滑。茎有纵棱，直径约 0.2cm，多有分枝或须根，节稍膨大，节间长 3 ~ 9cm；质柔软，断面中心有髓。叶互生，多皱缩破碎，完整者展平后呈卵状披针形或披针形，长 3 ~ 9cm，宽 1 ~ 2cm，先端尖，全缘，基部下延成膜质叶鞘，抱茎；叶脉平行。花多脱落，总苞佛焰苞状，心形，两边不相连；花瓣皱缩，蓝色。气微，味淡。

| **功能主治** | 甘、淡，寒。归肺、胃、小肠经。清热泻火，解毒，利水消肿。用于感冒发热，热病烦渴，咽喉肿痛，水肿尿少，热淋涩痛，痈肿疔毒。

| **用法用量** | 内服煎汤，15 ~ 30g。外用适量，捣敷。

鸭跖草科 Commelinaceae 鸭跖草属 Commelina

大苞鸭跖草 *Commelina paludosa* Bl.

| **药 材 名** | 大苞鸭跖草（药用部位：全草。别名：七节风、竹叶菜）。

| **形态特征** | 多年生粗壮大草本。茎常直立，有时基部节上生根，高达 1m。叶无柄；叶片披针形至卵状披针形，长 7 ~ 20cm，宽 2 ~ 7cm，先端渐尖，两面无毛或有时上面被粒状毛而下面密被细长硬毛；叶鞘长 1.8 ~ 3cm，通常在口沿及一侧密生棕色长刚毛，但有时几乎无毛，仅口沿有几根毛，也有的全面被细长硬毛。总苞片漏斗状，长约 2cm，宽 1.5 ~ 2cm，无毛，无柄，常数个（4 ~ 10）在茎先端集成头状，下缘合生，上缘急尖或短急尖。蒴果卵球状三棱形，3 室，3 片裂，每室有 1 种子，长 4mm；种子椭圆形，黑褐色，腹面稍压扁，长约 3.5mm，具细网纹。花期 8 ~ 10 月，果期 10 月至翌年 4 月。

大苞鸭跖草

| 生境分布 |

生于海拔 400 ～ 2000m 的溪边、山谷、山坡林下阴湿处。分布于重庆武隆、南川、巴南、南岸等地。

| 资源情况 |

野生资源较少。药材主要来源于野生，亦有零星栽培。

| 采收加工 |

夏、秋季采收，洗净，鲜用或晒干。

| 功能主治 |

甘，寒。利水消肿，清热解毒，凉血止血。用于水肿，脚气，小便不利，热淋尿血，鼻衄，血崩，痢疾，咽喉肿痛，丹毒，痈疮肿毒，蛇虫咬伤。

| 用法用量 |

内服煎汤，15 ～ 30g，鲜品 30 ～ 45g；或捣汁含咽。外用适量，捣敷。

鸭跖草科 Commelinaceae 聚花草属 Floscopa

聚花草 *Floscopa scandens* Lour.

聚花草

药材名

聚花草（药用部位：全草。别名：水竹菜、水竹叶草、竹叶藤）。

形态特征

多年生粗壮草本，植株具极长的根茎，根茎节上密生须根。植株全体或仅叶鞘及花序各部分被多细胞腺毛，但有时叶鞘仅一侧被毛。茎高 20 ~ 70cm，不分枝。叶无柄或有带翅的短柄；叶片椭圆形至披针形，长 4 ~ 12cm，宽 1 ~ 3cm，上面有鳞片状突起。圆锥花序多个，顶生并兼有腋生，组成长达 8cm、宽达 4cm 的扫帚状复圆锥花序，下部总苞片叶状，与叶同形、同大，上部的比叶小得多；花梗极短；苞片鳞片状；萼片长 2 ~ 3mm，浅舟状；花瓣蓝色或紫色，少白色，倒卵形，略比萼片长；花丝长而无毛。蒴果卵圆形，长、宽均 2mm，侧扁；种子半椭圆形，灰蓝色，有从胚盖发出的辐射纹，胚盖白色，位于背面。花果期 7 ~ 11 月。

生境分布

生于海拔 1700m 以下的水边、山沟边草地或林中。分布于重庆涪陵、永川等地。

| **资源情况** | 野生资源较少。药材来源于野生，自采自用。

| **采收加工** | 夏、秋季采收，洗净，晒干或鲜用。

| **功能主治** | 苦，凉。清热利水，解毒。用于肺热咳嗽，目赤肿痛，淋证，水肿，疮疖肿毒。

| **用法用量** | 内服煎汤，9 ～ 15g。外用适量，鲜品捣敷。

■鸭跖草科■ Commelinaceae ■水竹叶属■ *Murdannia*

牛轭草
Murdannia loriformis (Hassk.) Rolla Rao et Kammathy

| **药 材 名** | 牛轭草（药用部位：全草。别名：红茅草、地蓝花）。

| **形态特征** | 多年生草本。根须状，直径 0.5 ~ 1mm，被长绒毛或无。主茎不发育，有莲座状叶丛，多条可育茎从叶丛中发出，披散或上升，下部节上生根，无毛或一侧被短毛，仅个别植株密生细长硬毛，长 15 ~ 50（~ 100）cm。主茎上的叶密集成莲座状，禾叶状或剑形，长 5 ~ 15（~ 30）cm，宽近 1cm，仅下部边缘有睫毛；可育茎上的叶较短，仅叶鞘上沿口部一侧被硬睫毛，仅个别植株在叶背面及叶鞘上密生细硬毛。蝎尾状聚伞花序单生或 2 ~ 3 集成圆锥花序；总苞片下部的叶状而较小，上部的很小，长不过 1cm；聚伞花序有长至 2.5cm 的总梗，具数朵非常密集的花，几乎集成头状；苞片早落，长约 4mm；花梗在果期长 2.5 ~ 4mm，稍弯曲；萼片草质，卵状椭圆形，

牛轭草

浅舟状，长约 3mm；花瓣紫红色或蓝色，倒卵圆形，长 5mm；能育雄蕊 2。蒴果卵圆状三棱形，长 3 ～ 4mm；种子黄棕色，具以胚盖为中心的辐射条纹，并具细网纹，无孔，亦无白色乳状凸出。花果期 5 ～ 10 月。

生境分布

生于海拔 1400m 以下的潮湿山坡、溪旁。分布于重庆垫江、九龙坡等地。

资源情况

野生资源较少。药材来源于野生。

采收加工

夏、秋季采收，洗净，晒干或鲜用。

功能主治

甘、淡、微苦，寒。清热止咳，解毒，利尿。用于小儿高热，肺热咳嗽，目赤肿痛，热痢，疮痈肿毒，热淋，小便不利。

用法用量

内服煎汤，15 ～ 30g。外用适量，捣敷。

鸭跖草科 Commelinaceae 水竹叶属 Murdannia

裸花水竹叶
Murdannia nudiflora (L.) Brenan

裸花水竹叶

药材名

红毛草（药用部位：全草。别名：地韭菜、天芒针、地蓝花）。

形态特征

多年生草本。根须状，纤细，直径不及0.3mm，无毛或被长绒毛。茎多条自基部发出，披散，下部节上生根，长10～50cm，分枝或不分枝，无毛，主茎发育。叶几乎全部茎生，有时有1～2长达10cm的条形基生叶，茎生叶叶鞘长一般不及1cm，通常全面被长刚毛，但也有相当一部分植株仅口部一侧密生长刚毛而别处无毛；叶片禾叶状或披针形，先端钝或渐尖，两面无毛或疏生刚毛，长2.5～10cm，宽5～10mm。蝎尾状聚伞花序数个，排成顶生圆锥花序，或仅单个；总苞片下部的叶状，但较小，上部的很小，长不及1cm；聚伞花序有数朵密集排列的花，具纤细、长达4cm的总梗；苞片早落；花梗细而挺直，长3～5mm；萼片草质，卵状椭圆形，浅舟状，长约3mm；花瓣紫色，长约3mm；能育雄蕊2，不育雄蕊2～4，花丝下部有须毛。蒴果卵圆状三棱形，长3～4mm；种子黄棕色，有深窝孔，或同时有浅窝孔和以胚盖为中心呈辐射状排列的白色瘤突。花果期（6 ~ ）8 ~ 9（ ~ 10）月。

生境分布

生于海拔 200 ~ 1600m 的溪边、水边或林下。分布于重庆酉阳、涪陵、长寿、九龙坡、忠县、璧山、北碚、巴南等地。

资源情况

野生资源一般。药材来源于野生。

采收加工

夏、秋季采收，洗净，鲜用或晒干。

功能主治

甘、淡，凉。清肺热，凉血解毒。用于肺热咳嗽，咯血，吐血，咽喉肿痛，目赤肿痛，疮痈肿毒。

用法用量

内服煎汤，15 ~ 30g，大剂量可用 60g；或绞汁。外用适量，鲜品捣敷。

鸭跖草科 Commelinaceae 水竹叶属 Murdannia

水竹叶

Murdannia triquetra (Wall.) Bruckn.

| 药 材 名 | 水竹叶（药用部位：全草。别名：鸡舌草、水金钗、水叶草）。

| 形态特征 | 多年生草本，具长而横走根茎。根茎具叶鞘，节间长约6cm，节上具细长须根。茎肉质，下部匍匐，节上生根，上部上升，通常多分枝，长达40cm，节间长8cm，密生1列白色硬毛，与下个叶鞘的毛相连续。叶无柄；叶片下部有睫毛，叶鞘合缝处有1列毛，与上个节上的衔接而成一系列，叶的他处无毛；叶片竹叶形，平展或稍折叠，长2～6cm，宽5～8mm，先端渐尖而头钝。花序通常仅有单朵花，顶生并兼腋生；花序梗长1～4cm，顶生者长，腋生者短，花序梗中部有1条状苞片，有时苞片腋中生1花；萼片绿色，狭长圆形，浅舟状，长4～6mm，无毛，果期宿存；花瓣粉红色、紫红色或蓝紫色，倒卵圆形，稍长于萼片；花丝密生长须毛。蒴果卵圆状三棱形，

水竹叶

长 5 ~ 7mm，直径 3 ~ 4mm，两端钝或短急尖，每室有种子 3，有时仅 1 ~ 2；种子短柱状，不扁，红灰色。花期 9 ~ 10 月，果期 10 ~ 11 月。

| 生境分布 | 生于海拔 1600m 以下的水稻田边或湿地上。分布于重庆城口、奉节、南川、巴南等地。

| 资源情况 | 野生资源较少。药材来源于野生，自采自用。

| 采收加工 | 夏、秋季采收，洗净，鲜用或晒干。

| 功能主治 | 甘，寒。归肺、膀胱经。清热解毒，利尿。用于发热，咽喉肿痛，肺热喘咳，咯血，热淋，热痢，痈疽疔肿，蛇虫咬伤。

| 用法用量 | 内服煎汤，9 ~ 15g，鲜品 30 ~ 60g。外用适量，捣敷。

鸭跖草科 Commelinaceae 杜若属 Pollia

杜若
Pollia japonica Thunb.

杜若

药材名

竹叶莲（药用部位：全草或根茎。别名：竹叶菜、地藕）。

形态特征

多年生草本，根茎长而横走。茎直立或上升，粗壮，不分枝，高 30 ~ 80cm，被短柔毛。叶鞘无毛；无柄或叶基渐狭而延成带翅的柄；叶片长椭圆形，长 10 ~ 30cm，宽 3 ~ 7cm，基部楔形，先端长渐尖，近无毛，上面粗糙。蝎尾状聚伞花序长 2 ~ 4cm，常多个成轮排列，形成数个疏离的轮，或不成轮，一般集成圆锥花序；总花序梗长 15 ~ 30cm，花序远远地伸出叶子，各级花序轴和花梗被相当密的钩状毛；总苞片披针形，花梗长约 5mm；萼片 3，长约 5mm，无毛，宿存；花瓣白色，倒卵状匙形，长约 3mm；雄蕊 6，全育，近相等，或有时 3 略小，偶有 1 ~ 2 不育。果实球形，果皮黑色，直径约 5mm，每室有种子数颗；种子灰色带紫色。花期 7 ~ 9 月，果期 9 ~ 10 月。

生境分布

生于海拔 1200m 以下的山谷林下。分布于重庆彭水、南川、巴南、璧山等地。

资源情况

野生资源较少。药材来源于野生。

采收加工

夏、秋季采收，洗净，鲜用或晒干。

功能主治

微苦，凉。清热利尿，解毒消肿。用于小便黄赤，热淋，疔痈疖肿，蛇虫咬伤。

用法用量

内服煎汤，6 ~ 12g。外用适量，捣敷。

鸭跖草科 Commelinaceae 杜若属 Pollia

川杜若 *Pollia miranda* (Lévl.) Hara

| 药 材 名 | 川杜若（药用部位：全草。别名：杜若）。

| 形态特征 | 多年生草本。根茎横走而细长，具膜质鞘。茎上升，细弱，节上仅具叶鞘或带有很小的叶片，上部节间短而叶密集。叶鞘长 1 ~ 2cm，被疏或密短细柔毛；叶椭圆形或卵状椭圆形，长 5 ~ 15cm，宽 2 ~ 5cm，上面被粒状糙毛。圆锥花序单个顶生，与先端叶片近等长，仅具 2 至数个蝎尾状聚伞花序；聚伞花序互生；花瓣白色，具粉红色斑点，卵圆形，基部具短爪，长约 4mm；雄蕊 6，全育而相等，花丝略短于花瓣；子房每室有胚珠 4 ~ 5。果实成熟时黑色，球形，直径约 5mm；种子扁平，多角形，蓝灰色。花期 6 ~ 8 月，果期 8 ~ 9 月。

川杜若

｜生境分布｜

生于海拔 1600m 以下的山谷林下。分布于重庆南川等地。

｜资源情况｜

野生资源较少。药材来源于栽培。

｜采收加工｜

夏、秋季采收，洗净，鲜用或晒干。

｜功能主治｜

温中止痛，益精明目。用于脾胃虚寒，脘腹冷痛，目昏不明。

｜用法用量｜

内服煎汤，适量。外用适量，捣敷。

竹叶吉祥草
Spatholirion longifolium (Gagnep.) Dunn

竹叶吉祥草

| 药 材 名 |

珊瑚草花（药用部位：花）。

| 形态特征 |

多年生缠绕草本，全体近无毛或被柔毛。根须状，数条，粗壮，直径约 3mm。茎长达 3m。叶具长 1 ~ 3cm 的叶柄；叶片披针形至卵状披针形，长 10 ~ 20cm，宽 1.5 ~ 6cm，先端渐尖。圆锥花序总梗长达 10cm；总苞片卵圆形，长 4 ~ 10cm，宽 2.5 ~ 6cm。花无梗；萼片长 6mm，草质；花瓣紫色或白色，略短于萼片。蒴果卵状三棱形，长 12mm，先端有芒状凸尖，每室有种子 6 ~ 8；种子酱黑色。花期 6 ~ 8 月，果期 7 ~ 9 月。

| 生境分布 |

生于海拔 1200 ~ 2500m 的山谷密林下，疏林或山谷草地中偶见，多攀缘于树干上。分布于重庆巫山、南川、城口、武隆、涪陵等地。

| 资源情况 |

野生资源较少。药材主要来源于野生。

| 采收加工 |

夏季采收，晒干。

功能主治

涩，凉。归肝经。调和气血，止痛。用于月经不调，神经性头痛。

用法用量

内服煎汤，9 ~ 15g。

附　　注

本种喜温暖湿润气候，耐阴。宜选择肥沃、疏松、潮湿的山坡地栽培。

鸭跖草科 Commelinaceae 竹叶子属 Streptolirion

竹叶子

Streptolirion volubile Edgew.

竹叶子

| 药 材 名 |

竹叶子（药用部位：全草。别名：水百步还魂、大叶竹菜、猪鼻孔）。

| 形态特征 |

多年生攀缘草本，极少茎近直立。茎长 0.5 ~ 6m，常无毛。叶柄长 3 ~ 10cm；叶片心状圆形，有时心状卵形，长 5 ~ 15cm，宽 3 ~ 15cm，先端常尾尖，基部深心形，上面多少被柔毛。蝎尾状聚伞花序有花 1 至数朵，集成圆锥状；圆锥花序下部的总苞片叶状，长 2 ~ 6cm，上部的小，卵状披针形；花无梗；萼片长 3 ~ 5mm，先端急尖；花瓣白色、淡紫色而后变白色，线形，略比萼长。蒴果长 4 ~ 7mm，先端有长达 3mm 的芒状凸尖；种子褐灰色，长约 2.5mm。花期 7 ~ 8 月，果期 9 ~ 10 月。

| 生境分布 |

生于海拔 800 ~ 2500m 的山谷、灌丛、密林或草地。分布于重庆城口、南川、酉阳、綦江、巫溪、奉节等地。

| 资源情况 |

野生资源稀少。药材来源于野生。

| **采收加工** | 夏、秋季采收，洗净，鲜用或晒干。

| **功能主治** | 甘，平。清热，利水，解毒，化瘀。用于感冒发热，肺痨咳嗽，口渴心烦，水肿，热淋，带下，咽喉疼痛，痈疮肿毒，跌仆劳伤，风湿骨痛。

| **用法用量** | 内服煎汤，15 ～ 30g，鲜品 30 ～ 60g。外用适量，鲜品捣敷。

谷精草
Eriocaulon buergerianum Koern.

| 药 材 名 |　谷精草（药用部位：花序。别名：谷星草、戴星草、文星草）。

| 形态特征 |　草本。叶线形，丛生，半透明，具横格，长 4 ~ 10（~ 20）cm，中部宽 2 ~ 5mm，脉 7 ~ 12（~ 18）。花葶多数，长达 25（~ 30）cm，直径 0.5mm，扭转，具 4 ~ 5 棱；鞘状苞片长 3 ~ 5cm，口部斜裂；花序成熟时近球形，禾秆色，长 3 ~ 5mm，宽 4 ~ 5mm；总苞片倒卵形至近圆形，禾秆色，下半部分较硬，上半部分纸质，不反折，长 2 ~ 2.5mm，宽 1.5 ~ 1.8mm，无毛或边缘有少数毛，下部毛较长；总（花）托常被密柔毛；苞片倒卵形至长倒卵形，长 1.7 ~ 2.5mm，宽 0.9 ~ 1.6mm，背面上部及先端被白短毛。雄花花萼佛焰苞状，外侧裂开，3 浅裂，长 1.8 ~ 2.5mm，背面及先端多少有毛；花冠裂片 3，近锥形，近等大，近顶处各有 1 黑色腺体，端部常有 2 细胞的白短毛；雄蕊 6，花药黑色。雌花花萼合生，外侧开裂，先端

谷精草

3 浅裂，长 1.8 ~ 2.5mm，背面及先端被短毛，外侧裂口边缘被毛，下长上短；花瓣 3，离生，扁棒形，肉质，先端各具 1 黑色腺体及若干白短毛，果实成熟时毛易落，内面常被长柔毛；子房 3 室，花柱分枝 3，短于花柱。种子矩圆形，长 0.75 ~ 1mm，表面具横格及"T"字形突起。花果期 7 ~ 12 月。

| **生境分布** | 生于稻田、水边。分布于重庆奉节、开州、武隆、彭水、南川、巫山、巫溪、石柱、江津、秀山、云阳、涪陵、丰都等地。

| **资源情况** | 野生资源一般。药材来源于野生。

| **采收加工** | 秋季采收，将花序连同花茎拔出，晒干。

| **药材性状** | 本品呈半球形，直径 4 ~ 5mm。底部有苞片层层紧密排列，苞片淡黄绿色，有光泽，上部边缘密生白色短毛；花序顶部灰白色。揉碎花序，可见多数黑色花药和细小的黄绿色未成熟果实。花茎纤细，长短不一，直径不及 1mm，淡黄绿色，有数条扭曲的棱线。质柔软。气微，味淡。

| **功能主治** | 辛、甘，平。归肝、肺经。疏散风热，明目退翳。用于风热目赤，肿痛羞明，眼生翳膜，风热头痛。

| **用法用量** | 内服煎汤，5 ~ 10g。

禾本科 Gramineae 簕竹属 Bambusa

孝顺竹

Bambusa multiplex (Lour.) Raeuschel ex J. A. et J. H. Schult.

孝顺竹

药材名

孝顺竹（药用部位：嫩叶）。

形态特征

灌木型丛生竹。竿高 4 ～ 7m，直径 1.5 ～ 2.5cm，尾梢近直或略弯，下部挺直，绿色；节间长 30 ～ 50cm，幼时薄被白蜡粉，并于上半部被棕色至暗棕色小刺毛，后者在近节以下部分较为密集，老时则光滑、无毛，竿壁稍薄；节处稍隆起，无毛；自竿基部第 2 或第 3 节即开始分枝，数枝乃至多枝簇生，主枝稍粗长。竿箨幼时薄被白蜡粉，早落；箨鞘呈梯形，背面无毛，先端稍向外缘一侧倾斜，呈不对称拱形；箨耳极微小以至不明显，边缘被少许缝毛；箨舌高 1 ～ 1.5mm，边缘呈不规则的短齿裂；箨片直立，易脱落，狭三角形，背面散生暗棕色脱落性小刺毛，腹面粗糙，先端渐尖，基部宽约与箨鞘先端近相等。末级小枝具 5 ～ 12 叶；叶鞘无毛，纵肋稍隆起，背部具脊；叶耳肾形，边缘被波曲状细长缝毛；叶舌圆拱形，高 0.5mm，边缘微齿裂；叶片线形，长 5 ～ 16cm，宽 7 ～ 16mm，上表面无毛，下表面粉绿色且密被短柔毛，先端渐尖，具粗糙细尖头，基部近圆形或宽楔形。假小穗单生或数枝簇生于花枝各节，并在基部托有鞘状苞片，线形至线状披针形，长 3～6cm；先出叶长 3.5mm，具 2 脊，脊上被短纤毛；具芽苞片通常 1 或 2，卵形至狭卵形，长 4～7.5mm，无毛，具 9～13 脉，先端钝或急尖；小穗含小花（3～）5～13，中间小花为两性；小穗轴节间扁，长 4～4.5mm，无毛；无颖；外稃两侧稍不对称，长圆状披针形，长 18mm，无毛，具 19～21 脉，先端急尖，内稃线形，长 14～16mm，具 2 脊，脊上被短纤毛，脊间 6 脉，脊外一边具 4 脉，另一边具 3 脉，先端两侧各伸出 1 被毛的细长尖头，先端近截平而边缘被短纤毛；两侧 2 鳞被呈半卵形，长 2.5～3mm，后方 1 片呈细长披针形，长 3～5mm，边缘无毛；花丝长 8～10mm，花药紫色，长 6mm，先端具 1 簇白色画笔状毛；子房卵球形，长约 1mm，先端增粗而被短硬毛，基部具 1 长约 1mm 的子房柄，柱头 3 或其数目有变化，直接从子房先端伸出，长 5mm，羽毛状。未见成熟颖果。

| **生境分布** | 生于山谷间、小河旁。分布于重庆长寿、九龙坡、南川、巴南、南岸等地。

| **资源情况** | 野生资源较少。药材主要来源于栽培。

| **采收加工** | 春、夏季采摘嫩叶，鲜用。

| **功能主治** | 清热利水。用于热病烦渴，小便短赤，水肿。

| **用法用量** | 内服煎汤，适量。

禾本科 Gramineae 箣竹属 Bambusa

佛肚竹

Bambusa ventricosa McClure

| 药 材 名 | 佛肚竹（药用部位：嫩叶。别名：密节竹）。

| 形态特征 | 丛生型竹类。竿二型。正常竿高 8 ~ 10m，直径 3 ~ 5cm，尾梢略下弯，下部稍呈"之"字形曲折；节间圆柱形，长 30 ~ 35cm，幼时无白蜡粉，光滑，无毛，下部略微肿胀；竿下部各节于箨环上、下方各环生 1 圈灰白色绢毛，基部第 1、2 节上还生有短气根；分枝常自竿基部第 3、4 节开始，各节具 1 ~ 3 枝，其枝上的小枝有时短缩为软刺，竿中、上部各节为数至多枝簇生，其中有 3 枝较为粗长。畸形竿通常高 25 ~ 50cm，直径 1 ~ 2cm，节间短缩而其基部肿胀，呈瓶状，长 2 ~ 3cm；竿下部各节于箨环上、下方各环生 1 圈灰白色绢毛带；分枝习性稍高，且常为单枝，均无刺，其节间稍短缩而明显肿胀。箨鞘早落，背面完全无毛，干时纵肋显著隆起，先端为

佛肚竹

近对称的宽拱形或近截形；箨耳不相等，边缘被弯曲缝毛，大耳狭卵形至卵状披针形，宽 5～6mm，小耳卵形，宽 3～5mm；箨舌高 0.5～1mm，边缘被极短的细流苏状毛；箨片直立或外展，易脱落，卵形至卵状披针形，基部稍作心形收窄，其宽稍窄于箨鞘先端。叶鞘无毛；叶耳卵形或镰刀形，边缘被数条波曲缝毛；叶舌极矮，近截形，边缘被极短细纤毛；叶片线状披针形至披针形，长 9～18cm，宽 1～2cm，上表面无毛，下表面密生短柔毛，先端渐尖，具钻状尖头，基部近圆形或宽楔形。假小穗单生或数枚簇生花枝各节，线状披针形，稍扁，长 3～4cm；先出叶宽卵形，长 2.5～3mm，具 2 脊，脊上被短纤毛，先端钝；具芽苞片 1 或 2，狭卵形，长 4～5mm，具 13～15 脉，先端急尖；小穗含两性小花 6～8，其中基部的 1 或 2 和顶生的 2 或 3 小花常不孕；小穗轴节间扁，长 2～3mm，先端膨大成杯状，其边缘被短纤毛；颖常无或仅 1，卵状椭圆形，长 6.5～8mm，具 15～17 脉，先端急尖；外稃无毛，卵状椭圆形，长 9～11mm，具 19～21 脉，脉间具小横脉，先端急尖，内稃与外稃近等长，具 2 脊，脊近先端处被短纤毛，脊间与脊外两侧均各具 4 脉，先端渐尖，先端具 1 小簇白色柔毛；鳞被 3，长约 2mm，边缘上部被长纤毛，前方 2 片形状稍不对称，后方 1 片宽椭圆形；花丝细长，花药黄色，长 6mm，先端钝；子房具柄，宽卵形，长 1～1.2mm，先端增厚而被毛，花柱极短，被毛，柱头 3 分裂，长约 6mm，羽毛状。未见颖果。

| 生境分布 | 生于常绿阔叶林区、热带季雨林及雨林区。分布于重庆南川、巫山、石柱、江津、开州、万州、忠县、南岸、渝北等地。

| 资源情况 | 野生和栽培资源均稀少。药材来源于栽培。

| 采收加工 | 春、夏季采摘，鲜用。

| 功能主治 | 清热，除烦。用于风热感冒，高热烦渴，小便不畅。

| 用法用量 | 内服煎汤，适量。

| 附　注 | 本种喜温暖湿润气候，耐水湿，抗寒力较差，耐轻微霜冻及 0℃左右低温，冬季气温应保持在 10℃以上，低于 4℃往往受冻。喜光，但怕烈日暴晒，亦稍耐荫蔽。喜肥沃、湿润的酸性土，宜选择疏松、排水良好、富含腐殖质的酸性土壤或砂壤土栽培。

禾本科 Gramineae 寒竹属 Chimonobambusa

金佛山方竹 *Chimonobambusa utilis* (Keng) Keng f.

金佛山方竹

| 药 材 名 |

金佛山方竹（药用部位：叶）。

| 形态特征 |

丛生型竹类。竿一般高 5 ~ 7m，最高可达
10m 以上，中、下部各节均具刺状气生根，
最多可达 30，环列成 1 周，直径 2 ~ 3.5
（~ 5）cm；节间圆筒形或略四棱形，长
20 ~ 30cm（竿基部的节间仅长 2.5 ~ 4.5cm），
表面起初被白色刺毛，后渐变为无毛，竿壁
厚约 7mm；箨环残留箨鞘基部（成褐黑色绒
毛环）；竿环平坦乃至甚隆起，竿每节分 3 枝，
近作水平方向平展。箨鞘薄革质或厚纸质，
脱落性，短于节间，背面黄褐色，间以灰白
色斑点，无毛，或仅基部被细微的白色绒毛，
边缘均被淡黄色小纤毛；箨耳缺；箨舌低矮，
全缘，略呈拱形，高 0.5 ~ 1.2mm；箨片极小，
三角锥状，长 4 ~ 7mm，基部与箨鞘先端
连接处无明显关节。末级小枝具 1 ~ 3 叶；
叶鞘长 3 ~ 6cm，无毛，鞘口繸毛稀少或不
存在；叶舌低矮，高 1 ~ 2mm，先端截形
或拱形；叶片质坚韧，披针形，长（5 ~）
14 ~ 16cm，宽（1 ~）2 ~ 2.5cm，上表面
深绿色，无毛，下表面灰绿色，次脉 5 ~ 7 对，
小横脉呈扁方格状，叶缘一侧被粗糙小刺

毛；叶柄长 2 ~ 5mm。花枝常着生于先端具叶的分枝之各节，基部托以 4 ~ 5 向上逐渐增大的苞片；假小穗通常以 1 枚稀可较多地生于花枝各节之苞腋，侧生者仅有 1 线形的先出叶而无苞片；小穗含 4 ~ 7 小花，长 25 ~ 45mm，枯草色或深褐色；小轴节间长 4 ~ 6mm，无毛；颖 1 ~ 3，长 6 ~ 9mm，具 7 ~ 9 纵肋；外稃卵状三角形，长 10 ~ 12mm，先端锐尖，无毛，内稃长 8 ~ 10mm，先端钝圆或微下凹，脊间具 2 ~ 4 脉，脊外至边缘具 1 或 2 脉；鳞被长椭圆状披针形，或近外稃一侧的 2 片呈对称的半卵圆形，长 2 ~ 3mm，边缘无毛或其上部被纤毛；花药长 5 ~ 6mm；子房卵圆形，无毛，花柱短，近基部即 2 裂，柱头羽毛状，长 2.5mm。果皮厚 1.5 ~ 2.5mm，呈坚果状，椭圆形，长 1 ~ 1.5cm，直径 6 ~ 8mm，鲜时绿色，干燥后呈铅色，浸泡酒精中保存则变为红褐色。花期 4 月。

| **生境分布** | 生于海拔 1000 ~ 1200m 的山坡。分布于重庆南川、綦江等地。

| **资源情况** | 野生资源较少。药材主要来源于野生，亦有栽培。

| **采收加工** | 全年均可采收，晒干或鲜用。

| **功能主治** | 清热凉血。用于胃热，上焦烦热，吐血，衄血，崩漏，胎动不安。

| **用法用量** | 内服煎汤，适量。

| **附　注** | 本种对土壤的适应性较强，在砂岩、页岩及各类碳酸盐岩风化母质发育的酸性或中性土壤中均可生长，但宜选择土层深厚、疏松、湿润、富含有机质的山地黄棕壤栽培，在浅薄、多石、干燥、贫瘠的白云岩发育的石骨土中则生长不良。

麻竹

Dendrocalamus latiflorus Munro

麻竹

| 药 材 名 |

麻竹（药用部位：花）。

| 形态特征 |

多年生高大竹类。竿高 20 ~ 25m，直径 15 ~ 30cm，梢端下垂或弧形弯曲；节间长 45 ~ 60cm，幼时被白粉，但无毛，仅在节内具 1 圈棕色绒毛环；壁厚 1 ~ 3cm；竿分枝习性高，每节分多枝，主枝常单一。箨鞘易早落，厚革质，呈宽圆铲形，背面略被小刺毛，但易落去而变无毛，先端的鞘口部分甚窄（宽约 3cm）；箨耳小，长 5mm，宽 1mm；箨舌高仅 1 ~ 3mm，边缘微齿裂；箨片外翻，卵形至披针形，长 6 ~ 15cm，宽 3 ~ 5cm，腹面被淡棕色小刺毛。末级小枝具 7 ~ 13 叶；叶鞘长 19cm，幼时被黄棕色小刺毛，后变无毛；叶耳无；叶舌凸起，高 1 ~ 2mm，截平，边缘微齿裂；叶片长椭圆状披针形，长 15 ~ 35（~ 50）cm，宽 2.5 ~ 7（~ 13）cm，基部圆，先端渐尖成小尖头，上表面无毛，下表面中脉甚隆起并在其上被小锯齿，幼时在次脉上还生有细毛茸，次脉 7 ~ 15 对，小横脉尚明显；叶柄无毛，长 5 ~ 8mm。花枝大型，无叶或上方具叶，其分枝的节间坚硬，密被黄褐色细柔毛，各节着生 1 ～ 7 乃至更多的假小穗，形成半轮生状态；小穗卵形，甚扁，长 1.2 ～ 1.5cm，宽 7 ～ 13mm，成熟时红紫色或暗紫色，先端钝，含 6 ～ 8 小花，先端小花常较大，成熟时小花广张开；颖 2 至数片，广卵形至广椭圆形，长约 5mm，宽约 4mm，两表面上部均被微毛，边缘被纤毛；外稃与颖类似，黄绿色，仅边缘上半部呈紫色，长 12 ～ 13mm，宽 7 ～ 16mm，具 29 ～ 33 脉，小横脉明显；内稃长圆状披针形，长 7 ～ 11mm，宽 3 ～ 4mm，上半部呈淡紫色，脊间 2 或 3 脉，两脊外至边缘各有 2 脉，脊上及边缘均密生细长纤毛；无鳞被；花药黄绿色，成熟后能伸出小花外，长 5 ～ 6mm，药隔先端伸出成为小尖头，被微毛；子房扁球形或宽卵形，上半部散生白色微毛，下半部无毛，具子房柄，有腹沟，其长约 7mm，花柱密被白色微毛，柱头单一，与花柱间无明显界限，偶柱头 2。果实呈囊果状，卵球形，长 8 ～ 12mm，直径 4 ～ 6mm，果皮薄，淡褐色。

| **生境分布** | 多栽培于山坡、房前屋后。分布于重庆合川、铜梁、涪陵、璧山、长寿、垫江、开州、大足等地。

| **资源情况** | 野生资源较少，栽培资源一般。药材主要来源于栽培。

| **采收加工** | 7 ～ 9 月采收，晾干或鲜用。

| **功能主治** | 止咳化痰。用于咳嗽痰喘。

| **用法用量** | 内服煎汤，适量。

禾本科 Gramineae 箭竹属 Fargesia

箭竹
Fargesia spathacea Franch.

| **药 材 名** | 拐棍竹（药用部位：嫩叶。别名：淡竹叶、竹叶）。 |

| **形态特征** | 多年生竹类，地下茎匍匐。竿柄长 7 ~ 13cm，直径 7 ~ 20mm。竿丛生或近散生；直立，高 1.5 ~ 4（~ 6）m，直径 0.5 ~ 2（~ 4）cm；节间长 15 ~ 18（~ 24）cm，竿基部节间长 3 ~ 5cm，圆筒形，幼时无白粉或微被白粉，无毛，纵向细肋不发达，竿壁厚 2 ~ 3.5mm，髓呈锯屑状；箨环隆起，幼时被灰白色短刺毛；竿环平坦或微隆起；节内长 2 ~ 4mm；竿芽卵圆形或长卵形，微粗糙，边缘被灰黄色短纤毛；枝条（5 ~）9 ~ 17 生于竿之每节，斜展，直径 1 ~ 2mm，微被白粉，实心或几实心。箨鞘宿存或迟落，革质，长圆状三角形，稍短或近等长乃至长于节间，先端微作拱形，背面被棕色刺毛，纵向脉纹明显，边缘幼时生有棕色纤毛；箨耳无，鞘 |

箭竹

口通常无缱毛；箨舌截形，高约 1mm，幼时上缘密生灰色纤毛，长 1.5 ~ 3mm；箨片外翻或位于竿下部箨者直立，三角形或线状披针形，平直或竿下部箨者微内卷，宽约 4mm，腹面基部被灰白色微毛。小枝具 2 ~ 3（~ 6）叶；叶鞘长 2 ~ 3（~ 4）cm，上部纵脊不明显，边缘无纤毛或幼时生有黄褐色纤毛；叶耳微小，紫色，边缘具 4 ~ 7 灰色向上的缱毛，长 1 ~ 5（~ 6）mm；叶舌略呈圆拱形或截形，无毛，高约 1mm；叶柄长 1 ~ 2mm，常有白粉；叶片线状披针形，长（3 ~）6 ~ 10（~ 13.5）cm，宽（3 ~）5 ~ 7（~ 13）mm，两面均无毛，先端长渐尖，基部楔形，次脉 3 ~ 4（~ 5）对，小横脉略明显，叶缘一侧具小锯齿，另一侧近于平滑。花枝长 5 ~ 35cm，各节可再分小枝，上部具 1 ~ 3（~ 4）由叶鞘扩大成的佛焰苞，并常生有线状披针形叶片，后者长 3 ~ 10cm，宽 3 ~ 7mm，基部楔形；圆锥花序较紧密，顶生，共含小穗 8 ~ 14，长 3 ~ 4.5cm，宽 1 ~ 1.4cm，最上面的 1 片佛焰苞通常较花序为长，故仅从佛焰苞开口之一侧伸出，花序的小枝被灰白色微毛，各具小穗 2 或 3，位于花序下部的分枝处常具 1 小型苞片；穗轴和小穗柄被灰白色微毛，小穗柄偏于穗轴一侧，长 1 ~ 5.5mm；小穗含 2 或 3 小花，长 1.3 ~ 2.5cm，紫色或紫绿色；小穗轴节间长 1.5 ~ 3mm，被灰白色微毛，先端略膨大；颖纸质，先端渐尖或具芒状尖头，被微毛，第一颖长 3.5 ~ 7mm，卵状披针形，具 3 ~ 5 脉，第二颖长 7 ~ 14mm，卵状披针形，具 7 ~ 9 脉；外稃卵状披针形，长 11 ~ 16（~ 20）mm，宽 2.5 ~ 4mm，具 9 ~ 11 脉，先端具芒状尖头，被短硬毛，内稃长 8 ~ 11mm，先端 2 齿裂，微被毛，脊上具小锯齿；鳞被披针形，长约 2mm，下部具脉纹，上部边缘被纤毛；花药黄色，长 4 ~ 6mm；子房长椭圆形，无毛，长 1 ~ 2mm，花柱 1，柱头 2，羽毛状，长约 1.5mm。颖果椭圆形，浅褐色，无毛，长 5 ~ 7mm，直径 2.2 ~ 3mm，先端具宿存花柱，长 0.3 ~ 0.6mm，基部具腹沟。笋期 5 月，花期 4 月，果期 5 月。

| **生境分布** | 生于海拔 1300 ~ 2400m 的林下或荒坡地，或栽培于房前屋后。分布于重庆城口、巫溪、巫山、奉节、开州、南川、铜梁、九龙坡等地。

| **资源情况** | 野生和栽培资源均一般。药材主要来源于栽培。

| **采收加工** | 夏末秋初采摘，晾干。

| **功能主治** | 甘、淡，寒。清热除烦，解渴利尿。用于发热烦躁、口渴，小便短少、色黄。

| **用法用量** | 内服煎汤，3 ~ 9g。

禾本科 Gramineae 箬竹属 Indocalamus

阔叶箬竹

Indocalamus latifolius (Keng) McClure

| 药 材 名 | 箬叶（药用部位：叶。别名：辽叶、茶箬若叶）。

| 形态特征 | 多年生灌木状竹类。竿高可达 2m，直径 0.5 ~ 1.5cm；节间长 5 ~ 22cm，被微毛，尤以节下方为甚；竿环略高，箨环平；竿每节 1 枝，惟竿上部稀可分 2 或 3 枝，枝直立或微上举。箨鞘硬纸质或纸质，下部竿箨者紧抱竿，上部者则较疏松抱竿，背部常被棕色疣基小刺毛或白色的细柔毛，以后毛易脱落，边缘被棕色纤毛；箨耳无或稀不明显，疏生粗糙短缝毛；箨舌截形，高 0.5 ~ 2mm，先端无毛或有时被短缝毛而呈流苏状；箨片直立，线形或狭披针形。叶鞘无毛，先端稀被极小微毛，质厚，坚硬，边缘无纤毛；叶舌截形，高 1 ~ 3mm，先端无毛或稀被缝毛；叶耳无；叶片长圆状披针形，先端渐尖，长 10 ~ 45cm，宽 2 ~ 9cm，下表面灰白色或灰白绿色，多少生有微

阔叶箬竹

毛，次脉 6 ~ 13 对，小横脉明显，形成近方格形，叶缘生有小刺毛。圆锥花序长 6 ~ 20cm，基部为叶鞘所包裹，花序分枝上升或直立，花序主轴密生微毛；小穗常带紫色，几呈圆柱形，长 2.5 ~ 7cm，含小花 5 ~ 9；小穗轴节间长 4 ~ 9mm，密被白色柔毛；颖通常质薄，被微毛或无毛，但上部和边缘生有绒毛，第一颖长 5 ~ 10mm，具不明显的 5 ~ 7 脉，第二颖长 8 ~ 13mm，具 7 ~ 9 脉；外稃先端渐尖，呈芒状，具 11 ~ 13 脉，脉间小横脉明显，被微毛或近于无毛，第一外稃长 13 ~ 15mm，基盘密生白色柔毛，长约 1mm；内稃长 5 ~ 10mm，脊间贴生小微毛，近先端生有小纤毛；鳞被长 2 ~ 3mm；花药紫色或黄色带紫色，长 4 ~ 6mm；柱头 2，羽毛状。果实未见。笋期 4 ~ 5 月。

| **生境分布** | 生于山坡、山谷、疏林下。分布于重庆巫山、奉节、巫溪、开州、南川等地。

| **资源情况** | 野生资源较丰富。药材主要来源于野生，亦有少量栽培。

| **采收加工** | 全年均可采收，晒干。

| **功能主治** | 甘，寒。归肺、肝经。清热止血，解毒消肿。用于吐血，衄血，便血，崩漏，小便不利，喉痹，痈肿。

| **用法用量** | 内服煎汤，9 ~ 15g；或炒存性，入散剂。外用适量，炒炭存性，研末吹喉。

| **附　注** | 本种为阳性竹类，喜温暖湿润的气候，但耐寒性较强，喜光，耐半阴。宜生长于疏松、排水良好的酸性土壤；对土壤要求不严，在轻度盐碱土中也能正常生长。

禾本科 Gramineae 箬竹属 *Indocalamus*

箬竹
Indocalamus tessellatus (Munro) Keng f.

| 药 材 名 | 箬叶（药用部位：叶。别名：辽叶、茶箬若叶）、箬蒂（药用部位：叶基部）。

| 形态特征 | 多年生灌木类或小灌木状竹类。竿高 0.75 ～ 2m，直径 4 ～ 7.5mm；节间长约 25cm，最长者可达 32cm，圆筒形，在分枝一侧的基部微扁，一般为绿色，竿壁厚 2.5 ～ 4mm；节较平坦；竿环较箨环略隆起，节下方有红棕色贴竿的毛环。箨鞘长于节间，上部宽松抱竿，无毛，下部紧密抱竿，密被紫褐色伏贴的疣基刺毛，具纵肋；箨耳无；箨舌厚膜质，截形，高 1 ～ 2mm，背部被棕色伏贴微毛；箨片大小多变化，窄披针形，竿下部者较窄，竿上部者稍宽，易落。小枝具 2 ～ 4 叶；叶鞘紧密抱竿，有纵肋，背面无毛或被微毛；无叶耳；叶舌高 1 ～ 4mm，截形；叶片在成长植株上稍下弯，宽披针形

箬竹

或长圆状披针形，长 20 ～ 46cm，宽 4 ～ 10.8cm，先端长尖，基部楔形，下表面灰绿色，密被贴伏的短柔毛或无毛，中脉两侧或仅一侧生有 1 条毡毛，次脉 8 ～ 16 对，小横脉明显，形成方格状，叶缘生有细锯齿。圆锥花序（未成熟者）长 10 ～ 14cm，花序主轴和分枝均密被棕色短柔毛；小穗绿色带紫色，长 2.3 ～ 2.5cm，几呈圆柱形，含 5 或 6 小花；小穗柄长 5.5 ～ 5.8mm；小穗轴节间长 1 ～ 2mm，被白色绒毛；颖片 3，纸质，脉上被微毛，第一颖长 5 ～ 7mm，先端钝，有 5 脉；第二颖长 7 ～ 10.5mm（包括先端长为 1.4 ～ 2mm 的芒尖在内），具 7 脉；第三颖长 10 ～ 19mm（包括先端长为 2.3 ～ 2.7mm 的芒尖在内），具 9 脉；第一外稃长 11 ～ 13mm（包括先端长为 1.7 ～ 2.3mm 的芒尖在内），背部被微毛，有 11 ～ 13 脉，基盘长 0.5 ～ 1mm，其上被白色髯毛；第一内稃长约为外稃的 1/3，背部有 2 脊，脊间生有白色微毛，先端有 2 齿和白色柔毛；花药长约 1.3mm，黄色；子房和鳞被未见。笋期 4 ～ 5 月，花期 6 ～ 7 月。

| **生境分布** | 生于海拔 300 ～ 1400m 的山坡路旁。分布于重庆黔江、巫山、江津、武隆等地。

| **资源情况** | 野生资源一般。药材来源于野生。

| **采收加工** | 箬叶：全年均可采收，晒干。
箬蒂：全年均可采收。

| **功能主治** | 箬叶：甘，寒。归肺、肝经。清热止血，解毒消肿。用于吐血，衄血，便血，崩漏，小便不利，喉痹，痈肿。
箬蒂：甘、微苦，凉。降逆和胃，解毒。用于胃热呃逆，烫火伤。

| **用法用量** | 箬叶：内服煎汤，9 ～ 15g；或炒存性，入散剂。外用适量，炒炭存性，研末吹喉。
箬蒂：内服煎汤，9 ～ 15g。外用，煅存性，研末调涂。

禾本科 Gramineae 慈竹属 Neosinocalamus

慈竹

Neosinocalamus affinis (Rendle) Keng f.

慈竹

药材名

慈竹叶（药用部位：叶。别名：竹叶心）、慈竹笋（药用部位：嫩苗）、慈竹气笋（药用部位：受病害的嫩苗。别名：阴慈竹笋子、阴笋子、气笋子）、慈竹箨（药用部位：箨片。别名：慈竹笋壳）、慈竹茹（药用部位：茎秆的中间层）、慈竹根（药用部位：根）、慈竹花（药用部位：花）。

形态特征

多年生乔木状竹类。竿高 5 ~ 10m，梢端细长作弧形，向外弯曲或幼时下垂如钓丝状，全竿约 30 节，竿壁薄；节间圆筒形，长 15 ~ 30（~ 60）cm，直径 3 ~ 6cm，表面贴生灰白色或褐色疣基小刺毛，长约 2mm，以后毛脱落则在节间留下小凹痕和小疣点；竿环平坦；箨环显著；节内长约 1cm；竿基部数节有时在箨环的上、下方均有贴生的银白色绒毛环，环宽 5 ~ 8mm，在竿上部各节之箨环则无此绒毛环，或仅于竿芽周围稍被绒毛。箨鞘革质，背部密生白色短柔毛和棕黑色刺毛（惟在其基部一侧之下方即被另一侧所包裹覆盖的三角形地带常无刺毛），腹面具光泽，但因幼时上下竿箨彼此紧裹之故，也会使腹面之上半部粘染上方箨鞘背部的刺毛（此系被刺入而折断者），鞘口宽广而下凹，略呈"山"字形；箨耳无；箨舌呈流苏状，连同繸毛高约 1cm，紧接繸毛的基部处还疏被棕色小刺毛；箨片两面均被白色小刺毛，具多脉，先端渐尖，基部向内收窄略呈圆形，仅为箨鞘鞘口或箨舌宽度的 1/2，边缘粗糙，内卷如舟状。竿每节约有 20 以上的分枝，呈半轮生状簇聚，水平伸展，主枝稍显著，其下部节间长可达 10cm，直径 5mm。末级小枝具数叶乃至多叶；叶鞘长 4 ~ 8cm，无毛，具纵肋，无鞘口繸毛；叶舌截形，棕黑色，高 1 ~ 1.5mm，上缘啮蚀状细裂；叶片窄披针形，大都长 10 ~ 30cm，宽 1 ~ 3cm，质薄，先端渐细尖，基部圆形或楔形，上表面无毛，下表面被细柔毛，次脉 5 ~ 10 对，小横脉不存在，叶缘通常粗糙；叶柄长 2 ~ 3mm。花枝束生，常甚柔，弯曲下垂，长 20 ~ 60cm 或更长，节间长 1.5 ~ 5.5cm；假小穗长达 1.5cm；小穗轴无毛，粗扁，上部节间长约 2mm；颖 0 ~ 1，长 6 ~ 7mm；外稃宽卵形，长 8 ~ 10mm，具多脉，先端具小尖头，边缘被纤毛；内稃长 7 ~ 9mm，背部 2 脊上被纤毛，脊间无毛；鳞被 3，有时 4，形状有变化，一般呈长圆形兼披针形，前方的 2 片长 2 ~ 3mm，有时其先端可叉裂，后方 1 片长 3 ~ 4mm，均于边缘被纤毛；雄蕊 6，有时可具不发育者而数少，花丝长 4 ~ 7mm，花药长 4 ~ 6mm，先端被小刺毛或其毛不明显；子房长 1mm，花柱长 4mm 或更短，被微毛，向上呈各式的分裂而成为 2 ~ 4 柱头，后者长为 3 ~ 5mm（彼此间长短不齐），羽毛状。果实纺锤形，长 7.5mm，上端被微柔毛，腹沟较宽浅，果皮质薄，黄棕色，易与种子分离而为囊果状。笋期 6 ~ 9 月或自 12 月至翌年 3 月，花期多在 7 ~ 9 月，但可持续数月之久。

| 生境分布 | 生于农家房前屋后的平地或低丘陵。分布于重庆黔江、綦江、璧山、南岸、大足、江津、潼南、合川、石柱、梁平、丰都、云阳、巫山、永川、酉阳、铜梁、万州、垫江、南川、涪陵、巫溪、北碚、忠县、武隆、开州、巴南、九龙坡、沙坪坝等地。

| 资源情况 | 野生资源稀少，栽培资源丰富。药材来源于栽培。

| 采收加工 | 慈竹叶：全年均可采收，晒干或鲜用。
慈竹笋：6～9月或12月至翌年3月笋期采集，鲜用或晒干。
慈竹气笋：5～6月采集遭受病害的未出土的嫩笋，晒干。
慈竹箨：全年均可采收，晒干。
慈竹茹：砍取茎竿，刮去外层皮，然后将中间层刮成丝状，晒干。
慈竹根：全年均可采挖，洗净，鲜用或晒干。

慈竹花：7～9月采收，晾干或鲜用。

｜功能主治｜　慈竹叶：甘、苦，微寒。清心利尿，除烦止渴。用于热病烦渴，小便短赤，口舌生疮。

慈竹笋：益气固脱。用于脱肛，疝气，疮疡。

慈竹气笋：苦、微甘，寒。清热止渴，解毒，止血。用于消渴，小便热痛，脱肛，小儿头身热疮，刀伤出血。

慈竹箨：止血，解毒。用于吐血，恶疮，犬咬伤。

慈竹茹：甘，微寒。归肺、胃、肝经。除烦止呕，清热凉血。用于胃热呕逆，上焦烦热，吐血，衄血，崩漏，胎动不安。

慈竹根：下乳。用于乳汁不通。

慈竹花：止血。用于劳伤吐血。

｜用法用量｜　慈竹叶：内服煎汤，6～9g；或泡水代茶饮。

慈竹笋：内服煎汤，15～30g，鲜品60～120g；或炖团鱼吃。外用适量，烧存性，调敷。

慈竹气笋：内服煎汤，9～15g。外用适量，煅存性，研末敷。

慈竹箨：内服煎汤，3～6g；或烧灰，研末冲服。外用适量，烧存性，研末调搽。

慈竹茹：内服煎汤，5～10g。

慈竹根：内服煎汤，15～30g，鲜品60～120g；或炖肉。

慈竹花：内服煎汤，15～30g，鲜品30～60g；或炖肉。

｜附　　注｜　（1）在FOC中，本种的拉丁学名被修订为*Bambusa emeiensis* L.C. Chia & H. L. Fung，属名被修订为簕竹属*Bambusa*。

（2）本种喜温暖湿润气候。宜选择土质疏松肥沃、排水良好的砂壤土栽培。

水竹
Phyllostachys heteroclada Oliver

| 药 材 名 | 水竹（药用部位：叶、根、中层竹皮、竹沥）。

| 形态特征 | 多年生竹类。竿高可超过 6m，直径达 3cm，幼竿具白粉并疏生短柔毛；节间长达直径 30cm，壁厚 3 ~ 5mm；竿环在较粗的竿中较平坦，与箨环同高，在较细的竿中则明显隆起而高于箨环；节内长约 5mm；分枝角度大，以致接近于水平开展。箨鞘背面深绿色带紫色（在细小的笋上则为绿色），无斑点，被白粉，无毛或疏生短毛，边缘被白色或淡褐色纤毛；箨耳小，但明显可见，淡紫色，卵形或长椭圆形，有时呈短镰形，边缘被数条紫色繸毛，在小的箨鞘上则可无箨耳及鞘口繸毛，或仅被数条细弱的繸毛；箨舌低，微凹乃至微呈拱形，边缘被白色短纤毛；箨片直立，三角形至狭长三角形，绿色、绿紫色或紫色，背部呈舟形隆起。末级小枝具 2 叶，稀可 1 或 3 叶；

水竹

叶鞘除边缘外无毛；无叶耳，鞘口繸毛直立，易断落；叶舌短；叶片披针形或线状披针形，长5.5～12.5cm，宽1～1.7cm，下表面在基部被毛。花枝呈紧密的头状，长（16～）18～20（～22）mm，通常侧生老枝上，基部托以4～6逐渐增大的鳞片状苞片；如生于具叶嫩枝的先端，则仅托以佛焰苞1或2，后者的先端有卵形或长卵形的叶状缩小叶；如在老枝上的花枝则具佛焰苞2～6，纸质或薄革质，广卵形或更宽，惟渐向先端者则渐狭窄，并变为草质，长9～12mm，先端被短柔毛，边缘被纤毛，其他部分无毛或近于无毛，先端具小尖头，每片佛焰苞腋内有假小穗4～7，有时可少至1；假小穗下方常托以形状、大小不一的苞片，此苞片长达12mm，多少呈膜质，背部具脊，先端渐尖，先端及脊上均被长柔毛，侧脉2或3对，极细弱；小穗长达15mm，含3～7小花，上部小花不孕；小穗轴节间长1.5～2mm，棒状，无毛，先端近于截形；颖0～3，大小、形状、质地与其下的苞片相同，有时上部者则可与外稃相似；外稃披针形，长8～12mm，上部或中上部被以斜开展的柔毛，9～13脉，背脊仅在上端可见，先端锥状渐尖；内稃多少短于外稃，除基部外均被短柔毛；鳞被菱状卵形，长约3mm，有7细脉纹，边缘被纤毛；花药长5～6mm；花柱长约5mm，柱头3，有时2，羽毛状。果实未见。笋期5月，花期4～8月。

| **生境分布** | 生于河流两岸或山谷中。分布于重庆黔江、璧山、南岸、城口、秀山、永川、合川、潼南、彭水、石柱、丰都、九龙坡、綦江、铜梁、酉阳、涪陵、江津、南川、忠县、巫溪、开州、梁平、巴南、沙坪坝等地。

| **资源情况** | 野生资源丰富。药材来源于野生。

| **采收加工** | 全年均可采收叶，晒干或鲜用。全年均可采挖根，洗净，鲜用或晒干。砍取茎竿，刮去外层皮，然后将中间层刮成丝状，晒干。取鲜竹竿截成30～50cm长，两端去节，劈开，架起，中部用火烤，两端即有液汁流出，以器盛之。

| **功能主治** | 叶、根，清热，凉血，化痰。中层竹皮，清热凉血，化痰止呕。竹沥，清热豁痰。用于胃热呕逆，上焦烦热，吐血，衄血，咳嗽痰喘。

| **用法用量** | 内服煎汤，适量。

禾本科 Gramineae 刚竹属 Phyllostachys

毛竹
Phyllostachys heterocycla (Carr.) Mitford cv. *Pubescens*

药 材 名	毛笋（药用部位：嫩苗。别名：茅竹笋）。
形态特征	多年生高大竹类。竿高超过 20m，粗可超过 20cm，幼竿密被细柔毛及厚白粉，箨环被毛，老竿无毛，并由绿色渐变为绿黄色；基部节间甚短，向上则逐节较长，中部节间长达 40cm 或更长，壁厚约 1cm（但有变异）；竿环不明显，低于箨环或在细竿中隆起；箨鞘背面黄褐色或紫褐色，具黑褐色斑点，密生棕色刺毛；箨耳微小，繸毛发达；箨舌宽短，强隆起乃至为尖拱形，边缘被粗长纤毛；箨片较短，长三角形至披针形，有波状弯曲，绿色，初时直立，以后外翻。末级小枝具 2 ~ 4 叶；叶耳不明显，鞘口繸毛存在而为脱落性；叶舌隆起；叶片较小，较薄，披针形，长 4 ~ 11cm，宽 0.5 ~ 1.2cm，下表面在沿中脉基部被柔毛，次脉 3 ~ 6 对，再次脉 9。花枝穗状，长 5 ~ 7cm，

毛竹

基部托以 4 ~ 6 逐渐稍较大的微小鳞片状苞片，有时花枝下方尚有 1 ~ 3 近于
正常发达的叶，此时花枝呈顶生状；佛焰苞通常在 10 以上，常偏于一侧，呈
整齐的覆瓦状排列，下部数片不孕而早落，致使花枝下部露出而类似花枝的
柄，上部的边缘被纤毛及微毛，无叶耳，具易落的鞘口繸毛，缩小叶小，披针
形至锥形，每片孕性佛焰苞内具 1 ~ 3 假小穗；小穗仅有 1 小花；小穗轴延伸
于最上方小花的内稃背部，呈针状，节间被短柔毛；颖 1，长 15 ~ 28mm，
先端常具锥状缩小叶，有如佛焰苞，下部、上部以及边缘常生毛茸；外稃长
22 ~ 24mm，上部及边缘被毛；内稃稍短于其外稃，中部以上生有毛茸；鳞被
披针形，长约 5mm，宽约 1mm；花丝长 4cm，花药长约 12mm；柱头 3，羽毛
状。颖果长椭圆形，长 4.5 ~ 6mm，直径 1.5 ~ 1.8mm，先端有宿存的花柱基部。
笋期 4 月，花期 5 ~ 8 月。

| 生境分布 | 生于海拔 800m 以下的丘陵、低山地区。分布于重庆北碚、黔江、万州、綦江、秀山、大足、江津、长寿、永川、合川、奉节、云阳、梁平、酉阳、璧山、涪陵、铜梁、开州、垫江、巫溪、石柱、南岸、巴南、荣昌、沙坪坝等地。

| 资源情况 | 野生资源稀少，栽培资源丰富。药材来源于栽培。

| 采收加工 | 4 月采挖，鲜用。

| 功能主治 | 甘，寒。化痰，消胀，透疹。用于食积腹胀，痘疹不出。

| 用法用量 | 内服煎汤，30 ~ 60g；或煮食。

| 附　　注 | 在 FOC 中，本种的拉丁学名被修订为 *Phyllostachys edulis* (Carrière) J. Houzeau。

禾本科 Gramineae 刚竹属 Phyllostachys

篌竹

Phyllostachys nidularia Munro

| 药 材 名 | 篌竹（药用部位：叶、花。别名：大节竹、花竹）。

| 形态特征 | 多年生竹类。竿高达 10m，直径 4cm，劲直，分枝斜上举而使植株狭窄，呈尖塔形，幼竿被白粉；节间最长可达 30cm；壁厚仅约 3mm；竿环同高或略高于箨环；箨环最初被棕色刺毛；箨鞘薄革质，背面新鲜时绿色，无斑点，上部被白粉及乳白色纵条纹，中、下部则常具紫色纵条纹，基部密生淡褐色刺毛，愈向上刺毛渐稀疏，边缘被紫红色或淡褐色纤毛；箨耳大，由箨片下部向两侧扩大而成，三角形或末端延伸成镰形，新鲜时绿紫色，疏生淡紫色繸毛；箨舌宽，微作拱形，紫褐色，边缘密生白色微纤毛；箨片宽三角形至三角形，直立，舟形，绿紫色。末级小枝仅有 1 叶，稀可 2 叶，叶片下倾；叶耳及鞘口繸毛均微弱或俱缺；叶舌低，不伸出；叶片呈带状披针形，

篌竹

长 4 ~ 13cm，宽 1 ~ 2cm，无毛或在下表面的基部被柔毛。花枝呈紧密的头状，长 1.5 ~ 2cm，基部托以 2 ~ 4 逐渐增大的鳞片状小形苞片；佛焰苞 1 ~ 6，在下部者呈卵形，上部者形较狭，纸质，长约 16mm，边缘被纤毛，其他部分无毛或只在两侧及顶部多少被毛，缩小叶有变化，或极小或近于无或呈叶状，每片佛焰苞腋内具假小穗 2 ~ 8；假小穗的苞片狭窄，大小多变化，甚至有时可无苞片，膜质，5 ~ 7 脉，具脊，上部及脊上均被长柔毛；小穗含 2 ~ 5 小花，上部 1 或 2 小花不孕；小穗轴节间略呈棒状，上侧扁平并被数条长柔毛，先端斜截平；颖通常 1，有时多至 3，其形状、大小及质地与其下的苞片相似，长可达 15mm；外稃草质，密被长而开展的细刺毛，先端作芒状渐尖，多脉，第一外稃长 10 ~ 12mm，最长可达 16mm；内稃短于外稃，亦被开展的细刺毛，长 6 ~ 11mm；花药长 4.5 ~ 5.5mm；柱头 3，有时 1 或 2，羽毛状。笋期 4 ~ 5 月，花期 4 ~ 8 月。

| **生境分布** | 生于向阳山坡或开阔山地。分布于重庆开州等地。

| **资源情况** | 野生资源较少。药材主要来源于栽培。

| **采收加工** | 全年均可采收叶，晒干或鲜用。4 ~ 8 月采收花，晾干或鲜用。

| **功能主治** | 清心热，利尿。用于热病烦渴，小便短赤。

| **用法用量** | 内服煎汤，适量；或泡水代茶饮。

| **附　注** | 本种耐干旱和水湿，因而在土壤瘠薄的山坡地、河溪旁及沙滩地中均能生长，但在土层深厚、肥沃湿润、呈酸性或微酸性的砂壤土中生长较好。

紫竹

Phyllostachys nigra (Lodd. ex Lindl.) Munro

| **药 材 名** | 紫竹根（药用部位：根茎）。 |

| **形态特征** | 多年生高大竹类。竿高 4 ~ 8m，稀可高达 10m，直径可达 5cm，幼竿绿色，密被细柔毛及白粉，箨环有毛，一年生以后的竿逐渐先出现紫斑，最后全部变为紫黑色，无毛；中部节间长 25 ~ 30cm，壁厚约 3mm；竿环与箨环均隆起，且竿环高于箨环或两环等高；箨鞘背面红褐色或更带绿色，无斑点或常具极微小不易观察的深褐色斑点，此斑点在箨鞘上端常密集成片，被微量白粉及较密的淡褐色刺毛；箨耳长圆形至镰形，紫黑色，边缘被紫黑色缝毛；箨舌拱形至尖拱形，紫色，边缘被长纤毛；箨片三角形至三角状披针形，绿色，但脉为紫色，舟状，直立或以后稍开展，微皱曲或波状。末级小枝具 2 或 3 叶；叶耳不明显，被脱落性鞘口缝毛；叶舌稍伸出；叶片 |

紫竹

质薄，长 7 ~ 10cm，宽约 1.2cm。花枝呈短穗状，长 3.5 ~ 5cm，基部托以 4 ~ 8 逐渐增大的鳞片状苞片；佛焰苞 4 ~ 6，除边缘外无毛或被微毛，叶耳不存在，鞘口繸毛少数或无，缩小叶细小，通常呈锥状或仅为 1 小尖头，亦可较大而呈卵状披针形，每片佛焰苞腋内有 1 ~ 3 假小穗；小穗披针形，长 1.5 ~ 2cm，具 2 或 3 小花，小穗轴被柔毛；颖 1 ~ 3，偶可无颖，背面上部多少被柔毛；外稃密生柔毛，长 1.2 ~ 1.5cm；内稃短于外稃；花药长约 8mm；柱头 3，羽毛状。笋期 4 月下旬。

| **生境分布** | 生于海拔 1000m 以下的酸性土山地。分布于重庆城口、南川等地。

| **资源情况** | 野生资源稀少，栽培资源一般。药材来源于栽培。

| **采收加工** | 全年均可采收，洗净，晒干。

| **功能主治** | 辛、淡，凉。清热解毒，祛风除湿，活血解毒。用于风湿热痹，筋骨酸痛，闭经，犬咬伤。

| **用法用量** | 内服煎汤，15 ~ 30g。

| **附　　注** | 本种为阳性竹，喜温暖湿润气候，耐寒，能耐 −20℃低温，耐阴，忌积水，对气候适应性强，在年平均气温不低于 15℃、年平均降水量不少于 800mm 的地区都能生长；垂直分布高度与纬度、经度、地形有密切关系，一般分布在海拔 800m 以下；对土壤的要求不严，以土层深厚、肥沃、湿润而排水良好的酸性土壤栽培最宜，不能适应过于干燥的沙荒石砾地、盐碱土或积水的洼地。

毛金竹 *Phyllostachys nigra* (Lodd. ex Lindl.) Munro var. *henonis* (Mitford) Stapf ex Rendle

药材名	竹茹（药用部位：茎竿的中间层。别名：竹皮、淡竹皮茹、青竹茹）、竹叶（药用部位：叶。别名：淡竹叶）、竹卷心（药用部位：卷而未放的幼叶。别名：竹针、竹叶卷心、竹心）、淡竹根（药用部位：根茎。别名：恒生骨）、仙人杖（药用部位：枯死的幼竹茎竿。别名：退秧竹、瘪竹）。
形态特征	本种与原变种紫竹的区别在于竿不为紫黑色，较高大，可达 7 ~ 18m；竿壁厚，可达 5mm；箨鞘先端极少有深褐色微小斑点。
生境分布	生于林中。分布于重庆石柱等地。
资源情况	野生资源稀少。药材来源于栽培。
采收加工	竹茹：全年均可采收，取新鲜茎，除去外皮，将稍带绿色的中间层刮成丝条或削成薄片，捆扎成束，阴干。

毛金竹

竹叶：随时采鲜品入药。

竹卷心：清晨采摘，晒干。

淡竹根：全年均可采收。

仙人杖：全年均可采收，除去杂质，切段，晒干。

| **药材性状** | 竹茹：本品为卷曲成团的不规则丝条或呈长条形薄片状，宽窄、厚薄不等，浅绿色、黄绿色或黄白色。体轻松，质柔韧，纤维性，有弹性。气微，味淡。

竹叶：本品呈狭披针形，长 7.5 ~ 10cm，宽 1 ~ 1.2cm，先端渐尖，基部钝形；叶柄长约 5mm，边缘一侧较平滑，另一侧具小锯齿而粗糙；平行脉，次脉 6 ~ 8 对，小横脉甚显著；叶面深绿色，无毛，背面色较淡。气弱，味淡。以色绿、完整、无枝梗者为佳。

竹卷心：本品卷曲成细长条状，先端细尖；展开后，完整叶片呈条状披针形，长 8 ~ 10cm，宽 7 ~ 12mm，先端渐尖，基部歪斜或略呈圆形，边缘有锯齿形小刺，一边刺密，一边刺疏；上表面灰绿色或灰黄色，下表面主脉明显凸出，较粗，淡黄色，两侧细脉 12 ~ 16，为直出平行脉。叶片较薄，质韧。味淡，微涩。

| **功能主治** | 竹茹：甘，微寒。归肺、胃、心、胆经。清热化痰，除烦，止呕。用于痰热咳嗽，胆火挟痰，惊悸不宁，心烦失眠，中风痰迷，舌强不语，胃热呕吐，妊娠恶阻等。

竹叶：甘、淡，寒。归心、肺、胃经。清热除烦，生津，利尿。用于热病烦渴，小儿惊痫，咳逆吐衄，小便短赤，口糜舌疮。

竹卷心：甘、微苦、淡，寒。归心、肝经。清心除烦，利尿解毒。用于热病烦渴，小便短赤，烫火伤。

淡竹根：甘、淡，寒。清热除烦，涤痰定惊。用于发热心烦，惊悸，小儿惊痫。

仙人杖：咸，平。和胃，利湿，截疟。用于呕逆反胃，小儿吐乳，水肿，脚气，疟疾，痔疮。

| **用法用量** | 竹茹：内服煎汤，5 ~ 10g。

竹叶：内服煎汤，6 ~ 12g。

竹卷心：内服煎汤，2 ~ 4g，鲜品 6 ~ 12g。外用适量，煅存性，研末调敷患处。

淡竹根：内服煎汤，30 ~ 60g。外用适量，煎汤洗。

仙人杖：内服煎汤，15 ~ 30g；或烧灰研末。外用适量，煎汤熏洗。

| **附　　注** | 本种喜温暖气候，忌严寒及强风，宜选择背风向阳山坡、村庄附近缓坡平地及水旁栽种，以湿润、肥沃、排水良好中性或微酸性、微碱性的砂壤土栽培为宜，不宜在瘠薄、黏重的土壤中栽种。

禾本科 Gramineae 刚竹属 Phyllostachys

金竹

Phyllostachys sulphurea (Carr.) A. et C. Riv.

| 药 材 名 | 金竹叶（药用部位：叶）。

| 形态特征 | 多年生竹类。竿高 6 ~ 15m，直径 4 ~ 10cm，幼时无毛，微被白粉，绿色，成长的竿呈绿色或黄绿色，在 10 倍放大镜下可见猪皮状小凹穴或白色晶体状小点；中部节间长 20 ~ 45cm，壁厚约 5mm；竿环在较粗大的竿中于不分枝的各节上不明显；竿于解箨时呈金黄色；箨环微隆起；箨鞘背面呈乳黄色或绿黄褐色又多少带灰色，有绿色脉纹，无毛，微被白粉，有淡褐色或褐色略呈圆形的斑点及斑块；箨耳及鞘口繸毛俱缺；箨舌绿黄色，拱形或截形，边缘被淡绿色或白色纤毛；箨片狭三角形至带状，外翻，微皱曲，绿色，但具橘黄色边缘。末级小枝有 2 ~ 5 叶；叶鞘几无毛或仅上部被细柔毛；叶耳及鞘口繸毛均发达；叶片长圆状披针形或披针形，长 5.6 ~ 13cm，

金竹

宽 1.1 ~ 2.2cm。花枝未见。笋期 5 月中旬。

| 生境分布 |

栽培或野生于疏林下。分布于重庆黔江、奉节、铜梁、酉阳、南川、涪陵、秀山、綦江、忠县、丰都、武隆、开州、巫溪、梁平等地。

| 资源情况 |

野生资源较少，栽培资源丰富。药材主要来源于栽培。

| 采收加工 |

全年均可采收。

| 功能主治 |

清热解毒。用于热病烦渴，口舌生疮。

| 用法用量 |

内服煎汤，适量。

| 附　注 |

本种喜光,稍耐阴,喜温暖、湿润环境,不甚耐寒,喜深厚肥沃、排水良好的土壤。

禾本科 Gramineae 大明竹属 Pleioblastus

苦竹

Pleioblastus amarus (Keng) Keng f.

| **药 材 名** | 苦竹叶（药用部位：叶）、苦竹茹（药用部位：茎竿的中间层）。

| **形态特征** | 多年生小乔木状或灌木状竹类。竿高 3 ~ 5m，直径 1.5 ~ 2cm，直立，竿壁厚约 6mm，幼竿淡绿色，具白粉，老后渐转绿黄色，被灰白色粉斑；节间圆筒形，在分枝一侧的下部稍扁平，通常长 27 ~ 29cm，节下方粉环明显；节内长约 6mm；竿环隆起，高于箨环；箨环留有箨鞘基部木栓质的残留物，在幼竿的箨环还具 1 圈发达的棕紫褐色刺毛；竿每节具 5 ~ 7 枝，枝稍开展；箨鞘革质，绿色，被较厚白粉，上部边缘橙黄色至焦枯色，背部无毛或被棕红色或白色微细刺毛，易脱落，基部密生棕色刺毛，边缘密生金黄色纤毛；箨耳不明显或无，被数条直立的短繸毛，易脱落而变无繸毛；箨舌截形，高 1 ~ 2mm，淡绿色，被厚的脱落性白粉，边缘被短纤毛；箨片狭长披针形，开展，易向内卷折，腹面无毛，背面被白色

苦竹

不明显短绒毛，边缘具锯齿。末级小枝具 3 或 4 叶；叶鞘无毛，呈干草黄色，具细纵肋；无叶耳和箨口繸毛；叶舌紫红色，高约 2mm；叶片椭圆状披针形，长 4 ~ 20cm，宽 1.2 ~ 2.9cm，先端短渐尖，基部楔形或宽楔形，下表面淡绿色，被白色绒毛，尤以基部为甚，次脉 4 ~ 8 对，小横脉清楚，叶缘两侧有细锯齿；叶柄长约 2mm。总状花序或圆锥花序，具 3 ~ 6 小穗，侧生主枝或小枝的下部各节，基部为 1 苞片所包围，小穗柄被微毛；小穗含 8 ~ 13 小花，长 4 ~ 7cm，绿色或绿黄色，被白粉；小穗轴节长 4 ~ 5mm，一侧扁平，上部被白色微毛，下部无毛，为外稃所包围，先端膨大成杯状，边缘被短纤毛；颖 3 ~ 5，向上逐渐变大，第一颖可为鳞片状，先端渐尖或短尖，背部被微毛和白粉，第二颖较第一颖宽大，先端短尖，被毛和白粉，第三、四、五颖通常与外稃相似而稍小；外稃卵状披针形，长 8 ~ 11mm，具 9 ~ 11 脉，有小横脉，先端尖至具小尖头，无毛而被有较厚的白粉，上部边缘被极微细毛，因后者常脱落而变为无毛；内稃通常长于外稃，罕或与之等长，先端通常不分裂，被纤毛，脊上被较密的纤毛，脊间密被较厚白粉和微毛；鳞被 3，卵形或倒卵形，后方 1 片形较窄，上部边缘被纤毛；花药淡黄色，长约 5mm；子房狭窄，长约 2mm，无毛，上部略呈三棱形；花柱短，柱头 3，羽毛状。成熟果实未见。笋期 6 月，花期 4 ~ 5 月。

| **生境分布** | 生于向阳山坡或平原，多为栽培。分布于重庆永川、綦江、铜梁、璧山、巫溪等地。

| **资源情况** | 野生资源稀少，栽培资源丰富。药材来源于栽培。

| **采收加工** | 苦竹叶：夏、秋季采摘，鲜用或晒干。

苦竹茹：全年均可采收，取新鲜茎，除去外皮，将稍带绿色的中间层刮成丝条或削成薄片，捆扎成束，阴干。

| **药材性状** | 苦竹叶：本品多呈细长卷筒状，展开后呈椭圆状披针形，长 4 ~ 20cm，宽 1.2 ~ 2.9mm，先端尖锐，基部圆形，叶柄长 6 ~ 10mm，上面灰绿色，光滑，下面粗糙有毛，主脉较粗，两侧脉 8 ~ 16，边缘两侧有细锯齿。质脆而有弹性。气弱，味微苦。

| **功能主治** | 苦竹叶：苦，寒。归心、肝经。清心，利尿，明目，解毒。用于热病烦渴，失眠，小便短赤，口疮，目痛，失音，烫火伤。

苦竹茹：苦，凉。清热，化痰，凉血。用于烦热呕逆，痰热咳喘，小便涩痛，尿血。

| **用法用量** | 苦竹叶：内服煎汤，6 ~ 12g。外用适量，烧存性，研末调敷。

苦竹茹：内服煎汤，5 ~ 10g。

禾本科 Gramineae 筇竹属 Qiongzhuea

平竹

Qiongzhuea communis Hsueh et Yi

| **药 材 名** | 平竹（药用部位：嫩叶）。

| **形态特征** | 多年生竹类。竿高 3 ~ 7m，直径 1 ~ 3cm；节间长（8 ~ ）15 ~ 18（~ 25）cm，基部节间略呈四方形或为圆筒形，平滑无毛，竿壁厚 3 ~ 5mm；竿环在不分枝的节平坦或微隆起；节内长 2 ~ 4mm；箨鞘早落，纸质或厚纸质，鲜笋时为墨绿色，解箨时为浅黄褐色，长圆形或长三角形，背部平滑无毛，有光泽，纵脉纹不甚明显；无箨耳；箨舌高约 1mm；箨片三角形或锥形，长 5 ~ 11mm，无毛，纵脉纹明显，基部与箨鞘先端连接处有明显的关节，故易脱落，边缘常内卷；竿每节常具 3 枝，枝环隆起。末级小枝具（1 ~ ）2 或 3 叶；叶鞘革质，无毛而略有光泽，背部上方具 1 纵脊和多数纵肋，长 2 ~ 4cm；叶耳缺，但在鞘口被直立缝毛数条，长为 3 ~ 7mm；叶舌低矮，高

平竹

约 1mm，截形，上缘无繸毛；叶柄长 2 ～ 3mm，叶片披针形，长（5 ～ ）8 ～ 12cm，宽（8 ～ ）13 ～ 20mm，纸质，上表面深绿色，无毛，下表面淡绿色，被微毛，次脉 4 或 5 对，小横脉清晰，边缘的一侧密生细锯齿而粗糙，另一侧则具疏细锯齿或平滑。花枝可反复分枝，无叶或部分分枝先端具叶，分枝常与假小穗混生于同一节，末级花枝基部托以向上逐渐增大的苞片，有假小穗 2 ～ 4；侧生假小穗只有先出叶而无苞片。小穗含（3 ～ ）5 ～ 7 小花，绿色或绿色带紫色，粗壮，微作两侧扁，长 2 ～ 3cm，宽 4 ～ 5mm；小穗轴节间长 3 ～ 5mm，在具小花的一侧扁平，上部微被白粉；颖 1 或 2（～ 3），逐渐增大，长 7 ～ 13mm，无毛，具 7 ～ 11 脉，先端渐尖；外稃长 8 ～ 13mm；内稃长 7 ～ 11mm，脊的上部被小纤毛，脊间纵脉纹不清晰，先端钝圆或 2 裂；鳞被中后方 1 片披针形，前方 2 片阔卵形，长 1 ～ 2mm，透明膜质，无毛或上部边缘被短纤毛；花药黄色，长 5 ～ 6.5mm，基部稍作箭镞形；子房椭圆形，长约 1.5mm，无毛，花柱 1，长约 0.8mm，柱头 2，长 2 ～ 3mm，白色，羽毛状。果实呈坚果状，椭圆形，长 9 ～ 13mm，直径 4 ～ 7mm，暗绿色，光滑无毛，先端不具宿存花柱，果皮厚 1 ～ 1.5mm。笋期 5 月，花期 3 月，果期 5 月。

| **生境分布** | 生于海拔 1600 ～ 2000m 的中山地带。分布于重庆长寿、黔江、垫江、綦江、江津、酉阳、涪陵、九龙坡、南川、丰都、武隆、忠县、铜梁、沙坪坝等地。

| **资源情况** | 野生资源较丰富。药材来源于野生。

| **采收加工** | 全年均可采收，晒干或鲜用。

| **功能主治** | 清热凉血。用于胃热，上焦烦热，吐血，衄血，崩漏，胎动不安。

| **用法用量** | 内服煎汤，适量。

| **附　注** | 在 FOC 中，本种的拉丁学名被修订为 *Chimonobambusa communis* (Hsueh et T. P. Yi) T. H. Wen et Ohrnberger，属名被修订为方竹属 *Chimonobambusa*。

禾本科 Gramineae 剪股颖属 Agrostis

剪股颖
Agrostis matsumurae Hack. ex Honda

| 药 材 名 | 剪股颖（药用部位：全草）。

| 形态特征 | 多年生草本，具细弱的根茎。秆丛生，直立，柔弱，高
20 ~ 50cm，直径 0.6 ~ 1mm，常具 2 节，顶节位于秆基 1/4 处。
叶鞘松弛，平滑，长于或上部者短于节间；叶舌透明，膜质，先端
圆形或具细齿，长 1 ~ 1.5mm；叶片直立，扁平，长 1.5 ~ 10cm，
短于秆，宽 1 ~ 3mm，微粗糙，上面绿色或灰绿色，分蘖叶片长达
20cm。圆锥花序窄线形，或于开花时开展，长 5 ~ 15cm，宽 0.5 ~ 3cm，
绿色，每节具 2 ~ 5 细长分枝，主枝长达 4cm，直立或有时上升；
小穗柄棒状，长 1 ~ 2mm，小穗长 1.8 ~ 2mm；第一颖稍长于第二
颖，先端尖，平滑，脊上微粗糙；外稃无芒，长 1.2 ~ 1.5mm，具
明显的 5 脉，先端钝，基盘无毛，内稃卵形，长约 0.3mm；花药微小，

剪股颖

长 0.3 ～ 0.4mm。花果期 4 ～ 7 月。

| 生境分布 |

生于海拔 300 ～ 1700m 的草地、山坡林下、路边、田边、溪旁等处。分布于重庆垫江、江津、云阳、涪陵、长寿、丰都、忠县、北碚、巴南、九龙坡等地。

| 资源情况 |

野生资源丰富。药材来源于野生。

| 采收加工 |

夏、秋季采收，晒干。

| 功能主治 |

消炎，止咳。用于咳嗽，上呼吸道感染。

| 用法用量 |

内服煎汤，适量。

| 附　注 |

在 FOC 中，本种被修订为华北剪股颖 *Agrostis clavata* Trin.。

禾本科 Gramineae 看麦娘属 Alopecurus

看麦娘 *Alopecurus aequalis* Sobol.

看麦娘

| 药材名 |

看麦娘（药用部位：全草。别名：牛头猛、山高粱、路边谷）。

| 形态特征 |

一年生。秆少数丛生，细瘦，光滑，节处常膝曲，高 15 ～ 40cm。叶鞘光滑，短于节间；叶舌膜质，长 2 ～ 5mm；叶片扁平，长 3 ～ 10cm，宽 2 ～ 6mm。圆锥花序圆柱形，灰绿色，长 2 ～ 7cm，宽 3 ～ 6mm；小穗椭圆形或卵状长圆形，长 2 ～ 3mm；颖膜质，基部互相联合，具 3 脉，脊上被细纤毛，侧脉下部被短毛；外稃膜质，先端钝，等大或稍长于颖，下部边缘互相联合，芒长 1.5 ～ 3.5mm，约于稃体下部 1/4 处伸出，隐藏或稍外露；花药橙黄色，长 0.5 ～ 0.8mm。颖果长约 1mm。花果期 4 ～ 8 月。

| 生境分布 |

生于较低海拔的田边或潮湿地。分布于重庆涪陵、奉节、巫山、綦江、丰都、云阳、南川、长寿、城口、铜梁、璧山、开州、南岸、永川、梁平、九龙坡、荣昌、合川等地。

| **资源情况** | 野生资源丰富。药材来源于野生。

| **采收加工** | 春、夏季采收,晒干或鲜用。

| **功能主治** | 淡,凉。清热利湿,止泻,解毒。用于水肿,水痘,泄泻,黄疸性肝炎,赤眼,毒蛇咬伤。

| **用法用量** | 内服煎汤,30 ~ 60g。外用适量,捣敷;或煎汤洗。

禾本科 Gramineae 荩草属 Arthraxon

荩草

Arthraxon hispidus (Thunb.) Makino

药 材 名	荩草（药用部位：全草。别名：黄草、王刍、细叶秀竹）。
形态特征	一年生草本。秆细弱，无毛，基部倾斜，高 30 ~ 60cm，具多节，常分枝，基部节着地易生根。叶鞘短于节间，被短硬疣毛；叶舌膜质，长 0.5 ~ 1mm，边缘被纤毛；叶片卵状披针形，长 2 ~ 4cm，宽 0.8 ~ 1.5cm，基部心形，抱茎，除下部边缘被疣基毛外，其余均无毛。总状花序细弱，长 1.5 ~ 4cm，2 ~ 10 呈指状排列或簇生于秆顶；总状花序轴节间无毛，长为小穗的 2/3 ~ 3/4；无柄小穗卵状披针形，两侧压扁，长 3 ~ 5mm，灰绿色或带紫色；第一颖草质，边缘膜质，包住第二颖的 2/3，具 7 ~ 9 脉，脉上粗糙至被疣基硬毛，尤以先端及边缘为多，先端锐尖，第二颖近膜质，与第一颖等长，舟形，脊上粗糙，具 3 脉而 2 侧脉不明显，先端尖；第一外稃长圆形，

荩草

透明，膜质，先端尖，长为第一颖的 2/3，第二外稃与第一外稃等长，透明，膜质，近基部伸出 1 膝曲的芒；芒长 6 ~ 9mm，下部扭转；雄蕊 2，花药黄色或带紫色，长 0.7 ~ 1mm。颖果长圆形，与稃体等长。有柄小穗退化仅剩针状刺，柄长 0.2 ~ 1mm。花果期 9 ~ 11 月。

| 生境分布 |

生于山坡草地阴湿处。重庆各地均有分布。

| 资源情况 |

野生资源丰富。药材来源于野生。

| 采收加工 |

7 ~ 9 月割取全草，晒干。

| 功能主治 |

苦，平。止咳定喘，解毒杀虫。用于久咳气喘，肝炎，咽喉炎，口腔炎，鼻炎，淋巴结炎，乳腺炎，疮疡疥癣。

| 用法用量 |

内服煎汤，6 ~ 15g。外用适量，煎汤洗；或捣敷。

禾本科 Gramineae 荩草属 Arthraxon

匿芒荩草
Arthraxon hispidus (Thunb.) Makino var. *cryptatherus* (Hack.) Honda

药 材 名	荩草（药用部位：全草）。
形态特征	本种与原变种荩草的区别在于芒甚短或为小穗的 1/2，通常包于小穗之内而不外露。花果期 9 ~ 11 月。
生境分布	生于海拔 400 ~ 1400m 的林下潮湿处。分布于重庆城口、南川、巴南、大足、合川、忠县、云阳、长寿、九龙坡、垫江等地。
资源情况	野生资源丰富。药材来源于野生。
采收加工	7 ~ 9 月割取，晒干。
功能主治	清热止血。用于咯血，肺痨。

匿芒荩草

| **用法用量** | 内服煎汤，适量。

| **附　　注** | （1）在 FOC 中，本种被修订为荩草 *Arthraxon hispidus* (Thunb.) Makino。

（2）在部分地区，本种全草与荩草 *Arthraxon hispidus* (Thunb.) Makino 的全草同作荩草入药。

禾本科 Gramineae 荩草属 Arthraxon

矛叶荩草
Arthraxon lanceolatus (Roxb.) Hochst.

| 药 材 名 | 矛叶荩草（药用部位：全草）。

| 形态特征 | 多年生草本。秆较坚硬，直立或倾斜，高 40 ~ 60cm，常分枝，具多节；节着地易生根，节上无毛或被短毛。叶鞘短于节间，无毛或疏生疣基毛；叶舌膜质，长 0.5 ~ 1mm，被纤毛；叶片披针形至卵状披针形，长 2 ~ 7cm，宽 5 ~ 15mm，先端渐尖，基部心形，抱茎，无毛或两边被短毛至具疣基短毛，边缘通常具疣基毛。总状花序长 2 ~ 7cm，2 至数枚，呈指状排列于枝顶，稀可单性；总状花序轴节间长为小穗的 1/3 ~ 2/3，密被白色纤毛。无柄小穗长圆状披针形，长 6 ~ 7mm，质较硬，背腹压扁；第一颖长约 6mm，硬草质，先端尖，两侧呈龙骨状，具 2 行篦齿状疣基钩毛，具不明显 7 ~ 9 脉，脉上及脉间具小硬刺毛，尤以先端为多，第二颖与第一颖等长，舟形，质地薄；

矛叶荩草

第一外稃长圆形，长 2 ~ 2.5mm，透明，膜质，第二外稃长 3 ~ 4mm，透明，膜质，背面近基部生 1 膝曲的芒；芒长 12 ~ 14mm，基部扭转；雄蕊 3，花药黄色，长 2.5 ~ 3mm。有柄小穗披针形，长 4.5 ~ 5.5mm；第一颖草质，具 6 ~ 7 脉，先端尖，边缘包着第二颖，第二颖质较薄，与第一颖等长，具 3 脉，边缘近膜质而内折成脊；第一外稃与第二外稃均透明，膜质，近等长，长约为小穗的 3/5，无芒；雄蕊 3，花药长 2 ~ 2.5mm。花果期 7 ~ 10 月。

| 生境分布 |

生于山坡、旷野及沟边阴湿处。分布于重庆彭水、忠县、涪陵、九龙坡、长寿、垫江、巴南、沙坪坝等地。

| 资源情况 |

野生资源一般。药材来源于野生。

| 采收加工 |

7 ~ 9 月割取，晒干。

| 功能主治 |

止咳定喘，杀虫。用于久咳气喘，疮疡疥癣。

| 用法用量 |

内服煎汤，适量。外用适量，捣敷。

禾本科 Gramineae 芦竹属 Arundo

芦竹

Arundo donax L.

芦竹

| 药 材 名 |

芦竹根（药用部位：根茎。别名：楼梯杆、芦荻头）、芦竹笋（药用部位：嫩苗）、芦竹沥（药材来源：茎秆经烧炙后沥出的液汁）。

| 形态特征 |

多年生草本。具发达根茎。秆粗大，直立，高 3 ~ 6m，直径（1 ~）1.5 ~ 2.5（~ 3.5）cm，坚韧，具多数节，常生分枝。叶鞘长于节间，无毛或颈部被长柔毛；叶舌截平，长约 1.5mm，先端被短纤毛；叶片扁平，长 30 ~ 50cm，宽 3 ~ 5cm，上面与边缘微粗糙，基部白色，抱茎。圆锥花序极大型，长 30 ~ 60（~ 90）cm，宽 3 ~ 6cm，分枝稠密，斜升；小穗长 10 ~ 12mm；含 2 ~ 4 小花，小穗轴节长约 1mm；外稃中脉延伸成 1 ~ 2mm 的短芒，背面中部以下密生长柔毛，毛长 5 ~ 7mm，基盘长约 0.5mm，两侧上部被短柔毛，第一外稃长约 1cm；内稃长约为外稃的 1/2；雄蕊 3。颖果细小，黑色。花果期 9 ~ 12 月。

| 生境分布 |

生于河岸道旁、砂壤土地区。分布于重庆长

寿、忠县、云阳、涪陵、丰都、武隆、江津、垫江、荣昌、大足等地。

| 资源情况 | 野生资源丰富。药材来源于野生。

| 采收加工 | 芦竹根：夏季砍取根茎，洗净，除去须根，切片或整条晒干。

芦竹笋：春季采收，洗净，鲜用。

芦竹沥：取鲜秆，截成 30 ～ 50cm 长，两端去节，劈开，架起，用火烤其中部，两端即有液汁流出，以器盛之。

| 药材性状 | 芦竹根：本品呈弯曲扁圆条形，长 10 ～ 18cm，直径 2 ～ 6cm；表面黄白色，一端较粗大，有大小不等的笋子芽孢突起，基部周围有须根痕，有节，节上有淡黄色叶鞘残痕；质坚硬，不易折断；气微，味微苦。饮片为不规则的厚块片，厚 3 ～ 10cm；外皮浅黄色，具光泽，环节上有黄白色叶鞘残痕，有的具残存的须根；横切片黄白色，粗糙，有多数凸起的筋脉点；纵切片可见众多纤维；体轻，质硬；气微，味淡。

| 功能主治 | 芦竹根：甘、苦，寒。归肺、胃经。清热泻火，止呕生津。用于热病烦渴，呕吐，高热不退，小便不利等。

芦竹笋：苦，寒。清热泻火。用于肺热吐血，骨蒸潮热，头晕，热淋，牙痛，聤耳。

芦竹沥：苦，寒。清热镇惊。用于小儿高热惊风。

| 用法用量 | 芦竹根：内服煎汤，15 ～ 30g；或熬膏。外用适量，捣敷。

芦竹笋：内服煎汤，鲜品 15 ～ 60g；或捣汁；或熬膏。外用适量，捣汁滴耳。

芦竹沥：内服开水冲，15 ～ 30g。

禾本科 Gramineae 燕麦属 Avena

野燕麦

Avena fatua L.

| 药 材 名 | 燕麦草（药用部位：全草。别名：野麦草、乌麦）、野麦子（药用部位：种子）。

| 形态特征 | 一年生。须根较坚韧。秆直立，光滑，无毛，高 60 ~ 120cm，具 2 ~ 4 节。叶鞘松弛，光滑或基部者被微毛；叶舌透明，膜质，长 1 ~ 5mm；叶片扁平，长 10 ~ 30cm，宽 4 ~ 12mm，微粗糙或上面和边缘疏生柔毛。圆锥花序开展，金字塔形，长 10 ~ 25cm，分枝具棱角，粗糙；小穗长 18 ~ 25mm，具 2 ~ 3 小花，其柄弯曲下垂，先端膨胀；小穗轴密生淡棕色或白色硬毛，其节脆硬，易断落，第一节间长约 3mm；颖草质，几相等，通常具 9 脉；外稃质坚硬，第一外稃长 15 ~ 20mm，背面中部以下被淡棕色或白色硬毛；芒自稃体中部稍下处伸出，长 2 ~ 4cm，膝曲，芒柱棕色，扭转。颖果被淡棕色

野燕麦

柔毛，腹面具纵沟，长 6 ～ 8mm。花果期 4 ～ 9 月。

| 生境分布 | 生于荒芜田野或田间。重庆各地均有分布。

| 资源情况 | 野生资源丰富。药材来源于野生。

| 采收加工 | 燕麦草：秋末采收，干燥。
野麦子：夏、秋季果实成熟时采收，脱壳取出种子，晒干。

| 药材性状 | 燕麦草：本品茎秆长 60 ～ 120cm，数枝丛生。须根坚韧。叶互生，有松弛长鞘；叶舌透明，膜质，长 1 ～ 5mm；叶片扁平，长 10 ～ 30cm，宽 4 ～ 12mm，微粗糙。圆锥花序，长 10 ～ 25cm；小穗长 18 ～ 25mm，有花 2 ～ 3，小花梗细长下垂；颖草质，内、外颖同形，近等长，具 9 脉；外稃质坚硬，第一外稃长 15 ～ 20mm；芒自外稃中部稍下处伸出，长 2 ～ 4cm，膝曲，芒柱棕色，扭转，内稃与外稃近似。气微，味微甘。

| 功能主治 | 燕麦草：甘，温；无毒。补虚损。用于吐血，自汗，盗汗，崩漏。
野麦子：甘，温。补虚止汗。用于虚汗不止。

| 用法用量 | 燕麦草：内服煎汤，15 ～ 60g。
野麦子：内服煎汤，10 ～ 15g。

禾本科 Gramineae 燕麦属 Avena

燕麦 *Avena sativa* L.

| 药 材 名 | 燕麦（药用部位：全草）。

| 形态特征 | 本种似野燕麦 *Avena fatua* L.，主要区别在于小穗含 1 ~ 2 小花；小穗轴近无毛或疏生短毛，不易断落；第一外稃背部无毛，基盘仅被少数短毛或近无毛，无芒，或仅背部有 1 较直的芒，第二外稃无毛，通常无芒。

| 生境分布 | 生于海拔1000m以上的山区、高原和高寒冷凉地区。分布于重庆城口、石柱、巫山、南岸、九龙坡、荣昌、开州、武隆、彭水、南川等地。

| 资源情况 | 野生资源丰富。药材主要来源于栽培。

| 采收加工 | 秋末采收，干燥。

燕麦

| **功能主治** | 退虚热，益气，止汗，解毒。用于自汗，盗汗，虚汗不止。 |
| **用法用量** | 内服煎汤，适量。 |

禾本科 Gramineae 臂形草属 Brachiaria

毛臂形草
Brachiaria villosa (Lam.) A. Camus

| 药 材 名 | 臂形草（药用部位：全草）。

| 形态特征 | 一年生草本。秆高 10 ~ 40cm，基部倾斜，全体密被柔毛。叶鞘被柔毛，尤以鞘口及边缘更密；叶舌小，具长约 1mm 的纤毛；叶片卵状披针形，长 1 ~ 4cm，宽 3 ~ 10mm，两面密被柔毛，先端急尖，边缘呈波状皱折，基部钝圆。圆锥花序由 4 ~ 8 总状花序组成；总状花序长 1 ~ 3cm；主轴与穗轴密生柔毛；小穗卵形，长约 2.5mm，常被短柔毛或无毛，通常单生；小穗柄长 0.5 ~ 1mm，被毛；第一颖长为小穗的 1/2，具 3 脉，第二颖等长或略短于小穗，具 5 脉；第一小花中性，其外稃与小穗等长，具 5 脉，内稃膜质，狭窄；第二外稃革质，稍包卷同质内稃，具横细皱纹；鳞被 2，膜质，折叠，长约 0.4mm；花柱基分离。花果期 7 ~ 10 月。

毛臂形草

| **生境分布** | 生于海拔 300 ～ 1800m 的山坡草丛或田野。分布于重庆南川、綦江、巴南、巫溪等地。 |

| **资源情况** | 野生资源稀少。药材来源于野生。 |

| **采收加工** | 夏、秋季采收，鲜用或晒干。 |

| **功能主治** | 甘、淡，微寒。清热利尿，通便。用于小便赤涩，大便秘结。 |

| **用法用量** | 内服煎汤，15 ～ 30g，鲜品 30 ～ 90g。 |

禾本科 Gramineae 雀麦属 Bromus

雀麦
Bromus japonica Thunb. ex Murr.

| 药 材 名 | 雀麦（药用部位：全草。别名：爵麦、燕麦、杜姥草）、雀麦米（药用部位：种子）。

| 形态特征 | 一年生草本。秆直立，高 40 ～ 90cm。叶鞘闭合，被柔毛；叶舌先端近圆形，长 1 ～ 2.5mm；叶片长 12 ～ 30cm，宽 4 ～ 8mm，两面被柔毛。圆锥花序疏展，长 20 ～ 30cm，宽 5 ～ 10cm，具 2 ～ 8 分枝，向下弯垂；分枝细，长 5 ～ 10cm，上部着生 1 ～ 4 小穗；小穗黄绿色，密生 7 ～ 11 小花，长 12 ～ 20mm，宽约 5mm；颖近等长，脊粗糙，边缘膜质，第一颖长 5 ～ 7mm，具 3 ～ 5 脉，第二颖长 5 ～ 7.5mm，具 7 ～ 9 脉；外稃椭圆形，草质，边缘膜质，长 8 ～ 10mm，一侧宽约 2mm，具 9 脉，微粗糙，先端钝三角形，芒自先端下部伸出，长 5 ～ 10mm，基部稍扁平，成熟后外弯；内稃长 7 ～ 8mm，宽约

雀麦

1mm，2 脊疏生细纤毛；小穗轴短棒状，长约 2mm；花药长 1mm。颖果长 7 ～ 8mm。花果期 5 ～ 7 月。

| 生境分布 | 生于海拔 100 ～ 2500m 的山坡林缘、荒野路旁、河漫滩湿地。分布于重庆合川、奉节、巫溪、忠县、垫江等地。

| 资源情况 | 野生资源一般。药材来源于野生。

| 采收加工 | 雀麦：4 ～ 6 月采收，晒干。
雀麦米：5 ～ 6 月采收，晒干。

| 功能主治 | 雀麦：甘，平。止汗，催产。用于汗出不止，难产。
雀麦米：甘，平。滑肠，益肝和脾。用于脾胃不和，便秘。

| 用法用量 | 雀麦：内服煎汤，15 ～ 30g。
雀麦米：内服煮食，适量。

禾本科 Gramineae 拂子茅属 Calamagrostis

拂子茅

Calamagrostis epigeios (L.) Roth

拂子茅

| 药 材 名 |

拂子茅（药用部位：全草）。

| 形态特征 |

多年生草本。具根茎。秆直立，平滑无毛或花序下稍粗糙，高 45 ～ 100cm，直径 2 ～ 3mm。叶鞘平滑或稍粗糙，短于或基部者长于节间；叶舌膜质，长 5 ～ 9mm，长圆形，先端易破裂；叶片长 15 ～ 27cm，宽 4 ～ 8（～ 13）mm，扁平或边缘内卷，上面及边缘粗糙，下面较平滑。圆锥花序紧密，圆筒形，劲直，具间断，长 10 ～ 25（～ 30）cm，中部直径 1.5 ～ 4cm，分枝粗糙，直立或斜向上升；小穗长 5 ～ 7mm，淡绿色或带淡紫色；2 颖近等长或第二颖微短，先端渐尖，具 1 脉，第二颖具 3 脉，主脉粗糙；外稃透明，膜质，长约为颖的 1/2，先端具 2 齿，基盘的柔毛与颖近等长，芒自稃体背中部附近伸出，细直，长 2 ～ 3mm；内稃长约为外稃的 2/3，先端细齿裂；小穗轴不延伸于内稃之后，或有时仅于内稃基部残留 1 微小的痕迹；雄蕊 3，花药黄色，长约 1.5mm。花果期 5 ～ 9 月。

| **生境分布** | 生于海拔 160 ~ 1800m 的潮湿地或河岸沟渠旁。分布于重庆丰都、涪陵、江津、长寿、忠县等地。

| **资源情况** | 野生资源一般。药材来源于野生。

| **采收加工** | 全年均可采收，鲜用或晒干。

| **功能主治** | 催产。用于难产，产后出血。

| **用法用量** | 内服煎汤，适量。

禾本科 Gramineae 酸模芒属 Centotheca

酸模芒
Centotheca lappacea (L.) Desv.

| 药 材 名 | 酸模芒（药用部位：全草）。

| 形态特征 | 多年生草本。具短根茎。秆直立，高 40 ～ 100cm，具 4 ～ 7 节。叶鞘平滑，一侧边缘具纤毛；叶舌干膜质，长约 1.5mm；叶片长椭圆状披针形，长 6 ～ 15cm，宽 1 ～ 2cm，具横脉，上面疏生硬毛，先端渐尖，基部渐窄，呈短柄状或抱茎。圆锥花序长 12 ～ 25cm，分枝斜升或开展，微粗糙，基部主枝长达 15cm；小穗柄被微毛，长 2 ～ 4mm；小穗含 2 ～ 3 小花，长约 5mm；颖披针形，具 3 ～ 5 脉，脊粗糙，第一颖长 2 ～ 2.5mm，第二颖长 3 ～ 3.5mm；第一外稃长约 4mm，具 7 脉，先端具小尖头，第二与第三外稃长 3 ～ 3.5mm，两侧边缘贴生硬毛，成熟后其毛伸展、反折或形成倒刺；内稃长约 3mm，狭窄，脊具纤毛；雄蕊 2，花药长约 1mm。颖果椭圆形，长

酸模芒

1 ~ 1.2mm；胚长为果体的 1/3。花果期 6 ~ 10 月。

| 生境分布 | 生于林下、林缘或山谷荫蔽处。分布于重庆江津、长寿、巴南等地。

| 资源情况 | 野生资源较少。药材来源于野生。

| 采收加工 | 夏、秋季采收，洗净，切段，晒干。

| 功能主治 | 清热除烦，利尿。用于热病烦渴，小便短赤。

| 用法用量 | 内服煎汤，适量。

禾本科 Gramineae 薏苡属 Coix

薏苡
Coix lacryma-jobi L.

薏苡

药材名

薏苡仁（药用部位：种仁。别名：屋菼、起实、感米）、薏苡叶（药用部位：叶）、薏苡根（药用部位：根。别名：五谷根）。

形态特征

一年生粗壮草本。须根黄白色，海绵质，直径约 3mm。秆直立丛生，高 1 ~ 2m，具十余节，节多分枝。叶鞘短于节间，无毛；叶舌干膜质，长约 1mm；叶片扁平，宽大，开展，长 10 ~ 40cm，宽 1.5 ~ 3cm，基部圆形或近心形，中脉粗厚，在下面隆起，边缘粗糙，通常无毛。总状花序腋生成束，长 4 ~ 10cm，直立或下垂，具长梗。雄小穗 2 ~ 3 对，着生于总状花序上部，长 1 ~ 2cm；无柄雄小穗长 6 ~ 7mm；第一颖草质，边缘内折成脊，具有不等宽的翼，先端钝，具多数脉，第二颖舟形；外稃与内稃膜质；第一及第二小花常具雄蕊 3，花药橘黄色，长 4 ~ 5mm；有柄雄小穗与无柄者相似，或较小而呈不同程度退化。雌小穗位于花序下部，外面包以骨质念珠状总苞；总苞卵圆形，长 7 ~ 10mm，直径 6 ~ 8mm，珐琅质，坚硬，有光泽；第一颖卵圆形，先端渐尖成喙状，具十余脉，包围着第二颖及第一外稃；

第二外稃短于颖，具 3 脉；第二内稃较小；雄蕊常退化；雌蕊具细长柱头，从总苞先端伸出。颖果小，含淀粉少，常不饱满。花果期 6 ~ 12 月。

| **生境分布** | 生于海拔 200 ~ 2000m 湿润的屋旁、池塘、河沟、山谷、溪涧或易受涝的农田等处。分布于重庆大足、潼南、忠县、黔江、云阳、酉阳、南川、丰都、长寿、綦江、九龙坡、江津、垫江、璧山、北碚等地。

| **资源情况** | 野生资源较丰富，亦有零星栽培。药材主要来源于野生。

| **采收加工** | 薏苡仁：秋季果实成熟时采割植株，晒干，打下果实，再晒干，除去外壳、黄褐色种皮及杂质，收集种仁。

薏苡叶：夏、秋季采收，鲜用或晒干。

薏苡根：8 ~ 12 月采挖，洗净，切段，干燥。

| **药材性状** | 薏苡仁：本品呈宽卵形或长椭圆形，长 4 ~ 8mm，宽 3 ~ 6mm。表面乳白色，光滑，偶有残存的黄褐色种皮；一端钝圆，另一端较宽而微凹，有 1 淡棕色点状种脐；背面圆凸，腹面有 1 条较宽而深的纵沟。质坚实，断面白色，粉性。气微，味微甘。

薏苡根：本品呈细圆柱状，弯曲或扭曲，多有须根，直径 0.1 ~ 0.3cm，长 1 ~ 3cm。表面灰黄色至灰褐色，有细纵纹，可见残留茎基及叶鞘。质柔韧，不易折断，断面外周黄棕色，有空隙，中央髓部白色。气清香，味淡。

| **功能主治** | 薏苡仁：利水渗湿，健脾止泻，除痹，排脓，解毒散结。用于水肿，脚气，小便不利，脾虚泄泻，湿痹拘挛，肺痈，肠痈，赘疣，恶性肿瘤。

薏苡叶：益中，空膈，暖胃，益气血。用于胃寒疼痛，气血虚弱。

薏苡根：清火解毒，利水消肿，化石排石。用于肺热咳嗽，痰多，黄疸，水肿，淋证引起的尿频、尿急、尿痛、尿夹砂石。

| **用法用量** | 薏苡仁：内服煎汤，9 ~ 30g。

薏苡叶：内服煎汤，15 ~ 30g。外用适量，煎汤洗。

薏苡根：内服煎汤，15 ~ 30g。

| **附　　注** | 本种喜温暖湿润气候，怕干旱，耐肥。各类土壤均可种植，对盐碱地、沼泽地的盐害和潮湿的耐受性较强，但宜选择肥沃的壤土或黏壤土栽培。忌连作，也不宜与禾本科作物轮作。近年来，在潮湿的水稻土中栽培本种，特别在抽穗扬花期给以浅水层，可使本种显著增产。

禾本科 Gramineae 香茅属 Cymbopogon

柠檬草

Cymbopogon citratus (DC.) Stapf

| 药 材 名 | 香茅（药用部位：全草。别名：茅香、香麻、大风茅）、香茅油（药材来源：挥发油）、香茅花（药用部位：花。别名：茅香花、茆香花）。

| 形态特征 | 多年生密丛型具香味草本。秆高达 2m，粗壮，节下被白色蜡粉。叶鞘无毛，不向外反卷，内面浅绿色；叶舌质厚，长约 1mm；叶片长 30 ~ 90cm，宽 5 ~ 15mm，先端长渐尖，平滑或边缘粗糙。伪圆锥花序具多次复合分枝，长约 50cm，疏散，分枝细长，先端下垂；佛焰苞长 1.5（~ 2）cm；总状花序不等长，具 3 ~ 4 或 5 ~ 6 节，长约 1.5cm；总梗无毛；总状花序轴节间及小穗柄长 2.5 ~ 4mm，边缘疏生柔毛，先端膨大或具齿裂；无柄小穗线状披针形，长 5 ~ 6mm，宽约 0.7mm；第一颖背部扁平或下凹成槽，无脉，上部具窄翼，边缘被短纤毛；第二外稃狭小，长约 3mm，先端具 2 微齿，无芒或具

柠檬草

长约 0.2mm 的芒尖；有柄小穗长 4.5 ~ 5mm。花果期夏季，少见有开花者。

| 生境分布 | 生于向阳肥沃地。分布于重庆彭水、大足、永川、万州、南川、涪陵、丰都等地。

| 资源情况 | 野生资源较少。药材来源于野生。

| 采收加工 | 香茅：全年均可采收，除去杂质，阴干。
香茅油：新鲜茎、叶经蒸馏所得。
香茅花：花期内采收，晒干。

| 药材性状 | 香茅：本品长 1 ~ 1.5m；表面灰白色至灰黄色。秆粗壮，节处常被蜡粉。叶片长条形，长 40 ~ 80cm 或更长，宽 1 ~ 1.5cm，基部抱茎；两面和边缘粗糙，具丛纹，叶舌厚，鳞片状。体轻，纤维性。具柠檬香气，味辛、淡。
香茅油：本品为无色至淡黄色的澄清液体。具柠檬香气，存放日久，色渐变深。

| 功能主治 | 香茅：辛、甘，温。归肺、脾经。散寒解表，祛风通络，温中止痛。用于外感风寒，风寒湿痹，脘腹冷痛，跌打损伤，寒湿泄泻。
香茅油：甘、辛，温。归肺、肝经。祛风解表，温中止痛，祛瘀通络。用于感冒头身疼痛，风寒湿痹，脘腹冷痛，跌打损伤。
香茅花：甘、微苦，温。温中和胃。用于心腹冷痛，恶心呕吐。

| 用法用量 | 香茅：内服煎汤，6 ~ 15g。外用适量，煎汤洗。
香茅油：供制剂用。
香茅花：内服煎汤，6 ~ 16g；或入丸、散。阴虚内热及胃热者禁服。

| 附   注 | 本种喜温暖气候和阳光充足的环境，耐旱，不耐荫蔽。对土壤要求不严，但宜选择肥沃、疏松、排水良好的砂壤土栽培。

禾本科 Gramineae 香茅属 Cymbopogon

芸香草
Cymbopogon distans (Nees) Wats.

| 药 材 名 | 芸香草（药用部位：地上部分。别名：韭叶芸香草、诸葛草、香茅筋骨草）、芸香草油（药材来源：挥发油）。

| 形态特征 | 多年生草本。具短根茎。秆直立，丛生，高 50 ~ 110（~ 150）cm，较细瘦，带紫色。叶鞘无毛，上部短于节间，质较柔软，老后不向外反卷，内面稍带浅红色，无毛或被微柔毛；叶舌长 2 ~ 3mm，边缘下延；叶片狭线形，上部渐尖成丝形，长 10 ~ 30（~ 50）cm，宽 1.5 ~ 5mm，扁平或折叠，粉白色，无毛，基部狭窄或被短纤毛，边缘微粗糙。伪圆锥花序狭窄，单纯，有间隔，长 15 ~ 30cm，基部主枝长 5 ~ 10cm，稀具第 2 回分枝；佛焰苞狭，长 2 ~ 3.5cm；总状花序长 2 ~ 2.5（~ 3）cm，具 4 ~ 6 节，腋间具黑色被毛的枕块，成熟后叉开并向下反折；总状花序轴节间及小穗柄长约 3mm，

芸香草

边缘被长约 1mm、向上渐增长为 3mm 的白色柔毛，背部被微毛；无柄小穗狭披针形，长（6 ~）7mm，宽 0.8 ~ 1mm，基盘被长 0.5mm 的短毛；第一颖背部扁平，上部无翼至具极窄的翼（宽 0.1 ~ 0.5mm），边缘微粗糙，脊间具 2 ~ 4 自基部直达先端的脉，下部稍浅凹或有 1 ~ 2 横皱褶，先端长渐尖，具 2 裂齿；第二外稃长 2 ~ 3mm，先端裂齿间伸出长 15 ~ 18mm 的芒，芒柱长 7 ~ 10mm，芒针微粗糙；花药长 2.5 ~ 3mm，紫堇色；柱头帚刷状，近小穗先端伸出；有柄小穗长 5 ~ 7mm，宽约 1mm，上部脊粗糙。花果期 6 ~ 10 月。

| **生境分布** | 生于海拔 300 ~ 800m 的河谷、山坡草丛中。分布于重庆南川、大足、巫溪、万州、巫山、武隆、奉节、开州、涪陵等地。

| **资源情况** | 野生资源较少。药材来源于野生。

| **采收加工** | 芸香草：夏、秋季花开前采割，阴干或晒干。
芸香草油：全草经水蒸气蒸馏所得。

| **药材性状** | 芸香草：本品茎长 40 ~ 110cm，直径约 0.3cm；表面灰绿色或棕绿色，有的带紫色，节处膨大；质脆，易折断。叶片狭条形，长 30 ~ 50cm，宽 0.1 ~ 0.5cm；叶鞘抱茎，茎基叶鞘多破裂，离茎内卷，上部叶鞘短于节间；叶舌钝圆，长 0.2 ~ 0.3cm，膜质，先端多不规则破裂。气香特异，味辛、辣，有清凉麻舌感。
芸香草油：本品为无色或微黄色的澄清液体。有类似薄荷的香气，味苦、微清凉。

| **功能主治** | 芸香草：辛、苦，温。散寒渗湿，止咳平喘，行气宽中。用于风寒感冒，喘咳，风湿痹通，胸腹胀痛。
芸香草油：宣肺平喘。用于慢性支气管炎，支气管哮喘等。

| **用法用量** | 芸香草：内服煎汤，15 ~ 60g。
芸香草油：喷雾吸入，适量。

| **附 注** | 本种喜温暖气候。宜选择排水良好的坡地栽培。

禾本科 Gramineae 狗牙根属 Cynodon

狗牙根 *Cynodon dactylon* (L.) Pers.

| 药 材 名 | 狗牙根（药用部位：全草。别名：铁线草、马挽手、铁丝草）。

| 形态特征 | 低矮草本。具根茎。秆细而坚韧，下部匍匐地面蔓延甚长，节上常生不定根，直立部分高 10 ～ 30cm，直径 1 ～ 1.5mm，秆壁厚，光滑无毛，有时略两侧压扁。叶鞘微具脊，无毛或被疏柔毛，鞘口常被柔毛；叶舌仅为 1 轮纤毛；叶片线形，长 1 ～ 12cm，宽 1 ～ 3mm，通常两面无毛。穗状花序（2 ～）3 ～ 5（～ 6），长 2 ～ 5（～ 6）cm；小穗灰绿色或带紫色，长 2 ～ 2.5mm，仅含 1 小花；颖长 1.5 ～ 2mm，第二颖稍长，均具 1 脉，背部成脊而边缘膜质；外稃舟形，具 3 脉，背部明显成脊，脊上被柔毛；内稃与外稃近等长，具 2 脉；鳞被上缘近截平；花药淡紫色；子房无毛，柱头紫红色。颖果长圆柱形。花果期 5 ～ 10 月。

狗牙根

生境分布

生于村庄附近、道旁河岸、荒地山坡。重庆各地均有分布。

资源情况

野生资源丰富。药材来源于野生。

采收加工

夏、秋季采割，洗净，晒干或鲜用。

药材性状

本品根茎细长，呈竹鞭状。匍匐茎长或达 1m，直立茎长 10 ~ 30cm。叶线形，长 1 ~ 6cm，宽 1 ~ 3mm；叶鞘具脊，鞘口通常具柔毛。气微，味微苦。

功能主治

苦、微甘，凉。归肝经。祛风活络，凉血止血，解毒。用于风湿痹痛，半身不遂，劳伤吐血，鼻衄，便血，跌打损伤，疮疡肿毒。

用法用量

内服煎汤，30 ~ 60g；或浸酒。外用适量，捣敷。

禾本科 Gramineae 马唐属 Digitaria

升马唐

Digitaria ciliaris (Retz.) Koel.

| 药 材 名 | 升马唐（药用部位：全草）。

| 形态特征 | 一年生草本。秆基部横卧地面，节处生根和分枝，高 30 ~ 90cm。叶鞘常短于节间，多少被柔毛；叶舌长约 2mm；叶片线形或披针形，长 5 ~ 20cm，宽 3 ~ 10mm，上面散生柔毛，边缘稍厚，微粗糙。总状花序 5 ~ 8，长 5 ~ 12cm，呈指状排列于茎顶；穗轴宽约 1mm，边缘粗糙；小穗披针形，长 3 ~ 3.5mm，孪生于穗轴一侧；小穗柄微粗糙，先端截平；第一颖小，三角形，第二颖披针形，长约为小穗的 2/3，具 3 脉，脉间及边缘被柔毛；第一外稃与小穗等长，具 7 脉，脉平滑，中脉两侧的脉间较宽而无毛，其他脉间贴生柔毛，边缘被长柔毛；第二外稃椭圆状披针形，革质，黄绿色或带铅色，先端渐尖，与小穗等长；花药长 0.5 ~ 1mm。花果期 5 ~ 10 月。

升马唐

生境分布

生于路旁、荒野、荒坡。分布于重庆璧山、永川、巫溪、九龙坡、巴南等地。

资源情况

野生资源一般。药材来源于野生。

采收加工

夏、秋季采割，晒干。

功能主治

聪耳明目。

用法用量

内服煎汤，适量。

禾本科 Gramineae 马唐属 Digitaria

止血马唐

Digitaria ischaemum (Schreb.) Schreb. ex Muhl.

| 药 材 名 | 止血马唐（药用部位：全草）。

| 形态特征 | 一年生草本。秆直立或基部倾斜，高 15 ~ 40cm，下部常被毛。叶鞘具脊，无毛或疏生柔毛；叶舌长约 0.6mm；叶片扁平，线状披针形，长 5 ~ 12cm，宽 4 ~ 8mm，先端渐尖，基部近圆形，多少被长柔毛。总状花序长 2 ~ 9cm，具白色中肋，两侧翼缘粗糙；小穗长 2 ~ 2.2mm，宽约 1mm，2 ~ 3 着生于各节；第一颖不存在，第二颖具 3 ~ 5 脉，等长或稍短于小穗；第一外稃被 5 ~ 7 脉，与小穗等长，脉间及边缘具细柱状棒毛与柔毛，第二外稃成熟后紫褐色，长约 2mm，有光泽。花果期 6 ~ 11 月。

| 生境分布 | 生于田野、河边润湿处。分布于重庆涪陵、忠县、丰都等地。

止血马唐

| **资源情况** | 野生资源一般。药材来源于野生。 |

采收加工 夏、秋季采收，鲜用。

功能主治 凉血，止血。用于外伤出血。

用法用量 外用适量，捣敷。

禾本科 Gramineae 马唐属 Digitaria

马唐

Digitaria sanguinalis (L.) Scop.

| 药 材 名 |　马唐（药用部位：全草。别名：羊麻、马饭、羊粟）。

| 形态特征 |　一年生草本。秆直立或下部倾斜，膝曲上升，高 10 ～ 80cm，直径 2 ～ 3mm，无毛或节被柔毛。叶鞘短于节间，无毛或散生疣基柔毛；叶舌长 1 ～ 3mm；叶片线状披针形，长 5 ～ 15cm，宽 4 ～ 12mm，基部圆形，边缘较厚，微粗糙，被柔毛或无毛。总状花序长 5 ～ 18cm，4 ～ 12 呈指状着生于长 1 ～ 2cm 的主轴上；穗轴直伸或开展，两侧具宽翼，边缘粗糙；小穗椭圆状披针形，长 3 ～ 3.5mm；第一颖小，短三角形，无脉，第二颖具 3 脉，披针形，长约为小穗的 1/2，脉间及边缘大多被柔毛；第一外稃与小穗等长，具 7 脉，中脉平滑，两侧脉间距离较宽，无毛，边脉上具小刺状粗糙，脉间及边缘被柔毛，第二外稃近革质，灰绿色，先端渐尖，与第一外稃等长；花药长约

马唐

1mm。花果期 6 ～ 9 月。

| **生境分布** | 生于路旁、田野。重庆各地均有分布。

| **资源情况** | 野生资源丰富。药材来源于野生。

| **采收加工** | 夏、秋季采割，晒干。

| **药材性状** | 本品长 40 ～ 80cm。秆分枝，下部节上生根。完整叶片条状披针形，长 8 ～ 15cm，宽 5 ～ 12mm，先端渐尖或短尖，基部钝圆，两面无毛或疏生柔毛；叶鞘疏松抱茎，无毛或疏生柔毛。

| **功能主治** | 甘，寒。调中，聪耳明目。用于肺虚咳嗽，视物不清。

| **用法用量** | 内服煎汤，9 ～ 15g。

禾本科 Gramineae 稗属 Echinochloa

光头稗 *Echinochloa colonum* (L.) Link.

光头稗

药材名

光头稗子（药用部位：根）。

形态特征

一年生草本。秆直立，高 10 ~ 60cm。叶鞘压扁而背具脊，无毛；无叶舌；叶片扁平，线形，长 3 ~ 20cm，宽 3 ~ 7mm，无毛，边缘稍粗糙。圆锥花序狭窄，长 5 ~ 10cm；主轴具棱，通常无疣基长毛，棱边上粗糙；花序分枝长 1 ~ 2cm，排列稀疏，直立上升或贴向主轴，穗轴无疣基长毛或仅基部被 1 ~ 2 疣基长毛；小穗卵圆形，长 2 ~ 2.5mm，被小硬毛，无芒，较规则的成 4 行排列于穗轴一侧；第一颖三角形，长约为小穗的 1/2，具 3 脉，第二颖与第一外稃等长而同形，先端具小尖头，具 5 ~ 7 脉，间脉常不达基部；第一小花常中性，其外稃具 7 脉，内稃膜质，稍短于外稃，脊上被短纤毛；第二外稃椭圆形，平滑，光亮，边缘内卷，包着同质的内稃；鳞被 2，膜质。花果期夏、秋季。

生境分布

生于田野、园圃、路边湿润处。分布于重庆南川、綦江、巴南、北碚、合川、江津、丰都、长寿、璧山等地。

| **资源情况** | 野生资源一般。药材来源于野生。

| **采收加工** | 夏、秋季采挖，除去地上部分，洗净，鲜用或晒干。

| **功能主治** | 微苦，平。利水消肿，止血。用于水肿，腹水，咯血。

| **用法用量** | 内服煎汤，30 ～ 120g，大剂量可用 180g。

| **附　　注** | 在 FOC 中，本种的拉丁学名被修订为 *Echinochloa colona* (Linnaeus) Link。

稗

Echinochloa crusgalli (L.) Beauv.

| 药 材 名 | 稗根苗（药用部位：根、苗叶。别名：水高粱、扁扁草）、稗米（药用部位：种子。别名：稗子）。

| 形态特征 | 一年生草本。秆高 50 ～ 150cm，光滑，无毛，基部倾斜或膝曲。叶鞘疏松裹秆，平滑，无毛，下部者长于上部者，短于节间；无叶舌；叶片扁平，线形，长 10 ～ 40cm，宽 5 ～ 20mm，无毛，边缘粗糙。圆锥花序直立，近尖塔形，长 6 ～ 20cm；主轴具棱，粗糙或被疣基长刺毛；分枝斜上举或贴向主轴，有时再分小枝；穗轴粗糙或被疣基长刺毛；小穗卵形，长 3 ～ 4mm，脉上密被疣基刺毛，具短柄或近无柄，密集在穗轴的一侧；第一颖三角形，长为小穗的 1/3 ～ 1/2，具 3 ～ 5 脉，脉上具疣基毛，基部包卷小穗，先端尖，第二颖与小穗等长，先端渐尖或具小尖头，具 5 脉，脉上被疣基毛；

稗

第一小花通常中性，其外稃草质，上部具 7 脉，脉上被疣基刺毛，先端延伸成 1 粗壮的芒，芒长 0.5 ~ 1.5（~ 3）cm，内稃薄膜质，狭窄，具 2 脊；第二外稃椭圆形，平滑，光亮，成熟后变硬，先端具小尖头，尖头上有 1 圈细毛，边缘内卷，包着同质的内稃，但内稃先端露出。花果期夏、秋季。

| **生境分布** | 生于沼泽地、沟边或稻田中。重庆各地均有分布。

| **资源情况** | 野生资源丰富。药材来源于野生。

| **采收加工** | 稗根苗：夏季采收，鲜用或晒干。
稗米：夏、秋季果实成熟时采收，舂去壳，晒干。

| **功能主治** | 稗根苗：甘、苦，微寒。止血生肌。用于金疮，外伤出血。
稗米：辛、甘、苦，微寒；无毒。益气健脾。用于脾胃气虚，食少纳呆，倦怠乏力。

| **用法用量** | 稗根苗：外用适量，捣敷；或研末撒。
稗米：内服煎汤，适量；或煮食。

| **附　　注** | 在 FOC 中，本种的拉丁学名被修订为 *Echinochloa crusgalli* (L.) P. Beauv.。

旱稗

Echinochloa hispidula (Retz.) Nees

| 药 材 名 | 旱稗（药用部位：果实）。

| 形态特征 | 一年生草本。秆高 40 ～ 90cm。叶鞘平滑，无毛；无叶舌；叶片扁平，线形，长 10 ～ 30cm，宽 6 ～ 12mm。圆锥花序狭窄，长 5 ～ 15cm，宽 1 ～ 1.5cm，分枝上不具小枝，有时中部轮生；小穗卵状椭圆形，长 4 ～ 6mm；第一颖三角形，长为小穗的 1/2 ～ 2/3，基部包卷小穗，第二颖与小穗等长，具小尖头，有 5 脉，脉上被刚毛或有时被疣基毛，芒长 0.5 ～ 1.5cm；第一小花通常中性，外稃草质，具 7 脉，内稃薄膜质，第二外稃草质，坚硬，边缘包卷同质的内稃。花果期 7 ～ 10 月。

| 生境分布 | 生于田野水湿处。分布于重庆巫山、奉节、酉阳、南川、合川、江津、垫江、大足、九龙坡、江津、丰都、云阳、涪陵、忠县、巫溪、南岸、

旱稗

巴南等地。

| 资源情况 | 野生资源丰富。药材来源于野生。

| 采收加工 | 夏、秋季果实成熟时采收，除去壳，晒干。

| 功能主治 | 益气健脾。用于脾胃气虚，食少纳呆，倦怠乏力。

| 用法用量 | 内服煎汤，适量；或煮食。

| 附　　注 | 在 FOC 中，本种被修订为稗 *Echinochloa crusgalli* (L.) P. Beauv.。

禾本科 Gramineae 穇属 Eleusine

牛筋草

Eleusine indica (L.) Gaertn.

牛筋草

药材名

牛筋草（药用部位：全草。别名：蟋蟀草、牛板筋、官司草）。

形态特征

一年生草本。根系极发达。秆丛生，基部倾斜，高 10 ～ 90cm。叶鞘两侧压扁而具脊，松弛，无毛或疏生疣毛；叶舌长约 1mm；叶片平展，线形，长 10 ～ 15cm，宽 3 ～ 5mm，无毛或上面被疣基柔毛。穗状花序 2 ～ 7 呈指状着生于秆顶，很少单生，长 3 ～ 10cm，宽 3 ～ 5mm；小穗长 4 ～ 7mm，宽 2 ～ 3mm，含 3 ～ 6 小花；颖披针形，具脊，脊粗糙，第一颖长 1.5 ～ 2mm，第二颖长 2 ～ 3mm；第一外稃长 3 ～ 4mm，卵形，膜质，具脊，脊上有狭翼，内稃短于外稃，具 2 脊，脊上具狭翼。囊果卵形，长约 1.5mm，基部下凹，具明显的波状皱纹；鳞被 2，折叠，具 5 脉。花果期 6 ～ 10 月。

生境分布

生于荒芜地或道路旁。重庆各地均有分布。

资源情况

野生资源丰富。药材来源于野生。

| 采收加工 | 秋季采收，除去杂质，晒干。

| 药材性状 | 本品根呈须状，黄棕色。茎呈扁圆柱形；淡黄绿色至淡灰绿色，光滑，具纵棱，节明显；不易折断，断面中空或具白色髓。叶舌短，棕色，纤毛状；叶片扁平，线形，常向腹面折叠或扭曲，叶脉平行条状，表面淡黄色至黄棕色。穗状花序数个成指状排列于茎先端，常为3。囊果卵形。气微，味淡、微甘。

| 功能主治 | 甘、淡，凉。归肝、胃经。清热解毒，利湿，凉血散瘀。用于伤暑发热，小儿惊风，流行性乙型脑炎，流行性脑脊髓膜炎，黄疸，淋证，小便不利，痢疾，便血，疮疡肿痛，荨麻疹，跌打损伤。

| 用法用量 | 内服煎汤，9 ~ 15g。

禾本科 Gramineae 画眉草属 Eragrostis

知风草

Eragrostis ferruginea (Thunb.) Beauv.

| **药 材 名** | 知风草（药用部位：根。别名：程咬金）。

| **形态特征** | 多年生草本。秆丛生或单生，直立或基部膝曲，高 30 ~ 110cm，粗壮，直径约 4mm。叶鞘两侧极压扁，基部相互跨覆，均较节间长，光滑，无毛，鞘口与两侧密生柔毛，通常在叶鞘主脉上生有腺点；叶舌退化为 1 圈短毛，长约 0.3mm；叶片平展或折叠，长 20 ~ 40mm，宽 3 ~ 6mm，上部叶超出花序，常光滑、无毛或上面近基部偶生疏毛。圆锥花序大而开展，分枝节密，每节生枝 1 ~ 3，向上，枝腋间无毛；小穗柄长 5 ~ 15mm，在其中部或中部偏上有 1 腺体，在小枝中部也常存在，腺体多为长圆形，稍凸起；小穗长圆形，长 5 ~ 10mm，宽 2 ~ 2.5mm，有 7 ~ 12 小花，多带黑紫色，有时也出现黄绿色；颖开展，具 1 脉，第一颖披针形，长 1.4 ~ 2mm，先端渐尖，第二

知风草

颖长 2 ~ 3mm，长披针形，先端渐尖；外稃卵状披针形，先端稍钝，第一外稃长约 3mm；内稃短于外稃，脊上被纤毛，宿存；花药长约 1mm。颖果棕红色，长约 1.5mm。花果期 8 ~ 12 月。

| **生境分布** | 生于路边、山坡草地。分布于重庆潼南、九龙坡、丰都、綦江、忠县、垫江、合川等地。

| **资源情况** | 野生资源丰富。药材来源于野生。

| **采收加工** | 8 月采挖，除去地上部分，洗净，晒干或鲜用。

| **功能主治** | 甘，平。舒筋散瘀。用于跌仆内伤，筋骨疼痛。

| **用法用量** | 内服煎汤，6 ~ 9g。外用适量，捣敷。

乱草

Eragrostis japonica (Thunb.) Trin.

| 药 材 名 | 香榧草（药用部位：全草。别名：须须草）。

| 形态特征 | 一年生草本。秆直立或膝曲丛生，高 30 ~ 100cm，直径 1.5 ~ 2.5mm，具 3 ~ 4 节。叶鞘一般比节间长，疏松裹茎，无毛；叶舌干膜质，长约 0.5mm；叶片平展，长 3 ~ 25cm，宽 3 ~ 5mm，光滑，无毛。圆锥花序长圆形，长 6 ~ 15cm，宽 1.5 ~ 6cm，整个花序常超过植株的 1/2 以上，分枝纤细，簇生或轮生，腋间无毛；小穗柄长 1 ~ 2mm；小穗卵圆形，长 1 ~ 2mm，有 4 ~ 8 小花，成熟后紫色，自小穗轴由上而下逐节断落；颖近等长，长约 0.8mm，先端钝，具 1 脉；第一外稃长约 1mm，广椭圆形，先端钝，具 3 脉，侧脉明显；内稃长约 0.8mm，先端 3 齿裂，具 2 脊，脊上疏生短纤毛；雄蕊 2，花药长约 0.2mm。颖果棕红色并透明，卵圆形，长约 0.5mm。花果期 6 ~ 11 月。

乱草

| **生境分布** | 生于田野路旁、河边或潮湿地。重庆各地均有分布。

| **资源情况** | 野生资源丰富。药材来源于野生。

| **采收加工** | 夏季采收，晒干。

| **功能主治** | 咸，平。凉血止血。用于咯血，吐血。

| **用法用量** | 内服煎汤，30 ~ 60g。

画眉草

Eragrostis pilosa (L.) Beauv.

| 药 材 名 | 画眉草（药用部位：全草。别名：榧子草、星星草、蚊子草）。

| 形态特征 | 一年生草本。秆丛生，直立或基部膝曲，高 15 ～ 60cm，直径 1.5 ～ 2.5mm，通常具 4 节，光滑。叶鞘疏松裹茎，长于或短于节间，扁压，鞘缘近膜质，鞘口被长柔毛；叶舌为 1 圈纤毛，长约 0.5mm；叶片线形，扁平或卷缩，长 6 ～ 20cm，宽 2 ～ 3mm，无毛。圆锥花序开展或紧缩，长 10 ～ 25cm，宽 2 ～ 10cm，分枝单生、簇生或轮生，多直立向上，腋间被长柔毛；小穗具柄，长 3 ～ 10mm，宽 1 ～ 1.5mm，含 4 ～ 14 小花；颖膜质，披针形，先端渐尖，第一颖长约 1mm，无脉，第二颖长约 1.5mm，具 1 脉；第一外稃长约 1.8mm，广卵形，先端尖，具 3 脉；内稃长约 1.5mm，稍作弓形弯曲，脊上被纤毛，迟落或宿存；雄蕊 3，花药长约 0.3mm。颖果长圆形，长约 0.8mm。花果期 8 ～ 11 月。

画眉草

| 生境分布 |

生于荒芜田野草地上。分布于重庆北碚、大足、长寿、城口、奉节、巫溪、铜梁、万州、垫江、涪陵、丰都、江津、永川、九龙坡、沙坪坝等地。

| 资源情况 |

野生资源丰富。药材来源于野生。

| 采收加工 |

夏、秋季采收，洗净，晒干。

| 功能主治 |

甘、淡，凉。利尿通淋，清热活血。用于热淋，石淋，目赤痒痛，跌打损伤。

| 用法用量 |

内服煎汤，9 ~ 15g。外用适量，烧存性，研末调搽；或煎汤洗。

禾本科 Gramineae 拟金茅属 Eulaliopsis

拟金茅
Eulaliopsis binata (Retz.) C. E. Hubb.

拟金茅

| 药 材 名 |

蓑草（药用部位：全草或根茎。别名：龙须草、山草、山茅草）。

| 形态特征 |

多年生草本。秆高 30 ~ 80cm，平滑无毛，在上部常分枝，一侧具纵沟，具 3 ~ 5 节。叶鞘除下部者外均短于节间，无毛但鞘口具细纤毛，基生叶叶鞘密被白色绒毛以形成粗厚的基部；叶舌呈 1 圈短纤毛状，叶片狭线形，长 10 ~ 30cm，宽 1 ~ 4mm，卷摺呈细针状，很少扁平，顶生叶片甚退化，锥形，无毛，上面及边缘稍粗糙。总状花序密被淡黄褐色的绒毛，2 ~ 4 呈指状排列，长 2 ~ 4.5cm，小穗长 3.8 ~ 6mm，基盘被乳黄色丝状柔毛，其毛长达小穗的 3/4；第一颖具 7 ~ 9 脉，中部以下密生乳黄色丝状柔毛；第二颖稍长于第一颖，具 5 ~ 9 脉，先端具长 0.3 ~ 2mm 的小尖头，中部以下簇生长柔毛；第一外稃长圆形，与第一颖等长；第二外稃狭长圆形，等于或稍短于第一外稃，有时有不明显的 3 脉，通常全缘，先端有长 2 ~ 9mm 的芒，芒具不明显 1 回膝曲，芒针常有柔毛；第二内稃宽卵形，先端微凹，凹处被纤毛；花药长约 2.5mm，柱头帚刷状，黄褐色或紫黑色。

| 生境分布 |

生于向阳的山坡草丛中。分布于重庆万州、丰都、南川、北碚、荣昌、云阳等地。

| 资源情况 |

野生资源较少。药材来源于野生。

| 采收加工 |

春、夏季间采收，晒干。

| 功能主治 |

甘、淡，凉。清热解毒，凉血散瘀。用于感冒，小儿肺炎，肺痨咯血，衄血，尿血，经行不畅，热淋，乳腺炎，荨麻疹，外伤出血。

| 用法用量 |

内服煎汤，15～30g。

禾本科 Gramineae 飘拂草属 Fimbristylis

夏飘拂草 *Fimbristylis aestivalis* (Retz.) Vahl

| **药 材 名** | 夏飘拂草（药用部位：全草）。

| **形态特征** | 一年生草本。无根茎。秆密丛生，纤细，高 3 ~ 12cm，扁三棱形，平滑，基部具少数叶。叶短于秆，宽 0.5 ~ 1mm，丝状，平展，边缘稍内卷，两面被疏柔毛；叶鞘短，棕色，外面被长柔毛。苞片 3 ~ 5，短于或等长于花序，丝状，被疏硬毛，长侧枝聚伞花序复出，疏散，具 3 ~ 7 辐射枝，纤细，最长达 3cm；小穗单生于第 1 次或第 2 次辐射枝先端，卵形、长圆状卵形或披针形，长 2.5 ~ 6mm，宽 1 ~ 1.5mm，具多数花；鳞片稍密螺旋状排列，膜质，卵形或长圆形，先端圆，具或长或短的短尖，红棕色，长约 1mm，背面具绿色的龙骨状突起，有 3 脉；雄蕊 1，花药披针形，药隔凸出于花药先端，红色；花柱长而扁平，基部膨大，上部具缘毛，柱头 2，较短。小坚果倒卵形，双凸状，

夏飘拂草

长约 0.6mm，黄色，基部近于无柄，表面近于平滑，有时具不很明显的六角形网纹。花期 5～8 月。

| **生境分布** | 生于海拔 250～700m 的荒草地、沼泽地或稻田中。分布于重庆石柱、南川、綦江、江津等地。

| **资源情况** | 野生资源丰富。药材来源于野生。

| **采收加工** | 夏、秋季采收，切段，晒干。

| **功能主治** | 清热，解毒，利尿。用于小便不利，湿热浮肿，淋证。

| **用法用量** | 内服煎汤，适量。

| **附　注** | 本种的全草在部分地区作为两歧飘拂草 *Fimbristylis dichotoma* (L.) Vahl 入药。

禾本科 Gramineae 荸荠属 Heleocharis

荸荠

Heleocharis dulcis (Burm. f.) Trin. ex Henschel

| 药 材 名 | 荸荠（药用部位：球茎。别名：红慈菇、芍、水芋）、通天草（药用部位：地上部分。别名：荸荠梗、地栗梗、荸荠苗）。

| 形态特征 | 多年生水生草本。有细长的匍匐根茎，先端生块茎，俗称荸荠。秆多数，丛生，直立，圆柱形，高 15 ~ 60cm，直径 1.5 ~ 3mm，有多数横隔膜；干后秆表面现有节，但不明显，灰绿色，光滑无毛。叶缺失，只在秆的基部有叶鞘 2 ~ 3；叶鞘近膜质，绿黄色、紫红色或褐色，高 2 ~ 20cm，鞘口斜，先端急尖。小穗顶生，圆柱形，长 1.5 ~ 4cm，直径 6 ~ 7mm，淡绿色，先端钝或近急尖，有多数花，在小穗基部有 2 片鳞片中空无花，抱小穗基部 1 周；其余鳞片全有花，松散地覆瓦状排列，宽长圆形或卵状长圆形，先端钝圆，长 3 ~ 5mm，宽 2.5 ~ 3.5（ ~ 4）mm，背部灰绿色，近革质，边缘为

荸荠

微黄色，干膜质，全面有淡棕色细点，具 1 中脉；下位刚毛 7；较小坚果长一倍半，有倒刺；柱头 3。小坚果宽倒卵形，双凸状，先端不缢缩，长约 2.4mm，直径 1.8mm，成熟时棕色，光滑，稍微黄绿色，表面细胞呈四角形至六角形；花柱基部从宽急骤变狭、变扁而呈三角形，不为海绵质，基部具领状的环，与小坚果质地相同，宽约为小坚果的 1/2。花果期 5 ～ 10 月。

| 生境分布 | 生于海拔 300 ～ 700m 的山沟或水田中。重庆各地均有分布。

| 资源情况 | 野生资源一般，栽培资源丰富。药材主要来源于栽培。

| 采收加工 | 荸荠：冬季采挖，洗净泥土，鲜用或风干。
通天草：秋季采收块茎时割取地上部分，晒干。

| 药材性状 | 荸荠：本品呈圆球形，稍扁，大小不等，大者直径可达 3cm；下端中央凹陷，上部先端有数个聚生的嫩芽，外包枯黄的鳞片。表面紫褐色或黄褐色，节明显，环状，附残存的黄色膜质鳞叶，有时有小侧芽。质嫩脆，剖面白色，富含淀粉和水分。气微，味甘。以个大、肥嫩者为佳。
通天草：本品茎呈圆柱形而常压扁，长 30 ～ 60cm，直径 1 ～ 3mm；外表面淡黄棕色，有光泽，具纵纹，节处稍隆起；质韧，不易折断，中空，纵断面可见片状薄膜；有时茎顶偶见 1 穗头状花序，密被鳞片，内藏小坚果。气微，味淡。

| 功能主治 | 荸荠：甘，寒。归肺、胃经。清热生津，化痰，消积。用于温病口渴，咽喉肿痛，痰热咳嗽，目赤，消渴，痢疾，黄疸，热淋，食积，赘疣。
通天草：苦，平。利水消肿。用于水肿，小便不利。

| 用法用量 | 荸荠：内服煎汤，60 ～ 120g；或嚼食；或捣汁；或浸酒；或澄粉。外用适量，煅存性，研末撒；或澄粉点目；或生用涂擦。虚寒及血虚者慎服。
通天草：内服煎汤，4.5 ～ 9g。

| 附　　注 | （1）在 FOC 中，本种的拉丁学名被修订为 *Eleocharis dulcis* (N. L. Burman) Trinius ex Henschel，属的拉丁学名被修订为 *Eleocharis*。
（2）本种喜温暖气候和潮湿环境，宜选择肥沃、疏松的砂壤土水田栽培，不宜在黏土田栽种。

禾本科 Gramineae 黄茅属 Heteropogon

黄茅

Heteropogon contortus (L.) P. Beauv. ex Roem. et Schult.

| **药 材 名** | 地筋（药用部位：全草或根茎。别名：菅根、土筋、黄菅）。

| **形态特征** | 多年生草本，丛生。秆高 20 ~ 100cm，基部常膝曲，上部直立，光滑无毛。叶鞘压扁而具脊，光滑无毛，鞘口常被柔毛；叶舌短，膜质，先端被纤毛；叶片线形，扁平或对折，长 10 ~ 20cm，宽 3 ~ 6mm，先端渐尖或急尖，基部稍收窄，两面粗糙或表面基部疏生柔毛。总状花序单生主枝或分枝顶，长 3 ~ 7cm（芒除外），诸芒常于花序顶扭卷成 1 束；花序基部 3 ~ 10（~ 12）小穗对，为同性，无芒，宿存，上部 7 ~ 12 对为异性对；无柄小穗线形（成熟时圆柱形），两性，长 6 ~ 8mm，基盘尖锐，被棕褐色髯毛；第一颖狭长圆形，革质，先端钝，背部圆形，被短硬毛或无毛，边缘包卷同质的第二颖；第二颖较窄，先端钝，具 2 脉，脉间被短硬毛或无毛，边缘膜质；

黄茅

第一小花外稃长圆形，远短于颖；第二小花外稃极窄，向上延伸成 2 回膝曲的芒，芒长 6 ～ 10cm，芒柱扭转，被毛；内稃常缺；雄蕊 3；子房线形，花柱 2；有柄小穗长圆状披针形，雄性或中性，无芒，常偏斜扭转覆盖无柄小穗，绿色或带紫色；第一颖长圆状披针形，草质，背部被疣基毛或无毛。花果期 4 ～ 12 月。

| **生境分布** | 生于海拔 400 ～ 2300m 的山坡草地，尤以干热草坡为多。分布于重庆綦江、巫山、丰都、云阳等地。

| **资源情况** | 野生资源一般。药材来源于野生。

| **采收加工** | 全年均可采收，晒干或鲜用。

| **功能主治** | 甘，寒。清热止渴，祛风除湿。用于内热消渴，风湿痹痛，咳嗽，吐泻。

| **用法用量** | 内服煎汤，15 ～ 30g；或捣汁；或浸酒。外用适量，捣敷。

禾本科 Gramineae 白茅属 Imperata

白茅
Imperata cylindrica (L.) Beauv.

| 药 材 名 | 白茅根（药用部位：根茎。别名：茅根、兰根、茹根）、白茅针（药用部位：未开放的花序。别名：茅苗、茅笋、茅针）、白茅花（药用部位：花穗。别名：菅花、茅花、茅盔花）、茅草叶（药用部位：叶）。

| 形态特征 | 多年生草本。具粗壮的长根茎。秆直立，高 30 ～ 80cm，具 1 ～ 3 节，节无毛。叶鞘聚集于秆基，甚长于节间，质地较厚，老后破碎成纤维状；叶舌膜质，长约 2mm，紧贴其背部或鞘口被柔毛，分蘖叶片长约 20cm，宽约 8mm，扁平，质地较薄；秆生叶片长 1 ～ 3cm，窄线形，通常内卷，先端渐尖呈刺状，下部渐窄，或具柄，质硬，被白粉，基部上面被柔毛。圆锥花序稠密，长 20cm，宽达 3cm，小穗长 4.5 ～ 5（～ 6）mm，基盘被长 12 ～ 16mm 的丝状柔毛；两颖草质，边缘膜质，近相等，具 5 ～ 9 脉，先端渐尖或稍钝，常被纤毛，脉间疏生长丝状毛，第一外稃卵状披针形，长为颖片的 2/3，

白茅

透明膜质，无脉，先端尖或齿裂；第二外稃与其内稃近相等，长约为颖片之半，卵圆形，先端具齿裂及纤毛；雄蕊 2，花药长 3 ~ 4mm；花柱细长，基部多少联合，柱头 2，紫黑色，羽状，长约 4mm，自小穗先端伸出。颖果椭圆形，长约 1mm，胚长为颖果的 1/2。花果期 4 ~ 6 月。

| 生境分布 | 生于低山带平原河岸草地、砂质草甸、荒漠或海滨。分布于重庆黔江、长寿、丰都、垫江、綦江、北碚、万州、忠县、南岸、大足、城口、巫山、彭水、潼南、奉节、秀山、合川、酉阳、涪陵、石柱、云阳、江津、梁平、巫溪、永川、铜梁、璧山、南川、武隆、九龙坡、开州、巴南、荣昌、沙坪坝等地。

| 资源情况 | 野生资源丰富。药材来源于野生。

| 采收加工 | 白茅根：春、秋季采挖，洗净，晒干，除去须根和膜质叶鞘，捆成小把。
白茅针：4 ~ 5 月，采摘未开放的花序，鲜用或晒干。
白茅花：4 ~ 5 月，花盛开前采收，摘下带茎的花穗，晒干。
茅草叶：全年均可采收。

| 药材性状 | 白茅根：本品呈长圆柱形，长 30 ~ 60cm，直径 0.2 ~ 0.4cm。表面黄白色或淡黄色，微有光泽，具纵皱纹，节明显，稍凸起，节间长短不等，通常长 1.5 ~ 3cm。体轻，质略脆，断面皮部白色，多有裂隙，放射状排列，中柱淡黄色，易与皮部剥离。气微，味微甘。
白茅花：本品干燥花穗呈圆柱形，长 5 ~ 20cm，小穗基部和颖片密被细长丝状毛，占花穗的绝大部分，灰白色，质轻而柔软，若棉絮状。小穗黄褐色，介于细长丝状毛中，不易脱落，外颖长圆状披针形，膜质；雌蕊花柱 2 裂，裂片线形，裂片上着生黄棕色毛；花序柄圆柱形，青绿色。气微，味淡。

| 功能主治 | 白茅根：甘，寒。凉血止血，清热利尿。用于血热吐血，衄血，尿血，热病烦渴，湿热黄疸，水肿尿少，热淋涩痛。
白茅针：甘，平。止血，解毒。用于衄血，尿血，大便下血，外伤出血，疮痈肿毒。
白茅花：甘，湿。止血，定痛。用于吐血，衄血，刀伤。
茅草叶：辛、微苦，平。祛风除湿。用于风湿痹痛，风疹。

| 用法用量 | 白茅根：内服煎汤，9 ~ 30g。
白茅针：内服煎汤，9 ~ 15g。外用适量，捣敷或塞鼻。
白茅花：内服煎汤，9 ~ 15g。外用适量，捣敷或塞鼻。
茅草叶：内服煎汤，15 ~ 30g。外用适量，煎汤洗。

禾本科 Gramineae 柳叶箬属 Isachne

柳叶箬

Isachne globosa (Thunb.) Kuntze

| 药 材 名 | 柳叶箬（药用部位：全草）。

| 形态特征 | 多年生草本。秆丛生，直立或基部节上生根而倾斜，高
30 ～ 60cm，节上无毛。叶鞘短于节间，无毛，但一侧边缘的上部
或全部被疣基毛；叶舌纤毛状，长 1 ～ 2mm；叶片披针形，长 3 ～
10cm，宽 3 ～ 8mm，先端短渐尖，基部钝圆或微心形，两面均被微
细毛而粗糙，边缘质地增厚，软骨质，全缘或微波状。圆锥花序卵圆
形，长 3 ～ 11cm，宽 1.5 ～ 4cm，盛开时抽出鞘外，分枝斜升或开展，
每一分枝着生 1 ～ 3 小穗，分枝和小穗柄均具黄色腺斑；小穗椭圆
状球形，长 2 ～ 2.5mm，淡绿色，或成熟后带紫褐色；两颖近等长，
坚纸质，具 6 ～ 8 脉，无毛，先端钝或圆，边缘狭膜质；第一小花
通常雄性，幼时较第二小花稍窄狭，稃体质地亦稍软；第二小花雌

柳叶箬

性, 近球形, 外稃边缘和背部常被微毛; 鳞被楔形, 先端平截或微凹。颖果近球形。花果期夏、秋季。

| **生境分布** | 生于低海拔的缓坡、平原草地中, 亦为稻田中的杂草。分布于重庆垫江、丰都、长寿等地。

| **资源情况** | 野生资源较少。药材来源于野生。

| **采收加工** | 夏、秋季采收, 鲜用或晒干。

| **功能主治** | 活血解毒, 利尿。用于小便淋痛, 跌打损伤。

| **用法用量** | 内服煎汤, 适量。

禾本科 Gramineae 千金子属 Leptochloa

千金子
Leptochloa chinensis (L.) Nees

| 药 材 名 | 油草（药用部位：全草。别名：千金子、油麻）。

| 形态特征 | 一年生草本。秆直立，基部膝曲或倾斜，高 30 ～ 90cm，平滑无毛。叶鞘无毛，大多短于节间；叶舌膜质，长 1 ～ 2mm，常撕裂，被小纤毛；叶片扁平或多少卷折，先端渐尖，两面微粗糙或下面平滑，长 5 ～ 25cm，宽 2 ～ 6mm。圆锥花序长 10 ～ 30cm，分枝及主轴均微粗糙；小穗多带紫色，长 2 ～ 4mm，含 3 ～ 7 小花；颖具 1 脉，脊上粗糙，第一颖较短而狭窄，长 1 ～ 1.5mm，第二颖长 1.2 ～ 1.8mm；外稃先端钝，无毛或下部被微毛，第一外稃长约 1.5mm；花药长约 0.5mm。颖果长圆球形，长约 1mm。花果期 8 ～ 11 月。

| 生境分布 | 生于海拔 200 ～ 1020m 的潮湿之地。分布于重庆南川、綦江、巴南、

千金子

江北、北碚、合川、永川、丰都等地。

资源情况

野生资源稀少。药材来源于野生。

采收加工

夏、秋季采收，晒干。

功能主治

辛、淡，平。行水破血，化痰散结。用于癥瘕积聚，久热不退。

用法用量

内服煎汤，9 ~ 15g。

禾本科 Gramineae 淡竹叶属 Lophatherum

淡竹叶 *Lophatherum gracile* Brongn.

| 药 材 名 | 淡竹叶（药用部位：茎、叶。别名：迷身草、金竹叶、长竹叶）、
碎骨子（药用部位：根茎、块根。别名：竹叶麦冬、野麦冬、山冬）。

| 形态特征 | 多年生草本。具木质根头；须根中部膨大成纺锤形小块根。秆直立，
疏丛生，高 40 ~ 80cm，具 5 ~ 6 节。叶鞘平滑或外侧边缘被纤毛；
叶舌质硬，长 0.5 ~ 1mm，褐色，背有糙毛；叶片披针形，长 6 ~ 20cm，
宽 1.5 ~ 2.5cm，具横脉，有时被柔毛或疣基小刺毛，基部收窄成柄
状。圆锥花序长 12 ~ 25cm，分枝斜升或开展，长 5 ~ 10cm；小穗
线状披针形，长 7 ~ 12mm，宽 1.5 ~ 2mm，具极短柄；颖先端钝，
具 5 脉，边缘膜质，第一颖长 3 ~ 4.5mm，第二颖长 4.5 ~ 5mm；
第一外稃长 5 ~ 6.5mm，宽约 3mm，具 7 脉，先端具尖头，内稃较短，
其后具长约 3mm 的小穗轴；不育外稃向上渐狭小，互相密集包卷，

淡竹叶

先端具长约 1.5mm 的短芒；雄蕊 2。颖果长椭圆形。花果期 6 ～ 10 月。

| 生境分布 | 生于山坡、林地或林缘、道旁荫蔽处。分布于重庆黔江、北碚、綦江、丰都、璧山、南岸、忠县、大足、彭水、涪陵、江津、潼南、沙坪坝、永川、合川、酉阳、长寿、梁平、石柱、万州、云阳、垫江、南川、九龙坡、武隆、巫山、巴南、荣昌等地。

| 资源情况 | 野生资源丰富。药材主要来源于野生，亦有栽培。

| 采收加工 | 淡竹叶：夏季未抽花穗前采割，晒干。
碎骨子：夏、秋季采收，晒干。

| 药材性状 | 淡竹叶：本品长 25 ～ 75cm。茎呈圆柱形，有节；表面淡黄绿色，断面中空。叶鞘开裂；叶片披针形，有的皱缩卷曲，长 5 ～ 20cm，宽 1 ～ 2.5cm；表面浅绿色或黄绿色；叶脉平行，具横行小脉，呈长方形网格状，下表面尤为明显。体轻，质柔韧。气微，味淡。
碎骨子：本品根茎呈圆柱形，节节相连，上端残留部分茎叶；表面粗糙，棕灰色或棕黑色，四周簇生多数须状根，有的膨大成块根。完整的块根呈纺锤形，长 1 ～ 3cm，直径 2 ～ 5mm；表面黄白色至土黄色，不规则皱缩；质较硬，折断面淡黄白色。味微甘。

| 功能主治 | 淡竹叶：甘、淡，寒。归心、胃、小肠经。清热泻火，除烦止渴，利尿通淋。用于热病烦渴，小便短赤涩痛，口舌生疮。
碎骨子：甘，寒。清热利尿。用于发热，口渴，心烦，小便不利。

| 用法用量 | 淡竹叶：内服煎汤，6 ～ 10g。
碎骨子：内服煎汤，10 ～ 15g。

| 附　注 | （1）本种块根形似麦冬，华东地区有称之为"竹叶麦冬"者，非中药之麦冬。本种并非淡竹之叶；江苏地区以鸭跖草的全草称淡竹叶，二者疗效不同，不宜混用。
（2）本种喜温暖阴湿的环境，故宜选山沟、山坡或山林荫蔽处栽种。对土壤要求不严，但以肥沃、微酸性的砂壤土及黏壤土栽种较好。

禾本科 Gramineae 芒属 Miscanthus

五节芒

Miscanthus floridulus (Lab.) Warb. ex Schum et Laut.

药 材 名	芭茅（药用部位：茎。别名：竿青、竿芒）、芭茅果（药材来源：根茎部叶鞘内的虫瘿。别名：牛草果、苦芦骨）。

| 形态特征 | 多年生草本。具发达根茎。秆高大似竹，高 2 ~ 4m，无毛，节下具白粉。叶鞘无毛，鞘节被微毛，长于或上部者稍短于节间；叶舌长 1 ~ 2mm，先端被纤毛；叶片披针状线形，长 25 ~ 60cm，宽 1.5 ~ 3cm，扁平，基部渐窄或呈圆形，先端长渐尖，中脉粗壮隆起，两面无毛，或上面基部被柔毛，边缘粗糙。圆锥花序大型，稠密，长 30 ~ 50cm，主轴粗壮，延伸达花序的 2/3 以上，无毛；分枝较细弱，长 15 ~ 20cm，通常超过 10 簇生基部各节，具 2 ~ 3 回小枝，腋间被柔毛；总状花序轴的节间长 3 ~ 5mm，无毛，小穗柄无毛，先端稍膨大，短柄长 1 ~ 1.5mm，长柄向外弯曲，长 2.5 ~ 3mm；小穗卵状披针形，长 3 ~ 3.5mm，黄色，基盘被较长于小穗的丝状 |

五节芒

柔毛；第一颖无毛，先端渐尖或有 2 微齿，侧脉内折呈 2 脊，脊间中脉不明显，上部及边缘粗糙；第二颖等长于第一颖，先端渐尖，具 3 脉，中脉呈脊，粗糙，边缘被短纤毛，第一外稃长圆状披针形，稍短于颖，先端钝圆，边缘被纤毛；第二外稃卵状披针形，长约 2.5mm，先端尖或具 2 微齿，无毛或下部边缘被少数短纤毛，芒长 7 ~ 10mm，微粗糙，伸直或下部稍扭曲；内稃微小；雄蕊 3，花药长 1.2 ~ 1.5mm，橘黄色；花柱极短，柱头紫黑色，自小穗中部两侧伸出。花果期 5 ~ 10 月。

| 生境分布 |

生于低海拔的撂荒地、丘陵潮湿谷地、山坡或草地。重庆各地均有分布。

| 资源情况 |

野生资源丰富。药材来源于野生。

| 采收加工 |

芭茅：夏、秋季采收，切段，晒干。

芭茅果：全年均可采收。

| 功能主治 |

芭茅：甘、淡，平。清热通淋，祛风利湿。用于热淋，石淋，白浊，带下，风湿痹痛。

芭茅果：辛、甘，微温。解表透疹，行气调经。用于小儿疹出不透，胃脘痛，疝气，月经不调。

| 用法用量 |

芭茅：内服煎汤，15 ~ 30g。

芭茅果：内服煎汤，5 ~ 10g；或浸酒。

禾本科 Gramineae 类芦属 Neyraudia

类芦

Neyraudia reynaudiana (Kunth.) Keng

| **药 材 名** | 篱笆竹（药用部位：嫩苗、叶）。

| **形态特征** | 多年生草本。具木质根茎，须根粗而坚硬。秆直立，高 2 ～ 3m，直径 5 ～ 10mm，通常节具分枝，节间被白粉；叶鞘无毛，仅沿颈部被柔毛；叶舌密生柔毛；叶片长 30 ～ 60cm，宽 5 ～ 10mm，扁平或卷折，先端长渐尖，无毛或上面被柔毛。圆锥花序长 30 ～ 60cm，分枝细长，开展或下垂；小穗长 6 ～ 8mm，含 5 ～ 8 小花，第一外稃不孕，无毛；颖片短小，长 2 ～ 3mm；外稃长约 4mm，边脉被长约 2mm 的柔毛，先端具向外反曲的短芒，长 1 ～ 2mm；内稃短于外稃。花果期 8 ～ 12 月。

| **生境分布** | 生于海拔 300 ～ 1500m 的河边、山坡或砾石草地。分布于重庆酉阳、

类芦

南川、云阳、涪陵等地。

| 资源情况 | 野生资源稀少。药材来源于野生。

| 采收加工 | 春、夏季采摘嫩苗，全年均可采收叶，鲜用或晒干。

| 功能主治 | 甘、淡，平。清热利湿，消肿解毒。用于尿路感染，肾炎水肿，毒蛇咬伤。

| 用法用量 | 内服煎汤，30 ~ 60g。外用适量，捣敷。

禾本科 Gramineae 求米草属 Oplismenus

求米草

Oplismenus undulatifolius (Arduino) Beauv.

| 药 材 名 | 求米草（药用部位：全草）。

| 形态特征 | 一年生草本。秆纤细，基部平卧地面，节处生根，上升部分高20～50cm。叶鞘短于或上部者长于节间，密被疣基毛；叶舌膜质，短小，长约1mm；叶片扁平，披针形至卵状披针形，长2～8cm，宽5～18mm，先端尖，基部略圆形而稍不对称，通常被细毛。圆锥花序长2～10cm，主轴密被疣基长刺柔毛；分枝短缩，有时下部的分枝延伸长达2cm；小穗卵圆形，被硬刺毛，长3～4mm，簇生主轴或部分孪生；颖草质，第一颖长约为小穗之半，先端具长0.5～1（～1.5）cm的硬直芒，具3～5脉；第二颖较长于第一颖，先端芒长2～5mm，具5脉；第一外稃草质，与小穗等长，具7～9脉，先端芒长1～2mm，第一内稃通常缺；第二外稃革质，长约3mm，

求米草

平滑，结实时变硬，边缘包着同质的内稃；鳞被 2，膜质；雄蕊 3；花柱基分离。花果期 7 ～ 11 月。

| **生境分布** | 生于疏林下阴湿处。分布于重庆黔江、长寿、忠县、涪陵、九龙坡、垫江等地。

| **资源情况** | 野生资源一般。药材来源于野生。

| **采收加工** | 全年均可采收，鲜用或晒干。

| **功能主治** | 活血化瘀。用于跌打损伤。

| **用法用量** | 外用适量，捣敷。

 禾本科 Gramineae 稻属 Oryza

稻 *Oryza sativa* L.

药 材 名	稻芽（药材来源：成熟果实经发芽干燥的加工品。别名：谷芽）、粳米（药用部位：去壳的种仁。别名：白米、稻米、大米）、籼米（药用部位：种仁。别名：白米、稻米、大米）、稻谷芒（药用部位：果实上的细芒刺。别名：稻稳、谷颖）、稻草（药用部位：茎叶）。
形态特征	一年生水生草本。秆直立，高 0.5 ～ 1.5m，随品种而异。叶鞘松弛，无毛；叶舌披针形，长 10 ～ 25cm，两侧基部下延成叶鞘边缘，具 2 镰形抱茎的叶耳；叶片线状披针形，长约 40cm，宽约 1cm，无毛，粗糙。圆锥花序大型，疏展，长约 30cm，分枝多，棱粗糙，成熟期向下弯垂；小穗含 1 成熟花，两侧甚压扁，长圆状卵形至椭圆形，长约 10mm，宽 2 ～ 4mm；颖极小，仅在小穗柄先端留下半月形的痕迹，退化外稃 2，锥刺状，长 2 ～ 4mm；两侧孕性花外稃质厚，具 5 脉，中脉成脊，表面有方格状小乳状突起，厚纸质，遍布细毛，

稻

端毛较密，有芒或无芒；内稃与外稃同质，具 3 脉，先端尖而无喙；雄蕊 6，花药长 2 ~ 3mm。颖果长约 5mm，宽约 2mm，直径 1 ~ 1.5mm；胚较小，约为颖果长的 1/4。

| **生境分布** | 栽培于田间。重庆各地均有分布。

| **资源情况** | 野生资源稀少，栽培资源丰富。药材来源于栽培。

| **采收加工** | 稻芽：将稻谷用水浸泡后，保持适宜的温度、湿度，待须根长至约 1cm 时，干燥。

粳米：秋季颖果成熟时采收，脱下果实，晒干，除去稻壳即可。

稻谷芒：脱粒、晒谷或扬谷时收集，晒干。

稻草：收获稻谷时，收集脱粒的稻秆，晒干。

| **药材性状** | 稻芽：本品呈扁长椭圆形，两端略尖，长 7 ~ 9mm，直径约 3mm。外稃黄色，有白色细绒毛，具 5 脉；一端有对称的白色条形浆片 2，长 2 ~ 3mm，于每 1 浆片内侧伸出弯曲的须根 1 ~ 3，长 0.5 ~ 1.2cm。质硬，断面白色，粉性。气微，味淡。

粳米：本品呈扁椭圆形，长 3 ~ 4mm，宽 2mm；一端圆钝，另一端有胚脱落而稍歪斜。表面浅白色，半透明，光滑。质坚硬，断面粉性。气微，味甘。

| **功能主治** | 稻芽：甘，温。归脾、胃经。消食和中，健脾开胃。用于食积不化，腹胀口臭，脾胃虚弱，不饥食少。

粳米、籼米：甘，平。归脾、胃、肺经。益气健脾，除烦，止泻。用于脾胃气虚，食少纳呆，倦怠乏力，心烦口渴，泄泻，痢疾。

稻草：辛，温。归脾、肺经。宽中，下气，消食，解毒。用于噎膈，反胃，食滞，腹痛，泄泻，消渴，黄疸，喉痹，痔疮，烫火伤。

| **用法用量** | 稻芽：内服煎汤，9 ~ 15g。

粳米、籼米：内服煎汤，9 ~ 30g；或水研取汁。

稻谷芒：内服适量，炒黄研末，酒冲。

稻草：内服煎汤，50 ~ 150g；或烧灰淋汁澄清。外用适量，煎汤浸洗。

禾本科 Gramineae 雀稗属 Paspalum

圆果雀稗 *Paspalum orbiculare* Forst.

圆果雀稗

| **药 材 名** |

圆果雀稗（药用部位：全草。别名：园果雀稗）。

| **形态特征** |

多年生草本。秆直立，丛生，高 30 ~ 90cm。叶鞘长于节间，无毛，鞘口被少数长柔毛，基部者被白色柔毛；叶舌长约 1.5mm；叶片长披针形至线形，长 10 ~ 20cm，宽 5 ~ 10mm，大多无毛。总状花序长 3 ~ 8cm，2 ~ 10 相互间距排列于长 1 ~ 3cm 的主轴上，分枝腋间被长柔毛；穗轴宽 1.5 ~ 2mm，边缘微粗糙；小穗椭圆形或倒卵形，长 2 ~ 2.3mm，单生穗轴一侧，覆瓦状排列成 2 行；小穗柄微粗糙，长约 0.5mm；第二颖与第一外稃等长，具 3 脉，先端稍尖；第二外稃与小穗等长，成熟后褐色，革质，有光泽，具细点状粗糙。花果期 6 ~ 11 月。

| **生境分布** |

生于低海拔的荒坡、草地、路旁或田间。分布于重庆綦江、九龙坡等地。

| **资源概况** |

野生资源稀少。药材来源于野生。

| 采收加工 |

夏季采收，晒干或鲜用。

| 功能主治 |

淡，凉。归膀胱经。清热，利尿。用于小便不利，
淋浊，水肿，泄泻，痰饮。

| 用法用量 |

内服煎汤，9～15g。

| 附　注 |

（1）在 FOC 中，本种的拉丁学名被修订为
Paspalum scrobiculatum L. var. *orbiculare* (G.
Forster) Hackel。

（2）本种既耐瘠又耐肥，对土壤要求不严，在
红、黄壤土中均能生长良好，在水、肥条件良
好时，分蘖多，产量高。播种当年的生育天
数为 127 天，宿根栽植的生育天数为 107 天，
而冬播的生育期则长达 187 天。本种的生长
和再生力是较强的。植株日平均增长速度为
0.81～1.82cm，每年可刈割 4 次以上。

禾本科 Gramineae 雀稗属 Paspalum

双穗雀稗 *Paspalum paspaloides* (Michx.) Scribn.

| **药 材 名** | 铜线草（药用部位：全草）。

| **形态特征** | 多年生草本。匍匐茎横走，粗壮，长达 1m，向上直立部分高 20 ~ 40cm，节被柔毛。叶鞘短于节间，背部具脊，边缘或上部被柔毛；叶舌长 2 ~ 3mm，无毛；叶片披针形，长 5 ~ 15cm，宽 3 ~ 7mm，无毛。总状花序 2 枚对生，长 2 ~ 6cm；穗轴宽 1.5 ~ 2mm；小穗倒卵状长圆形，长约 3mm，先端尖，疏生微柔毛；第一颖退化或微小；第二颖贴生柔毛，具明显的中脉；第一外稃具 3 ~ 5 脉，通常无毛，先端尖；第二外稃草质，等长于小穗，黄绿色，先端尖，被毛。花果期 5 ~ 9 月。

| **生境分布** | 生于田边路旁。重庆各地均有分布。

双穗雀稗

| 资源情况 | 野生资源丰富。药材来源于野生。

| 采收加工 | 夏季采收，晒干或鲜用。

| 功能主治 | 甘，平。归肝经。活血解毒，祛风除湿。用于跌打肿痛，骨折筋伤，风湿痹痛，
痰火，疮毒。

| 用法用量 | 内服水、酒煎，10 ~ 15g；或入散剂。外用适量，捣敷；或研末调敷。

| 附　　注 | 在 FOC 中，本种的拉丁学名被修订为 *Paspalum distichum* Linnaeus。

禾本科 Gramineae 雀稗属 Paspalum

雀稗

Paspalum thunbergii Kunth ex Steud.

雀稗

| 药材名 |

雀稗（药用部位：全草）。

| 形态特征 |

多年生草本。秆直立，丛生，高 50 ～ 100cm，节被长柔毛。叶鞘具脊，长于节间，被柔毛；叶舌膜质，长 0.5 ～ 1.5mm；叶片线形，长 10 ～ 25cm，宽 5 ～ 8mm，两面被柔毛。总状花序 3 ～ 6，长 5 ～ 10cm，互生于长 3 ～ 8cm 的主轴上，形成总状圆锥花序，分枝腋间被长柔毛；穗轴宽约 1mm；小穗柄长 0.5mm 或 1mm；小穗椭圆状倒卵形，长 2.6 ～ 2.8mm，宽约 2.2mm，散生微柔毛，先端圆或微凸；第二颖与第一外稃相等，膜质，具 3 脉，边缘被明显微柔毛；第二外稃与小穗等长，革质，具光泽。花果期 5 ～ 10月。

| 生境分布 |

生于荒野潮湿草地。分布于重庆长寿、江津、忠县、涪陵、武隆、北碚、巴南、沙坪坝等地。

| 资源情况 |

野生资源一般。药材来源于野生。

| **采收加工** | 夏季采收，晒干或鲜用。

| **功能主治** | 活血解毒，祛风除湿。用于目赤肿痛，风热咳喘，肝炎，跌打损伤。

| **用法用量** | 内服适量。外用适量，捣敷；或研末调敷。

禾本科 Gramineae 狼尾草属 Pennisetum

狼尾草 *Pennisetum alopecuroides* (L.) Spreng.

| 药 材 名 | 狼尾草（药用部位：全草。别名：狼尾、大狗尾草、黑狗尾草）、狼尾草根（药用部位：根、根茎）。

| 形态特征 | 多年生草本。须根较粗壮。秆直立，丛生，高 30 ~ 120cm，在花序下密生柔毛。叶鞘光滑，两侧压扁，主脉呈脊状，在基部者跨生状，秆上部者长于节间；叶舌被纤毛，长约 2.5mm；叶片线形，长 10 ~ 80cm，宽 3 ~ 8mm，先端长渐尖，基部被疣毛。圆锥花序直立，长 5 ~ 25cm，宽 1.5 ~ 3.5cm；主轴密生柔毛；总梗长 2 ~ 3（~ 5）mm；刚毛粗糙，淡绿色或紫色，长 1.5 ~ 3cm；小穗通常单生，偶有双生，线状披针形，长 5 ~ 8mm；第一颖微小或缺，长 1 ~ 3mm，膜质，先端钝，脉不明显或具 1 脉；第二颖卵状披针形，先端短尖，具 3 ~ 5 脉，长为小穗的 1/3 ~ 2/3；第一小花中性，第一外稃与

狼尾草

小穗等长，具 7 ~ 11 脉；第二外稃与小穗等长，披针形，具 5 ~ 7 脉，边缘包着同质的内稃；鳞被 2，楔形；雄蕊 3，花药先端无毫毛；花柱基部联合。颖果长圆形，长约 3.5mm。花果期夏、秋季。

| 生境分布 |

生于海拔 2000m 以下的田岸、荒地、道旁或小山坡上。重庆各地均有分布。

| 资源情况 |

野生资源丰富。药材来源于野生。

| 采收加工 |

狼尾草：夏、秋季采收，洗净，晒干。

狼尾草根：全年均可采收，洗净，晒干或鲜用。

| 功能主治 |

狼尾草：甘，平。清肺止咳，凉血明目。用于肺热咳嗽，目赤肿痛。

狼尾草根：甘，平。清肺止咳，解毒。用于肺热咳嗽，疮毒。

| 用法用量 |

狼尾草：内服煎汤，9 ~ 15g。

狼尾草根：内服煎汤，30 ~ 60g。

显子草
Phaenosperma globosa Munro ex Benth.

药 材 名	显子草（药用部位：全草。别名：岩高粱）。

| **形态特征** | 多年生草本。根较稀疏而硬。秆单生或少数丛生，光滑无毛，直立，坚硬，高 100 ~ 150cm，具 4 ~ 5 节。叶鞘光滑，通常短于节间；叶舌质硬，长 5 ~ 15（~ 25）mm，两侧下延；叶片宽线形，常翻转而使上面向下呈灰绿色，下面向上呈深绿色，两面粗糙或平滑，基部窄狭，先端渐尖细，长 10 ~ 40cm，宽 1 ~ 3cm。圆锥花序长 15 ~ 40cm，分枝在下部者多轮生，长 5 ~ 10cm，幼时向上斜升，成熟时极开展；小穗背腹压扁，长 4 ~ 4.5mm；两颖不等长，第一颖长 2 ~ 3mm，具明显的 1 脉或具 3 脉，两侧脉甚短，第二颖长约 4mm，具 3 脉；外稃长约 4.5mm，具 3 ~ 5 脉，两边脉几不明显；内稃略短于或近等长于外稃；花药长 1.5 ~ 2mm。颖果倒卵状球形， |

显子草

长约3mm，黑褐色，表面具皱纹，成熟后露出稃外。花果期5～9月。

| **生境分布** | 生于海拔150～1800m的山坡林下、山谷溪旁或路边草丛。分布于重庆城口、奉节、云阳、丰都、涪陵、石柱、武隆、彭水、秀山、南川、酉阳、巫山等地。

| **资源情况** | 野生资源丰富。药材来源于野生。

| **采收加工** | 夏、秋季采收，洗净，晒干。

| **功能主治** | 甘、微涩，平。补虚健脾，活血调经。用于病后体虚，闭经。

| **用法用量** | 内服煎汤，15～30g；或泡酒。

禾本科 Gramineae 芦苇属 Phragmites

芦苇
Phragmites australis (Cav.) Trin. ex Steud.

芦苇

药材名

芦根（药用部位：根茎。别名：芦茅根、苇根、顺江龙）、芦茎（药用部位：嫩茎。别名：苇茎、嫩芦梗）、芦笋（药用部位：嫩苗。别名：灌、芦尖）、芦花（药用部位：花。别名：蓬蕽、水芦花）。

形态特征

多年生草本。根茎十分发达。秆直立，高 1 ～ 3（～ 8）m，直径 1 ～ 4cm，具超过 20 节，基部和上部的节间较短，最长节间位于下部第 4 ～ 6 节，长 20 ～ 25（～ 40）cm，节下被腊粉。叶鞘下部者短于上部者，长于节间；叶舌边缘密生 1 圈长约 1mm 的短纤毛，两侧缘毛长 3 ～ 5mm，易脱落；叶片披针状线形，长 30cm，宽 2cm，无毛，先端长渐尖成丝形。圆锥花序大型，长 20 ～ 40cm，宽约 10cm，分枝多数，长 5 ～ 20cm，着生于稠密下垂的小穗；小穗柄长 2 ～ 4mm，无毛；小穗长约 12mm，含 4 花；颖具 3 脉，第一颖长 4mm，第二颖长约 7mm；第一不孕外稃雄性，长约 12mm，第二外稃长 11mm，具 3 脉，先端长渐尖，基盘延长，两侧密生等长于外稃的丝状柔毛，与无毛的小穗轴相连接处具明显关节，成熟后易自关节上脱落；内稃长约 3mm，两脊粗糙；雄蕊 3，花药长 1.5 ~ 2mm，黄色。颖果，长约 1.5mm。

| **生境分布** | 生于江河湖泽、池塘沟渠沿岸或低湿地。重庆各地均有分布。

| **资源情况** | 野生资源丰富。药材来源于野生。

| **采收加工** | 芦根：全年均可采挖，除去芽、须根及膜状叶，鲜用或晒干。
芦茎：夏、秋季采收，晒干或鲜用。
芦笋：春、夏季采挖，洗净，晒干或鲜用。
芦花：秋后采收，晒干。

| **药材性状** | 芦根：本品鲜品呈长圆柱形，有的略扁，长短不一，直径 1 ~ 2cm；表面黄白色，有光泽，外皮疏松，可剥离，节呈环状，有残根和芽痕；体轻，质韧，不易折断，切断面黄白色，中空，壁厚 1 ~ 2mm，有小孔排列成环。气微，味甘。干品呈扁圆柱形，节处较硬，节间有纵皱纹。
芦茎：本品呈长圆柱形，长 30cm，直径 0.4 ~ 0.6cm。表面黄白色，光滑，具光泽。有的一侧具纵皱纹，节间长 10 ~ 17cm，节部稍膨大；有的具残存的叶鞘，叶鞘外表面具棕褐色环节纹，其下有的具 3 ~ 5mm 宽的粉带，内表面淡白色，有的具残存的绒毛状髓质横膜。质硬，较难折断，断面粗糙，中空；气微，味淡。
芦花：本品完整者为穗状花序组成的圆锥花序，长 20 ~ 30cm；下部梗腋间具白柔毛，灰棕色至紫色；小穗长 12mm，有小花 4，第一花通常为雄花，其他为两性花；颖片线形，展平后披针形，不等长，第一颖片长为第二颖片的 1/2 或更短；外稃具白色柔毛。质轻。气微，味淡。

| **功能主治** | 芦根：甘，寒。归肺、胃经。清热泻火，生津止渴，除烦，止呕，利尿。用于热病烦渴，肺热咳嗽，肺痈吐脓，胃热呕哕，热淋涩痛。
芦茎：甘，寒。归肺、心经。清肺解毒，止咳排脓。用于肺痈吐脓，肺热咳嗽等。
芦笋：甘，寒。清热生津，利水通淋。用于热病口渴心烦，肺痈，肺痿，淋病，小便不利，食鱼、肉中毒。
芦花：甘，寒。止泻，止血，解毒。用于吐泻，衄血，血崩，外伤出血，鱼蟹中毒。

| **用法用量** | 芦根：内服煎汤，15 ~ 30g，鲜品用量加倍；或捣汁。
芦茎：内服煎汤，15 ~ 30g，鲜品可用至 60 ~ 120g。外用适量，烧灰淋汁，熬膏敷。
芦笋：内服煎汤，30 ~ 60g；或鲜品捣汁。
芦花：内服煎汤，15 ~ 30g。外用适量，捣敷；或烧存性，研末吹鼻。

禾本科 Gramineae 早熟禾属 Poa

早熟禾 *Poa annua* L.

| 药 材 名 | 早熟禾（药用部位：全草）。

| 形态特征 | 一年生或冬性禾草。秆直立或倾斜，质软，高6～30cm，全体平滑无毛。叶鞘稍压扁，中部以下闭合；叶舌长1～3（～5）mm，圆头；叶片扁平或对折，长2～12cm，宽1～4mm，质地柔软，常有横脉纹，先端急尖成船形，边缘微粗糙。圆锥花序宽卵形，长3～7cm，开展；分枝1～3着生于各节，平滑；小穗卵形，含3～5小花，长3～6mm，绿色；颖质薄，具宽膜质边缘，先端钝，第一颖披针形，长1.5～2（～3）mm，具1脉，第二颖长2～3（～4）mm，具3脉；外稃卵圆形，先端与边缘宽膜质，具明显的5脉，脊与边脉下部被柔毛，间脉近基部被柔毛，基盘无绵毛，第一外稃长3～4mm；内稃与外稃近等长，两脊密生丝状毛；花药黄色，长0.6～0.8mm。颖果纺

早熟禾

锤形，长约 2mm。花期 4 ～ 5 月，果期 6 ～ 7 月。

| **生境分布** | 生于海拔 100 ～ 2200m 的平原或丘陵的路旁草地、田野水沟或荫蔽荒坡湿地。分布于重庆潼南、江津、永川、巫山、城口、石柱、丰都、忠县、铜梁、涪陵、南川、开州、合川、梁平、九龙坡等地。

| **资源情况** | 野生资源丰富。药材来源于野生。

| **采收加工** | 夏、秋季采收，切段，晒干。

| **功能主治** | 降血糖。用于糖尿病。

| **用法用量** | 内服煎汤，10 ～ 15g。

禾本科 Gramineae 金发草属 Pogonatherum

金发草 *Pogonatherum paniceum* (Lam.) Hack.

| 药 材 名 | 金发草（药用部位：全草。别名：竹蒿草、笔须、龙奶草）。

| 形态特征 | 多年生草本。秆硬似小竹，基部具被密毛的鳞片，直立或基部倾斜，高 30 ~ 60cm，直径 1 ~ 2mm，具 3 ~ 8 节；节常稍凸起而被髯毛，上部各节多回分枝。叶鞘短于节间，但分枝上的叶鞘长于节间，边缘薄纸质或膜质，上部边缘和鞘口被细长疣毛；叶舌很短，长约 0.4mm，边缘被短纤毛，背部常被疏细毛；叶片线形，扁平或内卷，质较硬，长 1.5 ~ 5.5cm，宽 1.5 ~ 4mm，先端渐尖，基部收缩，宽约为鞘顶的 1/3，两面均甚粗糙。总状花序稍弯曲，乳黄色，长 1.3 ~ 3cm，宽约 2mm，总状花序轴节间与小穗柄几等长，长约为无柄小穗的 1/2，先端稍膨大，两侧被细长展开的纤毛。无柄小穗长 2.5 ~ 3mm，基盘毛长 1 ~ 1.5mm；第一颖扁平，薄纸质，稍

金发草

短于第二颖，先端截平，近先端边缘密被流苏状纤毛，背部具 3～5 脉，粗糙或被微毛，无芒；第二颖舟形，与小穗等长，近先端边缘处被流苏状纤毛，具 1 脉而延伸成芒，芒长 13～20mm，微糙或近光滑，稍曲折；第一小花雄性，外稃长圆状披针形，透明膜质，稍短于第一颖，无芒，具 1 脉，内稃长圆形，透明膜质，等长或稍短于外稃，具 2 脉，先端平或稍凹，先端被短纤毛；雄蕊 2，花药黄色，长约 1.8mm；第二小花两性，外稃透明膜质，先端 2 裂，裂片尖，长为稃体的 1/3 或近 1/2，裂齿间伸出弯曲的芒，芒长 15～18mm；内稃与外稃等长，透明膜质；雄蕊 2，花药黄色，长约 1.8mm；子房细小，卵状长圆形，长约 0.3mm，无毛；花柱 2，自基部分离；柱头帚刷状，长约 2mm。有柄小穗较小，第一小花缺，第二小花雄性或可两性，具雄蕊 1，花药长达 1.5mm，或不发育。花果期 4～10 月。

| **生境分布** | 生于海拔 300～1600m 的山坡、路边、溪旁草地的干旱向阳处。分布于重庆长寿、綦江、垫江、大足、南岸、潼南、涪陵、奉节、璧山、南川、丰都、北碚、云阳、开州、铜梁、永川、巴南、九龙坡、合川、荣昌、沙坪坝等地。

| **资源情况** | 野生资源丰富。药材来源于野生。

| **采收加工** | 秋季采收，洗净，鲜用或晒干。

| **功能主治** | 甘，凉。清热，利湿，消积。用于热病烦渴，黄疸性肝炎，脾肿大，糖尿病，消化不良，小儿疳积。

| **用法用量** | 内服煎汤，9～15g，鲜品可用 30～60g。

禾本科 Gramineae 棒头草属 Polypogon

棒头草
Polypogon fugax Nees ex Steud.

| **药 材 名** | 棒头草（药用部位：全草）。

| **形态特征** | 一年生草本。秆丛生，基部膝曲，大都光滑，高 10 ~ 75cm。叶鞘光滑无毛，大都短于节间，或下部者长于节间；叶舌膜质，长圆形，长 3 ~ 8mm，常 2 裂或先端具不整齐的裂齿；叶片扁平，微粗糙或下面光滑，长 2.5 ~ 15cm，宽 3 ~ 4mm。圆锥花序穗状，长圆形或卵形，较疏松，具缺刻或有间断，分枝长可达 4cm；小穗长约 2.5mm（包括基盘），灰绿色或部分带紫色；颖长圆形，疏被短纤毛，先端 2 浅裂，芒从裂口处伸出，细直，微粗糙，长 1 ~ 3mm；外稃光滑，长约 1mm，先端具微齿，中脉延伸成长约 2mm 而易脱落的芒；雄蕊 3，花药长 0.7mm。颖果椭圆形，一面扁平，长约 1mm。花果期 4 ~ 9 月。

棒头草

| **生境分布** | 生于山坡、田边、潮湿处。分布于重庆涪陵、江津、垫江等地。

| **资源情况** | 野生资源较少。药材来源于野生。

| **采收加工** | 夏、秋季采收，切段，晒干。

| **功能主治** | 消肿止痛。用于关节痛。

| **用法用量** | 内服煎汤，适量。

禾本科 Gramineae 鹅观草属 Roegneria

钙生鹅观草 *Roegneria calcicola* Keng

钙生鹅观草

| 药 材 名 |

茅草箭（药用部位：全草或根。别名：茅灵芝）。

| 形态特征 |

多年生草本。秆细弱，高约 1m。叶片扁平，质厚，长 10 ~ 20cm，宽 4 ~ 5mm，上面粉绿色，被毛，下面绿色，无毛或沿脉上被短毛。穗状花序长 12 ~ 20cm，多少向下弯曲；小穗含 3 ~ 6 小花，长 12 ~ 17mm（芒除外），排列稀疏，基部 1 ~ 2 常退化而仅留痕迹；颖狭披针形，两侧不均等，边缘膜质，先端渐尖，平滑或脉上微粗糙；外稃上部具明显的 5 脉，无毛或常被小刺毛而微糙涩，先端具细直而糙涩的芒，芒长 15 ~ 25mm；内稃明显长于外稃，先端较狭而钝圆，但常微裂，背部贴生微毛，脊上被短硬纤毛，几乎达到基部。

| 生境分布 |

生于海拔 1600 ~ 1980m 的生石灰岩土上或潮湿有水向阳地带。分布于重庆武隆、綦江、南川、九龙坡等地。

| **资源情况** | 野生资源稀少。药材来源于野生。

| **采收加工** | 夏、秋季采收全草或根，晒干。

| **功能主治** | 甘，凉。清热，凉血，通络止痛。用于咳嗽，痰中带血，瘾疹，劳伤疼痛。

| **用法用量** | 内服煎汤，15 ~ 30g；或浸酒。

| **附　　注** | 在 FOC 中，本种被修订为钙生披碱草 *Elymus calcicola* (Keng) S. L. Chen；鹅观草属被修订为披碱草属 *Elymus*。

禾本科 Gramineae 鹅观草属 Roegneria

鹅观草
Roegneria kamoji Ohwi

鹅观草

药材名

鹅观草（药用部位：全草。别名：茅草箭、茅灵芝）。

形态特征

多年生草本。秆直立或基部倾斜，高30～100cm。叶鞘外侧边缘常被纤毛；叶片扁平，长5～40cm，宽3～13mm。穗状花序长7～20cm，弯曲或下垂；小穗绿色或带紫色，长13～25mm（芒除外），含3～10小花；颖卵状披针形至长圆状披针形，先端锐尖至具短芒（芒长2～7mm），边缘为宽膜质，第一颖长4～6mm，第二颖长5～9mm；外稃披针形，具有较宽的膜质边缘，背部以及基盘近于无毛或仅基盘两侧被极微小的短毛，上部具明显的5脉，脉上稍粗糙，第一外稃长8～11mm，先端延伸成芒，芒粗糙，劲直或上部稍有曲折，长20～40mm；内稃约与外稃等长，先端具钝头，脊显著具翼，翼缘被细小纤毛。

生境分布

生于海拔100～2300m的山坡或湿润草地。分布于重庆綦江、万州、黔江、璧山、南岸、垫江、秀山、江津、永川、长寿、奉节、涪陵、城口、巫山、丰都、铜梁、南川、彭水、开州、巫溪、九龙坡、忠县、云阳、武隆、北碚、梁平、沙坪坝等地。

| **资源情况** | 野生资源丰富。药材来源于野生。

| **采收加工** | 夏、秋季采收，晒干。

| **功能主治** | 清热凉血，镇痛。用于咳嗽，痰中带血，劳伤疼痛。

| **用法用量** | 内服煎汤，适量。

| **附　　注** | 在 FOC 中，本种被修订为柯孟披碱草 *Elymus kamoji* (Ohwi) S. L. Chen，属名被修订为披碱草属 *Elymus*。

禾本科 Gramineae 甘蔗属 *Saccharum*

斑茅 *Saccharum arundinaceum* Retz.

斑茅

| 药 材 名 |

斑茅（药用部位：根。别名：大密、芭茅）、斑茅花（药用部位：花）。

| 形态特征 |

多年生高大丛生草本。秆粗壮，高 2 ~ 4（~ 6）m，直径 1 ~ 2cm，具多数节，无毛。叶鞘长于节间，基部或上部边缘和鞘口被柔毛；叶舌膜质，长 1 ~ 2mm，先端截平；叶片宽大，线状披针形，长 1 ~ 2m，宽 2 ~ 5cm，先端长渐尖，基部渐变窄，中脉粗壮，无毛，上面基部被柔毛，边缘锯齿状粗糙。圆锥花序大型，稠密，长 30 ~ 80cm，宽 5 ~ 10cm，主轴无毛，每节着生 2 ~ 4 分枝，分枝 2 ~ 3 回分出，腋间被微毛；总状花序轴节间与小穗柄细线形，长 3 ~ 5mm，被长丝状柔毛，先端稍膨大；无柄与有柄小穗狭披针形，长 3.5 ~ 4mm，黄绿色或带紫色，基盘小，被长约 1mm 的短柔毛；两颖近等长，草质或稍厚，先端渐尖，第一颖沿脊微粗糙，两侧脉不明显，背部被长于其小穗 1 倍以上之丝状柔毛；第二颖具 3（~ 5）脉，脊粗糙，上部边缘被纤毛，背部无毛，但在有柄小穗中，背部被长柔毛；第一外稃等长或稍短于颖，具 1 ~ 3 脉，先端尖，上部边缘被小纤

毛；第二外稃披针形，稍短或等长于颖，先端具小尖头，或在有柄小穗中，具长 3mm 的短芒，上部边缘被细纤毛；第二内稃长圆形，长约为外稃的 1/2，先端被纤毛；花药长 1.8～2mm；柱头紫黑色，长约 2mm，为花柱的 2 倍，自小穗中部两侧伸出。颖果长圆形，长约 3mm，胚长为颖果的 1/2。花果期 8～12 月。

生境分布

生于山坡或河岸溪涧草地。分布于重庆潼南、长寿、城口、开州、垫江等地。

资源情况

野生资源一般。药材来源于野生。

采收加工

斑茅：夏、秋季采收，洗净，晒干。

斑茅花：夏、秋季采收。

功能主治

斑茅：甘、淡，平。活血通经，通窍利水。用于跌打损伤，筋骨风痛，经闭，月经不调，水肿臌胀。

斑茅花：止血。用于咯血，吐血，衄血，创伤出血。

用法用量

斑茅：内服煎汤，15～60g。

斑茅花：内服煎汤，15～60g。外用适量，捣敷。

禾本科 Gramineae 甘蔗属 Saccharum

甘蔗 *Saccharum officinarum* L.

甘蔗

药材名

甘蔗（药用部位：茎秆。别名：薯蔗、干蔗、接肠草）、甘蔗滓（药材来源：茎秆榨出蔗汁后的渣滓）、甘蔗皮（药用部位：茎皮）、蔗鸡（药用部位：嫩芽）、白砂糖（药材来源：茎中液汁经精制成的乳白色结晶体。别名：石蜜、白糖、糖霜）、赤砂糖（药材来源：茎中液汁经精制成的赤色结晶体。别名：砂糖、黑砂糖、红糖）、冰糖（药材来源：茎中液汁制成白砂糖后，再煎炼而成的冰块状结晶）。

形态特征

多年生高大实心草本。根茎粗壮发达。秆高3~5（~6）m，直径2~4（~5）cm，具20~40节，下部节间较短而粗大，被白粉。叶鞘长于节间，除鞘口被柔毛外余无毛；叶舌极短，被纤毛；叶片长达1m，宽4~6cm，无毛；中脉粗壮，白色，边缘具锯齿状粗糙。圆锥花序大型，长50cm左右，主轴除节被毛外余无毛，在花序以下部分不被丝状柔毛；总状花序多数轮生，稠密；总状花序轴节间与小穗柄无毛；小穗线状长圆形，长3.5~4mm；基盘被长于小穗2~3倍的丝状柔毛；第一颖脊间无脉，不被柔毛，先端

尖，边缘膜质；第二颖具 3 脉，中脉成脊，粗糙，无毛或被纤毛；第一外稃膜质，
与颖近等长，无毛；第二外稃微小，无芒或退化；第二内稃披针形；鳞被无毛。

| **生境分布** | 生于热带、亚热带地区，或栽培于大田、田坎、房前屋后。重庆各地均有分布。

| **资源情况** | 栽培资源丰富，无野生资源。药材来源于栽培。

| **采收加工** | 甘蔗：秋、冬季采收，除去叶、根，鲜用。
甘蔗滓：茎秆榨出蔗汁后，干燥渣滓。
甘蔗皮：取甘蔗削下茎皮，晒干。
蔗鸡：夏季采收。
白砂糖：取茎中液汁，经精制成乳白色的结晶体。
赤砂糖：取茎中液汁，经精制成赤色的结晶体。
冰糖：取茎中液汁，制成白砂糖后再煎炼成冰块状的结晶。

| **功能主治** | 甘蔗：甘，寒。归肺、脾、胃经。清热生津，润燥和中，解毒。用于烦热，消渴，
呕哕反胃，虚热咳嗽，大便燥结，痈疽疮肿。
甘蔗滓：甘，寒。归肝、肾经。清热解毒。用于秃疮，痈疽，疔疮。
甘蔗皮：甘，寒。清热解毒。用于小儿口疳，秃疮，坐板疮。
蔗鸡：清热生津。用于消渴。
白砂糖：甘，平。归脾、肺经。和中缓急，生津润燥。用于中虚腹痛，口干燥渴，
肺燥咳嗽。
赤砂糖：甘，温。归肝、脾、胃经。补脾缓肝，活血散瘀。用于产后恶露不行，
口干呕哕，虚羸寒热。
冰糖：甘，平。归脾、肺经。健脾和胃，润肺止咳。用于脾胃气虚，肺燥咳嗽，
痰中带血。

| **用法用量** | 甘蔗：内服煎汤，30 ~ 90g；或榨汁饮。外用适量，捣敷。
甘蔗滓：外用适量，煅存性，研末撒或调敷。
甘蔗皮：外用适量，煅存性，研末撒或调敷。
蔗鸡：内服煎汤，60 ~ 90g。
白砂糖：内服入汤和化，10 ~ 15g。外用适量，调敷。
赤砂糖：用开水、酒或药汁冲服，10 ~ 15g。外用适量，化水涂；或研敷。
冰糖：内服入汤，10 ~ 15g；或含化；或入丸、膏剂。

| **附 注** | 本种喜温暖湿润环境。宜选土层深厚、疏松肥沃、排水良好、阳光充足的地方栽种。

禾本科 Gramineae 甘蔗属 Saccharum

甜根子草 *Saccharum spontaneum* L.

| 药 材 名 | 甜根子草（药用部位：根茎、秆。别名：割手密）。

| 形态特征 | 多年生草本。具发达横走的长根茎。秆高 1 ~ 2m，直径 4 ~ 8mm；中空，具多数节，节被短毛，节下常被白色蜡粉，紧接花序以下部分被白色柔毛。叶鞘较长或稍短于节间，鞘口被柔毛，有时鞘节或上部边缘被柔毛，稀为全体被疣基柔毛；叶舌膜质，长约2mm，褐色，先端被纤毛；叶片线形，长 30 ~ 70cm，宽 4 ~ 8mm，基部多少狭窄，无毛，灰白色，边缘呈锯齿状粗糙。圆锥花序长 20 ~ 40cm，稠密，主轴密生丝状柔毛；分枝细弱，下部分枝的基部多少裸露，直立或上升；总状花序轴节间长约5mm，先端稍膨大，边缘与外侧面疏生长丝状柔毛，小穗柄长 2 ~ 3mm。无柄小穗披针形，长 3.5 ~ 4mm，基盘被长于小穗 3 ~ 4 倍的丝状毛；两颖近相等，无毛，下部厚纸

甜根子草

质，上部膜质，渐尖；第一颖上部边缘被纤毛；第二颖中脉呈脊状，边缘被纤毛；第一外稃卵状披针形，与小穗等长，边缘被纤毛；第二外稃窄线形，长约3mm，宽约0.2mm，边缘被纤毛，第二内稃微小；鳞被倒卵形，长约1mm，先端被纤毛；雄蕊3，花药长1.8～2mm；柱头紫黑色，长1.5～2mm，自小穗中部两侧伸出。有柄小穗与无柄者相似，有时较短或先端渐尖。花果期7～8月。

| 生境分布 | 生于海拔2000m以下的平原或山坡、河旁溪流岸边、砾石沙滩荒洲上，常连片形成单优势群落。分布于重庆潼南、石柱、城口、合川等地。

| 资源情况 | 野生资源一般。药材主要来源于野生。

| 采收加工 | 全年均可采挖根茎，秋季采收秆，除去叶片，切段，鲜用。

| 功能主治 | 甘，凉。清热，止咳，利尿。用于感冒发热，口干，咳嗽，热淋，小便不利。

| 用法用量 | 内服煎汤，15～30g。

禾本科 Gramineae 狗尾草属 Setaria

大狗尾草 *Setaria faberii* Herrm.

| 药 材 名 | 大狗尾草（药用部位：全草或根。别名：谷莠子、狗尾巴）。

| 形态特征 | 一年生草本。通常具支柱根。秆粗壮而高大，直立或基部膝曲，高 50 ～ 120cm，直径达 6mm，光滑无毛。叶鞘松弛，边缘被细纤毛，部分基部叶鞘边缘膜质无毛；叶舌被密集的纤毛，长 1 ～ 2mm；叶片线状披针形，长 10 ～ 40cm，宽 5 ～ 20mm，无毛或上面被较细疣毛，少数下面被细疣毛，先端渐尖细长，基部钝圆或渐窄狭几成柄状，边缘被细锯齿。圆锥花序紧缩成圆柱状，长 5 ～ 24cm，宽 6 ～ 13mm（芒除外），通常垂头，主轴被较密长柔毛，花序基部通常不间断，偶有间断；小穗椭圆形，长约 3mm，先端尖，下托以 1 ～ 3 较粗而直的刚毛，刚毛通常绿色，少具浅褐紫色，粗糙，长 5 ～ 15mm；第一颖长为小穗的 1/3 ～ 1/2，宽卵形，先端尖，具 3 脉；第二颖长

大狗尾草

为小穗的 3/4 或稍短于小穗，少数长为小穗的 1/2，先端尖，具 5 ~ 7 脉；第一外稃与小穗等长，具 5 脉，其内稃膜质，披针形，长为其 1/2 ~ 1/3，第二外稃与第一外稃等长，具细横皱纹，先端尖，成熟后背部极膨胀隆起；鳞被楔形；花柱基部分离。颖果椭圆形，先端尖。叶表皮细胞同莩草类型。花果期 7 ~ 10 月。

| 生境分布 | 生于山坡、路旁、田园或荒野。重庆各地均有分布。

| 资源情况 | 野生资源丰富。药材来源于野生。

| 采收加工 | 春、夏、秋季采收，晒干或鲜用。

| 功能主治 | 甘，平。清热消疳，祛风止痛。用于小儿疳积，风疹，牙痛。

| 用法用量 | 内服煎汤，10 ~ 30g。

| 附　　注 | 在 FOC 中，本种的拉丁学名被修订为 *Setaria faberi* R. A. W. Herrmann。

禾本科 Gramineae 狗尾草属 Setaria

西南莩草 *Setaria forbesiana* (Nees) Hook. f.

| 药 材 名 | 西南莩草 (药用部位: 全草)。

| 形态特征 | 多年生草本。秆直立或基部膝曲,光滑无毛,高 60 ~ 170cm,基部直径 2 ~ 4mm,坚硬。叶鞘无毛,边缘被密的纤毛,长 2 ~ 4mm;叶舌短小,密被长约 3mm 的纤毛;叶片线形或线状披针形,长 10 ~ 40cm,宽 4 ~ 20mm,扁平,先端渐尖,基部钝圆或狭窄,无毛。圆锥花序狭尖塔形、披针形或呈穗状,长 10 ~ 32cm,宽 1 ~ 4cm,直立或微下垂,主轴具角棱,被微毛而粗糙,或被疏长柔毛,分枝短或稍延长,斜向上举或较开展;小穗椭圆形或卵圆形,长约 3mm,具极短柄,绿色或部分呈紫色,小穗下均具 1 刚毛,刚毛粗壮糙涩,劲直或稍扭曲,长约为小穗的 3 倍,绿色或紫色,长 5 ~ 15mm;第一颖宽卵形,长为小穗的 1/3 ~ 1/2,先端尖或钝,

西南莩草

边缘质较薄，具3~5脉；第二颖短于小穗1/4或2/3，先端钝圆，具（5~）7~9脉；第一小花雄性或中性（即无雄蕊，无雌蕊），第一外稃与小穗等长，通常3~5脉，内稃等长，与第二小花等宽，常具2脉；第二外稃等长于第一外稃，硬骨质，具细点状皱纹，成熟时，背部极隆起似半球形，包着同质内稃，先端具小硬尖头；花柱基联合。叶片上表皮脉间细胞2~3行为微波纹的、壁厚的长细胞，两边2~3行为有波纹的、壁厚的长细胞，并有短细胞；下表皮脉间7~11行为长筒状、壁厚、有波纹长细胞与短细胞交叉排列。花果期7~10月。

| **生境分布** | 生于山谷、路旁、沟边及山坡草地，或砂页岩溪边阴湿、半阴湿处。分布于重庆北碚、永川、九龙坡、丰都等地。

| **资源情况** | 野生资源一般。药材来源于野生。

| **采收加工** | 夏、秋季采收，晒干。

| **功能主治** | 祛风明目，清热利尿，止痒，杀虫。用于风热感冒，沙眼，目赤肿痛，黄疸性肝炎。外用于淋巴结核。

| **用法用量** | 内服煎汤，适量。

禾本科 Gramineae 狗尾草属 Setaria

金色狗尾草
Setaria glauca (L.) Beauv.

| 药 材 名 | 金色狗尾草（药用部位：全草。别名：金狗尾、狗尾巴）。

| 形态特征 | 一年生草本，单生或丛生。秆直立或基部倾斜膝曲，近地面节可生根，高 20 ～ 90cm，光滑无毛，仅花序下面稍粗糙。叶鞘下部扁压，具脊，上部圆形，光滑无毛，边缘薄膜质，光滑无纤毛；叶舌被 1 圈长约 1mm 的纤毛，叶片线状披针形或狭披针形，长 5 ～ 40cm，宽 2 ～ 10mm，先端长渐尖，基部钝圆，上面粗糙，下面光滑，近基部疏生长柔毛。圆锥花序紧密成圆柱状或狭圆锥状，长 3 ～ 17cm，宽 4 ～ 8mm（刚毛除外），直立，主轴被短细柔毛，刚毛金黄色或稍带褐色，粗糙，长 4 ～ 8mm，先端尖，通常在 1 簇中仅具 1 发育的小穗；第一颖宽卵形或卵形，长为小穗的 1/3 ～ 1/2，先端尖，具 3 脉；第二颖宽卵形，长为小穗的 1/2 ～ 2/3，先端稍钝，具 5 ～ 7 脉；

金色狗尾草

第一小花雄性或中性，第一外稃与小穗等长或微短，具 5 脉，内稃膜质，等长且等宽于第二小花，具 2 脉，通常含 3 雄蕊或无；第二小花两性，外稃革质，等长于第一外稃，先端尖，成熟时背部极隆起，具明显的横皱纹；鳞被楔形；花柱基部联合。叶上表皮脉间均为无波纹或微波纹的、有角棱的壁薄的长细胞，下表皮脉间均为有波纹的、壁较厚的长细胞，并有短细胞。花果期 6 ～ 10 月。

| 生境分布 | 生于林边、山坡、路边和荒芜的园地或荒野。分布于重庆垫江、长寿、奉节、丰都、涪陵、九龙坡、北碚等地。

| 资源情况 | 野生资源丰富。药材来源于野生。

| 采收加工 | 夏、秋季采收，晒干。

| 功能主治 | 甘、淡，平。清热，明目，止痢。用于目赤肿痛，眼睑炎，赤白痢。

| 用法用量 | 内服煎汤，9 ～ 15g。

| 附　　注 | 在 FOC 中，本种的拉丁学名被修订为 *Setaria pumila* (Poiret) Roemer et Schultes。

禾本科 Gramineae 狗尾草属 Setaria

棕叶狗尾草 *Setaria palmifolia* (Koen.) Stapf

| 药 材 名 | 竹头草（药用部位：全草。别名：芩草、箬叶荸、棕茅）。

| 形态特征 | 多年生草本。具根茎，须根较坚韧。秆直立或基部稍膝曲，高
0.75 ~ 2m，直径 3 ~ 7mm，基部可达 1cm，具支柱根。叶鞘松弛，
被密或疏疣毛，少数无毛，上部边缘被较密而长的疣基纤毛，毛易
脱落，下部边缘薄纸质，无纤毛；叶舌长约 1mm，被长 2 ~ 3mm
的纤毛；叶片纺锤状宽披针形，长 20 ~ 59cm，宽 2 ~ 7cm，先端
渐尖，基部窄缩成柄状，近基部边缘被长约 5mm 的疣基毛，具纵
深皱折，两面被疣毛或无毛。圆锥花序主轴延伸甚长，呈开展或稍
狭窄的塔形，长 20 ~ 60cm，宽 2 ~ 10cm，主轴具棱角，分枝排列
疏松，甚粗糙，长达 30cm；小穗卵状披针形，长 2.5 ~ 4mm，紧密
或稀疏排列于小枝的一侧，部分小穗下托以 1 刚毛，刚毛长 5 ~ 10

棕叶狗尾草

（～ 14）mm 或更短；第一颖三角状卵形，先端稍尖，长为小穗的 1/3 ～ 1/2，具 3 ～ 5 脉；第二颖长为小穗的 1/2 ～ 3/4 或略短于小穗，先端尖，具 5 ～ 7 脉；第一小花雄性或中性，第一外稃与小穗等长或略长，先端渐尖，呈稍弯的小尖头，具 5 脉，内稃膜质，窄而短小，呈狭三角形，长为外稃的 2/3；第二小花两性，第二外稃具不甚明显的横皱纹，等长或稍短于第一外稃，先端为小而硬的尖头，成熟小穗不易脱落；鳞被楔形微凹，基部沿脉色深；花柱基部联合。颖果卵状披针形，成熟时往往不带着颖片脱落，长 2 ～ 3mm，具不甚明显的横皱纹。叶上下表皮脉间中央 3 ～ 4 行为深波纹的、壁较薄的长细胞，两边 2 ～ 3 行为深波纹的、壁较厚的长细胞，偶有短细胞。花果期 8 ～ 12 月。

| 生境分布 | 生于山坡或谷地林下阴湿处。分布于重庆北碚、丰都、南岸、大足、潼南、秀山、长寿、铜梁、南川、涪陵、黔江、垫江、合川、荣昌等地。

| 资源情况 | 野生资源丰富。药材来源于野生。

| 采收加工 | 秋季采挖，洗净，晒干。

| 功能主治 | 益气固脱。用于脱肛，子宫脱垂。

| 用法用量 | 内服煎汤，15 ～ 30g。外用适量，煎汤洗。

| 附　注 | 在 FOC 中，本种被修订为阿拉伯黄背草 *Themeda triandra* Forssk.。

皱叶狗尾草

Setaria plicata (Lam.) T. Cooke

| 药 材 名 | 皱叶狗尾草（药用部位：全草。别名：烂衣草、马草、扭叶草）。

| 形态特征 | 多年生草本。须根细而坚韧，少数具鳞芽。秆通常瘦弱，少数直径可达 6mm，直立或基部倾斜，高 45 ~ 130cm，无毛或疏生毛；节和叶鞘与叶片交接处，常被白色短毛。叶鞘背脉常呈脊状，密生或疏生较细疣毛或短毛，毛易脱落，边缘常密生纤毛，或基部叶鞘边缘无毛而近膜质；叶舌边缘密生纤毛，长 1 ~ 2mm；叶片质薄，椭圆状披针形或线状披针形，长 4 ~ 43cm，宽 0.5 ~ 3cm，先端渐尖，基部渐狭成柄状，具较浅的纵向皱折，两面或一面被疏疣毛，或被极短毛而粗糙，或光滑无毛，边缘无毛。圆锥花序狭长圆形或线形，长 15 ~ 33cm，分枝斜向上升，长 1 ~ 13cm，上部者排列紧密，下部者具分枝，排列疏松而开展，主轴具棱角，被极细短毛而粗糙；

皱叶狗尾草

小穗着生于小枝一侧，卵状披针形，绿色或微紫色，长 3 ～ 4mm，部分小穗下托以 1 细刚毛，长 1 ～ 2cm，或有时不显著；颖薄纸质，第一颖宽卵形，先端钝圆，边缘膜质，长为小穗的 1/4 ～ 1/3，具 3（～ 5）脉，第二颖长为小穗的 1/2 ～ 3/4，先端钝或尖，具 5 ～ 7 脉；第一小花通常中性或具 3 雄蕊，第一外稃与小穗等长或稍长，具 5 脉，内稃膜质，狭短或稍狭于外稃，边缘稍内卷，具 2 脉；第二小花两性，第二外稃等长或稍短于第一外稃，具明显的横皱纹；鳞被 2；花柱基部联合。颖果狭长卵形，先端具硬而小的尖头。叶表皮细胞同棕叶狗尾类型。花果期 6 ～ 10 月。

| 生境分布 |

生于山坡林下、沟谷地阴湿处或路边杂草地上。重庆各地均有分布。

| 资源情况 |

野生资源丰富。药材来源于野生。

| 采收加工 |

秋后采收，晒干。

| 功能主治 |

淡，平。解毒，杀虫。用于疥癣，丹毒，疮疡。

| 用法用量 |

内服煎汤，15 ～ 30g。外用适量，捣敷。

狗尾草

Setaria viridis (L.) Beauv.

| 药材名 | 狗尾草（药用部位：全草。别名：光明草、狗尾半支、毛毛草）、狗尾草子（药用部位：种子）。

| 形态特征 | 一年生草本。根为须状，高大植株具支持根。秆直立或基部膝曲，高 10 ~ 100cm，基部直径达 3 ~ 7mm。叶鞘松弛，无毛或疏被柔毛或疣毛，边缘被较长的密绵毛状纤毛；叶舌极短，边缘被长 1 ~ 2mm 的纤毛；叶片扁平，长三角状狭披针形或线状披针形，先端长渐尖或渐尖，基部钝圆形，几呈截状或渐窄，长 4 ~ 30cm，宽 2 ~ 18mm，通常无毛或疏被疣毛，边缘粗糙。圆锥花序紧密成圆柱状或基部稍疏离，直立或稍弯垂，主轴被较长柔毛，长 2 ~ 15cm，宽 4 ~ 13mm（除刚毛外），刚毛长 4 ~ 12mm，粗糙或微粗糙，直或稍扭曲，通常绿色或褐黄色到紫红色或紫色；小穗 2 ~ 5 簇生主

狗尾草

轴上或更多的小穗着生于短小枝上，椭圆形，先端钝，长 2 ~ 2.5mm，铅绿色；第一颖卵形、宽卵形，长约为小穗的 1/3，先端钝或稍尖，具 3 脉；第二颖几与小穗等长，椭圆形，具 5 ~ 7 脉；第一外稃与小穗等长，具 5 ~ 7 脉，先端钝，其内稃短小狭窄；第二外稃椭圆形，先端钝，具细点状皱纹，边缘内卷，狭窄；鳞被楔形，先端微凹；花柱基分离。叶上、下表皮脉间均为微波纹或无波纹的、壁较薄的长细胞。颖果灰白色。花果期 5 ~ 10 月。

| **生境分布** | 生于海拔 100 ~ 1600m 的荒野、道旁，为旱地作物常见的一种杂草。分布于重庆綦江、垫江、大足、潼南、江津、北碚、云阳、九龙坡、永川、秀山、酉阳、巫溪、长寿、璧山、南川、忠县、巫山、合川、巴南、荣昌、沙坪坝等地。

| **资源情况** | 野生资源丰富。药材来源于野生。

| **采收加工** | 狗尾草：8 ~ 9 月采收，晒干。
狗尾草子：秋季采收成熟果穗，搓下种子，除去杂质，晒干。

| **药材性状** | 狗尾草：本品全体呈灰黄白色，表面有毛状物，长 30 ~ 90cm。秆纤细。叶线状，互生。秆先端有柱状圆锥花序，长 2 ~ 15cm，小穗 2 ~ 5 成簇，生于缩短的分枝上，基部具刚毛，有的已脱落，颖与外稃略与小穗等长。颖果长圆形，成熟后背部稍隆起，边缘卷抱内稃。质纤弱，易折断。气微，味淡。

| **功能主治** | 狗尾草：淡，平。清肝明目，解热祛湿。用于目赤肿痛，黄疸，痈肿疮癣，小儿疳积等。
狗尾草子：解毒，止泻，截疟。用于缠腰火丹，泄泻，疟疾。

| **用法用量** | 狗尾草：内服煎汤，10 ~ 30g。外用搓擦癣疮患处。
狗尾草子：内服煎汤，9 ~ 15g；或研末冲。外用适量，炒焦，研末调敷。

禾本科 Gramineae 高粱属 Sorghum

高粱
Sorghum bicolor (L.) Moench

| 药 材 名 | 高粱（药用部位：种仁。别名：木稷、蜀黍、蜀秫）、高粱米糠（药用部位：种皮）、高粱根（药用部位：根。别名：蜀黍根、爪龙）。

| 形态特征 | 一年生草本。秆较粗壮，直立，高 3 ~ 5m，直径 2 ~ 5cm，基部节上具支撑根。叶鞘无毛或稍有白粉；叶舌硬膜质，先端圆，边缘被纤毛；叶片线形至线状披针形，长 40 ~ 70cm，宽 3 ~ 8cm，先端渐尖，基部圆形或微呈耳形，表面暗绿色，背面淡绿色或有白粉，两面无毛，边缘软骨质，被微细小刺毛，中脉较宽，白色。圆锥花序疏松，主轴裸露，长 15 ~ 45cm，宽 4 ~ 10cm，总梗直立或微弯曲；主轴具纵棱，疏生细柔毛，分枝 3 ~ 7，轮生，粗糙或被细毛，基部较密；每一总状花序具 3 ~ 6 节，节间粗糙或稍扁。无柄小穗倒卵形或倒卵状椭圆形，长 4.5 ~ 6mm，宽 3.5 ~ 4.5mm，基盘钝，被髯毛；两颖均革质，上部及边缘通常被毛，初时黄绿色，成熟后

高粱

为淡红色至暗棕色；第一颖背部圆凸，上部 1/3 质地较薄，边缘内折而具狭翼，向下变硬而有光泽，具 12 ~ 16 脉，仅达中部，有横脉，先端尖或具 3 小齿；第二颖 7 ~ 9 脉，背部圆凸，近先端具不明显的脊，略呈舟形，边缘被细毛；外稃透明膜质，第一外稃披针形，边缘被长纤毛；第二外稃披针形至长椭圆形，具 2 ~ 4 脉，先端稍 2 裂，自裂齿间伸出 1 膝曲的芒，芒长约 14mm；雄蕊 3，花药长约 3mm；子房倒卵形；花柱分离，柱头帚状。有柄小穗的柄长约 2.5mm，小穗线形至披针形，长 3 ~ 5mm，雄性或中性，宿存，褐色至暗红棕色；第一颖 9 ~ 12 脉，第二颖 7 ~ 10 脉。颖果两面平凸，长 3.5 ~ 4mm，淡红色至红棕色，成熟时宽 2.5 ~ 3mm，先端微外露。花果期 6 ~ 9 月。

| **生境分布** | 多栽培于田坎。重庆各地均有分布。

| **资源情况** | 野生资源稀少，栽培资源丰富。药材来源于栽培。

| **采收加工** | 高粱：秋季种子成熟后采收，晒干。
高粱米糠：收集加工高粱时舂下的种皮，晒干。
高粱根：秋季采挖，洗净，晒干。

| **药材性状** | 高粱：本品呈椭圆形而稍扁，长约 4mm。外表面具 1 层棕红色薄膜，基部色较浅，可见果柄痕。质硬，断面白色，富粉性。气微，味淡。

| **功能主治** | 高粱：甘、涩，温。归脾、胃、肺经。健脾止泻，化痰安神。用于脾虚泄泻，霍乱，消化不良，痰湿咳嗽，失眠多梦。
高粱米糠：和胃消食。用于小儿消化不良。
高粱根：甘，平。平喘，利水，止血，通络。用于咳嗽喘满，小便不利，产后出血，血崩，足膝疼痛。

| **用法用量** | 高粱：内服煎汤，30 ~ 60g；或研末。
高粱米糠：内服炒香，每次 1.5 ~ 3g，每日 3 ~ 4 次。
高粱根：内服煎汤，15 ~ 30g；或烧存性，研末。

禾本科 Gramineae 鼠尾粟属 *Sporobolus*

鼠尾粟 *Sporobolus fertilis* (Steud.) W. D. Glayt.

| 药 材 名 | 鼠尾粟（药用部位：全草或根。别名：鼠尾草、牛尾草、鼠尾牛顿草）。

| 形态特征 | 多年生草本。须根较粗壮且较长。秆直立，丛生，高 25 ~ 120cm，基部直径 2 ~ 4mm，质较坚硬，平滑无毛。叶鞘疏松裹茎，基部者较宽，平滑无毛或边缘稀被极短的纤毛，下部者长于节间，上部者短于节间；叶舌极短，长约 0.2mm，纤毛状；叶片质较硬，平滑无毛，或仅上面基部疏生柔毛，通常内卷，少数扁平，先端长渐尖，长 15 ~ 65cm，宽 2 ~ 5mm。圆锥花序较紧缩呈线形，常间断，或稠密近穗形，长 7 ~ 44cm，宽 0.5 ~ 1.2cm，分枝稍坚硬，直立，与主轴贴生或倾斜，通常长 1 ~ 2.5cm，基部者较长，一般不超过 6cm，但小穗密集着生于其上；小穗灰绿色且略带紫色，长 1.7 ~ 2mm；颖膜质，第一颖小，长约 0.5mm，先端尖或钝，具 1 脉；外

鼠尾粟

稃等长于小穗，先端稍尖，具1中脉及2不明显侧脉；雄蕊3，花药黄色，长0.8～1mm。囊果成熟后红褐色，明显短于外稃和内稃，长1～1.2mm，长圆状倒卵形或倒卵状椭圆形，先端截平。花果期3～12月。

生境分布

生于海拔120～2600m的田野路边、山坡草地及山谷湿处和林下。重庆各地均有分布。

资源情况

野生资源较少。药材来源于野生。

采收加工

夏、秋季采收，鲜用或晒干。

功能主治

甘、淡，平。清热，凉血，解毒，利尿。用于流行性脑脊髓膜炎，流行性乙型脑炎，高热神昏，病毒性肝炎，黄疸，痢疾，热淋，尿血，乳痈。

用法用量

内服煎汤，30～60g，鲜品可用60～120g。

禾本科 Gramineae 菅属 Themeda

黄背草

Themeda japonica (Willd.) Tanaka

黄背草

| 药 材 名 |

黄背草（药用部位：全草。别名：黄背茅、进肌草、金丝茅）、黄背草苗（药用部位：幼苗）、黄背草根（药用部位：根）、黄背草果（药用部位：果实）。

| 形 态 特 征 |

多年生簇生草本。秆高 0.5 ~ 1.5m，圆形，压扁或具棱，下部直径可达 5mm，光滑无毛，具光泽，黄白色或褐色，实心，髓白色，有时节处被白粉。叶鞘紧裹秆，背部具脊，通常被疣基硬毛；叶舌坚纸质，长1 ~ 2mm，先端钝圆，被睫毛；叶片线形，长 10 ~ 50cm，宽 4 ~ 8mm，基部通常近圆形，先端渐尖，中脉显著，两面无毛或疏被柔毛，背面常粉白色，边缘略卷曲，粗糙。大型伪圆锥花序多回复出，由具佛焰苞的总状花序组成，长为全株的 1/3 ~ 1/2；佛焰苞长 2 ~ 3cm；总状花序长 15 ~ 17mm，具长 2 ~ 5mm 的花序梗，由 7 小穗组成；下部总苞状小穗对轮生于 1 平面，无柄，雄性，长圆状披针形，长 7 ~ 10mm；第一颖背面上部常被瘤基毛，具多数脉。无柄小穗两性，1，纺锤状圆柱形，长 8 ~ 10mm，基盘被褐色髯毛，锐利；第一颖革质，背部圆形，

先端钝，被短刚毛；第二颖与第一颖同质，等长，两边为第一颖所包卷；第一外稃短于颖；第二外稃退化为芒的基部，芒长 3 ~ 6cm，1 ~ 2 回膝曲。有柄小穗形似总苞状小穗，但较短，雄性或中性。颖果长圆形，胚线形，长为颖果的1/2。花果期 6 ~ 12 月。

| **生境分布** | 生于海拔 200 ~ 1500m 的干燥山坡、草地、路旁、林缘等处。分布于重庆丰都、涪陵、忠县、南川、武隆、垫江、铜梁、巫山等地。

| **资源情况** | 野生资源丰富。药材来源于野生。

| **采收加工** | 黄背草：夏、秋季采收，晒干。
黄背草苗：春、夏季采收，晒干。
黄背草根：夏、秋季采收，洗净，晒干。
黄背草果：秋末果实成熟时采收，晒干。

| **功能主治** | 黄背草：甘，温。归肝经。活血调经，祛风除湿。用于闭经，风湿痹痛。
黄背草苗：甘，平。平肝。用于高血压。
黄背草根：甘，平。祛风湿。用于风湿痹痛。
黄背草果：甘，平。固表敛汗。用于盗汗。

| **用法用量** | 黄背草：内服煎汤，30 ~ 60g。
黄背草苗：内服煎汤，15 ~ 30g。
黄背草根：内服煎汤，30 ~ 60g。
黄背草果：内服煎汤，9 ~ 15g。

禾本科 Gramineae 菅属 Themeda

菅

Themeda villosa (Poir.) A. Camus

| 药 材 名 | 菅茅根（药用部位：根。别名：蚂蚱草根、菅根、地筋）。

| 形态特征 | 多年生草本。具根头与须根。秆粗壮，多簇生，高 1 ~ 2m 或更高，下部直径 1 ~ 2cm；两侧压扁或具棱，通常黄白色或褐色，平滑无毛而有光泽，实心，髓白色。叶鞘光滑无毛，下部具粗脊；叶舌膜质，短，先端被短纤毛；叶片线形，长可达 1m，宽 0.7 ~ 1.5cm，基部渐狭，先端渐尖，两面微粗糙；中脉粗，白色，在叶背凸起，侧脉显著，叶缘稍增厚而粗糙。多回复出的大型伪圆锥花序，由具佛焰苞的总状花序组成，长可达 1m；总状花序长 2 ~ 3cm，具长 0.5 ~ 2cm 的总花梗；总花梗上部常被毛，先端膨大，佛焰苞舟形，长 2 ~ 3.5cm，具脊，粗糙，多脉；每总状花序由 9 ~ 11 小穗组成。总苞状 2 对小穗披针形，不着生在同一水平面上；颖草质，第一颖狭披针形，长

菅

10 ～ 15mm，具 13 脉，背面被疏毛，第二颖长约 8mm，具 5 脉，半透明，上部边缘被纤毛；外稃长 7 ～ 8mm，透明，边缘被睫毛；内稃较短，透明，卵状；雄蕊 3，花药长 4 ～ 5mm。无柄小穗长 7 ～ 8mm，基盘密被硬粗毛和褐色短毛；颖硬革质，第一颖长圆状披针形，长 7 ～ 8mm，先端截形，边缘内卷，脊圆，背部及边缘密被褐色短毛；具 7 ～ 8 脉；第二颖狭披针形，长约 7mm，具 3 脉，先端钝，背面密被褐色短毛，第一小花不孕，外稃长约 5.5mm，透明，其内稃小；第二小花两性，外稃狭披针形，主脉延伸成 1 小尖头或至仅具芒柱的短芒，不伸出或略伸出颖外。颖果被毛或脱落，成熟时栗褐色。有柄小穗似总苞状小穗。花果期 8 月至翌年 1 月。

| **生境分布** | 生于海拔 300 ～ 2500m 的山坡灌丛、草地或林缘向阳处。分布于重庆城口、丰都、忠县、云阳、涪陵、长寿、武隆、垫江等地。

| **资源情况** | 野生资源丰富。药材来源于野生。

| **采收加工** | 夏、秋季采挖，洗净，鲜用或晒干。

| **功能主治** | 辛、甘，温。祛风散寒，除湿通络，利尿消肿。用于风寒感冒，风湿麻木，小便淋痛，水肿，骨折。

| **用法用量** | 内服煎汤，15 ～ 30g；捣汁或浸酒。外用适量，捣敷。

禾本科 Gramineae 荻属 Triarrhena

荻
Triarrhena sacchariflora (Maxim.) Nakai

荻

| 药 材 名 |

巴茅根（药用部位：根茎。别名：大茅根、野苇子、红柴）。

| 形态特征 |

多年生草本。具发达的被鳞片的长匍匐根茎，节处生有粗根与幼芽。秆直立，高 1 ~ 1.5m，直径约 5mm，具超过 10 节，节被柔毛。叶鞘无毛，长于或上部者稍短于节间；叶舌短，长 0.5 ~ 1mm，被纤毛；叶片扁平，宽线形，长 20 ~ 50cm，宽 5 ~ 18mm，除上面基部密生柔毛外两面无毛，边缘锯齿状粗糙，基部常收缩成柄，先端长渐尖，中脉白色，粗壮。圆锥花序疏展成伞房状，长 10 ~ 20cm，宽约 10cm；主轴无毛，具 10 ~ 20 较细弱的分枝，腋间被柔毛，直立而后开展；总状花序轴节间长 4 ~ 8mm，或被短柔毛；小穗柄先端稍膨大，基部腋间常被柔毛，短柄长 1 ~ 2mm，长柄长 3 ~ 5mm；小穗线状披针形，长 5 ~ 5.5mm，成熟后带褐色，基盘被长为小穗 2 倍的丝状柔毛；第一颖 2 脊间具 1 脉或无脉，先端膜质长渐尖，边缘和背部被长柔毛；第二颖与第一颖近等长，先端渐尖，与边缘皆为膜质，并被纤毛，有 3 脉，背部无毛或被少数长柔毛；第一外稃稍短于颖，先端尖，被纤毛；第二外稃狭窄披针形，短于颖片的1/4，先端尖，被小纤毛，无脉或具1脉，稀有1芒状尖头；第二内稃长约为外稃之半，被纤毛；雄蕊3，花药长约2.5mm；柱头紫黑色，自小穗中部以下的两侧伸出。颖果长圆形，长1.5mm。花果期8～10月。

| 生境分布 | 生于山坡草地或平原岗地、河岸湿地。分布于重庆长寿、云阳、涪陵、丰都、秀山、武隆、江津等地。

| 资源情况 | 野生资源一般。药材来源于野生。

| 采收加工 | 全年均可采收，洗净，切段，晒干。

| 药材性状 | 本品呈扁圆柱形，常弯曲，直径2.5～5mm。表面黄白色，略具光泽及纵纹。节部常有极短的毛茸或鳞片，节距0.5～1.9cm。质硬脆，断面皮部裂隙小，中心有1小孔，孔周围粉红色。气微，味淡。

| 功能主治 | 甘，凉。清热活血。用于干血痨，潮热，产妇失血口渴，牙痛。

| 用法用量 | 内服煎汤，60～90g。

| 附　　注 | 在 FOC 中，本种的拉丁学名被修订为 *Miscanthus sacchariflorus* (Maxim.) Hackel，属名被修订为芒属 *Miscanthus*。

普通小麦 *Triticum aestivum* L.

普通小麦

药材名

小麦（药用部位：果实。别名：来、麳）、浮小麦（药用部位：干瘪轻浮的颖果。别名：浮麦）、小麦芽（药材来源：发芽的成熟果实）。

形态特征

一年生或越年生草本。秆直立，丛生，具6～7节，高60～100cm，直径5～7mm。叶鞘松弛包茎，下部者长于上部者，短于节间；叶舌膜质，长约1mm；叶片长披针形。穗状花序直立，长5～10cm（芒除外），宽1～1.5cm；小穗含3～9小花，上部者不发育；颖卵圆形，长6～8mm，主脉于背面上部具脊，于先端延伸为长约1mm的齿，侧脉的背脊及顶齿均不明显；外稃长圆状披针形，长8～10mm，先端具芒或无芒；内稃与外稃几等长。

生境分布

多栽培于平地。重庆各地均有分布。

资源情况

野生资源稀少，栽培资源丰富。药材来源于栽培。

| **采收加工** | 小麦：夏季果实成熟时采收，除去杂质，晒干。

浮小麦：夏、秋季麦收后，选取轻浮瘪瘦的麦粒，除去杂质，晒干。

小麦芽：将麦粒用水浸泡后，在适宜温度下，令其发芽至长5mm左右，迅速干燥。

| **药材性状** | 小麦：本品呈长椭圆形，长 5 ~ 7mm，直径 3 ~ 3.5mm。表面浅黄棕色或黄色，腹面中央有 1 纵沟，背面基部有 1 不明显的胚，先端有黄白色柔毛。质硬，断面白色，粉性。气微，味微甘。

浮小麦：本品呈长圆形，两端略尖，长 4 ~ 7mm，直径 1.5 ~ 2.5mm。表面浅黄棕色或黄白色，皱缩，腹面有 1 深陷的纵沟，背面稍隆起，先端钝形，带有浅黄白色柔毛；另一端呈斜尖形，有脐。质硬，极瘪者质较软，断面白色或淡黄色，具粉性。气无，味淡。

小麦芽：本品呈梭形，长 5 ~ 7mm，直径 3 ~ 4mm。表面淡黄色，背面浑圆，稍皱缩，腹面中央有 1 深陷的纵沟，先端钝，有白色柔毛。基部胚根处生出胚芽及须根。胚芽长披针状线形，黄绿色，长约5mm。须根数条，纤细而弯曲。质硬，断面白色，粉性。无臭，味微甘。

| **功能主治** | 小麦：甘，凉。归心、脾经。养心，除热，止渴，敛汗。用于脏躁，烦热，消渴，多汗，泻痢，痈肿，外伤出血，烫伤。

浮小麦：甘，凉。归心、脾经。益气，除热，止汗。用于自汗盗汗，骨蒸劳热。

小麦芽：甘，凉。归脾、胃经。消食健胃，和中下气，回乳。用于食积不消，脘腹胀满，食欲不振，呕吐泄泻，乳胀不消。

| **用法用量** | 小 麦：内 服 煎 汤，50 ~ 100g。外用炒炭，研末调敷。

浮小麦：内服煎汤，15 ~ 30g。

小麦芽：内服煎汤，9 ~ 15g；回乳炒用，60g。

玉蜀黍 *Zea mays* L.

| 药 材 名 | 玉蜀黍（药用部位：种子。别名：玉高粱、番麦、御麦）、玉米须（药用部位：花柱、柱头。别名：玉麦须、玉蜀黍蕊、棒子毛）、玉蜀黍叶（药用部位：叶）、玉蜀黍根（药用部位：根。别名：抓地虎、玉米根）、玉米花粉（药用部位：花粉）。

| 形态特征 | 一年生高大草本。秆直立，通常不分枝，高 1 ~ 4m，基部各节具气生支柱根。叶鞘具横脉；叶舌膜质，长约 2mm；叶片扁平宽大，线状披针形，基部圆形，呈耳状，无毛或被疣柔毛，中脉粗壮，边缘微粗糙。顶生雄性圆锥花序大型，主轴与总状花序轴及腋间均被细柔毛。雄性小穗孪生，长达 1cm，小穗柄一长一短，分别长 1 ~ 2mm 及 2 ~ 4mm，被细柔毛；两颖近等长，膜质，约具 10 脉，被纤毛；外稃及内稃透明膜质，稍短于颖；花药橙黄色，长约 5mm；雌花序被多数宽大的鞘状苞片所包藏。雌小穗孪生，成 16 ~ 30 纵行排列

玉蜀黍

于粗壮的序轴上，两颖等长，宽大，无脉，被纤毛；外稃及内稃透明膜质；雌蕊具极长而细弱的线形花柱。颖果球形或扁球形，成熟后露出颖片和稃片之外，其大小随生长条件不同产生差异，一般长 5 ~ 10mm，宽略过于其长，胚长为颖果的 1/2 ~ 2/3。果期秋季。

| **生境分布** | 生于平原或山区。分布于重庆长寿、丰都、涪陵、垫江、九龙坡等地。

| **资源情况** | 栽培资源丰富，无野生资源。药材来源于栽培。

| **采收加工** | 玉蜀黍：于果实熟时采收玉米棒，脱下种子，晒干。
玉米须：秋季果实成熟时采收，鲜用或晒干。
玉蜀黍叶：夏、秋季采收，晒干。
玉蜀黍根：秋季采挖，洗净，鲜用或晒干。
玉米花粉：夏季采收雄花序，晒干后碾压，筛取花粉，除去杂质。

| **药材性状** | 玉米须：本品常集结成疏松团簇，花柱线形或须形，完整者长至 3cm，直径约 0.05cm。淡绿色、黄绿色至棕红色，有光泽，略透明，柱头 2 裂，长至 0.3cm。质柔软。气微，味淡。
玉米花粉：本品为黄色或棕黄色的扁平小块状物或粉末。体轻，手捻有滑腻感。气微香，味淡或微甘。

| **功能主治** | 玉蜀黍：甘，平。归胃、大肠经。调中开胃，利尿消肿。用于食欲不振，小便不利，水肿，尿路结石。
玉米须：甘、淡，平。归肾、膀胱、肝、胆经。利尿消肿，清肝利胆。用于水肿，小便淋沥，黄疸，胆囊炎，胆结石，高血压，糖尿病，乳汁不通。
玉蜀黍叶：微甘，凉。利尿通淋。用于砂淋，小便涩痛。
玉蜀黍根：甘，平。利尿通淋，祛瘀止血。用于小便不利，水肿，砂淋，胃痛，吐血。
玉米花粉：淡、微甘，平。归心、肾经。益气养阴，安神益智。用于气虚乏力，易感冒，失眠多梦，记忆力下降等。

| **用法用量** | 玉蜀黍：内服煎汤，30 ~ 60g；或煮食；或磨成细粉作饼。
玉米须：内服煎汤，15 ~ 30g，鲜用 60 ~ 90g。外用适量，烧存性，研末；或烧烟吸入。
玉蜀黍叶：内服煎汤，9 ~ 15g。
玉蜀黍根：内服煎汤，30 ~ 60g。
玉米花粉：内服煎汤，5 ~ 10g。

菰
Zizania latifolia (Griseb.) Stapf

| 药 材 名 | 菱白（药用部位：嫩茎秆被菰黑粉菌刺激而形成的纺锤形肥大部分。别名：高笋、菱笋、菰菜）、菰根（药用部位：根茎、根。别名：菰蒋根）、菱白子（药用部位：果实。别名：菰米、菰粱、蒋实）。

| 形态特征 | 多年生草本。具匍匐根茎；须根粗壮。秆高大直立，高 1 ~ 2m，直径约 1cm，具多数节，基部节上生不定根。叶鞘长于节间，肥厚，有小横脉；叶舌膜质，长约 1.5cm，先端尖；叶片扁平宽大，长 50 ~ 90cm，宽 15 ~ 30mm。圆锥花序长 30 ~ 50cm，分枝多数，簇生，上升，果期开展；雄小穗长 10 ~ 15mm，两侧压扁，着生于花序下部或分枝上部，带紫色，外稃具 5 脉，先端渐尖，具小尖头，内稃具 3 脉，中脉呈脊状，被毛，雄蕊 6，花药长 5 ~ 10mm；雌小穗圆筒形，长 18 ~ 25mm，宽 1.5 ~ 2mm，着生于花序上部和分枝下方

菰

与主轴贴生处，外稃 5 脉，粗糙，芒长 20 ～ 30mm，内稃具 3 脉。颖果圆柱形，长约 12mm，胚小形，为果体的 1/8。

| 生境分布 | 常栽培于水边或沼泽地。分布于重庆城口、巫山、开州、秀山、南川、万州、巴南、南岸、长寿等地。

| 资源情况 | 野生资源较少。药材主要来源于栽培。

| 采收加工 | 茭白：秋季采收，鲜用或晒干。
菰根：秋季采挖，洗净，鲜用或晒干。
茭白子：9 ～ 10 月果实成熟后采收，搓去外皮，扬净，晒干。

| 药材性状 | 菰根：本品呈压扁的圆柱形，已切成短段，直径 0.6 ～ 1.8cm。表面棕黄色或金黄色，有环状凸起的节，节上有根痕及芽痕，节间有细纵皱纹。体轻，质软而韧，断面中空，周壁厚约 1mm，有排列成环的小孔。无臭，味淡。
茭白子：本品完整者呈圆柱形，两端渐尖，长 1 ～ 1.2cm，直径 1 ～ 2mm。表面棕褐色，有 1 因稃脉挤压而形成的沟纹，腹面从基部至中部有 1 弧形的因胚体突出而形成的脊纹，脊纹两侧微凹下，长至 0.6cm。质坚脆，折断面灰白色，富有油质。气微弱，味微甘。

| 功能主治 | 茭白：甘，寒。归肝、脾、肺经。解热毒，除烦渴，利二便。用于烦热，消渴，二便不通，黄疸，痢疾，热淋，目赤，乳汁不下，疮疡。
菰根：甘，寒。除烦止渴，清热解毒。用于消渴，心烦，小便不利，小儿麻疹、高热不退，黄疸，鼻衄，烫火伤。
茭白子：甘，凉。清热除烦，止渴，调理肠胃。用于烦热口渴，肠燥便秘。

| 用法用量 | 茭白：内服煎汤，30 ～ 60g。
菰根：内服煎汤，鲜品 60 ～ 90g；或绞汁。外用适量，烧存性，研末调敷。
茭白子：内服煎汤，4.5 ～ 9g。

| 附　注 | 本种适应性强，在温暖或寒冷的气候下均能生长。宜选择土层深厚、肥沃的水田栽种。

棕榈科 Palmae 蒲葵属 Livistona

蒲葵 *Livistona chinensis* (Jacq.) R. Br.

| 药 材 名 | 蒲葵根（药用部位：根）、蒲葵叶（药用部位：叶。别名：蒲扇、败扇、故蒲扇）、蒲葵子（药用部位：种子。别名：葵树子）。

| 形态特征 | 乔木，高 5 ~ 20m，直径 20 ~ 30cm，基部常膨大。叶阔肾状扇形，直径超过 1m，掌状深裂至中部，裂片线状披针形，基部宽 4 ~ 4.5cm，先端长渐尖，2 深裂成长达 50cm 的丝状下垂的小裂片，两面绿色；叶柄长 1 ~ 2m，下部两侧有黄绿色（新鲜时）或淡褐色（干后）下弯的短刺。花序呈圆锥状，粗壮，长约 1m，总梗上有 6 ~ 7 佛焰苞，分枝花序约 6，长达 35cm，每分枝花序基部有 1 佛焰苞，分枝花序具 2 次或 3 次分枝，小花枝长 10 ~ 20cm；花小，两性，长约 2mm；花萼裂至近基部成 3 宽三角形近急尖的裂片，裂片有宽的干膜质的边缘；花冠约 2 倍长于花萼，裂至中部成 3 半卵形急尖的裂片；

蒲葵

雄蕊 6，基部合生成杯状，并贴生于花冠基部，花丝稍粗，宽三角形，突变成短钻状的尖头，花药阔椭圆形；子房的心皮上面有深雕纹，花柱突变成钻状。果实椭圆形（如橄榄状），长 1.8 ~ 2.2cm，直径 1 ~ 1.2cm，黑褐色；种子椭圆形，长 1.5cm，直径 0.9cm，胚约位于种脊对面的中部稍偏下。花果期 4 月。

| 生境分布 | 生于庭园或宅旁。重庆各地均有分布。

| 资源情况 | 栽培资源较少。药材主要来源于栽培。

| 采收加工 | 蒲葵根：全年均可采挖，洗净，晒干。
蒲葵叶：全年均可采收，切碎，晒干。
蒲葵子：春季采收，除去杂质，晒干。

| 药材性状 | 蒲葵叶：本品完整干燥叶形如扇，直径可达 1m 以上，掌状深裂，直达中部，裂片条状披针形，宽约 2cm，至先端渐尖，深 2 裂，分裂部分长达 50cm，下弯；具长叶柄，可达 1m 以上，平凸状，下部边缘有 2 列倒钩刺。气微，味淡。

| 功能主治 | 蒲葵根：甘、苦、涩，凉。止痛，平喘。用于各种疼痛，哮喘。
蒲葵叶：甘、涩，平。收敛止血，止汗。用于咯血，吐血，衄血，崩漏，外伤出血，自汗，盗汗。
蒲葵子：甘、苦，平；有小毒。活血化瘀，软坚散结。用于慢性肝炎，癥瘕积聚。

| 用法用量 | 蒲葵根：内服煎汤，6 ~ 9g；或制成片剂、注射剂使用。
蒲葵叶：内服煎汤，6 ~ 9g；或煅存性，研末，3 ~ 6g。外用适量，煅存性，研末撒。
蒲葵子：内服煎汤，15 ~ 30g。

| 附　　注 | （1）本种药材蒲葵子的药理活性主要体现为抗肿瘤活性，其作为一味潜在的抗癌药，具有广阔的开发前景。
（2）本种喜高温、高湿气候，能耐 0℃左右低温，喜光，但能耐一定的荫蔽。宜选择水分充足、土层深厚、有机质丰富的平地或坡地栽培。

棕榈科 Palmae 棕竹属 Rhapis

棕竹

Rhapis excelsa (Thunb.) Henry ex Rehd.

药 材 名	棕竹（药用部位：叶。别名：筋头竹、观音竹、虎散竹）、棕竹根（药用部位：根）。
形态特征	丛生灌木，高 2 ~ 3m。茎圆柱形，有节，直径 1.5 ~ 3cm，上部被叶鞘，但分解成稍松散的马尾状淡黑色粗糙而硬的网状纤维。叶掌状深裂，裂片 4 ~ 10，不均等，具 2 ~ 5 肋脉，在基部（即叶柄先端）1 ~ 4cm 处联合，长 20 ~ 32cm，或更长，宽 1.5 ~ 5cm，宽线形或线状椭圆形，先端宽，截状，具多对稍深裂的小裂片，边缘及肋脉上具稍锐利的锯齿，横小脉多而明显；叶柄两面凸起或上面稍平坦，边缘微粗糙，宽约 4mm，先端的小戟突略呈半圆形或钝三角形，被毛。花序长约 30cm，总花序梗及分枝花序基部各有 1 佛焰苞包着，密被褐色弯卷绒毛；分枝花序 2 ~ 3，其上有 1 ~ 2 次分枝小花穗，

棕竹

花枝近无毛，花螺旋状着生于小花枝上；雄花在花蕾时为卵状长圆形，具顶尖，在成熟时花冠管伸长，在开花时为棍棒状长圆形，长 5 ～ 6mm，花萼杯状，深 3 裂，裂片半卵形，花冠 3 裂，裂片三角形，花丝粗，上部膨大，具龙骨状突起，花药心形或心状长圆形，先端钝或微缺；雌花短而粗，长 4mm。果实球状倒卵形，直径 8 ～ 10mm；种子球形，胚位于种脊对面近基部。花期 6 ～ 7 月。

| 生境分布 | 生于山坡、沟旁荫蔽潮湿的灌丛中。分布于重庆南岸、江津、九龙坡等地。

| 资源情况 | 野生资源较少。药材主要来源于栽培。

| 采收加工 | 棕竹：全年均可采收，切碎，晒干。

棕竹根：全年均可采收，洗净，切段，鲜用或晒干。

| 功能主治 | 棕竹：甘、涩，平。收敛止血。用于鼻衄，咯血，吐血，产后出血过多。

棕竹根：甘、涩，平。祛风除湿，收敛止血。用于风湿痹痛，鼻衄，咯血，跌打劳伤。

| 用法用量 | 棕竹：内服煅炭，研末冲，3 ～ 6g。

棕竹根：内服煎汤，9 ～ 20g，鲜品可用至 90g。

| 附　　注 | 本种喜温暖湿润气候和通风良好的环境，耐荫蔽，不耐寒。宜选择湿润、排水良好、富含腐殖质的酸性土壤栽培。

棕榈科 Palmae 棕榈属 Trachycarpus

棕榈
Trachycarpus fortunei (Hook.) H. Wendl.

药 材 名	棕榈（药用部位：叶柄）、棕榈皮（药用部位：叶柄及叶鞘纤维。别名：拼榈木皮、棕毛、棕树皮毛）、棕榈根（药用部位：根。别名：棕树根）、棕树心（药用部位：心材）、棕榈叶（药用部位：叶）、棕榈花（药用部位：花蕾、花。别名：棕榈木子、棕笋）、棕榈子（药用部位：果实。别名：败棕子、棕树果）。
形态特征	乔木，高 3 ~ 10m 或更高。树干圆柱形，被不易脱落的老叶柄基部和密集的网状纤维，除非人工剥除，否则不能自行脱落，裸露树干直径 10 ~ 15cm，甚至更粗。叶片呈 3/4 圆形或者近圆形，深裂成 30 ~ 50 具皱折的线状剑形裂片，长 60 ~ 70cm，宽 2.5 ~ 4cm，裂片先端具短 2 裂或 2 齿，硬挺甚至先端下垂；叶柄长 75 ~ 80cm，甚至更长，两侧具细圆齿，先端有明显的戟突。花序粗壮，多次分

棕榈

枝，从叶腋抽出，通常是雌雄异株。雄花序长约 40cm，具有 2 ~ 3 分枝花序，下部的分枝花序长 15 ~ 17cm，一般只 2 回分枝。雄花无梗，每 2 ~ 3 密集着生于小穗轴上，也有单生的，黄绿色，卵球形，钝三棱；花萼 3，卵状急尖，几分离，花冠约 2 倍长于花萼；花瓣阔卵形；雄蕊 6，花药卵状箭头形。雌花序长 80 ~ 90cm，花序梗长约 40cm，其上有 3 佛焰苞包着，具 4 ~ 5 圆锥状的分枝花序，下部的分枝花序长约 35cm，2 ~ 3 回分枝。雌花淡绿色，通常 2 ~ 3 聚生；花无梗，球形，着生于短瘤突上；萼片阔卵形，3 裂，基部合生；花瓣卵状近圆形，长于萼片 1/3；退化雄蕊 6，心皮被银色毛。果实阔肾形，有脐，宽 11 ~ 12mm，高 7 ~ 9mm，成熟时由黄色变为淡蓝色，有白粉，柱头残留在侧面附近；种子胚乳均匀，角质，胚侧生。花期 4 月，果期 12 月。

| **生境分布** | 通常栽培，罕见野生于海拔上限 250 ~ 2000m 的疏林中。重庆各地均有分布。

| **资源情况** | 野生和栽培资源均较丰富。药材来源于野生和栽培。

| **采收加工** | 棕榈：采棕时割取旧叶柄下延部分，除去纤维状的棕毛，晒干。
棕榈皮：全年均可采收，一般多于 9 ~ 10 月间采收其剥下的纤维状鞘片，除去残皮，晒干。
棕榈根：全年均可采挖，洗净，切段，晒干或鲜用。
棕树心：全年均可采收，除去茎皮，取木部，切段，晒干。
棕榈叶：全年均可采收，晒干或鲜用。

棕榈花：花将开或刚开放时连序采收，晒干。

棕榈子：秋季采收，干燥。

| **药材性状** | 棕榈：本品呈长条形板状，一端较窄而厚，另一端较宽而稍薄，大小不等。表面红棕色，粗糙，有纵直皱纹；一面有明显凸出的纤维，纤维两侧着生多数棕色绒毛。质硬而韧，不易折断，断面纤维性。气微，味淡。

棕榈皮：本品为粗长的纤维，成束状或片状，长 20 ~ 40cm，大小不一。棕褐色。质韧，不易撕断。气微，味淡。

棕榈子：本品呈肾形或近球形，常一面隆起，另一面凹下，凹面有沟，旁有果柄痕，长 8 ~ 10mm，宽 5 ~ 8mm。表面灰黄色或绿黄色，成熟者灰蓝色而被蜡质，平滑或有不规则网状皱纹，外果皮、中果皮较薄，常脱落而露出灰棕色或棕黑色坚硬的内果皮。种仁乳白色，角质。气微，味微涩、微甘。

| **功能主治** | 棕榈：苦、涩，平。归肺、肝、大肠经。收敛止血。用于吐血，衄血，尿血，便血，崩漏。

棕榈皮：苦、涩，平。归肝、脾、大肠经。收敛止血。用于吐血，衄血，便血，尿血，血崩，外伤出血。

棕榈根：苦、涩，凉。收敛止血，涩肠止痢，除湿，消肿，解毒。用于吐血，便血，崩漏，带下，痢疾，淋浊，水肿，关节疼痛，瘰疬，流注，跌打肿痛。

棕树心：苦、涩，平。养心安神，收敛止血。用于心悸，头昏，崩漏，脱肛，子宫脱垂。

棕榈叶：苦、涩，平。收敛止血，降压。用于吐血，劳伤，高血压。

棕榈花：苦、涩，平。止血，止泻，活血，散结。用于血崩，带下，肠风，泻痢，瘰疬。

棕榈子：苦、涩，平。收敛，止血，涩肠，固精。用于肠风，吐血，衄血，崩漏，痔血，带下，泻下，遗精。

| **用法用量** | 棕榈：内服煎汤，3～9g，一般炮制后用。

棕榈皮：内服煎汤，10～15g。外用适量，研末，外敷。

棕榈根：内服煎汤，15～30g。外用适量，煎汤洗；或捣敷。

棕树心：内服煎汤，10～15g；或研末。外用适量，捣敷。

棕榈叶：内服煎汤，6～12g；或泡茶。

棕榈花：内服煎汤，3～10g；或研末，3～6g。外用适量，煎汤洗。

棕榈子：内服煎汤，10～15g；或研末，每次2～3g，1日3次。

| **附　注** | 本种喜温暖湿润气候，不耐严寒，喜肥，耐阴。宜选排水良好、土层深厚的壤土或砂壤土栽培，不宜在干旱、土层瘠薄的土壤中栽种。通过种子繁殖，直播或育苗移栽。

天南星科 Araceae 菖蒲属 Acorus

金钱蒲 *Acorus gramineus* Soland.

| 药 材 名 | 金钱蒲（药用部位：根茎）。

| 形态特征 | 多年生草本，高 20 ~ 30cm。根茎较短，长 5 ~ 10cm，横走或斜伸，芳香，外皮淡黄色，节间长 1 ~ 5mm，上部多分枝，呈丛生状；根肉质，多数，长可达 15cm；须根密集。叶基对折，两侧膜质叶鞘棕色，下部宽 2 ~ 3mm，上延至叶片中部以下，渐狭，脱落；叶片质地较厚，线形，绿色，长 20 ~ 30cm，极狭，宽不足 6mm，先端长渐尖，无中肋，平行脉多数。花序柄长 2.5 ~ 9（~ 15）cm；叶状佛焰苞短，长 3 ~ 9（~ 14）cm，为肉穗花序长的 1 ~ 2 倍，稀比肉穗花序短，狭，宽 1 ~ 2mm；肉穗花序黄绿色，圆柱形，长 3 ~ 9.5cm，直径 3 ~ 5mm。果序直径达 1cm，果实黄绿色。花期 5 ~ 6 月，果实 7 ~ 8 月成熟。

金钱蒲

| 生境分布 |

生于海拔 1800m 以下的水旁湿地或石上。分布于重庆石柱、城口、黔江、云阳、酉阳、巫溪、忠县、开州等地。

| 资源情况 |

野生资源一般。药材来源于野生。

| 采收加工 |

秋、冬季采挖，除去须根和泥沙，晒干。

| 功能主治 |

辛，温。开窍益智，宽胸豁痰，祛湿解毒。用于湿痰蒙窍，神志不清，健忘多梦，癫痫耳聋，胸腹胀闷。外用于痈疖。

| 用法用量 |

内服煎汤，适量。

| 附　注 |

本种与石菖蒲 *Acorus tatarinowii* Schott 很难区别，因为叶片和佛焰苞的长短宽狭都有很大的相对性，随生长季节的不同和局部环境的差异而有所不同。鲜植物较易区分，石菖蒲叶片质地薄，较宽长，揉之气味辛辣，多生长于沼泽或浅水域；本种叶片厚，较窄小，芳香，手触摸之后香气长时不散，因谓"随手香"，多生长于湿地或石上。

天南星科 Araceae 菖蒲属 Acorus

石菖蒲 *Acorus tatarinowii* Schott

| 药 材 名 | 石菖蒲（药用部位：根茎。别名：水剑草、石蜈蚣、水蜈蚣）。

| 形态特征 | 多年生草本。根茎芳香，直径2～5mm，外部淡褐色，节间长3～5mm，根茎上部分枝甚密，植株因而成丛生状，分枝常被纤维状宿存叶基；根肉质，具多数须根。叶无柄，叶片薄，基部两侧膜质叶鞘宽可达5mm，上延几达叶片中部，渐狭，脱落；叶片暗绿色，线形，长20～30（～50）cm，基部对折，中部以上平展，宽7～13mm，先端渐狭；无中肋，平行脉多数，稍隆起。花序柄腋生，长4～15cm，三棱形；叶状佛焰苞长13～25cm，为肉穗花序长的2～5倍或更长，稀近等长；肉穗花序圆柱状，长（2.5～）4～6.5（～8.5）cm，直径4～7mm，上部渐尖，直立或稍弯；花白色。成熟果序长7～8cm，直径可达1cm；幼果绿色，成熟时黄绿色或黄白色。花果期2～6月。

石菖蒲

|生境分布|

生于海拔1000m以下的密林下湿地或溪旁石上。重庆各地均有分布。

|资源情况|

野生资源丰富。药材来源于野生。

|采收加工|

秋、冬季采挖，除去须根和泥沙，晒干。

|药材性状|

本品呈扁圆柱形，多弯曲，常有分枝，长3～20cm，直径0.3～0.5cm。表面棕褐色或灰棕色，粗糙，有疏密不匀的环节，节间长0.2～0.5cm，具细纵纹，一面残留须根或圆点状根痕；叶痕呈三角形，左右交互排列，有的其上有毛鳞状的叶基残余。质硬，断面纤维性，类白色或微红色，内皮层环明显，可见多数维管束小点及棕色油细胞。气芳香，味苦、微辛。

|功能主治|

辛、苦，温。归心、胃经。开窍豁痰，醒神益智，化湿开胃。用于神昏癫痫，健忘失眠，耳鸣耳聋，脘痞不饥，噤口下痢。

|用法用量|

内服煎汤，3～10g。

|附　注|

在FOC中，本种被修订为金钱蒲 *Acorus gramineus* Soland. ex Aiton。

天南星科 Araceae 海芋属 Alocasia

海芋

Alocasia macrorrhiza (L.) Schott

海芋

| 药 材 名 |

海芋（药用部位：根茎。别名：天荷、羞天草、隔河仙）、野芋实（药用部位：果实。别名：痕芋头花仁）。

| 形态特征 |

大型常绿草本。具匍匐根茎。有直立的地上茎，随植株的年龄和人类活动干扰程度的不同，茎高有不到 10cm 的，也有高达 3 ~ 5m 的，直径 10 ~ 30cm，基部长出不定芽条。叶多数，叶柄绿色或污紫色，螺状排列，粗厚，长可达 1.5m，基部连鞘宽 5 ~ 10cm，展开；叶片亚革质，草绿色，箭状卵形，边缘波状，长 50 ~ 90cm，宽 40 ~ 90cm，有的长、宽都在 1m 以上，后裂片 1/10 ~ 1/5 联合，幼株叶片联合较多；前裂片三角状卵形，先端锐尖，长胜于宽，1 级侧脉 9 ~ 12 对，下部的粗如手指，向上渐狭；后裂片多少圆形，弯缺锐尖，有时几达叶柄，后基脉互交成直角或不及 90° 的锐角；叶柄和中肋变黑色、褐色或白色。花序柄 2 ~ 3 丛生，圆柱形，长 12 ~ 60cm，通常绿色，有时污紫色；佛焰苞管部绿色，长 3 ~ 5cm，直径 3 ~ 4cm，卵形或短椭圆形；檐部蕾时绿色，花时黄绿色、绿白色，凋萎时变黄色、白色，舟状，长圆形，略下弯，先端喙状，长 10 ~ 30cm，周围 4 ~ 8cm；肉穗花序芳香，雌花序白色，长 2 ~ 4cm，不育雄花序绿白色，长（2.5 ~）5 ~ 6cm，能育雄花序淡黄色，长 3 ~ 7cm；附属器淡绿色至乳黄色，圆锥状，长 3 ~ 5.5cm，直径 1 ~ 2cm，嵌以不规则的槽纹。浆果红色，卵形，长 8 ~ 10mm，直径 5 ~ 8mm；种子 1 ~ 2。花期四季，但在密阴的林下常不开花。

| **生境分布** | 生于海拔 1700m 以下的热带雨林林缘或河谷野芭蕉林下，或栽培于庭园。重庆各地均有分布。

| **资源情况** | 野生资源稀少，栽培资源较丰富。药材主要来源于栽培。

| **采收加工** | 海芋：全年均可采挖，除去鳞叶，洗净，切片，晒干。
野芋实：夏季采收，晒干。

| **药材性状** | 海芋：本品为近圆形或不规则的薄片，卷曲或皱缩，厚 1 ~ 3mm。外皮棕黄色，有的有残存鳞叶，切面白色或黄白色，有颗粒状突起及波状皱纹。质脆，易折断，富粉性。气微，味淡，嚼之麻舌而刺喉。

| **功能主治** | 海芋：辛，寒；有毒。清热解毒，消肿散结。用于热病，流行性感冒，肠伤寒。外用于疔疮肿毒。
野芋实：辛，温；有小毒。行气止痛。用于小肠疝气。

| **用法用量** | 海芋：内服煎汤，9 ~ 30g。外用鲜品适量，捣烂敷患处。本品有毒，内服须煎 3 ~ 5h。
野芋实：内服煎汤，3 ~ 9g。

| **附　注** | 在 FOC 中，本种的拉丁学名被修订为 *Alocasia odora* (Roxburgh) K. Koch。

磨芋
Amorphophallus rivieri Durieu

| **药 材 名** | 魔芋（药用部位：块茎。别名：蒟蒻、蒻头、白蒟蒻）。

| **形态特征** | 多年生草本。块茎扁球形，直径 7.5 ~ 25cm，顶部中央多少下凹，暗红褐色，颈部周围生多数肉质根及纤维状须根。叶柄长 45 ~ 150cm，基部直径 3 ~ 5cm，黄绿色，光滑，有绿褐色或白色斑块；基部膜质鳞叶 2 ~ 3，披针形，内面的渐长大，长 7.5 ~ 20cm；叶片绿色，3 裂，1 次裂片具长 50cm 的柄，二歧分裂，2 次裂片 2 回羽状分裂或 2 回二歧分裂，小裂片互生，大小不等，基部的较小，向上渐大，长 2 ~ 8cm，长圆状椭圆形，骤狭渐尖，基部宽楔形，外侧下延成翅状；侧脉多数，纤细，平行，近边缘连接为集合脉。花序柄长 50 ~ 70cm，直径 1.5 ~ 2cm，色泽同叶柄；佛焰苞漏斗形，长 20 ~ 30cm，基部席卷，管部长 6 ~ 8cm，宽 3 ~ 4cm，苍绿色，杂以暗绿色斑块，边缘紫红色；檐部长 15 ~ 20cm，宽约 15cm，心状

磨芋

圆形，锐尖，边缘折波状，外面变绿色，内面深紫色；肉穗花序比佛焰苞长 1 倍，雌花序圆柱形，长约 6cm，直径 3cm，紫色；雄花序紧接（有时杂以少数两性花），长 8cm，直径 2 ~ 2.3cm；附属器呈伸长的圆锥形，长 20 ~ 25cm，中空，明显具小薄片或具棱状长圆形的不育花遗垫，深紫色；花丝长 1mm，宽 2mm，花药长 2mm；子房长约 2mm，苍绿色或紫红色，2 室，胚珠极短，无柄，花柱与子房近等长，柱头边缘 3 裂。浆果球形或扁球形，成熟时黄绿色。花期 4 ~ 6 月，果实 8 ~ 9 月成熟。

| 生境分布 | 生于疏林下、林缘或溪谷两旁湿润地，或栽培于房前屋后、田边地角，有的地方与玉米混种。重庆各地均有分布。

| 资源情况 | 野生资源较少。药材主要来源于栽培。

| 采收加工 | 10 ~ 11 月采收，鲜用；或洗净，切片，晒干。

| 药材性状 | 本品呈扁圆形厚片，切面灰白色，有多数细小维管束小点，周边暗红褐色，有细小圆点及根痕。质坚硬，粉性。嚼之微有麻舌感。

| 功能主治 | 辛、苦，寒；有毒。化瘀消积，解毒散结，行瘀止痛。用于痰嗽，积滞，疟疾，瘰疬，跌打损伤，痈肿，疔疮，丹毒，烫火伤，蛇咬伤。

| 用法用量 | 内服煎汤，9 ~ 15g（需久煎 2h 以上）。外用适量，捣敷；或磨醋涂。

| 附　注 | 在 FOC 中，本种被修订为花蘑芋 *Amorphophallus konjac* K. Koch。

雷公连

Amydrium sinense (Engl.) H. Li

雷公连

| 药 材 名 |

雷公连（药用部位：全株。别名：大医药、软筋藤、青藤）。

| 形态特征 |

附生藤本。茎较细弱，直径 3 ~ 5mm，借肉质气生根紧贴于树干上，节间长 3 ~ 5cm。叶柄上面具槽，基部扩大，长 8 ~ 15cm，上部有长约 1cm 的关节，叶柄鞘达关节，撕裂状脱落；叶片革质，表面亮绿色，背面黄绿色，干时均为黑褐色（背面较淡），镰状披针形，全缘，锐尖，基部宽楔形至近圆形，长 13 ~ 23cm，宽 5 ~ 8cm，不等侧，常一侧为另一侧宽的 2 倍；中肋表面平坦，背面隆起，侧脉极多数，与中肋成 30° 锐角斜伸，然后弧形上升，至边缘连接，细脉网状，干时均较明显。花序柄淡绿色，长 5.5cm；佛焰苞肉质，蕾时绿色，席卷为纺锤形，上端渐尖，长 7cm，中部直径 2.2cm，盛花时展开成短舟状，近卵圆形，长 8 ~ 9cm，人为展平宽 11.5cm，黄绿色至黄色；肉穗花序具长 0.5 ~ 1cm 的梗，倒卵形，向基部变狭，先端钝圆，长约 4cm，直径 1.8cm；花两性；子房顶部五边形至六边形，宽 5mm，长 4mm，柱头无柄，多少下凹，近圆形，干时微凸，1 室，胚珠 2，近横生，生于侧膜胎座的中下部；花丝基部宽，长 4mm，骤狭为长 1.2mm 的线形药隔；药室长圆形，长 3mm，外露或否，从顶部向外纵裂。浆果绿色，成熟时黄色、红色，味臭；种子 1 ～ 2，棕褐色，倒卵状肾形，长约 2mm，腹面扁平。花期 6 ～ 7 月，果期 7 ～ 11 月。

| **生境分布** | 附生于海拔 700 ～ 2100m 常绿阔叶林中树干上或石崖上。分布于重庆南川、秀山、江北、巫溪、涪陵、云阳等地。

| **资源情况** | 野生资源较少。药材来源于野生。

| **采收加工** | 全年均可采收，鲜用或切片晒干。

| **功能主治** | 辛、微苦，凉。舒筋活络，祛瘀止痛。用于风湿麻木，心绞痛，骨折，跌打损伤。

| **用法用量** | 内服煎汤，9 ～ 15g。

| **附　　注** | 本种为我国特有种。同属植物穿心藤 *Amydrium hainanense* (Ting et Wu ex H. Li et al.) H. Li 的藤茎与本种极其相似，两者易混用。

天南星科 Araceae 天南星属 *Arisaema*

刺柄南星 *Arisaema asperatum* N. E. Brown

| 药 材 名 | 南星（药用部位：块茎。别名：绿南星、白南星、南星七）。

| 形态特征 | 多年生草本。块茎扁球形，直径 3 ~ 5cm。鳞叶宽线状披针形，内面长 15 ~ 20cm，带紫红色；叶 1，叶柄长 30 ~ 50cm，密被乳突状白色弯刺，基部 5cm 鞘筒状，鞘上缘斜截形，直径 2cm；叶片 3 全裂，裂片无柄，中裂片宽倒卵形，先端微凹，具细尖头，基部楔形，长 16 ~ 23cm，宽 18 ~ 27cm，侧裂片菱状椭圆形，长 17 ~ 28cm，宽 15 ~ 22cm，中肋背面具白色弯刺；幼株叶片边缘深波状，叶柄和叶裂片中肋背面无刺或有极稀疏的弯刺。花序柄长 25 ~ 60cm，具疣，粗糙；佛焰苞暗紫黑色，具绿色纵纹，管部圆柱形，长 5 ~ 6cm，喉部无耳，亦不外卷；檐部倒披针形或卵状披针形，渐尖，近直立，长 8 ~ 12cm；肉穗花序单性，雄花序圆柱形，长约 3cm；雄花具短

刺柄南星

柄，花药 2 ～ 3，黄色，药室扁圆球形，汇合，顶部马蹄形开裂；雌花序圆锥状，长 2 ～ 3cm，子房圆柱状，柱头盘状，近无柄；各附属器圆柱形，长 6.5 ～ 9cm，基部骤然增粗，2.5 ～ 4mm，基底截形，具长 3 ～ 5mm 的柄，向上渐狭，伸出喉外，近直立。花期 5 ～ 6 月。

| 生境分布 | 生于海拔 800 ～ 2000m 的山坡林下或灌丛中。分布于重庆黔江、武隆、巫溪等地。

| 资源情况 | 野生资源较少。药材来源于野生。

| 采收加工 | 秋、冬季叶枯萎时采挖，除去残茎、须根及外皮，不切或趁鲜切片，直接干燥或蒸后干燥。

| 药材性状 | 本品呈扁圆形，直径 1.5 ～ 5cm。表面棕色，周围具麻点状根痕，细小，周边有较多突出的侧芽。气微，微麻舌。

| 功能主治 | 苦、辛，温；有毒。归肺、肝、脾经。燥湿化痰，祛风止痉，散结消肿。用于顽痰咳嗽，风疾眩晕，中风痰壅，口眼㖞斜，半身不遂，癫痫，惊风，破伤风。外用于痈肿，蛇虫咬伤。

| 用法用量 | 内服煎汤，3 ～ 6g。外用生品适量，研末，以醋或酒调敷患处。

| 附　　注 | 本种为我国特有种，外形与象南星 *Arisaema elephas* Buchet 比较接近。本种的特点是老株叶柄及叶裂片中肋的背面具扁的白色弯刺，附属器较短小，圆柱形，长 6.5 ～ 9cm，近直立，是象南星在秦岭、巴山地区的替代种。

天南星科 Araceae 天南星属 Arisaema

棒头南星
Arisaema clavatum Buchet

| 药 材 名 | 棒头南星（药用部位：块茎。别名：蛇苞谷、麻芋子、虎掌南星）。

| 形态特征 | 多年生草本。块茎近球形或卵球形，直径 2 ~ 4cm。鳞叶 3，膜质，外面的长 1 ~ 2cm，内面的长 10 ~ 20cm，下部筒状，上部披针形，钝或骤尖。叶 2，叶柄长 40 ~ 60cm，下部 1/2 鞘状；叶片鸟足状分裂，裂片（7 ~）11 ~ 15，纸质，长圆形至披针形，骤狭后尾状渐尖，基部楔形，无柄；中肋明显，侧脉极细弱，脉距 1 ~ 2mm，集合脉距边缘 1 ~ 2mm；中间 5 裂片近等大，长 10 ~ 19cm，宽 3 ~ 6cm，其他侧裂片依次渐小，最外侧的长 2 ~ 4cm，宽 0.5 ~ 1.5cm。花序柄比叶柄短，长 30 ~ 46cm；佛焰苞长 7.5 ~ 16cm，绿色，管部带紫色，檐部内面有 5 苍白色条纹，居中的 1 条向先端隐失，有时不具条纹，管部圆柱形或长漏斗状，长 3.5 ~ 8cm，上部直径

棒头南星

1.3 ~ 2.5cm，喉部边缘斜截形或浑圆，不外卷；檐部与管部近等长，近菱形或短椭圆形，宽 1.5 ~ 3cm，锐尖，基部略狭缩；肉穗花序单性；雄花序圆柱形，长 1.2 ~ 1.7cm，下部直径 3mm，向上稍狭；雌花序椭圆形或圆锥形，长 2 ~ 2.5cm，直径 7 ~ 8mm；附属器长（2.6 ~）7cm，无柄，下部直径 1.5mm，向上渐狭，伸出喉外约 1cm，基部 1/4 具或多或少的钻形及钩形中性花（长 1 ~ 3mm），先端骤然扩大为棒头或圆锥体，长 3 ~ 5（~ 10）mm，直径 2 ~ 3（~ 5）mm，棒头密生向上的肉质棒状突起；雄花紫色，具短柄或近无柄，花药 2 ~ 3，药室圆球形，顶孔开裂；子房淡绿色，倒卵圆形，花柱长约 1mm，柱头半球形，胚珠 3 ~ 4，珠柄稍长。花期 2 ~ 4 月，果期 4 ~ 6 月。

| **生境分布** | 生于海拔 300 ~ 1500m 的林下或湿润地。分布于重庆铜梁、城口、奉节、南川等地。

| **资源情况** | 野生资源较少。药材来源于野生。

| **采收加工** | 夏、秋季采挖，除去须根及茎叶，洗净，鲜用或晒干。

| **功能主治** | 清热解毒，消肿散结。外用于毒蛇咬伤，疮疡肿毒。

| **用法用量** | 内服煎汤，适量（需经炮制后用）。外用适量，捣敷。

| **附　　注** | （1）本种为我国特有种，其模式标本采于重庆城口。
（2）本种显著特点是附属器下部具中性花，先端为具肉质棒状突起的棒头。果期附属器常易折断，此时仍可根据其基部中性花来识别。

天南星科 Araceae 天南星属 Arisaema

一把伞南星

Arisaema erubescens (Wall.) Schott

一把伞南星

药材名

天南星（药用部位：块茎。别名：南星、蛇芋、野芋头）。

形态特征

多年生草本。块茎扁球形，直径可达 6cm，表皮黄色，有时淡红紫色。鳞叶绿白色、粉红色，有紫褐色斑纹。叶 1，极稀 2，叶柄长 40 ~ 80cm，中部以下具鞘，鞘部粉绿色，上部绿色，有时具褐色斑块；叶片放射状分裂，裂片无定数，幼株少则 3 ~ 4，多年生植株有多至 20 的，常 1 枚上举，余放射状平展，披针形、长圆形至椭圆形，无柄，长（6 ~）8 ~ 24cm，宽 6 ~ 35mm，长渐尖，具线形长尾（长可达 7cm）或否。花序柄比叶柄短，直立，果时下弯或否；佛焰苞绿色，背面有清晰的白色条纹，或淡紫色至深紫色而无条纹，管部圆筒形，长 4 ~ 8mm，直径 9 ~ 20mm；喉部边缘截形或稍外卷，檐部通常颜色较深，三角状卵形至长圆状卵形，有时为倒卵形，长 4 ~ 7cm，宽 2.2 ~ 6cm，先端渐狭，略下弯，有长 5 ~ 15cm 的线形尾尖或否；肉穗花序单性；雄花序长 2 ~ 2.5cm，花密；雌花序长约 2cm，直径 6 ~ 7mm；各附属器棒状、圆柱形，中部稍膨大或否，直立，长 2 ～ 4.5cm，中部直径 2.5 ～ 5mm，先端钝，光滑，基部渐狭；雄花序的附属器下部光滑或有少数中性花；雌花序上的具多数中性花；雄花具短柄，淡绿色、紫色至暗褐色，雄蕊 2 ～ 4，药室近球形，顶孔开裂成圆形；雌花子房卵圆形，柱头无柄。果序柄下弯或直立，浆果红色；种子 1 ～ 2，球形，淡褐色。花期 5 ～ 7 月，果实 9 月成熟。

| 生境分布 | 生于海拔 600 ～ 2200m 的林下、灌丛、草坡、荒地。分布于重庆黔江、彭水、石柱、丰都、綦江、江津、秀山、涪陵、南川、云阳、忠县、奉节、武隆、开州、巫溪等地。

| 资源情况 | 野生资源丰富。药材主要来源于野生，亦有栽培。

| 采收加工 | 秋、冬季茎叶枯萎时采挖，除去须根及外皮，干燥。

| 药材性状 | 本品呈扁球形，高 1 ～ 2cm，直径 1.5 ～ 6cm。表面类白色或淡棕色，较光滑，先端有凹陷的茎痕，周围有麻点状根痕，有的块茎周边有小扁球状侧芽。质坚硬，不易破碎，断面不平坦，白色，粉性。气微，味麻、辣。

| 功能主治 | 苦、辛，温；有毒。归肺、肝、脾经。散结消肿。用于痈肿，蛇虫咬伤。

| 用法用量 | 外用生品适量，研末，以醋或酒调敷患处。

| 附　注 | 本种喜冷、湿润气候和阴湿环境，怕强光，应适度荫蔽或与高秆作物或林木间作。宜选湿润、疏松、肥沃、富含腐殖质的壤土或砂壤土栽培，黏土及洼地不宜种植。

天南星科 Araceae 天南星属 Arisaema

螃蟹七

Arisaema fargesii Buchet

| 药 材 名 | 螃蟹七（药用部位：块茎。别名：虎掌南星、天南星、狗爪南星）。

| 形态特征 | 多年生草本。块茎扁球形，直径 3 ~ 5cm，常具多数小球茎。鳞叶 3，褐色，宽 2 ~ 2.5cm，向上渐狭，最上的长约 15cm。叶柄长 20 ~ 40cm，直径 6 ~ 7mm，下部 1/4 具鞘；叶片 3 深裂至 3 全裂，裂片无柄，干时膜质，全缘，中裂片近菱形，卵状长圆形至卵形，凸尖或急尖，基部短楔形或与侧裂片联合，长 12 ~ 32cm，宽 9 ~ 27cm；侧裂片斜椭圆形，外侧较宽，半卵形，长 9 ~ 23cm，宽 6 ~ 16cm；中肋背面隆起，侧脉 9 ~ 10 对，集合脉距边缘 2 ~ 10mm。花序柄比叶柄短而细，长 18 ~ 26cm；佛焰苞紫色，有苍白色线状条纹，管部近圆柱形，长 4 ~ 8cm，直径 1.5 ~ 2cm，喉部边缘耳状反卷；檐部长圆三角形，拱形下弯或近直立，长 6 ~ 12cm，宽

螃蟹七

4 ~ 4.5cm，长渐尖，具长 1 ~ 4cm 的尾尖；肉穗花序单性；雄花序长 2.5 ~ 3cm，圆柱形，直径 4 ~ 5mm，雄花有花药 2 ~ 4，药室卵圆形，基部叉开，顶孔开裂；雌花序长约 2cm，花密，子房具棱，顶部常圆形，花柱极短而粗，柱头被毛，胚珠少数；各附属器粗壮，伸长的圆锥状，长 4.5 ~ 9cm，下部直径 7 ~ 15mm，基部骤狭成短柄，非截形，上部长渐尖，先端钝，直径 1.5 ~ 5mm，近直立或上部略弯。花期 5 ~ 6 月。

| 生境分布 | 生于海拔 350 ~ 1600m 的林下或灌丛内多石处。分布于重庆巫山、奉节、巫溪、永川等地。

| 资源情况 | 野生资源稀少。药材来源于野生。

| 采收加工 | 秋后采挖，鲜用或切片晒干。

| 药材性状 | 本品多呈扁平皿状，直径 2 ~ 4cm，高 5 ~ 10mm，亦有呈不规则半球形。表面淡黄棕色或绿黑色，有的可见未去净的淡棕色外皮；先端凹陷（茎痕），周围有数个深陷的须根痕，周边有侧芽，呈长圆形凸起，其先端凹陷。质坚硬，呈角质状，有的略透明。无臭，味辣而麻。

| 功能主治 | 辛，温；有毒。燥湿，祛风，化痰，散结。用于中风口眼㖞斜，半身不遂，破伤风口噤、颈项强直，小儿惊风，痰咳，肿毒。

| 用法用量 | 内服煎汤，3 ~ 6g（须经炮制后使用）；或入丸、散。外用适量，捣敷。

天南星科 Araceae　天南星属 Arisaema

天南星
Arisaema heterophyllum Blume

| 药 材 名 | 天南星（药用部位：块茎。别名：南星、白南星、山苞米）。

| 形态特征 | 块茎扁球形，直径 2 ~ 4cm，顶部扁平，周围生根，常有若干侧生芽眼。鳞芽 4 ~ 5，膜质。叶常单一，叶柄圆柱形，粉绿色，长 30 ~ 50cm，下部 3/4 鞘筒状，鞘端斜截形；叶片鸟足状分裂，裂片 13 ~ 19，有时更少或更多，倒披针形、长圆形、线状长圆形，基部楔形，先端骤狭渐尖，全缘，暗绿色，背面淡绿色，中裂片无柄或具长 15m 的短柄，长 3 ~ 15cm，宽 0.7 ~ 5.8cm，比侧裂片几短 1/2；侧裂片长 7.7 ~ 24.2（~ 31）cm，宽（0.7 ~）2 ~ 6.5cm，向外渐小，排列成蝎尾状，间距 0.5 ~ 1.5cm。花序柄长 30 ~ 55cm，从叶柄鞘筒内抽出。佛焰苞管部圆柱形，长 3.2 ~ 8cm，粗 1 ~ 2.5cm，粉绿色，内面绿白色，喉部截形，外缘稍外卷；檐部卵形或卵状披针

天南星

形，宽 2.5 ~ 8cm，长 4 ~ 9cm，下弯几成盔状，背面深绿色、淡绿色至淡黄色，先端骤狭渐尖。肉穗花序两性和雄花序单性。两性花序下部雌花序长 1 ~ 2.2cm，上部雄花序长 1.5 ~ 3.2cm，此中雄花疏，大部分不育，有的退化为钻形中性花，稀为仅有钻形中性花的雌花序。单性雄花序长 3 ~ 5cm，粗 3 ~ 5mm，各种花序附属器基部粗 5 ~ 11mm，苍白色，向上细狭，长 10 ~ 20cm，至佛焰苞喉部以外"之"字形上升（稀下弯）。雌花球形，花柱明显，柱头小，胚珠 3 ~ 4，直立于基底胎座上。雄花具柄，花药 2 ~ 4，白色，顶孔横裂。浆果黄红色、红色，圆柱形，长约 5mm，内有棒头状种子 1，不育胚珠 2 ~ 3，种子黄色，具红色斑点。花期 4 ~ 5 月，果期 7 ~ 9 月。

| **生境分布** | 生于海拔 600 ~ 2000m 的林下、灌丛、草坡、荒地。分布于重庆黔江、涪陵、永川、酉阳、城口、璧山、忠县、南川、江津、北碚、开州、巫溪、梁平、合川、巴南等地。

| **资源情况** | 野生资源较丰富。药材主要来源于野生，亦有少量栽培。

| **采收加工** | 秋、冬季茎叶枯萎时采挖，除去须根及外皮，干燥。

| **药材性状** | 本品呈扁球形，高 1 ~ 2cm，直径 1.5 ~ 4cm。表面类白色或淡棕色，较光滑，先端有凹陷的茎痕，周围有麻点状根痕，有的周边有小扁球状侧芽。质坚硬，不易破碎，断面不平坦，白色，粉性。气微，味麻、辣。

| **功能主治** | 苦、辛，温；有毒。归肺、肝、脾经。散结消肿。外用于痈肿，蛇虫咬伤。

| **用法用量** | 外用生品适量，研末以醋或酒调敷患处。孕妇慎用；生品内服宜慎。

天南星科 Araceae 天南星属 *Arisaema*

花南星
Arisaema lobatum Engl.

| 药 材 名 | 花南星（药用部位：块茎。别名：大叶天南星、大叶半夏、蛇磨芋）。

| 形态特征 | 多年生草本。块茎近球形，直径 1 ~ 4cm。鳞叶膜质，线状披针形，最上的长 12 ~ 15cm，先端锐尖或钝。叶 1 或 2，叶柄长 17 ~ 35cm，下部 1/2 ~ 2/3 具鞘，黄绿色，有紫色斑块，形如花蛇；叶片 3 全裂，中裂片具长 1.5 ~ 5cm 的柄，长圆形或椭圆形，基部狭楔形或钝，长 8 ~ 22cm，宽 4 ~ 10cm；侧裂片无柄，极不对称，长圆形，外侧宽为内侧的 2 倍，下部 1/3 具宽耳，长 5 ~ 23cm，宽 2 ~ 8cm，均渐尖或骤狭渐尖、锐尖；侧脉脉距约 1cm，集合脉距边缘 5mm。花序柄与叶柄近等长，常较短；佛焰苞外面淡紫色，管部漏斗状，长 4 ~ 7cm，上部直径 1 ~ 2.5cm，喉部无耳，斜截形，略外卷或否，骤狭为檐部；檐部披针形，狭渐尖，长 4 ~ 7cm，有

花南星

时具长 2 ~ 3cm 的尾尖，宽 2.5 ~ 3cm，深紫色或绿色，下弯或垂立；肉穗花序单性；雄花序长 1.5 ~ 2.5cm，花疏；雌花序圆柱形或近球形，长 1 ~ 2cm；各附属器具长 6mm 的细柄（直径约 1mm），基部截形，直径 4 ~ 6mm，向中部稍收缩，向上又增粗为棒状，先端钝圆，长 4 ~ 5cm，直立；雄花具短柄，花药 2 ~ 3，药室卵圆形，青紫色，顶孔纵裂；子房倒卵圆形，钝，柱头无柄。浆果，种子 3。花期 4 ~ 7 月，果期 8 ~ 9 月。

| 生境分布 | 生于海拔 600 ~ 2200m 的林下、草坡或荒地。分布于重庆石柱、南川等地。

| 资源情况 | 野生资源较少。药材来源于野生。

| 采收加工 | 夏、秋季采挖，除去须根及茎叶，洗净，鲜用或晒干。

| 药材性状 | 本品块茎呈扁圆形，直径 2 ~ 4cm。表面深棕色；幼时可见周围着生小块茎，长大后小块茎即脱落而留有疤痕。气微，味辛、麻，刺舌。

| 功能主治 | 苦、辛，温；有毒。燥湿，化痰，祛风，消肿，散结。用于咳嗽痰多，中风口眼㖞斜，半身不遂，小儿惊风，痈肿，毒蛇咬伤。

| 用法用量 | 内服煎汤，3 ~ 6g（需经炮制后用）。外用适量，捣敷。

| 附　　注 | 本种为我国特有种。

雪里见
Arisaema rhizomatum C. E. C. Fischer

| 药 材 名 | 雪里见（药用部位：根茎。别名：半截烂、大半夏、麻醉药）。

| 形态特征 | 多年生草本。根茎横卧，圆锥形或圆柱形，长5～9cm，直径2～3cm，具节，节上生长达10cm的圆柱形根。鳞叶2～3，披针形，锐尖，长4～15cm。叶2，叶柄纤细，长15～35cm，下部1/3～1/2具鞘，暗褐色或绿色，散布紫色或白色斑块；叶片鸟足状分裂，裂片5，表面绿色，背面常有紫色斑块，长椭圆形至长圆状披针形，渐尖，有时具长2～3cm的尾尖，基部狭，中裂片具长5mm的柄，长8～20cm，宽3～7cm；侧裂片具短柄或无柄至基部联合，较小，外侧的长5～17cm，宽1.5～3.5cm；各裂片侧脉细弱，斜伸，集合脉距边缘2～5mm。花序柄远短于叶柄，长5～21cm；佛焰苞黄绿色、黄色、淡红色，具暗紫色或黑色斑点，管部圆柱形，长4～6cm，直径1.5～2cm，喉部斜截形，略外卷，不具耳；檐部披

雪里见

针形至卵状披针形，长 4 ~ 9.5cm，宽 3 ~ 3.5cm，渐尖，先端具长 6 ~ 10cm 的线形长尾；肉穗花序单性；雄花序长 2 ~ 2.5cm，直径 3 ~ 4mm；雌花序狭圆锥形，长 1.5 ~ 2cm，下部直径 7mm；附属器稍伸出喉外，暗紫色，有黑斑，长 2 ~ 3.5cm，具长 5mm 的细柄，圆柱形，基部截形，直径 7mm，中部以上缢缩为颈状，直径 3mm，先端棒状，顶部有肉质钻形突起；雄花较疏，下部的具柄，上部的无柄，花药 2 ~ 3，纵裂；雌花密集，子房近球形，花柱明显，柱头小，近盾状。浆果倒卵形，内有倒卵形种子 1。花期 8 ~ 11 月，果熟期翌年 1 ~ 2 月。

| 生境分布 | 生于海拔 1000 ~ 2000m 的常绿阔叶林下，多见于石缝、石洞旁。分布于重庆巫溪、巫山、酉阳、秀山、南川、开州、武隆、江津、石柱等地。

| 资源情况 | 野生资源较少。药材来源于野生。

| 采收加工 | 夏、秋季采挖，除去残茎、须根，洗净，干燥。

| 药材性状 | 本品呈圆柱形，有的基部缢缩，长 2 ~ 5cm，直径 0.5 ~ 3cm。表面黄褐色、黄棕色或黑褐色，稍显粗糙，密生细环纹和点状根痕；先端平截，中心有凹陷的茎痕或有茎基残留，外皮有棕色膜质残叶；基部平截或腐烂成黑褐色的疤痕，略凹陷。质坚实而硬，断面淡灰黄色，粉性，可见许多的白色细小亮点。气微，味淡而辛、辣，麻舌。

| 功能主治 | 辛，温；有毒。归肝、肾经。祛风除湿，散瘀止痛，解毒消肿。用于风湿痹痛，肢体麻木，劳伤疼痛。外用于各种无名肿毒，跌打损伤，痰核溃疡，疮痈肿毒，毒蛇咬伤等。

| 用法用量 | 内服煎汤，0.9 ~ 1.8g。外用适量，研末或泡酒涂敷患处。孕妇禁用。

| 附　　注 | （1）在 FOC 中，本种被修订为奇异南星 *Arisaema decipiens* Schott。
（2）本种为我国特有种。
（3）本种药材雪里见为土家族、苗族的常用药材，因其用量少，见效快的特点，被土家医列为"土家四宝"之一，同时也是苗医著名的"弩药针"的主要药物之一。

天南星科 Araceae 天南星属 *Arisaema*

灯台莲

Arisaema sikokianum Franch. et Sav. var. *serratum* (Makino) Hand.-Mazt.

| 药 材 名 | 灯台莲（药用部位：块茎。别名：蛇根头、蛇包谷、老蛇包谷）。

| 形态特征 | 多年生草本。块茎扁球形，直径 2 ~ 3cm。鳞叶 2，内面的披针形，膜质。叶 2，叶柄长 20 ~ 30cm，下面 1/2 鞘筒状，鞘筒上缘几截平；叶片鸟足状 5 裂，裂片卵形、卵状长圆形或长圆形，边缘具不规则的粗锯齿至细的啮状锯齿，中裂片具 0.5 ~ 2.5cm 的长柄，长 13 ~ 18cm，宽 9 ~ 12cm，锐尖，基部楔形；侧裂片与中裂片相距 1 ~ 4cm，与中裂片近相等，具短柄或否；外侧裂片无柄，较小，不等侧，内侧基部楔形，外侧圆形或耳状；1 级侧脉 8 ~ 10 对。花序柄略短于叶柄或几与叶柄等长；佛焰苞淡绿色至暗紫色，具淡紫色条纹，管部漏斗状，长 4 ~ 6cm，上部直径 1.5 ~ 2cm，喉部边缘近截形，无耳；檐部卵状披针形至长圆状披针形，长 6 ~ 10cm，

灯台莲

宽 2.5 ～ 5.5cm，稍下弯；肉穗花序单性；雄花序圆柱形，长 2 ～ 3cm，直径 2mm，花疏，雄花近无柄，花药 2 ～ 3，药室卵形，外向纵裂；雌花序近圆锥形，长 2 ～ 3cm，下部直径 1cm，花密，子房卵圆形，柱头小，圆形，胚珠 3 ～ 4；各附属器明显具细柄，直立，粗壮，直径 4 ～ 5mm，上部增粗成棒状或近球形。果序长 5 ～ 6cm，圆锥状，下部直径 3cm，浆果黄色，长圆锥形；种子 1 ～ 2 或 3，卵圆形，光滑，具柄。花期 5 月，果熟期 8 ～ 9 月。

| 生境分布 | 生于海拔 600 ～ 1500m 的山坡林下或沟谷岩石上。分布于重庆南川、秀山等地。

| 资源情况 | 野生资源稀少。药材来源于野生。

| 采收加工 | 夏、秋季采挖，除去茎叶及须根，洗净，鲜用或切片晒干。

| 功能主治 | 苦、辛，温；有毒。燥湿化痰，息风止痉，消肿止痛。用于痰湿咳嗽，风痰眩晕，癫痫，中风，口眼㖞斜，破伤风，痈肿，毒蛇咬伤。

| 用法用量 | 内服煎汤，3 ～ 6g（需经炮制后用）。外用适量，捣敷；或研粉醋调敷。阴虚燥咳者及孕妇禁用。

| 附　　注 | （1）在 FOC 中，本种的拉丁学名被修订为 *Arisaema bockii* Engler。
（2）本种的原变种全缘灯台莲 *Arisaema sikokianum* Franch. et Sav. 的块茎也作药用。

天南星科 Araceae 芋属 Colocasia

野芋

Colocasia antiquorum Schott

| 药 材 名 | 野芋（药用部位：块茎。别名：老芋、野芋艿、野芋头）、野芋叶（药用部位：叶）。

| 形态特征 | 湿生草本。块茎球形，有多数须根。匍匐茎常从块茎基部外伸，长或短，具小球茎。叶柄肥厚，直立，长可达 1.2m；叶片薄革质，表面略发亮，盾状卵形，基部心形，长达 50cm 以上；前裂片宽卵形，锐尖，长稍胜于宽，1 级侧脉 4 ~ 8 对；后裂片卵形，钝，长约为前裂片的 1/2，2/3 ~ 3/4 甚至完全联合，基部弯缺为宽钝的三角形或圆形，基脉相交成 30° ~ 40° 的锐角。花序柄比叶柄短许多；佛焰苞苍黄色，长 15 ~ 25cm；管部淡绿色，长圆形，为檐部长的 1/5 ~ 1/2；檐部呈狭长的线状披针形，先端渐尖；肉穗花序短于佛焰苞；雌花序与不育雄花序等长，均长 2 ~ 4cm；能育雄花序和附属器均长 4 ~

野芋

8cm；子房具极短的花柱。

生境分布

生于林下阴湿处。分布于重庆万州、九龙坡、彭水、秀山、云阳、石柱、荣昌等地。

资源情况

野生资源一般。药材主要来源于野生。

采收加工

野芋：夏、秋季采挖，鲜用或切片晒干。

野芋叶：春、夏季采收，鲜用或晒干。

功能主治

野芋：辛，寒；有毒。清热解毒，散瘀消肿。用于痈疮肿毒，乳痈，颈淋巴结炎，痔疮，疥癣，跌打损伤，虫蛇咬伤。

野芋叶：辛，寒；有毒。清热解毒，消肿止痛。用于疔疮肿毒，虫蛇咬伤。

用法用量

野芋：外用适量，捣敷或磨汁涂。

野芋叶：外用适量，捣敷。

芋

天南星科 Araceae 芋属 Colocasia

芋

Colocasia esculenta (L.) Schott.

药材名

芋头（药用部位：根茎。别名：芋根、土芝、狗爪芋）、芋叶（药用部位：叶。别名：芋荷、芋苗、青皮叶）、芋梗（药用部位：叶柄。别名：芋荷杆、芋茎）、芋头花（药用部位：花序。别名：芋苗花）。

形态特征

湿生草本。块茎通常卵形，常生多数小球茎，均富含淀粉。叶2～3或更多；叶柄长于叶片，长20～90cm，绿色；叶片卵状，长20～50cm，先端短尖或短渐尖；侧脉4对，斜伸达叶缘，后裂片浑圆，合生长度达1/3～1/2，弯缺较钝，深3～5cm，基脉相交成30°角，外侧脉2～3，内侧1～2，不显。花序柄常单生，短于叶柄；佛焰苞长短不一，一般为20cm左右；管部绿色，长约4cm，直径2.2cm，长卵形；檐部披针形或椭圆形，长约17cm，展开成舟状，边缘内卷，淡黄色至绿白色；肉穗花序长约10cm，短于佛焰苞；雌花序长圆锥形，长3～3.5cm，下部直径1.2cm；中性花序长3～3.3cm，细圆柱形；雄花序圆柱形，长4～4.5cm，直径7mm，先端骤狭；附属器钻形，长约1cm，直径不及1mm。花期2～4

月（云南）至 8 ~ 9 月（秦岭）。

| **生境分布** | 多栽培于菜园。重庆各地均有分布。

| **资源情况** | 野生资源稀少，栽培资源丰富。药材主要来源于栽培。

| **采收加工** | 芋头：秋季采挖，除去须根及地上部分，洗净，鲜用或晒干。
芋叶：7 ~ 8 月采收，鲜用或晒干。
芋梗：8 ~ 9 月采收，除去叶片，洗净，鲜用或切段晒干。
芋头花：花开时采收，鲜用或晒干。

| **药材性状** | 芋头：本品呈椭圆形、卵圆形或圆锥形，大小不一，有的先端有顶芽。外表面褐黄色或黄棕色，有不规则的纵向沟纹，并可见点状环纹，环节上有许多毛须，或连成片状，外皮栓化，易撕裂。横切面类白色或青白色，有黏性，质硬。气特异，味甘、微涩，嚼之有黏性。

| **功能主治** | 芋头：甘、辛，平。归胃经。健脾补虚，散结解毒。用于脾胃虚弱，纳少乏力，消渴，瘰疬，腹中痞块，肿毒，赘疣，鸡眼，疥癣，烫火伤。
芋叶：辛、甘，平。止泻，敛汗，消肿，解毒。用于泄泻，自汗，盗汗，痈疽肿毒，黄水疮，蛇虫咬伤。
芋梗：辛，平。祛风，利湿，解毒，化瘀。用于荨麻疹，过敏性紫癜，腹泻，痢疾，小儿盗汗，黄水疮，无名肿毒，蛇头疔，蜂蜇伤。
芋头花：辛，平；有毒。理气止痛，散瘀止血。用于气滞胃痛，噎膈，吐血，子宫脱垂，小儿脱肛，内外痔，鹤膝风。

| **用法用量** | 芋头：内服煎汤，60 ~ 120g；或入丸、散。外用捣敷；或醋磨涂。
芋叶：内服煎汤，15 ~ 30g，鲜品 30 ~ 60g。外用适量，捣汁涂或捣敷。
芋梗：内服煎汤，15 ~ 30g。外用适量，捣敷；或研末掺。
芋头花：内服煎汤，15 ~ 30g。外用适量，捣敷。

| **附　注** | 本种喜温暖湿润气候，忌高温干旱，较耐阴，不耐涝。宜选择土层深厚、肥沃、保水力强的壤土或黏壤土栽培。

天南星科 Araceae 芋属 Colocasia

大野芋

Colocasia gigantea (Blume) Hook. f.

| 药 材 名 | 山野芋（药用部位：根茎。别名：水芋、象耳芋、抬板七）。

| 形态特征 | 多年生常绿草本。根茎倒圆锥形，直径 3 ~ 5(~ 9)cm，长 5 ~ 10cm，直立。叶丛生，叶柄淡绿色，具白粉，长可达 1.5m，下部 1/2 鞘状，闭合；叶片长圆状心形、卵状心形，长可达 1.3m，宽可达 1m，有时更大，边缘波状，后裂片圆形，裂弯开展。花序柄近圆柱形，常 5 ~ 8 并列于同一叶柄鞘内，先后抽出，长 30 ~ 80cm，直径 1 ~ 2cm，每 1 花序柄围以 1 鳞叶；鳞叶膜质，披针形，渐尖，长与花序柄近相等，展平宽 3cm，背部有 2 棱凸；佛焰苞长 12 ~ 24cm，管部绿色，椭圆形，长 3 ~ 6cm，直径 1.5 ~ 2cm，席卷；檐部长 8 ~ 19cm，粉白色，长圆形或椭圆状长圆形，基部兜状，舟形展开，直径 2 ~ 3cm，锐尖，直立；肉穗花序长 9 ~ 20cm；雌花序圆锥形，奶黄色，基部

大野芋

斜截形；不育雄花序长圆锥形，长 3 ~ 4.5cm，下部直径 1 ~ 2cm；能育雄花序长 5 ~ 14cm，雄花棱柱状，长 4mm，雄蕊 4，药室长圆柱形；附属器极短小，锥状，长 1 ~ 5mm。浆果圆柱形，长 5mm；种子多数，纺锤形，有多条明显的纵棱。花期 4 ~ 6 月，果熟期 9 月。

| 生境分布 |

生于海拔 100 ~ 700m 的沟谷地带，特别是石灰岩地区、林下湿地或石缝中，多与海芋混生。分布于重庆南川、巴南、万州、奉节等地。

| 资源情况 |

野生资源稀少。药材来源于野生。

| 采收加工 |

秋季采挖，除去茎叶及须根，洗净，鲜用。

| 功能主治 |

解毒，消肿止痛。用于疮疡肿毒，跌打损伤，蛇虫咬伤。

| 用法用量 |

外用适量，鲜品捣敷。

滴水珠
Pinellia cordata N. E. Brown

| 药 材 名 | 滴水珠（药用部位：块茎。别名：水半夏、深山半夏、石半夏）。

| 形态特征 | 多年生草本。块茎球形、卵球形至长圆形，长 2 ～ 4cm，直径 1 ～ 1.8cm，表面密生多数须根。叶 1，叶柄长 12 ～ 25cm，常紫色或绿色具紫斑，几无鞘，下部及顶头各有珠芽 1；幼株叶片心状长圆形，长 4cm，宽 2cm；多年生植株叶片心形、心状三角形、心状长圆形或心状戟形，表面绿色、暗绿色，背面淡绿色或红紫色，两面沿脉颜色均较淡，先端长渐尖，有时成尾状，基部心形，长 6 ～ 25cm，宽 2.5 ～ 7.5cm；后裂片圆形或锐尖，稍外展。花序柄短于叶柄，长 3.7 ～ 18cm；佛焰苞绿色、淡黄色带紫色或青紫色，长 3 ～ 7cm，管部长 1.2 ～ 2cm，直径 4 ～ 7mm，不明显过渡为檐部；檐部椭圆形，长 1.8 ～ 4.5cm，钝或锐尖，直立或稍下弯，人为展平宽 1.2 ～ 3cm；肉穗花序；雌

滴水珠

花序长 1 ~ 1.2cm，雄花序长 5 ~ 7mm；附属器青绿色，长 6.5 ~ 20cm，渐狭为线形，略呈"之"字形上升。花期 3 ~ 6 月，果实 8 ~ 9 月成熟。

| 生境分布 | 生于海拔 700 ~ 1500m 的林下溪旁、潮湿草地、岩石边、岩隙中或岩壁上。分布于重庆丰都、石柱、南川、秀山、武隆等地。

| 资源情况 | 野生资源稀少。药材来源于野生。

| 采收加工 | 春、夏季采挖，洗净，鲜用或晒干。

| 药材性状 | 本品呈扁圆球形，直径 0.8 ~ 1.8cm，高约 1mm，四周有时可见疣状凸起的小块茎。表面浅黄色或浅棕色，先端平，中心有凹陷的茎痕，有时可见点状根痕；底部扁圆，有皱纹，表面较粗糙。质坚实，断面白色，富粉性。气微，味辛、辣，麻舌而刺喉。

| 功能主治 | 辛，温；有小毒。解毒消肿，散瘀止痛。用于毒蛇咬伤，乳痈，肿毒，深部脓肿，瘰疬，头痛，胃痛，腰痛，跌打损伤。

| 用法用量 | 内服研末装胶囊，每次 0.3 ~ 0.6g，或 1 ~ 3 粒吞服（不可嚼服）。外用适量，捣敷。

| 附　　注 | 本种为我国特有种。

天南星科 Araceae 半夏属 Pinellia

虎掌
Pinellia pedatisecta Schott

| **药 材 名** | 虎掌南星（药用部位：块茎。别名：天南星、虎掌草、掌叶半夏）。 |

| **形态特征** | 多年生草本。块茎近圆球形，直径可达 4cm；根密集，肉质，长 5 ~ 6cm；块茎四周常生若干小球茎。叶 1 ~ 3 或更多，叶柄淡绿色，长 20 ~ 70cm，下部具鞘；叶片鸟足状分裂，裂片 6 ~ 11，披针形，渐尖，基部渐狭，楔形，中裂片长 15 ~ 18cm，宽 3cm，两侧裂片依次渐短小，最外的有时长仅 4 ~ 5cm；侧脉 6 ~ 7 对，离边缘 3 ~ 4mm 处弧曲，连结为集合脉，网脉不明显。花序柄长 20 ~ 50cm，直立；佛焰苞淡绿色，管部长圆形，长 2 ~ 4cm，直径约 1cm，向下渐收缩；檐部长披针形，锐尖，长 8 ~ 15cm，基部展平宽 1.5cm；肉穗花序；雌花序长 1.5 ~ 3cm；雄花序长 5 ~ 7mm；附属器黄绿色，细线形，长 10cm，直立或略呈 "S" 形弯曲。浆果卵圆形，绿色至黄白色，小，藏于宿存的佛焰苞管部内。花期 6 ~ 7 月，果实 9 ~ 11 月成熟。 |

虎掌

| 生境分布 | 生于海拔 1000m 以下的林下、山谷或河谷阴湿处。分布于重庆巫山、长寿、云阳、武隆、涪陵、彭水、南川、巴南、南岸等地。

| 资源情况 | 野生资源较丰富。药材主要来源于野生。

| 采收加工 | 秋、冬季茎叶枯萎时采挖，除去须根及外皮，干燥。

| 药材性状 | 本品呈不规则扁球形，主块茎周边通常附着数个半球形、大小不等的侧块茎或侧芽，形如"虎掌"，主块茎高 1 ~ 3cm，直径 3 ~ 4cm，底部隆起。表面黄白色或淡棕色，顶部中央为除去茎的残痕凹陷，周围密布点状须根痕。质坚实而重，断面不平坦，白色，粉性。气微，味辣，有麻舌感。

| 功能主治 | 苦、辛，温；有毒。归肺、肝、脾经。燥湿化痰，祛风止痉，散结消肿。用于顽痰咳嗽，风痰眩晕，中风痰壅，口眼㖞斜，半身不遂，癫痫，惊风，破伤风。外用于痈肿，蛇虫咬伤。

| 用法用量 | 内服煎汤，3 ~ 9g，一般炮制后用。外用生品适量，研末以醋或酒调敷患处。

| 附　注 | （1）本种为我国特有种。
（2）本种喜冷凉湿润气候和阴湿环境，怕强光，应适度荫蔽或与高秆作物或林木间作。宜选湿润、疏松、肥沃、富含腐殖质的壤土或砂壤土栽培，黏土及洼地不宜种植，山区可在山间沟谷、溪流两岸或疏林下的阴湿地种植。忌连作。

天南星科 Araceae 半夏属 Pinellia

半夏 *Pinellia ternata* (Thunb.) Breit.

| 药 材 名 | 半夏（药用部位：块茎。别名：水玉、地文、和姑）。

| 形态特征 | 多年生草本，高 15 ～ 30cm。块茎圆球形，直径 1 ～ 2cm，具须根。叶 2 ～ 5，有时 1；叶柄长 15 ～ 20cm，基部具鞘，鞘内、鞘部以上或叶片基部有直径 3 ～ 5mm 的珠芽，珠芽在母株上萌发或落地后萌发；幼苗叶片卵状心形至戟形，为全缘单叶，长 2 ～ 3cm，宽 2 ～ 2.5cm；老株叶片 3 全裂，裂片绿色，背面色淡，长圆状椭圆形或披针形，两头锐尖，中裂片长 3 ～ 10cm，宽 1 ～ 3cm，侧裂片稍短，全缘或具不明显的浅波状圆齿；侧脉 8 ～ 10 对，细弱，细脉网状，密集，集合脉 2 圈。花序柄长 25 ～ 30（～ 35）cm，长于叶柄；佛焰苞绿色或绿白色，管部狭圆柱形，长 1.5 ～ 2cm；檐部长圆形，绿色，有时边缘青紫色，长 4 ～ 5cm，宽 1.5cm，钝或锐尖；肉穗花序；

半夏

雌花序长 2cm，雄花序长 5 ~ 7mm，其中间隔 3mm；附属器绿色变青紫色，长 6 ~ 10cm，直立，有时"S"形弯曲。浆果卵圆形，黄绿色，先端渐狭成明显的花柱。花期 5 ~ 7 月，果熟期 8 月。

| 生境分布 | 生于海拔 2500m 以下的草坡、荒地、玉米地、田边或疏林下，为旱地中的杂草之一。重庆各地均有分布。

| 资源情况 | 野生资源丰富。药材来源于野生和栽培。

| 采收加工 | 夏、秋季采挖，洗净，除去外皮和须根，晒干。

| 药材性状 | 本品呈类球形，有的稍偏斜，直径 1 ~ 1.5cm。表面白色或浅黄色，先端有凹陷的茎痕，周围密布麻点状根痕；下面钝圆，较光滑。质坚实，断面白色，富粉性。气微，味辛、辣，麻舌而刺喉。

| 功能主治 | 辛，温；有毒。归脾、胃、肺经。燥湿化痰，降逆止呕，消痞散结。用于湿痰寒痰，咳喘痰多，痰饮眩悸，风痰眩晕，痰厥头痛，呕吐反胃，胸脘痞闷，梅核气，痈肿痰核。

| 用法用量 | 内服煎汤，3 ~ 9g，一般炮制后使用。外用适量，磨汁涂或研末以酒调敷患处。

| 附　　注 | 本种喜温和湿润气候和荫蔽的环境，怕高温、干旱及强光照射，耐寒。宜选土层深厚、疏松、肥沃、排水良好的砂壤土栽培，黏重土壤不宜种植。忌连作，可与果树、农作物间、套作。可通过块茎、珠芽或种子繁殖。

天南星科 Araceae 石柑属 Pothos

石柑子
Pothos chinensis (Raf.) Merr.

| 药 材 名 | 石柑子（药用部位：全草。别名：石气柑、柑子菌芋、岩香）。

| 形态特征 | 附生藤本，长 0.4 ~ 6m。茎亚木质，淡褐色，近圆柱形，具纵条纹，直径约 2cm，节间长 1 ~ 4cm，节上常束生长 1 ~ 3cm 的气生根；分枝，枝下部常具鳞叶 1。鳞叶线形，长 4 ~ 8cm，宽 3 ~ 7mm，锐尖，具多数平行纵脉。叶片纸质，鲜时表面深绿色，背面淡绿色，干后表面黄绿色，背面淡黄色，椭圆形、披针状卵形至披针状长圆形，长 6 ~ 13cm，宽 1.5 ~ 5.6cm，先端渐尖至长渐尖，常有芒状尖头，基部钝；中肋在表面稍下陷，背面隆起，侧脉 4 对，最下 1 对基出，弧形上升，细脉多数，近平行；叶柄倒卵状长圆形或楔形，长 1 ~ 4cm，宽 0.5 ~ 1.2cm，约为叶片大小的 1/6。花序腋生，基部具苞片 4 ~ 5（~ 6）；苞片卵形，长 5mm，上部的渐大，纵脉多数；花序柄长 0.8 ~

石柑子

1.8（～2）cm；佛焰苞卵状，绿色，长 8mm，展开宽 10（～15）mm，锐尖；肉穗花序短，椭圆形至近圆球形，淡绿色、淡黄色，长 7～8（～11）mm，直径 5～6（～10）mm，花序梗长 3～5（～8）mm。浆果黄绿色至红色，卵形或长圆形，长约 1cm。花果期四季。

| 生境分布 | 生于海拔 2000m 以下的阴湿密林中，常匍匐于岩石上或附生于树干上。分布于重庆涪陵、永川、武隆、南川、合川、江津等地。

| 资源情况 | 野生资源较少。药材来源于野生。

| 采收加工 | 全年均可采收，除去杂质，洗净，鲜用或切段晒干。

| 药材性状 | 本品茎呈圆柱形，直径 0.2～0.6cm；表面灰绿色，具细纵棱，多分枝，节明显，节上可见不定根，节间长 1～3cm；体轻，质硬，易折断，断面皮部纤维性。叶纸质，互生，呈卵状椭圆形或披针形，长 5～10cm，宽 1.5～3cm，先端渐尖，基部无毛；叶柄长 1～4cm，具倒卵形的叶状翅。气微，味淡。

| 功能主治 | 辛、苦，平；有小毒。归肝、胃经。舒筋活络，散瘀消肿，导滞去积。用于风湿痹痛，跌打损伤，骨折，小儿疳积。

| 用法用量 | 内服煎汤，3～15g。外用适量。

天南星科 Araceae 犁头尖属 Typhonium

犁头尖 *Typhonium divaricatum* (L.) Decne.

| 药 材 名 | 犁头尖（药用部位：块茎。别名：耗子尾巴、芋头草、小野芋）。

| 形态特征 | 多年生草本。块茎近球形、头状或椭圆形，直径 1 ~ 2cm，褐色，具环节，节间有黄色根迹，颈部生长 1 ~ 4cm 的黄白色纤维状须根，散生疣凸状芽眼。幼株叶 1 ~ 2，叶片深心形、卵状心形至戟形，长 3 ~ 5cm，宽 2 ~ 4cm，多年生植株有叶 4 ~ 8；叶柄长 20 ~ 24cm，基部 4cm 鞘状、莺尾式排列，淡绿色，上部圆柱形，绿色；叶片绿色，背面色淡，戟状三角形，前裂片卵形，长 7 ~ 10cm，宽 7 ~ 9cm，后裂片长卵形，外展，长 6cm，基部弯缺呈 "π" 形；中肋 2 面稍隆起，侧脉 3 ~ 5 对，最下 1 对基出，伸展为侧裂片的主脉，集合脉 2 圈。花序柄单一，从叶腋抽出，长 9 ~ 11cm，淡绿色，圆柱形，直径 2mm，直立；佛焰苞管部绿色，卵形，长 1.6 ~ 3cm，

犁头尖

直径 0.8 ~ 1.5cm；檐部绿紫色，卷成长角状，长 12 ~ 18cm，下部直径 6mm，盛花时展开，后仰，卵状长披针形，宽 4 ~ 5cm，中部以上骤狭成带状下垂，先端旋曲，内面深紫色，外面绿紫色；肉穗花序无柄；雌花序圆锥形，长 1.5 ~ 3mm，直径 3 ~ 4mm；中性花序长 1.7 ~ 4cm，下部 7 ~ 8mm 具花，连花直径 4mm，无花部分直径约 1mm，淡绿色；雄花序长 4 ~ 9mm，直径约 4mm，橙黄色；附属器深紫色，具强烈的粪臭，长 10 ~ 13cm，基部斜截形，明显具细柄，直径 4mm，向上渐狭成鼠尾状，近直立，下部 1/3 具疣皱，向上平滑；雄花近无柄，雄蕊 2，药室 2，长圆状倒卵形；雌花子房卵形，黄色，柱头无柄，盘状具乳突，红色；中性花同型，线形，长约 4mm，上升或下弯，两头黄色，腰部红色。花期 5 ~ 7 月。

| 生境分布 | 生于海拔 1500m 以下的地边、田头、草坡、石隙中。分布于重庆丰都、城口、南川、巫溪、合川、奉节等地。

| 资源情况 | 野生资源较少。药材来源于野生。

| 采收加工 | 秋季采挖，洗净，鲜用或晒干。

| 药材性状 | 本品呈长圆锥形，直径 0.3 ~ 1cm。表面褐色，栓皮薄，不易剥落，稍有皱纹。芽痕多偏向一侧，须根痕遍布全体，并有多数外凸的珠芽痕。

| 功能主治 | 苦、辛，温；有毒。解毒消肿，散瘀止血。用于痈疽疔疮，无名肿毒，瘰疬，血管瘤，疥癣，毒蛇咬伤，蜂蜇伤，跌打损伤，外伤出血。

| 用法用量 | 外用适量，捣敷；或磨涂；或研末撒。本品有毒，一般外用，不作内服。孕妇禁服。误食会出现舌、喉麻辣，头晕，呕吐等中毒症状。

| 附　注 | 在 FOC 中，本种的拉丁学名被修订为 *Typhonium blumei* Nicolson et Sivadasan。

天南星科 Araceae 犁头尖属 Typhonium

独角莲
Typhonium giganteum Engl.

| **药材名** | 白附子（药用部位：块茎。别名：野半夏、野慈菇、禹白附）。

| **形态特征** | 多年生草本。块茎倒卵形、卵球形或卵状椭圆形，大小不等，直径
2～4cm，外被暗褐色小鳞片，有7～8环状节，颈部周围生多条
须根。通常1～2年生的只有1叶，3～4年生的有3～4叶，叶
与花序同时抽出；叶柄圆柱形，长约60cm，密生紫色斑点，中部以
下具膜质叶鞘；叶片幼时内卷如角状（因此得名），后即展开，箭
形，长15～45cm，宽9～25cm，先端渐尖，基部箭形，后裂片叉
开成70°的锐角，钝；中肋背面隆起，1级侧脉7～8对，最下部
的2条基部重叠，集合脉与边缘相距5～6mm。花序柄长15cm；
佛焰苞紫色，管部圆筒形或长圆状卵形，长约6cm，直径3cm；檐
部卵形，展开，长达15cm，先端渐尖常弯曲；肉穗花序几无梗，

独角莲

长达 14cm；雌花序圆柱形，长约 3cm，直径 1.5cm；中性花序长 3cm，直径约 5mm；雄花序长 2cm，直径 8mm；附属器紫色，长（2～）6cm，直径 5mm，圆柱形，直立，基部无柄，先端钝；雄花无柄，药室卵圆形，顶孔开裂；雌花子房圆柱形，顶部截平，胚珠 2，柱头无柄，圆形。花期 6～8 月，果期 7～9 月。

| **生境分布** | 生于海拔 1500m 以下的荒地、山坡、水沟旁。分布于重庆巫溪、彭水、南川、南岸、潼南等地。

| **资源情况** | 野生资源稀少。药材来源于野生。

| **采收加工** | 秋季采挖，除去须根和外皮，晒干。

| **药材性状** | 本品呈椭圆形或卵圆形，长 2～5cm，直径 1～3cm。表面白色至黄白色，略粗糙，有环纹及须根痕，先端有茎痕或芽痕。质坚硬，断面白色，粉性。气微，味淡，嚼之麻辣、刺舌。

| **功能主治** | 辛，温；有毒。归胃、肝经。祛风痰，定惊搐，解毒散结，止痛。用于中风痰壅，口眼㖞斜，语言謇涩，惊风癫痫，破伤风，偏正头痛，瘰疬痰核，毒蛇咬伤。

| **用法用量** | 内服煎汤，3～6g，一般炮制后用。外用生品适量，捣烂，熬膏或研末以酒调敷患处。孕妇慎用。生品内服宜慎。

| **附　　注** | （1）在 FOC 中，本种的拉丁学名被修订为 *Sauromatum giganteum* (Engler) Cusimano et Hetterscheid，属名被修订为斑龙芋属 *Sauromatum*。
（2）本种为我国特有种。
（3）本种喜凉爽湿润气候和阴湿的环境，以肥沃、湿润的砂壤土栽培为宜。

浮萍科 Lemnaceae 浮萍属 Lemna

浮萍
Lemna minor L.

| 药 材 名 | 浮萍（药用部位：全草。别名：水萍、萍、田萍）。

| 形态特征 | 漂浮植物。叶状体对称，表面绿色，背面浅黄色或绿白色，或常为紫色，近圆形、倒卵形或倒卵状椭圆形，全缘，长 1.5 ~ 5mm，宽 2 ~ 3mm，上面稍凸起或沿中线隆起，脉 3，不明显，背面垂生丝状根 1，根白色，长 3 ~ 4cm，根冠钝头，根鞘无翅；叶状体背面一侧具囊，新叶状体于囊内形成浮出，以极短的细柄与母体相连，随后脱落。雌花具弯生胚珠 1。果实无翅，近陀螺状；种子具凸出的胚乳并具 12 ~ 15 纵肋。

| 生境分布 | 生于水田、池沼或其他静水水域，常与紫萍混生，形成密布水面的漂浮群落。重庆各地均有分布。

浮萍

| **资源情况** | 野生资源丰富。药材来源于野生。

| **采收加工** | 6～9月采收，捞出后除去杂质，洗净，晒干。

| **药材性状** | 本品叶状体呈卵形、卵圆形或卵状椭圆形，直径3mm；单个散生或2～5集生。上表面淡绿色至灰绿色，下表面紫绿色至紫棕色，边缘整齐或微卷曲，上表面两侧有1小凹陷，下表面该处生有数条须根。体轻，易碎。气微，味淡。

| **功能主治** | 辛，寒。归肺、膀胱经。发汗解表，透疹止痒，利水消肿，清热解毒。用于风热表证，麻疹不透，湿疹瘙痒，水肿，癃闭，疮癣，丹毒，烫伤。

| **用法用量** | 内服煎汤，3～9g，鲜品15～30g；或捣汁饮；或入丸、散。外用适量，煎汤熏洗；或研末撒；或调敷。

香蒲科 Typhaceae 香蒲属 Typha

水烛
Typha angustifolia L.

水烛

| 药 材 名 |

蒲黄（药用部位：花粉。别名：蒲厘花粉、蒲花、蒲棒花粉）。

| 形态特征 |

多年生水生或沼生草本。根茎乳黄色、灰黄色，先端白色。地上茎直立，粗壮，高 1.5 ~ 2.5 （~ 3)m。叶片长 54 ~ 120cm，宽 0.4 ~ 0.9cm，上部扁平，中部以下腹面微凹，背面向下逐渐隆起成凸形，下部横切面呈半圆形，细胞间隙大，呈海绵状；叶鞘抱茎。雌、雄花序相距 2.5 ~ 6.9cm；雄花序轴被褐色扁柔毛，单出，或分叉，叶状苞片 1 ~ 3，花后脱落；雌花序长 15 ~ 30cm，基部具 1 叶状苞片，通常比叶片宽，花后脱落；雄花由 3 雄蕊合生，有时 2 或 4，花药长约 2mm，长矩圆形，花粉单体，近球形、卵形或三角形，纹饰网状，花丝短，细弱，下部合生成柄，长（1.5 ~ ）2 ~ 3mm，向下渐宽；雌花具小苞片，孕性雌花柱头窄条形或披针形，长 1.3 ~ 1.8mm，花柱长 1 ~ 1.5mm，子房纺锤形，长约 1mm，具褐色斑点，子房柄纤细，长约 5mm；不孕雌花子房倒圆锥形，长 1 ~ 1.2mm，具褐色斑点，先端黄褐色，不育柱头短尖；白色丝状毛着生于子房柄基部，并向上延伸，与小苞片近等长，均短于柱头。小坚果长椭圆形，长约 1.5mm，具褐色斑点，纵裂；种子深褐色，长 1 ～ 1.2mm。花果期 6 ～ 9 月。

| 生境分布 | 生于海拔 900 ～ 1300m 的湖泊、河流、池塘浅水处，水深稀达 1m 或更深，沼泽、沟渠亦常见，当水体干枯时可生于湿地或地表龟裂环境中。分布于重庆城口、南川、江津、长寿、云阳、巫溪、璧山、巫山等地。

| 资源情况 | 野生资源稀少。药材来源于野生，亦有栽培。

| 采收加工 | 夏季采收蒲棒上部黄色雄花序，晒干后碾轧，筛取花粉。

| 药材性状 | 本品为黄色粉末。体轻，放水中则漂浮水面。手捻有滑腻感，易附着手指上。气微，味淡。

| 功能主治 | 甘，平。归肝、心包经。止血，化瘀，通淋。用于吐血，衄血，咯血，崩漏，外伤出血，经闭痛经，胸腹刺痛，跌打肿痛，血淋涩痛。

| 用法用量 | 内服煎汤，5 ～ 10g，包煎。外用适量，敷患处。孕妇慎用。

| 附　　注 | 本种喜温暖湿润气候及潮湿环境。宜选择向阳、肥沃的池塘边或浅水处栽培。

香蒲科 Typhaceae ▌ 香蒲属 Typha

宽叶香蒲 *Typha latifolia* L.

| **药 材 名** | 蒲黄（药用部位：花粉。别名：蒲厘花粉、蒲花、蒲棒花粉）。 |

| **形态特征** | 多年生水生或沼生草本。根茎乳黄色，先端白色。地上茎粗壮，高 1 ~ 2.5m。叶条形，叶片长 45 ~ 95cm，宽 0.5 ~ 1.5cm，光滑无毛，上部扁平，背面中部以下逐渐隆起，下部横切面近新月形，细胞间隙较大，呈海绵状；叶鞘抱茎。雌、雄花序紧密相接；花期时雄花序长 3.5 ~ 12cm，比雌花序粗壮，花序轴被灰白色弯曲柔毛，叶状苞片 1 ~ 3，上部短小，花后脱落；雌花序长 5 ~ 22.6cm，花后发育；雄花通常由 2 雄蕊组成，花药长约 3mm，长矩圆形，花粉粒正四合体，纹饰网状，花丝短于花药，基部合生成短柄；雌花无小苞片，孕性雌花柱头披针形，长 1 ~ 1.2mm，花柱长 2.5 ~ 3mm，子房披针形，长约 1mm，子房柄纤细，长约 4mm；不孕雌花子房倒圆锥形，长 |

宽叶香蒲

0.6 ～ 1.2mm，宿存，子房柄较粗壮，不等长；白色丝状毛明显短于花柱。小坚果披针形，长 1 ～ 1.2mm，褐色，果皮通常无斑点；种子褐色，椭圆形，长不足 1mm。花果期 5 ～ 8 月。

| 生境分布 | 生于湖泊、池塘、沟渠、河流的缓流浅水带，亦生于湿地或沼泽。分布于重庆涪陵、巫溪、武隆、南川、城口等地。

| 资源情况 | 野生资源稀少。药材主要来源于野生，亦有少量栽培。

| 采收加工 | 夏季采收蒲棒上部的黄色雄花序，晒干后碾轧，筛取花粉。

| 药材性状 | 本品为黄色粉末。体轻，放水中则漂浮水面。手捻有滑腻感，易附着手指上。气微，味淡。

| 功能主治 | 甘，平。归肝、心包经。止血，化瘀，通淋。用于吐血，衄血，咯血，崩漏，外伤出血，经闭痛经，脘腹刺痛，跌打肿痛，血淋涩痛。

| 用法用量 | 内服煎汤，5 ～ 10g，包煎。外用适量，敷患处。孕妇慎用。

| 附　　注 | 本种喜温暖湿润气候及潮湿环境，宜选择向阳、肥沃的池塘边或浅水处栽培，其最适水深 20 ～ 60cm，亦能耐 70 ～ 80cm 的深水。对土壤要求不严，在黏土和砂壤土中均能生长，但以有机质达 2% 以上、淤泥层深厚、肥沃的壤土为宜。

香蒲科 Typhaceae 香蒲属 Typha

香蒲 *Typha orientalis* Presl.

香蒲

| 药 材 名 |

蒲黄（药用部位：花粉。别名：蒲厘花粉、蒲花、蒲棒花粉）。

| 形态特征 |

多年生水生或沼生草本。根茎乳白色。地上茎粗壮，向上渐细，高 1.3 ~ 2m。叶片条形，长 40 ~ 70cm，宽 0.4 ~ 0.9cm，光滑无毛，上部扁平，下部腹面微凹，背面逐渐隆起成凸形，横切面呈半圆形，细胞间隙大，海绵状；叶鞘抱茎。雌、雄花序紧密连接；雄花序长 2.7 ~ 9.2cm，花序轴被白色弯曲柔毛，自基部向上具 1 ~ 3 叶状苞片，花后脱落；雌花序长 4.5 ~ 15.2cm，基部具 1 叶状苞片，花后脱落；雄花通常由 3 雄蕊组成，有时 2 或 4 雄蕊合生，花药长约 3mm，2 室，条形，花粉粒单体，花丝很短，基部合生成短柄；雌花无小苞片，孕性雌花柱头匙形，外弯，长 0.5 ~ 0.8mm，花柱长 1.2 ~ 2mm，子房纺锤形至披针形，子房柄细弱，长约 2.5mm；不孕雌花子房长约 1.2mm，近于圆锥形，先端呈圆形，不发育柱头宿存；白色丝状毛通常单生，有时几枚基部合生，稍长于花柱，短于柱头。小坚果椭圆形至长椭圆形，果皮具长形褐色斑点；种子褐色，微弯。花果期 5 ~ 8 月。

| **生境分布** | 生于湖泊、池塘、沟渠、沼泽及河流缓流带。分布于重庆九龙坡、涪陵、丰都、黔江、巫溪等地。 |

| **资源情况** | 野生资源一般。药材来源于野生。 |

| **采收加工** | 夏季采收蒲棒上部的黄色雄花序，晒干后碾轧，筛取花粉。 |

| **药材性状** | 本品为黄色粉末。体轻，放水中则漂浮水面。手捻有滑腻感，易附着手指上。气微，味淡。 |

| **功能主治** | 甘，平。归肝、心包经。止血，化瘀，通淋。用于吐血，衄血，咯血，崩漏，外伤出血，经闭痛经，脘腹刺痛，跌打肿痛，血淋涩痛。 |

| **用法用量** | 内服煎汤，5 ~ 10g，包煎。外用适量，敷患处。孕妇慎用。 |

十字薹草 *Carex cruciata* Wahlenb.

| 药 材 名 | 十字苔草（药用部位：全草）。

| 形态特征 | 多年生草本。根茎粗壮，木质，具匍匐枝；须根甚密。秆丛生，高
40 ~ 90cm，直径 3 ~ 5mm，坚挺，三棱形，平滑。叶基生和秆生，
长于秆，扁平，宽 4 ~ 13mm，下面粗糙，上面光滑，边缘具短刺
毛，基部具暗褐色、分裂成纤维状的宿存叶鞘。苞片叶状，长于支
花序，基部具长鞘。圆锥花序复出，长 20 ~ 40cm；支圆锥花序数
个，通常单生，少有双生，卵状三角形，长 4 ~ 15cm，宽 3 ~ 6cm，
支花序柄坚挺，钝三棱形，最下部 1 个长 10 ~ 18cm，向上部的渐
短，平滑；支花序轴锐三棱形，密生短粗毛；小苞片鳞片状，长约
1.5mm，背面被短粗毛；枝先出叶囊状，内无花，背面有数脉，被
短粗毛；小穗极多数，全部从枝先出叶中生出，横展，长 5 ~ 12mm，

十字薹草

两性，雄雌顺序；雄花部分与雌花部分近等长；雄花鳞片披针形，长约 2.5mm，先端渐尖，具短尖，膜质，淡褐白色，密生棕褐色斑点和短线；雌花鳞片卵形，长约 2mm，先端钝，具短芒，膜质，淡褐色，密生褐色斑点和短线，具 3 脉。果囊长于鳞片，椭圆形、肿胀三棱形，长 3 ~ 3.2mm，淡褐白色，具棕褐色斑点和短线，平滑或上部疏生短粗毛，有数条隆起的脉，基部几无柄，上部渐狭成中等长的喙，喙长及果囊的 1/3，两侧疏生短刺毛或无毛，喙口斜截形。小坚果卵状椭圆形、三棱形，长约 1.5mm，成熟时暗褐色；花柱基部增粗，柱头 3。花果期 5 ~ 11 月。

| **生境分布** | 生于海拔 330 ~ 2500m 的林边或沟边草地、路旁。分布于重庆北碚、丰都、綦江、奉节、涪陵、南岸、沙坪坝等地。

| **资源情况** | 野生资源丰富。药材来源于野生。

| **采收加工** | 夏、秋季采收，洗净，切段，晒干。

| **功能主治** | 辛、甘，平。解表透疹，理气健脾。用于风热感冒，麻疹透发不畅，消化不良。

| **用法用量** | 内服煎汤，6 ~ 15g。

莎草科 Cyperaceae 薹草属 Carex

舌叶薹草
Carex ligulata Nees

| 药 材 名 | 舌叶苔草（药用部位：全草）。

| 形态特征 | 根茎粗短，木质，无地下匍匐茎；具较多须根。秆疏丛生，高
35 ~ 70cm，三棱形，较粗壮，上部棱上粗糙，基部包以红褐色无
叶片的鞘。叶上部的长于秆，下部的叶片短，宽 6 ~ 12mm，有时
可达 15mm，平展，有时边缘稍内卷，质较柔软，背面具明显的小
横隔脉，具明显锈色的叶舌，叶鞘较长，最长可达 6cm。苞片叶状，
长于花序，下面的苞片具稍长的鞘，上面的鞘短或近无鞘。小穗 6 ~ 8，
下部间距稍长，上部较短，顶生小穗为雄小穗，圆柱形或长圆状圆
柱形，长 2.5 ~ 4cm，宽 5 ~ 6mm，密生多数花，具小穗柄，上面
的小穗柄较短；雌花鳞片卵形或宽卵形，长约 3mm，先端急尖，常
具短尖，膜质，淡褐黄色，具锈色短条纹，无毛，中间具绿色中脉。

舌叶薹草

果囊近直立，长于鳞片，倒卵形、钝三棱形，长 4 ~ 5mm，绿褐色，具锈色短条纹，密被白色短硬毛，具 2 明显的侧脉，基部渐狭成楔形，先端急狭成中等长的喙，喙口具 2 短齿。小坚果紧包于果囊内，椭圆形、三棱形，长 2.5 ~ 3mm，棕色，平滑；花柱短，基部稍增粗，柱头 3。花果期 5 ~ 7 月。

生境分布

生于海拔 600 ~ 2000m 的山坡林下或草地、山谷沟边或河边湿地。分布于重庆黔江、垫江、彭水、酉阳、长寿、丰都、九龙坡、南川等地。

资源情况

野生资源丰富。药材来源于野生。

采收加工

夏、秋季采收，洗净，切段，晒干。

功能主治

行气活血。用于瘀血作痛，跌打损伤。

用法用量

内服煎汤，适量。

莎草科 Cyperaceae 薹草属 Carex

花葶薹草

Carex scaposa C. B. Clarke

花葶薹草

| 药 材 名 |

翻天红（药用部位：全草。别名：落地蜈蚣）。

| 形态特征 |

多年生草本。根茎匍匐，粗壮，木质。秆侧生，高 20 ～ 80cm，直径 1 ～ 3mm，三棱形，幼时或多或少被短柔毛，基部具淡褐色无叶的鞘。叶基生和秆生；基生叶数枚丛生，长于或短于秆，狭椭圆形、椭圆形、椭圆状披针形、椭圆状倒披针形至椭圆状带形，长 10 ～ 35cm，宽 2 ～ 5cm，基部渐狭，先端渐尖，两面光滑或下面粗糙，有 3 隆起的脉及多数细脉，有时具隔节；叶柄由不甚明显至长达 30cm，稍扁而对折，无毛，有时具叶基下延所形成的狭翅；秆生叶退化成佛焰苞状，生于秆下部或中部以下，褐色，纸质，无毛。苞片与秆生叶同形，但先端具线形苞叶，通常短于支花序；圆锥花序复出，具 3 至数枚支花序；支花序圆锥状，呈三角状卵形，长 2 ～ 3.5cm，宽 1.5 ～ 3cm，单生或双生；支花序柄坚挺，三棱形，长 4 ～ 8cm，密被短柔毛；支花序轴锐三棱形，密被短柔毛和褐色斑点；小苞片鳞片状，披针形，长 4 ～ 5mm，褐白色，具深褐色斑点，无毛或基部疏生短柔毛；小穗 10 余至 20 余，全部从囊状、内无花的枝先出叶中生出，开展，两性，雄雌顺序，长圆状圆柱形，长 5 ~ 14mm；雄花部分呈线状披针形，短于雌花部分，少有二者近等长，具少数雄花；雌花部分具 2 ~ 7 花；雄花鳞片卵状披针形，长 3 ~ 3.5mm，膜质，淡褐色；雌花鳞片卵形，长 2 ~ 2.5mm，先端渐尖，膜质，中间黄绿色，具褐色斑点，具 3 脉，两侧褐色，幼时边缘疏生纤毛。果囊椭圆形、三棱形，长 3 ~ 4mm，纸质，淡黄绿色，密生褐色斑点，腹面具 2 侧脉，无毛，基部几无柄，先端渐收缩成中等长的喙，喙稍短于果囊的 1/2，喙口微凹。小坚果椭圆形、三棱形，长 1.5 ~ 2.2mm，成熟时褐色；花柱基部不增粗或微增粗，柱头 3。花果期 5 ~ 11 月。

| 生境分布 |

生于海拔 400 ~ 1500m 的常绿阔叶林下、水旁、山坡阴处或石灰岩山坡峭壁上。分布于重庆奉节、云阳、南川等地。

| 资源情况 |

野生资源一般。药材来源于野生。

| 采收加工 |

夏、秋季采收，洗净，鲜用或切段晒干。

| 功能主治 |

苦，寒。清热解毒，活血散瘀。用于急、慢性胃肠炎，跌打损伤，瘀血作痛，腰肌劳损。

| 用法用量 |

内服煎汤，3 ~ 10g。外用适量，鲜品捣敷。

莎草科 Cyperaceae 薹草属 Carex

浆果薹草 *Carex baccans* Nees

浆果薹草

药 材 名

山稗子（药用部位：种子。别名：红果莎、旱稗、红稗）、山稗子根（药用部位：全草或根）。

形态特征

多年生秃净草本。根茎木质。秆密丛生，直立而粗壮，高 80 ~ 150cm，直径 5 ~ 6mm，三棱形，无毛，中部以下生叶。叶基生和秆生，长于秆，平展，宽 8 ~ 12mm，下面光滑，上面粗糙，基部具红褐色、分裂成网状的宿存叶鞘。苞片叶状，长于花序，基部具长鞘。圆锥花序复出，长 10 ~ 35cm；支圆锥花序 3 ~ 8，单生，长圆形，长 5 ~ 6cm，宽 3 ~ 4cm，下部的 1 ~ 3 疏远，其余的甚接近；小苞片鳞片状，披针形，长 3.5 ~ 4mm，革质，仅基部 1 具短鞘，其余无鞘，先端具芒；支花序柄坚挺，基部的 1 个长 12 ~ 14cm，上部的渐短，通常不伸出苞鞘之外；花序轴钝三棱柱形，几无毛；小穗多数，全部从内无花的囊状枝先出叶中生出，圆柱形，长 3 ~ 6cm，两性，雄雌顺序；雄花部分纤细，具少数花，长为雌花部分的 1/3 或 1/2；雌花部分具多数密生的花；雄花鳞片宽卵形，长 2 ~ 2.5mm，先端具芒，膜质，栗褐色；雌花鳞片宽卵形，长 2 ~ 2.5mm，先端具长芒，纸质，紫褐色或栗褐色，仅具 1 绿色的中脉，边缘白色膜质。果囊倒卵状球形或近球形，肿胀，长 3.5 ~ 4.5mm，近革质，成熟时鲜红色或紫红色，有光泽，具多数纵脉，上部边缘与喙的两侧被短粗毛，基部具短柄，先端骤缩呈短喙，喙口具 2 小齿。小坚果椭圆形、三棱形，长 3 ~ 3.5mm，成熟时褐色，基部具短柄，先端具短尖；花柱基部不增粗，柱头 3。花果期 8 ~ 12 月。

| **生境分布** | 生于海拔 200 ~ 2700m 的林边、河边或村边。分布于重庆黔江、垫江、綦江、涪陵、江津、酉阳、长寿、丰都、忠县、南川、九龙坡、永川、云阳、铜梁、北碚、开州、巴南、沙坪坝等地。

| **资源情况** | 野生资源丰富。药材来源于野生。

| **采收加工** | 山稗子：夏、秋季果实成熟时采收，除去杂质，晒干。
山稗子根：夏、秋季采收，洗净，晒干。

| **功能主治** | 山稗子：甘、微辛，平。透疹止咳，补中利水。用于麻疹，水痘，百日咳，脱肛，浮肿。
山稗子根：苦、涩，微寒。凉血止血，调经。用于月经不调，崩漏，鼻衄，消化道出血。

| **用法用量** | 山稗子：内服煎汤，3 ~ 15g；或入丸、散。
山稗子根：内服煎汤，15 ~ 30g。

蕨状薹草 *Carex filicina* Nees

药 材 名	蕨状薹草（药用部位：根）。

| **形态特征** | 多年生草本。根茎粗壮，木质。秆密丛生，高 40 ～ 90cm，直径 2 ～ 2.5mm，坚挺，锐三棱形，无毛。叶长于秆，少有短于秆，平展，宽 5 ～ 14mm，下面粗糙，上面光滑或两面均光滑，边缘密生短刺毛，基部具紫红色或紫褐色、分裂成纤维状的宿存叶鞘。苞片叶状，长于支花序，具长鞘。圆锥花序复出，长 20 ～ 50cm；支圆锥花序 4 ～ 8，三角状卵形，长 4 ～ 15cm，宽 3 ～ 7cm，单生，稀双生；支花序柄纤细，最下部的 1 个长 10 ～ 20cm，向上渐短，三棱形，棱上疏被短粗毛；支花序轴锐三棱形，被短粗毛；小苞片鳞片状，长 2 ～ 3mm，先端具长芒；小穗多数，全部从囊状、内无花的枝先出叶中生出，开展或微开展，两性，雄雌顺序，长圆形或长圆状圆柱形，长 5 ～ |

蕨状薹草

15mm，顶生的 1 个略长，通常为 8 ～ 20mm；
雄花部分短于雌花部分，具 3 ～ 7 花，雌花部
分具 2 ～ 16 花；雄花鳞片披针形，长 2 ～ 3mm，
先端渐尖，膜质，褐色或褐红色；雌花鳞片卵
形或披针形，长 1.5 ～ 2mm，先端渐尖或急尖，
膜质，褐色、红褐色或淡褐色而有红褐色的斑
点和短线，无毛，有 1 中脉。果囊椭圆形或狭
椭圆形，三棱形，长约 3mm，下部黄白色，上
部褐色或红褐色，或全部为淡褐色而有红褐色
的斑点和短线，膜质，无毛，腹面具 2 侧脉及
数条细脉，基部几无柄，上部收缩成稍外弯至
微下弯的长喙，喙长为果囊的1/2，喙口斜截形。
小坚果椭圆形，三棱形，长约 1.5mm，成熟时
黄褐色；花柱基部不增粗，柱头 3。花果期 5 ～
11 月。

| 生境分布 |

生于海拔 300 ～ 900m 的林间或林边湿润草地。
分布于重庆丰都、大足、垫江、长寿等地。

| 资源情况 |

野生资源一般。药材来源于野生。

| 采收加工 |

夏、秋季采收，洗净，晒干。

| 功能主治 |

理气，固脱。用于子宫脱垂，消化不良。

| 用法用量 |

内服煎汤，适量。

风车草

Cyperus alternifolius L. ssp. *flabelliformis* (Rottb.) Kükenth.

风车草

药材名

伞莎草（药用部位：茎叶。别名：九龙吐珠）。

形态特征

多年生直立草本。根茎木质。茎高 25～80cm，钝四棱形，具细条纹，坚硬，基部半木质，常带紫红色，有时近圆柱形，疏被向下的短硬毛，上部常具分枝，沿棱及节上较密被向下的短硬毛。叶卵圆形、卵状长圆形至卵状披针形，长 3～5.5cm，宽 1.2～3cm，先端钝或急尖，基部近平截至圆形，边缘锯齿状，坚纸质，上面橄榄绿色，被极疏的短硬毛，下面色略淡，主要沿各级脉上被稀疏贴生具节疏柔毛，侧脉 6～7 对，与中肋在上面微凹陷、下面明显隆起；下部叶叶柄较长，长 1～1.2cm，向上渐短，长 2～5mm，腹凹背凸，密被具节疏柔毛。轮伞花序多花密集，半球形，位于下部者直径达 3cm，上部者直径约 2cm，彼此远隔；苞叶叶状，下部者超出轮伞花序，上部者与轮伞花序等长，且呈苞片状；苞片线形，常染紫红色，明显具肋，为花萼长的 2/3～3/4，被白色缘毛；总梗长 3～5mm，分枝多数；花梗长 1.5～2.5mm，与总梗及序轴密被腺微柔毛；花萼狭管状，长约

8mm，上部染紫红色，13 脉，外面主要沿脉上被白色纤毛，余部被腺微柔毛，内面在齿上疏被疏柔毛，果时基部稍一边膨胀，上唇 3 齿，齿近外反，长三角形，先端具短芒尖，下唇 2 齿，齿直伸，稍长，先端芒尖；花冠紫红色，长约 1.2cm，外被微柔毛，内面在下唇下方喉部具 2 列毛茸，冠筒伸出，基部宽 1mm，自基部 1/3 向上渐宽大，至喉部宽约 3mm，冠檐二唇形，上唇直伸，先端微缺，下唇 3 裂，中裂片稍大；雄蕊 4，前对稍长，几不露出或微露出，花药 2 室，室略叉开，花柱微露出，先端不相等 2 浅裂，裂片扁平；花盘平顶，子房无毛。小坚果倒卵形，长约 1mm，宽约 0.8mm，褐色，无毛。花期 6 ~ 8 月，果期 8 ~ 10 月。

| **生境分布** | 多栽培于庭园。重庆各地均有分布。

| **资源情况** | 野生资源较少，栽培资源一般。药材主要来源于野生。

| **采收加工** | 全年均可采收，洗净，鲜用或晒干。

| **功能主治** | 酸、甘、微苦，凉。行气活血，解毒。用于瘀血作痛，蛇虫咬伤。

| **用法用量** | 内服煎汤，9 ~ 15g。外用适量，浸酒擦。

| **附　注** | 在 FOC 中，本种的拉丁学名被修订为 *Cyperus involucratus* Rottboll。

莎草科 Cyperaceae 莎草属 Cyperus

扁穗莎草 *Cyperus compressus* L.

| **药 材 名** | 扁穗莎草（药用部位：全草）。

| **形态特征** | 丛生草本。根为须根。秆稍纤细，高 5 ~ 25cm，锐三棱形，基部具较多叶。叶短于秆，或与秆几等长，宽 1.5 ~ 3mm，折合或平展，灰绿色；叶鞘紫褐色。苞片 3 ~ 5，叶状，长于花序。长侧枝聚伞花序简单，具（1 ~）2 ~ 7 辐射枝，辐射枝最长达 5cm；穗状花序近于头状，花序轴很短，具 3 ~ 10 小穗；小穗排列紧密，斜展，线状披针形，长 8 ~ 17mm，宽约 4mm，近于四棱形，具 8 ~ 20 花；鳞片呈紧贴的覆瓦状排列，稍厚，卵形，先端具稍长的芒，长约 3mm，背面具龙骨状突起，中间较宽部分为绿色，两侧苍白色或麦秆色，有时有锈色斑纹，脉 9 ~ 13；雄蕊 3，花药线形，药隔凸出于花药先端；花柱长，柱头 3，较短。小坚果倒卵形，三棱形，侧

扁穗莎草

面凹陷，长约为鳞片的 1/3，深棕色，表面具密的细点。花果期 7 ~ 12 月。

| 生境分布 |

生于空旷的田野里。分布于重庆江津、北碚、涪陵等地。

| 资源情况 |

野生资源较少。药材来源于野生。

| 采收加工 |

夏、秋季采收，洗净，晒干。

| 功能主治 |

养心解郁，调经行气，活血散瘀。用于跌打损伤。

| 用法用量 |

内服煎汤，适量。

莎草科 Cyperaceae 莎草属 Cyperus

碎米莎草
Cyperus iria L.

| 药 材 名 | 三楞草（药用部位：全草。别名：三轮草、四方草、细三棱）。

| 形态特征 | 一年生草本。无根茎，具须根。秆丛生，细弱或稍粗壮，高8～85cm，扁三棱形，基部具少数叶。叶短于秆，宽2～5mm，平展或折合；叶鞘红棕色或棕紫色。叶状苞片3～5，下面的2～3常较花序长。长侧枝聚伞花序复出，很少为简单的，具4～9辐射枝，辐射枝最长达12cm，每个辐射枝具5～10穗状花序，或有时为更多；穗状花序卵形或长圆状卵形，长1～4cm，具5～22小穗；小穗排列松散，斜展开，长圆形、披针形或线状披针形，压扁，长4～10mm，宽约2mm，具6～22花；小穗轴上近于无翅，鳞片排列疏松，膜质，宽倒卵形，先端微缺，具极短的短尖，不凸出于鳞片的先端，背面具龙骨状突起，绿色，有3～5脉，两侧呈黄色

碎米莎草

或麦秆黄色，上端具白色透明的边；雄蕊 3，花丝着生于环形的胼胝体上，花药短，椭圆形，药隔不凸出于花药先端；花柱短，柱头 3。小坚果倒卵形或椭圆形，三棱状，与鳞片等长，褐色，具密的微凸起细点。花果期 6 ～ 10 月。

| **生境分布** | 生于田间、山坡、路旁阴湿处，为常见的杂草。分布于重庆开州、石柱、武隆、南川、綦江、北碚、合川、黔江、潼南、秀山、云阳等地。

| **资源情况** | 野生资源丰富。药材来源于野生。

| **采收加工** | 8 ～ 9 月抽穗时采收，洗净，晒干。

| **功能主治** | 辛，微温。归肝经。祛风除湿，活血调经。用于风湿筋骨痛，瘫痪，月经不调，痛经，闭经，跌打损伤。

| **用法用量** | 内服煎汤，10 ～ 30g；或浸酒。

香附子

Cyperus rotundus L.

| 药 材 名 | 香附（药用部位：根茎。别名：雀头香、莎草根、香附子）、莎草（药用部位：茎叶。别名：莎随、地毛、野韭菜）。

| 形态特征 | 多年生草本。匍匐根茎长，具椭圆形块茎。秆稍细弱，高15～95cm，锐三棱形，平滑，基部呈块茎状。叶较多，短于秆，宽2～5mm，平展；叶鞘棕色，常裂成纤维状。叶状苞片2～3(～5)，常长于花序，或有时短于花序。长侧枝聚伞花序简单或复出，具(2～)3～10辐射枝，辐射枝最长达12cm；穗状花序陀螺形，稍疏松，具3～10小穗；小穗斜展开，线形，长1～3cm，宽约1.5mm，具8～28花；小穗轴具较宽的、白色透明的翅，鳞片呈稍密的覆瓦状排列，膜质，卵形或长圆状卵形，长约3mm，先端急尖或钝，无短尖，中间绿色，两侧紫红色或红棕色，具5～7脉；雄蕊3，花药长，

香附子

线形，暗血红色，药隔凸出于花药先端；花柱长，柱头 3，细长，伸出鳞片外。小坚果长圆状倒卵形，三棱状，长为鳞片的 1/3 ~ 2/5，具细点。花果期 5 ~ 11 月。

| **生境分布** | 生于山坡荒地草丛中或水边潮湿处。分布于重庆酉阳、石柱、涪陵、巫溪、九龙坡、忠县、武隆、巫山、梁平、沙坪坝等地。

| **资源情况** | 野生资源丰富。药材主要来源于野生，亦有栽培。

| **采收加工** | 香附：秋季采挖，燎去毛须，置沸水中略煮或蒸透后晒干，或燎后直接晒干。
莎草：春、夏季采收，洗净，鲜用或晒干。

| **药材性状** | 香附：本品多呈纺锤形，有的略弯曲，长 2 ~ 3.5cm，直径 0.5 ~ 1cm。表面棕褐色或黑褐色，有纵皱纹，并有 6 ~ 10 个略隆起的环节，节上有未除尽的棕色毛须和须根断痕；去净毛须者较光滑，环节不明显。质坚硬，经蒸、煮者断面黄棕色或红棕色，角质样；生晒者断面白色且显粉性，内皮层环纹明显，中柱色较深，点状维管束散在。气香，味微苦。

| **功能主治** | 香附：辛、微苦、微甘、平。归肝、脾、三焦经。疏肝解郁，理气宽中，调经止痛。用于肝郁气滞，胸胁胀痛，疝气疼痛，乳房胀痛，脾胃气滞，脘腹痞闷，月经不调，经闭痛经。
莎草：苦、辛、凉。行气开郁，祛风止痒，宽胸利痰。用于胸闷不舒，风疹瘙痒，痈疮肿毒。

| **用法用量** | 香附：内服煎汤，6 ~ 10g
莎草：内服煎汤，10 ~ 30g。外用适量，鲜品捣敷，或煎汤洗浴。

| **附　注** | 本种喜温暖湿润气候和潮湿环境，耐寒。宜选疏松的砂壤土栽培。

莎草科 Cyperaceae 羊胡子草属 *Eriophorum*

丛毛羊胡子草

Eriophorum comosum Nees

丛毛羊胡子草

| 药 材 名 |

岩梭（药用部位：全草）、岩梭花（药用部位：花）。

| 形态特征 |

多年生草本。具短而粗的根茎。秆密丛生，钝三棱形，少有圆筒形，无毛，高14 ~ 78cm，直径 1 ~ 2mm，基部有宿存的黑色或褐色的鞘。秆生叶不存在，具多数基生叶；叶片线形，边缘向内卷，具细锯齿，渐向上渐狭成刚毛状，先端三棱形，其长超过花序，宽 0.5 ~ 1mm。叶状苞片长超过花序，小苞片披针形，上部刚毛状，边缘有细齿。长侧枝聚伞花序伞房状，长 6 ~ 22cm，具极多数小穗，小穗单个或 2 ~ 3 簇生，长圆形，在开花时为椭圆形，长 6 ~ 12mm，基部有空鳞片 4；空鳞片 2 大 2 小，小的长约为大的 1/2，卵形，先端具小短尖，褐色，膜质，中肋明显，呈龙骨状突起，有花鳞片形同空鳞片而稍大，长 2.3 ~ 3mm；下位刚毛极多数，成熟时长超过鳞片，长达 7mm，无细刺；雄蕊 2，花药先端具紫黑色、披针形的短尖，短尖长约为药的 1/3，柱头 3。小坚果狭长圆形，扁三棱状，先端尖锐，有喙，深褐色，有的下部具棕色斑点，连喙长 2.5mm，宽约0.5mm。花果期 6 ~ 11 月。

| 生境分布 | 生于岩壁上。分布于重庆涪陵、云阳、丰都、忠县、武隆、南川、巴南等地。

| 资源情况 | 野生资源丰富。药材主要来源于野生，亦有少量栽培。

| 采收加工 | 岩梭：夏、秋季采收，洗净，晒干。
岩梭花：6 ~ 7 月采收，晒干。

| 功能主治 | 岩梭：辛，温。祛风除湿，通经活络。用于风湿痹痛，骨节疼痛，跌打损伤。
岩梭花：辛，温。止咳平喘。用于咳喘。

| 用法用量 | 岩梭：内服煎汤，9 ~ 12g。
岩梭花：内服煎汤，9 ~ 12g。

| 附　注 | 本种喜温暖气候和半干旱环境，宜选土壤疏松、土质为砂壤土的石山地栽培。

莎草科 Cyperaceae 飘拂草属 *Fimbristylis*

两歧飘拂草 *Fimbristylis dichotoma* (L.) Vahl

| 药 材 名 |

飘拂草（药用部位：全草。别名：黑节关、土甘松）。

| 形态特征 |

草本。秆丛生，高 15 ～ 50cm，无毛或被疏柔毛。叶线形，略短于秆或与秆等长，宽 1 ～ 2.5mm，被柔毛或无，先端急尖或钝；叶鞘革质，上端近于截形，膜质部分较宽而呈浅棕色。苞片 3 ～ 4，叶状，通常有 1 ～ 2 长于花序，无毛或被毛。长侧枝聚伞花序复出，少有简单，疏散或紧密；小穗单生辐射枝先端，卵形、椭圆形或长圆形，长 4 ～ 12mm，宽约 2.5mm，具多数花；鳞片卵形、长圆状卵形或长圆形，长 2 ～ 2.5mm，褐色，有光泽，脉 3 ～ 5，中脉先端延伸成短尖；雄蕊 1 ～ 2，花丝较短；花柱扁平，长于雄蕊，上部有缘毛，柱头 2。小坚果宽倒卵形，双凸状，长约 1mm，具 7 ～ 9 显著纵肋，网纹近似横长圆形，无疣状突起，具褐色的柄。花果期 7 ～ 10 月。

| 生境分布 |

生于稻田或空旷草地上。重庆各地均有分布。

两歧飘拂草

| **资源情况** | 野生资源丰富。药材来源于野生。 |

| **采收加工** | 夏、秋季采收，洗净，晒干。 |

| **功能主治** | 淡，寒。清热利尿，解毒。用于小便不利，湿热浮肿，淋病，小儿胎毒。 |

| **用法用量** | 内服煎汤，6～9g。外用适量，煎汤洗。 |

| **附　　注** | 本种喜温暖潮湿气候，耐涝，对土壤要求不严，但以肥沃、疏松的壤土栽培为好。 |

莎草科 Cyperaceae 飘拂草属 Fimbristylis

水虱草

Fimbristylis miliacea (L.) Vahl

水虱草

药材名

水虱草（药用部位：全草。别名：芝麻关草、筅帚草、鹅草）。

形态特征

一年生草本。无根茎。秆丛生，高（1.5 ~）10 ~ 60cm，扁四棱形，具纵槽，基部包着 1 ~ 3 无叶片的鞘；鞘侧扁，鞘口斜裂，向上渐狭窄，有时成刚毛状，长（1.5 ~）3.5 ~ 9cm。叶长于或短于秆，或与秆等长，侧扁，套褶，剑状，边上有稀疏细齿，向先端渐狭成刚毛状，宽（1 ~）1.5 ~ 2mm；叶鞘侧扁，背面呈锐龙骨状，前面具膜质、锈色的边，鞘口斜裂，无叶舌。苞片 2 ~ 4，刚毛状，基部宽，具锈色、膜质的边，较花序短。长侧枝聚伞花序复出或多次复出，很少简单，有许多小穗；辐射枝 3 ~ 6，细而粗糙，长 0.8 ~ 5cm；小穗单生辐射枝先端，球形或近球形，先端极钝，长 1.5 ~ 5mm，宽 1.5 ~ 2mm；鳞片膜质，卵形，先端极钝，长 1mm，栗色，具白色狭边，背面具龙骨状突起，具 3 脉，沿侧脉处深褐色，中脉绿色；雄蕊 2，花药长圆形，先端钝，长 0.75mm，为花丝长的 1/2；花柱三棱形，基部稍膨大，无缘毛，柱头 3，为花柱长的

1/2。小坚果倒卵形或宽倒卵形，钝三棱状，长 1mm，麦秆黄色，具疣状突起和横长圆形网纹。

| 生境分布 | 生于海拔 500 ~ 1200m 的山沟、坡地、水边、田中、路旁。分布于重庆忠县、丰都、涪陵、武隆、南川、北碚等地。

| 资源情况 | 野生资源丰富。药材来源于野生。

| 采收加工 | 夏、秋季采收，洗净，鲜用或晒干。

| 功能主治 | 甘、淡，凉。清热利尿，活血解毒。用于风热咳嗽，小便短赤，胃肠炎，跌打损伤。

| 用法用量 | 内服煎汤，鲜品 30 ~ 60g。外用适量，捣敷。

| 附　　注 | 在 FOC 中，本种的拉丁学名被修订为 *Fimbristylis littoralis* Gaudichaud。

莎草科 Cyperaceae 荸荠属 Eleocharis

透明鳞荸荠 *Eleocharis pellucida* J. Presl et C. Presl

| 药 材 名 | 透明鳞荸荠（药用部位：全草）。

| 形态特征 | 草本。无根茎。秆少数或多数，丛生或密丛生，细弱，有少数肋条和纵槽，高 5 ～ 30cm 或更高，直径 0.5 ～ 1mm。叶缺失，只在秆的基部有 2 叶鞘，长鞘的下部或多或少带紫红色，上部绿色，薄膜质，鞘口几平，先端具三角形小齿，高 1.5 ～ 4cm。小穗披针形或长圆状卵形，少有为球状卵形，长 3 ～ 8mm，近基部直径 1.5 ～ 3mm，苍白色，密生少数至多数花，少有极多数花，时常从小穗基部生小植株；在小穗基部的 1 鳞片中空无花，抱小穗基部 1 周，其余鳞片全有花，长圆形或近长圆形，先端钝或圆，长 2mm，宽 1mm，很淡的锈色，中脉 1，淡绿色，边缘干膜质；下位刚毛 6，比小坚果长 1/2，不向外展开，锈色，有倒刺，刺密而短；柱头 3。小坚果倒卵

透明鳞荸荠

形，三棱状，长 1.2mm，宽 0.7mm，淡黄色或橄榄绿色，各棱具狭边，三面凸起成膨胀状；花柱基金字塔形，先端近渐尖，长为小坚果的 1/4，宽为小坚果的 1/2。花果期 4 ~ 11 月。

| 生境分布 | 生于稻田中、水塘或湖边湿地。分布于重庆南川、合川等地。

| 资源情况 | 野生资源较少。药材来源于野生。

| 采收加工 | 夏、秋季采收，洗净，晒干。

| 功能主治 | 清热利尿。用于水肿，小便不利。

| 用法用量 | 内服煎汤，适量。

牛毛毡

Eleocharis yokoscensis (Franchet & Savatier) Tang et F. T. Wang

| 药 材 名 |　牛毛毡（药用部位：全草。别名：油麻毡、松毛蔺）。

| 形态特征 |　多年生草本。匍匐根茎非常细。秆多数，细如毫发，密丛生如牛毛毡，因而有此俗名，高 2 ~ 12cm。叶鳞片状，具鞘；叶鞘微红色，膜质，管状，高 5 ~ 15mm。小穗卵形，先端钝，长 3mm，宽 2mm，淡紫色，只有几朵花，所有鳞片全有花；鳞片膜质，在下部的少数鳞片近 2 列，在基部的 1 片长圆形，先端钝，背部淡绿色，有 3 脉，两侧微紫色，边缘无色，抱小穗基部 1 周，长 2mm，宽 1mm；其余鳞片卵形，先端急尖，长 3.5mm，宽 2.5mm，背部微绿色，有 1 脉，两侧紫色，边缘无色，全部膜质；下位刚毛 1 ~ 4，长为小坚果的 2 倍，有倒刺；柱头 3。小坚果狭长圆形，无棱，呈浑圆状，先端缢缩，不包括花柱基在内长 1.8mm，宽 0.8mm，微黄玉白色，表面细胞呈横矩形网纹，

牛毛毡

网纹隆起，细密，整齐，因而呈现出纵纹 15 和横纹约 50；花柱基稍膨大成短尖状，直径约为小坚果宽的 1/3。花果期 4 ~ 11 月。

| **生境分布** | 生于水田中、池塘边或湿黏土中。重庆各地均有分布。

| **资源情况** | 野生资源一般。药材来源于野生。

| **采收加工** | 夏季采收，洗净，晒干。

| **功能主治** | 辛，温。发散风寒，祛痰平喘，活血散瘀。用于风寒感冒，支气管炎，跌打伤痛。

| **用法用量** | 内服煎汤，15 ~ 30g；或研末，3 ~ 9g。

| **附　注** | 本种对温度要求不严，喜潮湿环境，宜选黏土、潮湿地栽培，采用分株繁殖法。

水莎草

Juncellus serotinus (Rottb.) C. B. Clarke

水莎草

药材名

水莎草（药用部位：全草）。

形态特征

多年生草本，散生。根茎长。秆高 35～100cm，粗壮，扁三棱形，平滑。叶片少，短于秆或有时长于秆，宽3～10mm，平滑，基部折合，上面平展，背面中肋呈龙骨状突起。苞片常3，少为4，叶状，较花序长1倍多，最宽至8mm。复出长侧枝聚伞花序具4～7第1次辐射枝；辐射枝向外展开，长短不等，最长达16cm，每一辐射枝上具1～3穗状花序，每1穗状花序具5～17小穗；花序轴被疏的短硬毛；小穗排列稍松，近于平展，披针形或线状披针形，长8～20mm，宽约3mm，具10～34花；小穗轴具白色透明的翅，鳞片初期排列紧密，后期较松，纸质，宽卵形，先端钝或圆，有时微缺，长2.5mm，背面中肋绿色，两侧红褐色或暗红褐色，边缘黄白色，透明，具5～7脉；雄蕊3，花药线形，药隔暗红色；花柱很短，柱头2，细长，具暗红色斑纹。小坚果椭圆形或倒卵形，平凸状，长约为鳞片的4/5，棕色，稍有光泽，具凸起的细点。花果期7～10月。

| 生境分布 | 生于浅水中、水边沙土上，有时亦见于路旁。重庆各地均有分布。

| 资源情况 | 野生资源丰富。药材来源于野生。

| 采收加工 | 夏、秋季采收，洗净，晒干。

| 功能主治 | 清热解毒。用于蛇虫咬伤。

| 用法用量 | 外用适量，捣敷。

| 附　　注 | 在 FOC 中，本种的拉丁学名被修订为 *Cyperus serotinus* Rottb.，属名被修订为莎草属 *Cyperus*。

莎草科 Cyperaceae 水蜈蚣属 Kyllinga

短叶水蜈蚣 *Kyllinga brevifolia* Rottb.

| 药 材 名 | 水蜈蚣（药用部位：全草。别名：金钮草、三荚草、散寒草）。

| 形态特征 | 草本。根茎长而匍匐，外被膜质、褐色的鳞片，具多数节间，节间长约 1.5cm，每节上长 1 秆。秆成列散生，细弱，高 7 ～ 20cm，扁三棱形，平滑，基部不膨大，具 4 ～ 5 圆筒状叶鞘；最下面 2 叶鞘常为干膜质，棕色，鞘口斜截形，先端渐尖，上面 2 ～ 3 叶鞘先端具叶片。叶柔弱，短于或稍长于秆，宽 2 ～ 4mm，平展，上部边缘和背面中肋上具细刺；叶状苞片 3，极展开，后期常向下反折。穗状花序单个，极少 2 或 3，球形或卵球形，长 5 ～ 11mm，宽 4.5 ～ 10mm，具极多数密生的小穗；小穗长圆状披针形或披针形，压扁，长约 3mm，宽 0.8 ～ 1mm，具 1 花；鳞片膜质，长 2.8 ～ 3mm，下面鳞片短于上面的鳞片，白色，具锈斑，少为麦秆黄色，背面的龙骨状

短叶水蜈蚣

突起绿色，具刺，先端延伸成外弯的短尖，脉 5 ~ 7；雄蕊 1 ~ 3，花药线形；花柱细长，柱头 2，长不及花柱的 1/2。小坚果倒卵状长圆形，扁双凸状，长约为鳞片的 1/2，表面具密的细点。花果期 5 ~ 9 月。

| 生境分布 | 生于海拔 600m 以下的山坡荒地、路旁草丛中、田边草地、溪边、海边沙滩上。分布于重庆綦江、垫江、璧山、大足、奉节、合川、涪陵、潼南、江津、万州、永川、丰都、黔江、云阳、酉阳、南川、长寿、九龙坡、北碚、巴南、荣昌、沙坪坝等地。

| 资源情况 | 野生资源丰富。药材主要来源于野生，亦有栽培。

| 采收加工 | 夏、秋季花期采挖，洗净，鲜用或晒干。

| 药材性状 | 本品长 10 ~ 30cm，淡绿色至灰绿色。根茎近圆柱形，细长，直径 0.1 ~ 0.2cm；表面棕红色至紫褐色，节明显，节处有残留的叶鞘及须根；断面类白色，粉性。茎细，三棱形。单叶互生，线形，长短不一，有的长于茎，基部叶鞘呈紫褐色。头状花序顶生，球形，直径 0.5cm，基部有狭长的叶状苞片 3。坚果扁卵形，褐色。气微，味淡。

| 功能主治 | 微辛，平。归肺、肝经。截疟，止咳，化痰，祛风利湿。用于疟疾，感冒咳嗽，关节酸痛，乳糜尿，皮肤瘙痒。

| 用法用量 | 内服煎汤，12 ~ 18g。外用适量，煎汤洗。

| 附　注 | 本种喜温暖湿润气候，忌寒。宜选择肥沃、疏松的砂壤土栽培。

| 莎草科 | Cyperaceae | 砖子苗属 | Mariscus |

砖子苗
Mariscus umbellatus Vahl

砖子苗

药 材 名

假香附（药用部位：根茎、根）、砖子苗（药用部位：全草。别名：关子苗、三棱草、大香附子）。

形态特征

一年生草本。根茎短，高 15 ~ 50cm。秆疏丛生，锐三棱形，平滑，基部略膨大。叶与秆近等长，宽 3 ~ 6mm，叶鞘红棕色。叶状苞片 5 ~ 8，长于花序，斜展。长侧枝聚伞花序简单，有 6 ~ 12 辐射枝，辐射枝最长达 8cm，或有时短缩；小穗平展或稍下垂，长 3 ~ 5mm，宽约 0.7mm，常有 1 花，少有 2 花，鳞片膜质，长圆形，先端钝，长约 3mm，边缘常内卷，淡黄绿色，背面有数脉，仅 3 条明显；雄蕊 3；花柱短，柱头 3，细长。小坚果三棱状狭长圆形，长约 2mm，黄褐色，表面有细点。花果期 4 ~ 10 月。

生境分布

生于山坡阳处、路旁、草地、溪边或松林下。分布于重庆南川、綦江等地。

资源情况

野生资源稀少。药材来源于野生。

| 采收加工 |

假香附：秋季采收，洗净，晒干。

砖子苗：夏、秋季采收，洗净，切段，晒干。

| 功能主治 |

假香附：辛，温。行气活血，调经止痛，祛风除湿。用于月经不调，崩漏，产后腹痛，跌打损伤，风湿痹痛，感冒。

砖子苗：辛、微苦，平。祛风解表，止咳化痰，解郁调经。用于风寒感冒，咳嗽痰多，皮肤瘙痒，月经不调。

| 用法用量 |

假香附：内服煎汤，9 ~ 30g。

砖子苗：内服煎汤，15 ~ 30g。

| 附　注 |

在 FOC 中，本种被修订为砖子苗 *Cyperus cyperoides* (L.) Kuntze，属名被修订为莎草属 *Cyperus*。

水毛花

Schoenoplectus mucronatus (L.) Palla subsp. *robustus* (Miq.) T. Koyama

水毛花

药材名

蒲草根（药用部位：根。别名：席草根、大灯芯）、水毛花（药用部位：全草）。

形态特征

多年生草本。根茎粗短，无匍匐根茎，具细长须根。秆丛生，稍粗壮，高 50 ~ 120cm，锐三棱形，基部具 2 叶鞘；叶鞘棕色，长 7 ~ 23cm，先端呈斜截形，无叶片。苞片 1，为秆的延长，直立或稍展开，长 2 ~ 9cm。小穗（2 ~）5 ~ 9（~ 20）聚集成头状，假侧生，卵形、长圆状卵形、圆筒形或披针形，先端钝圆或近于急尖，长 8 ~ 16mm，宽 4 ~ 6mm，具多数花；鳞片卵形或长圆状卵形，先端急缩成短尖，近于革质，长 4 ~ 4.5mm，淡棕色，具红棕色短条纹，背面具 1 脉；下位刚毛 6，有倒刺，较小坚果长一半或与之等长，或较小坚果稍短；雄蕊 3，花药线形，长 2mm 或更长些，药隔稍凸出；花柱长，柱头 3。小坚果倒卵形或宽倒卵形，扁三棱状，长 2 ~ 2.5mm，成熟时暗棕色，具光泽，稍有皱纹。花果期 5 ~ 8 月。

生境分布

生于海拔 500 ~ 1500m 的水塘边、沼泽地、溪边牧草地、湖边等，常和慈姑、莲花同生。
重庆各地均有分布。

| 资源情况 |

野生资源丰富。药材来源于野生。

| 采收加工 |

蒲草根：秋季采挖，洗净，鲜用或晒干。
水毛花：夏、秋季采收，洗净，切段，晒干。

| 功能主治 |

蒲草根：淡、微苦，凉。清热利湿，解毒。用
于热淋，小便不利，带下，牙龈肿痛。
水毛花：苦、辛，凉。清热解表，宣肺止咳。
用于感冒发热，咳嗽。

| 用法用量 |

蒲草根：内服煎汤，9 ～ 15g，鲜品 30 ～ 60g。
水毛花：内服煎汤，9 ～ 30g。

莎草科 Cyperaceae 藨草属 Scirpus

百球藨草 *Scirpus rosthornii* Diels

| 药 材 名 | 百球藨草（药用部位：全草）。

| 形态特征 | 草本。根茎短。秆粗壮，高 70 ~ 100cm，坚硬，三棱形，有节，节间长，具秆生叶。叶较坚挺，秆上部的叶高出花序，宽 6 ~ 15mm，叶片边缘和下面中肋粗糙；叶鞘长 3 ~ 12cm，具凸起的横脉。叶状苞片 3 ~ 5，常长于花序。多次复出长侧枝聚伞花序大，顶生，具 6 ~ 7 第 1 次辐射枝，辐射枝稍粗壮，长可达 12cm，各次辐射枝均粗糙；4 ~ 15 小穗聚合成头状着生于辐射枝先端；小穗无柄，卵形或椭圆形，先端近于圆形，长 2 ~ 3mm，宽约 1.5mm，具多数很小的花；鳞片宽卵形，先端钝，长约 1mm，具 3 脉，2 条侧脉明显地隆起，两侧脉间黄绿色，其余为麦秆黄色或棕色，后来变为深褐色；下位刚毛 2 ~ 3，较小坚果稍长，直，中部以上有顺刺；柱头 2。小坚果

百球藨草

椭圆形或近于圆形，双凸状，长 0.6 ～ 0.7mm，黄色。花果期 5 ～ 9 月。

| **生境分布** | 生于海拔 600 ～ 2400m 的林中、林缘、山坡、山脚、路旁、湿地、溪边或沼泽地。分布于重庆巫溪、酉阳、南川等地。

| **资源情况** | 野生资源较少。药材来源于野生。

| **采收加工** | 秋季采收，洗净，切段，晒干。

| **功能主治** | 清热利湿。用于热淋，小便不利。

| **用法用量** | 内服煎汤，适量。

藨草
Scirpus triqueter L.

| 药 材 名 | 藨草（药用部位：全草。别名：野荸荠、光棍草、光棍子）。

| 形态特征 | 多年生草本。匍匐根茎长，直径 1 ~ 5mm，干时呈红棕色。秆散生，粗壮，高 20 ~ 90cm，三棱形，基部具 2 ~ 3 叶鞘；叶鞘膜质，横脉明显隆起，最上 1 叶鞘先端具叶片。叶片扁平，长 1.3 ~ 5.5（~ 8）cm，宽 1.5 ~ 2mm。苞片 1，为秆的延长，三棱形，长 1.5 ~ 7cm。简单长侧枝聚伞花序假侧生，有 1 ~ 8 辐射枝；辐射枝三棱形，棱上粗糙，长可达 5cm，每辐射枝先端有 1 ~ 8 簇生的小穗；小穗卵形或长圆形，长 6 ~ 12（~ 14）mm，宽 3 ~ 7mm，密生许多花；鳞片长圆形、椭圆形或宽卵形，先端微凹或圆形，长 3 ~ 4mm，膜质，黄棕色，背面具 1 中肋，稍延伸出先端呈短尖，边缘疏生缘毛；下位刚毛 3 ~ 5，几等长或稍长于小坚果，全都生有倒刺；雄蕊 3，

藨草

花药线形，药隔暗褐色，稍凸出；花柱短，柱头2，细长。小坚果倒卵形，平凸状，长2～3mm，成熟时褐色，具光泽。花果期6～9月。

|生境分布|

生于海拔2000m以下的水沟、水塘、山溪边或沼泽地。重庆各地均有分布。

|资源情况|

野生资源丰富。药材来源于野生。

|采收加工|

秋季采收，洗净，切段，晒干。

|功能主治|

甘、微苦，平。归脾、胃、膀胱经。开胃消食，清热利湿。用于饮食积滞，胃纳不佳，呃逆饱胀，热淋，小便不利。

|用法用量|

内服煎汤，15～30g。孕妇及体虚无积滞者慎服。

|附　注|

在FOC中，本种被修订为三棱水葱 *Schoenoplectus triqueter* (Linnaeus) Palla，属名被修订为水葱属 *Schoenoplectus*。

莎草科 Cyperaceae 珍珠茅属 Scleria

高秆珍珠茅 *Scleria terrestris* (L.) Fassett

药 材 名	三楞筋骨草（药用部位：全草。别名：三角草、珍珠草）。
形态特征	多年生草本，高 60 ~ 100cm。根茎木质，被深紫色鳞片。秆散生，三棱柱形，直径 4 ~ 7mm。叶线形，长 30 ~ 40cm，宽 6 ~ 10mm，基部叶鞘先端具 3 齿，中部的具宽翅。圆锥花序由顶生和 1 ~ 3 相距稍远的侧生圆锥花序组成，花序轴被短毛；支圆锥花序长 3 ~ 8cm，宽 1.5 ~ 6cm；苞片刚毛状；小穗单生，长圆卵形，长 3 ~ 4mm，紫褐色，单性；雄小穗鳞片长 2 ~ 3mm；雌小穗生于分枝基部，鳞片宽卵形或卵状披针形，长 2 ~ 4mm，有绿色龙骨状突起；雄花有 3 雄蕊；雌花子房有柱头 3。小坚果球形，淡褐色，表面有 4 ~ 6 多角形网纹，横纹上被断续的褐色短硬毛；下位盘 3 浅裂，黄色，直径约 1.8mm，边缘反折。花果期 8 ~ 10 月。

高秆珍珠茅

| **生境分布** | 生于山坡、田边、路旁。分布于重庆奉节、云阳、武隆、南川、巴南、綦江、南岸、长寿、渝北等地。 |

| **资源情况** | 野生资源较少。药材来源于野生。 |

| **采收加工** | 夏、秋季采收，洗净，切段，晒干。 |

| **功能主治** | 苦、辛，平。祛风除湿，舒筋活络，透疹。用于风湿痹痛，瘫痪，跌打损伤，小儿麻疹。 |

| **用法用量** | 内服煎汤，15 ～ 30g；或浸酒。 |

莎草科 Cyperaceae 珍珠茅属 Scleria

黑鳞珍珠茅
Scleria hookeriana Bocklr.

| 药 材 名 | 黑鳞珍珠茅（药用部位：全草）。

| 形态特征 | 草本。匍匐根茎短，木质，密被紫红色、长圆状卵形的鳞片。秆直立，三棱形，高60～100cm，直径2～4mm，有时被稀疏短柔毛，稍粗糙。叶线形，向先端渐狭，先端多少呈尾状，长4～35cm，宽4～8mm，纸质，无毛或多少被疏柔毛，稍粗糙；叶鞘纸质，长1～10cm，有时被疏柔毛，在近秆基部的叶鞘呈钝三棱形，紫红色或淡褐色，鞘口具约3大小不等的三角形齿，在秆中部的叶鞘锐三棱形，绿色，很少具狭翅；叶舌半圆形，被紫色髯毛。圆锥花序顶生，很少具1相距稍远的侧生枝圆锥花序，长4～7cm（连侧生枝圆锥花序在内可达11cm），宽2～4cm，分枝斜立，密或疏，具多数小穗；小苞片刚毛状，基部有耳，耳上被髯毛；小穗通常2～4紧密排列，很

黑鳞珍珠茅

少单生，长约 3mm，多数为单性，极少两性；雄小穗长圆状卵形，先端截形或钝，鳞片卵状披针形或长圆状卵形，在下部的 3 ~ 4 纸质，稍具龙骨状突起，背面上半部常被糙伏毛，有时具短尖，在小穗上部的质较薄而色浅；雌小穗通常生于分枝的基部，披针形或窄卵形，先端渐尖，具较少鳞片，鳞片卵形、三角形或卵状披针形，色较深；雄花具 3 雄蕊，花药线形，长 2mm，药隔凸出部分长为花药的 1/5 ~ 1/4；子房被长柔毛，柱头 3。小坚果卵珠形，钝三棱状，先端具短尖，直径 2mm，白色，表面有不明显的四角形至六角形网纹，部分横皱纹较明显，其上常呈锈色并疏被微硬毛；下位盘直径稍小于小坚果，或多或少 3 裂，裂片半圆状三角形，先端钝圆，边缘反折，淡黄色。花果期 5 ~ 7 月。

| **生境分布** | 生于海拔 450 ~ 2000m 的无荫山坡、山沟、山脊灌丛或草丛中。分布于重庆城口、酉阳、南川、涪陵、武隆、九龙坡、沙坪坝等地。

| **资源情况** | 野生资源较少。药材来源于野生。

| **采收加工** | 夏、秋季采收，洗净，切段，晒干。

| **功能主治** | 祛风除湿。用于风湿痹痛。

| **用法用量** | 内服煎汤，适量。

姜科 Zingiberaceae 山姜属 Alpinia

华山姜 *Alpinia chinensis* (Retz.) Rosc.

| 药 材 名 | 廉姜（药用部位：根茎。别名：绥、姜汇、箭杆风）。

| 形态特征 | 多年生草本，株高约 1m。叶披针形或卵状披针形，长 20 ~ 30cm，宽 3 ~ 10cm，先端渐尖或尾状渐尖，基部渐狭，两面均无毛；叶柄长约 5mm；叶舌膜质，长 4 ~ 10mm，2 裂，具缘毛。花组成狭圆锥花序，长 15 ~ 30cm，分枝短，长 3 ~ 10mm，其上有花 2 ~ 4；小苞片长 1 ~ 3mm，花时脱落；花白色；花萼管状，长 5mm，先端具 3 齿；花冠管略超出，花冠裂片长圆形，长约 6mm，后方的 1 枚稍较大，兜状；唇瓣卵形，长 6 ~ 7mm，先端微凹；侧生退化雄蕊 2，钻状，长约 1mm；花丝长约 5mm，花药长约 3mm；子房无毛。果实球形，直径 5 ~ 8mm。花期 5 ~ 7 月，果期 6 ~ 12 月。

华山姜

| **生境分布** | 生于 500 ～ 800m 的水沟、山坡、河谷杂木林中。分布于重庆南川、璧山、大足等地。 |

| **资源情况** | 野生资源稀少。药材来源于野生。 |

| **采收加工** | 秋季采挖，除去茎叶，洗净，切段，晒干。 |

| **药材性状** | 本品呈圆柱形或块状，长 7 ～ 10cm，直径 0.3 ～ 1cm，先端渐尖细，多数有分枝。表面灰黄色或棕黄色，有明显的环节，节上有鳞片样叶柄残基及须根痕，节间距 0.3 ～ 1cm，有较顺直的纵皱纹。质硬而韧，不易折断，断面淡黄色，纤维性。气微香，味稍辛、辣。 |

| **功能主治** | 辛，温。归脾、胃、肝经。温中消食，散寒止痛，活血，止咳平喘。用于胃寒冷痛，噎膈吐逆，腹痛泄泻，消化不良，风湿关节冷痛，跌打损伤，风寒咳喘。 |

| **用法用量** | 内服煎汤，6 ～ 15g；或浸酒。外用适量，捣敷。 |

| **附　　注** | 在 FOC 中，本种的拉丁学名被修订为 *Alpinia oblongifolia* Hayata。 |

姜科 Zingiberaceae 山姜属 Alpinia

高良姜
Alpinia officinarum Hance

| 药 材 名 | 高良姜（药用部位：根茎。别名：高凉姜、良姜、小良姜）。

| 形态特征 | 多年生草本，高 40 ～ 110cm。根茎延长，圆柱形。叶片线形，长 20 ～ 30cm，宽 1.2 ～ 2.5cm，先端尾尖，基部渐狭，两面均无毛，无柄；叶舌薄膜质，披针形，长 2 ～ 3cm，有时可达 5cm，不 2 裂。总状花序顶生，直立，长 6 ～ 10cm，花序轴被绒毛；小苞片极小，长不逾 1mm；小花梗长 1 ～ 2mm；花萼管长 8 ～ 10mm，先端 3 齿裂，被小柔毛；花冠管较花萼管稍短，裂片长圆形，长约 1.5cm，后方的 1 枚兜状；唇瓣卵形，长约 2cm，白色而有红色条纹，花丝长约 1cm，花药长 6mm；子房密被绒毛。果实球形，直径约 1cm，成熟时红色。花期 4 ～ 9 月，果期 5 ～ 11 月。

高良姜

| **生境分布** | 生于荒坡灌丛或疏林中。分布于重庆南川、南岸、黔江等地。

| **资源情况** | 野生资源稀少。药材来源于野生，亦有栽培。

| **采收加工** | 夏末秋初采挖，除去须根和残留鳞片，洗净，切段，晒干。

| **药材性状** | 本品呈圆柱形，多弯曲，有分枝，长 5 ~ 9cm，直径 1 ~ 1.5cm。表面棕红色至暗褐色，有细密的纵皱纹和灰棕色波状环节，节间长 0.2 ~ 1cm，一面有圆形的根痕。质坚韧，不易折断，断面灰棕色或红棕色，纤维性，中柱约占 1/3。气香，味辛、辣。

| **功能主治** | 辛，热。归脾、胃经。温胃止呕，散寒止痛。用于脘腹冷痛，胃寒呕吐，嗳气吞酸。

| **用法用量** | 内服煎汤，3 ~ 6g。

姜科 Zingiberaceae 山姜属 Alpinia

箭秆风 *Alpinia stachyoides* Hance

| 药 材 名 | 箭秆风（药用部位：根茎。别名：一支箭、假砂仁）。

| 形态特征 | 多年生草本，高约 1m。叶片披针形或线状披针形，长 20 ~ 30cm，宽 2 ~ 4（~ 6）cm，先端具细尾尖，基部渐狭，除顶部边缘具小刺毛外，余无毛；叶柄从近于无至长达 4cm；叶舌长约 2mm，2 裂，具缘毛。穗状花序直立，长 10 ~ 20cm，小花常每 3 朵簇生于花序轴上，花序轴被绒毛；小苞片极小；花萼筒状，先端 3 裂，外被短柔毛；花冠管约和花萼管等长或稍长，花冠裂片长圆形，长 8 ~ 10mm，外被长柔毛；侧生退化雄蕊线形，长约 2mm；唇瓣倒卵形，长 7 ~ 13mm，皱波状，2 裂；雄蕊较唇瓣为长，花药长 4mm；子房球形，被毛。蒴果球形，直径 7 ~ 8mm，被短柔毛，顶冠以宿存的萼管；种子 5 ~ 6。花期 4 ~ 6 月，果期 6 ~ 11 月。

箭秆风

| **生境分布** | 生于海拔 550 ~ 800m 的林下阴湿处。分布于重庆城口、石柱、武隆、酉阳、南川、大足等地。 |

| **资源情况** | 野生资源稀少。药材来源于野生。 |

| **采收加工** | 全年均可采收，除去茎叶，洗净，鲜用或切片晒干。 |

| **功能主治** | 辛、苦，温。除湿消肿，行气止痛。用于风湿痹痛，胃痛，跌打损伤。 |

| **用法用量** | 内服煎汤，10 ~ 30g。外用适量，煎汤熏洗；或鲜品捣敷。 |

| **附　注** | 在 FOC 中，本种被修订为密苞山姜 *Alpinia stachyodes* Hance。 |

姜科 Zingiberaceae 山姜属 Alpinia

草豆蔻
Alpinia katsumadai Hayata

草豆蔻

| 药 材 名 |

草豆蔻（药用部位：种子。别名：豆蔻、大草蔻、偶子）。

| 形态特征 |

多年生草本，高达 3m。叶片线状披针形，长 50 ~ 65cm，宽 6 ~ 9cm，先端渐尖，并有 1 短尖头，基部渐狭，两边不对称，边缘被毛，两面均无毛或稀可于叶背被极疏的粗毛；叶柄长 1.5 ~ 2cm；叶舌长 5 ~ 8mm，外被粗毛。总状花序顶生，直立，长达 20cm，花序轴淡绿色，被粗毛，小花梗长约 3mm；小苞片乳白色，阔椭圆形，长约 3.5cm，基部被粗毛，向上逐渐减少至无毛；花萼钟状，长 2 ~ 2.5cm，先端不规则齿裂，复又一侧开裂，具缘毛或无，外被毛；花冠管长约 8mm，花冠裂片边缘稍内卷，具缘毛；无侧生退化雄蕊；唇瓣三角状卵形，长 3.5 ~ 4cm，先端微 2 裂，具自中央向边缘放射的彩色条纹；子房被毛，直径约 5mm；腺体长 1.5mm；花药室长 1.2 ~ 1.5cm。果实球形，直径约 3cm，成熟时金黄色。花期 4 ~ 6 月，果期 5 ~ 8 月。

| 生境分布 | 栽培于保存圃。分布于重庆南川等地。

| 资源情况 | 栽培资源稀少，无野生资源。药材主要来源于栽培。

| 采收加工 | 夏、秋季采收，晒至九成干，或用水略烫后晒至半干，除去果皮，取出种子团，晒干。

| 药材性状 | 本品为类球形的种子团，直径 1.5 ~ 2.7cm；表面灰褐色，中间有黄白色的隔膜，将种子团分成 3 瓣，每瓣有种子多数，粘连紧密，种子团略光滑。种子为卵圆状多面体，长 3 ~ 5mm，直径约 3mm，外被淡棕色膜质假种皮，种脊为 1 纵沟，一端有种脐；质硬，将种子沿种脊纵剖 2 瓣，纵断面呈斜心形，种皮沿种脊向内伸入部分约占整个表面积的 1/2；胚乳灰白色。气香，味辛、微苦。

| 功能主治 | 辛，温。归脾、胃经。燥湿行气，温中止呕。用于寒湿内阻，脘腹胀满、冷痛，暖气呕逆，不思饮食。

| 用法用量 | 内服煎汤，3 ~ 6g。

| 附　　注 | （1）在 FOC 中，本种被修订为海南山姜 *Alpinia hainanensis* K. Schumann。
（2）本种喜温暖湿润气候和半荫蔽的环境。宜选稀林下土层深厚、肥沃疏松的壤土栽培。

姜科 Zingiberaceae 姜黄属 Curcuma

郁金 *Curcuma aromatica* Salisb.

郁金

| 药材名 |

郁金（药用部位：块根）。

| 形态特征 |

多年生草本，高约1m。根茎肉质，肥大，椭圆形或长椭圆形，黄色，芳香；根端膨大成纺锤状。叶基生，叶片长圆形，长30～60cm，宽10～20cm，先端具细尾尖，基部渐狭，叶面无毛，叶背被短柔毛；叶柄约与叶片等长。花葶单独由根茎抽出，与叶同时发出或先叶而出；穗状花序圆柱形，长约15cm，直径约8cm；有花的苞片淡绿色，卵形，长4～5cm，上部无花的苞片较狭，长圆形，白色而染淡红色，先端常具小尖头，被毛；花萼被疏柔毛，长0.8～1.5cm，先端3裂；花冠管漏斗形，长2.3～2.5cm，喉部被毛，裂片长圆形，长1.5cm，白色而带粉红色，后方的1片较大，先端具小尖头，被毛；侧生退化雄蕊淡黄色，倒卵状长圆形，长约1.5cm；唇瓣黄色，倒卵形，长2.5cm，顶微2裂；子房被长柔毛。花期4～6月。

| 生境分布 |

生于林下。分布于重庆合川等地。

| 资源情况 | 野生资源稀少。药材主要来源于栽培。

| 采收加工 | 冬季茎叶枯萎后采挖，除去泥沙及细根，蒸或煮至透心，取出，干燥。

| 药材性状 | 本品呈卵圆形至长纺锤形，有的稍扁或弯曲，长 2 ~ 6cm，直径 0.5 ~ 2cm。表面灰黄棕色至灰褐色，具纵直或杂乱的皱纹，纵纹隆起处色较浅。质坚实，断面角质样，浅灰黄色至灰黑色，中部有 1 颜色较浅的内皮层环纹。气微，味淡。

| 功能主治 | 辛、苦，寒。归肝、心、肺经。行气化瘀，清心解郁，利胆退黄。用于经闭痛经，胸腹胀痛、刺痛，热病神昏，癫痫发狂，黄疸尿赤。

| 用法用量 | 内服煎汤，3 ~ 9g。

姜科 Zingiberaceae 姜属 Zingiber

蘘荷
Zingiber mioga (Thunb.) Rosc.

蘘荷

药材名

蘘荷（药用部位：根茎。别名：苴莆、嘉草、阳藿）、蘘荷花（药用部位：花）、蘘荷子（药用部位：果实）。

形态特征

多年生草本，高 0.5 ~ 1m。根茎淡黄色。叶片披针状椭圆形或线状披针形，长 20 ~ 37cm，宽 4 ~ 6cm，叶面无毛，叶背无毛或被稀疏的长柔毛，先端尾尖；叶柄长 0.5 ~ 1.7cm，或无柄；叶舌膜质，2 裂，长 0.3 ~ 1.2cm。穗状花序椭圆形，长 5 ~ 7cm；总花梗从无至长达 17cm，被长圆形鳞片状鞘；苞片覆瓦状排列，椭圆形，红绿色，具紫色脉；花萼长 2.5 ~ 3cm，一侧开裂；花冠管较花萼管为长，裂片披针形，长 2.7 ~ 3cm，宽约 7mm，淡黄色；唇瓣卵形，3 裂，中裂片长 2.5cm，宽 1.8cm，中部黄色，边缘白色，侧裂片长 1.3cm，宽 4mm；花药、药隔附属体各长 1cm。果实倒卵形，成熟时裂成 3 瓣，果皮里面鲜红色；种子黑色，被白色假种皮。花期 8 ~ 10 月。

生境分布

生于山谷中阴湿处。分布于重庆南川、南岸、北碚、酉阳、石柱等地。

| 资源情况 | 野生资源稀少。药材来源于野生。

| 采收加工 | 蘘荷：夏、秋季采收，鲜用或切片晒干。

蘘荷花：花开时采收，鲜用或烘干。

蘘荷子：果实成熟开裂时采收，晒干。

| 药材性状 | 蘘荷：本品呈不规则长条形、结节状，弯曲，长 6.5 ~ 11cm，直径约 1cm。表面灰棕黄色，有纵皱纹，上端有多个膨大凹陷的圆盘状茎痕；先端有叶鞘残基；周围密布细长圆柱形须根，直径 1 ~ 3mm，有深纵皱纹和淡棕色短毛。质柔韧，不易折断，折断面黄白色，中心有淡黄色细木心。气香，味淡、微辛。

| 功能主治 | 蘘荷：辛，温。归肺、肝经。活血调经，祛痰止咳，解毒消肿。用于月经不调，痛经，跌打损伤，咳嗽气喘，痈疽肿毒，瘰疬。

蘘荷花：辛，温。温肺化痰。用于肺寒咳嗽。

蘘荷子：辛，温。温胃止痛。用于胃痛。

| 用法用量 | 蘘荷：内服煎汤，6 ~ 15g；或研末；或鲜品绞汁。外用适量，捣敷；或捣汁含漱或点眼。

蘘荷花：内服煎汤，3 ~ 6g。

蘘荷子：内服煎汤，9 ~ 15g。

姜科 Zingiberaceae 姜属 Zingiber

阳荷

Zingiber striolatum Diels

| 药 材 名 | 阳荷（药用部位：根茎）。

| 形态特征 | 多年生草本，高 1 ~ 1.5m。根茎白色，微有芳香味。叶片披针形或
椭圆状披针形，长 25 ~ 35cm，宽 3 ~ 6cm，先端具尾尖，基部渐狭，
叶背被极疏柔毛至无毛；叶柄长 0.8 ~ 1.2cm；叶舌 2 裂，膜质，长
4 ~ 7mm，具褐色条纹。总花梗长 1.5 ~ 2cm（或有时更长），被
2 ~ 3 鳞片；花序近卵形，苞片红色，宽卵形或椭圆形，长 3.5 ~ 5cm，
被疏柔毛；花萼长 5cm，膜质；花冠管白色，长 4 ~ 6cm，裂片长
圆状披针形，长 3 ~ 3.5cm，白色或稍带黄色，有紫褐色条纹；唇
瓣倒卵形，长 3cm，宽 2.6cm，浅紫色，侧裂片长约 5mm；花丝极短，
花药室披针形，长 1.5cm，药隔附属体喙状，长 1.5cm。蒴果长 3.5cm，
成熟时开裂成 3 瓣，内果皮红色；种子黑色，被白色假种皮。花期 7 ~ 9

阳荷

月，果期 9 ～ 11 月。

| **生境分布** | 生于海拔 350 ～ 800m 的林荫下、溪边。分布于重庆奉节、开州、武隆、南川、黔江、巫溪、永川等地。

| **资源情况** | 野生资源稀少。药材来源于野生。

| **采收加工** | 夏、秋季采收，鲜用或切片晒干。

| **功能主治** | 祛风止痛，消肿解毒，止咳平喘，化积健胃。用于泄泻，痢疾。

| **用法用量** | 内服煎汤，适量。

蕙兰
Cymbidium faberi Rolfe

| **药 材 名** | 化气兰（药用部位：根皮。别名：土百部）、蕙实（药用部位：果实）。 |

| **形态特征** | 地生草本。假鳞茎不明显。叶 5 ~ 8，带形，直立性强，长 25 ~ 80cm，宽（4 ~ ）7 ~ 12mm，基部常对折而呈 "V" 形，叶脉透亮，边缘常有粗锯齿。花葶从叶丛基部最外面的叶腋抽出，近直立或稍外弯，长 35 ~ 50（~ 80）cm，被多枚长鞘。总状花序具花 5 ~ 11 或更多；苞片线状披针形，最下面的 1 枚长于子房，中上部的长 1 ~ 2cm，约为花梗和子房长度的 1/2，至少超过 1/3；花梗和子房长 2 ~ 2.6cm；花常为浅黄绿色，唇瓣有紫红色斑，有香气；萼片近披针状长圆形或狭倒卵形，长 2.5 ~ 3.5cm，宽 6 ~ 8mm；花瓣与萼片相似，常略短而宽；唇瓣长圆状卵形，长 2 ~ 2.5cm，3裂，侧裂片直立，具小乳突或细毛，中裂片较长，强烈外弯，有明显、 |

蕙兰

发亮的乳突，边缘常皱波状；唇盘上 2 纵褶片
从基部上方延伸至中裂片基部，上端向内倾斜
并汇合，多少形成短管；蕊柱长 1.2 ~ 1.6cm，
稍向前弯曲，两侧有狭翅；花粉团 4，成 2 对，
宽卵形。蒴果近狭椭圆形，长 5 ~ 5.5cm，宽
约 2cm。花期 3 ~ 5 月。

| 生境分布 |

生于山坡林下。重庆各地均有分布。

| 资源情况 |

野生资源稀少。药材来源于野生。

| 采收加工 |

化气兰：秋季采挖，抽去木心，晒干。

蕙实：果实成熟时采收，晒干。

| 功能主治 |

化气兰：辛、甘，凉；有小毒。润肺止咳，清
利湿热，杀虫。用于咳嗽，小便淋浊，赤白带下，
鼻衄，蛔虫病，头虱。

蕙实：辛，平。明目，补中。用于胸闷，腹泻，
青盲内障。

| 用法用量 |

化气兰：内服煎汤，3 ~ 9g；或入散剂。外用适
量，煎汤洗。

蕙实：内服煎汤，3 ~ 9g。

兰科 Orchidaceae 独花兰属 *Changnienia*

独花兰
Changnienia amoena S.S.Chien

| 药 材 名 | 长年兰（药用部位：全草或假鳞茎。别名：带血独叶一枝枪）。

| 形态特征 | 多年生附生草本。假鳞茎近椭圆形或宽卵状球形，长 1.5 ～ 2.5cm，宽 1 ～ 2cm，肉质，近淡黄白色，有 2 节，被膜质鞘。叶 1，宽卵状椭圆形至宽椭圆形，长 6.5 ～ 11.5cm，宽 5 ～ 8.2cm，先端急尖或短渐尖，基部圆形或近截形，背面紫红色；叶柄长 3.5 ～ 8cm。花葶长 10 ～ 17cm，紫色，具 2 鞘；鞘膜质，下部抱茎，长 3 ～ 4cm。花苞片小，凋落；花梗和子房长 7 ～ 9mm；花大，白色而带肉红色或淡紫色晕，唇瓣有紫红色斑点；萼片长圆状披针形，长 2.7 ～ 3.3cm，宽 7 ～ 9mm，先端钝，有 5 ～ 7 脉，侧萼片稍斜歪；花瓣狭倒卵状披针形，略斜歪，长 2.5 ～ 3cm，宽 1.2 ～ 1.4cm，先端钝，具 7 脉；唇瓣略短于花瓣，3 裂，基部有距，侧裂片直立，斜卵状三角形，较大，

独花兰

宽 1 ～ 1.3cm，中裂片平展，宽倒卵状方形，先端和上部边缘具不规则波状缺刻；唇盘上在 2 枚侧裂片之间具 5 褶片状附属物；距角状，稍弯曲，长 2 ～ 2.3cm，基部宽 7 ～ 10mm，向末端渐狭，末端钝；蕊柱长 1.8 ～ 2.1cm，两侧有宽翅。花期 4 月。

生境分布

生于海拔 500 ～ 1500m 的疏林下腐殖质丰富的土壤中或沿山谷荫蔽的地方。分布于重庆巫山、开州、忠县、万州、云阳、丰都、石柱、涪陵等地。

资源情况

野生资源稀少。药材来源于野生。

采收加工

夏、秋季采收，洗净，晒干或鲜用。

功能主治

清热，凉血，解毒。用于咳嗽，痰中带血，热疖疔疮。

用法用量

内服煎汤，15 ～ 30g。外用适量，鲜品捣敷。

兰科 Orchidaceae 兰属 Cymbidium

多花兰
Cymbidium floribundum Lindl.

| **药 材 名** | 牛角三七（药用部位：全草或假鳞茎。别名：夏兰、羊角七、鹿角七）、兰花（药用部位：花。别名：幽兰、蕙、兰蕙）、兰花叶（药用部位：叶。别名：兰叶）。 |

| **形态特征** | 附生植物。假鳞茎近卵球形，长 2.5 ~ 3.5cm，宽 2 ~ 3cm，稍压扁，包藏于叶基之内。叶通常 5 ~ 6，带形，坚纸质，长 22 ~ 50cm，宽 8 ~ 18mm，先端钝或急尖，中脉与侧脉在背面凸起（通常中脉较侧脉更为凸起，尤其在下部），关节在距基部 2 ~ 6cm 处。花葶自假鳞茎基部穿鞘而出，近直立或外弯，长 16 ~ 28（~ 35）cm。花序通常具 10 ~ 40 花；花苞片小；花较密集，直径 3 ~ 4cm，一般无香气；萼片与花瓣红褐色或偶见绿黄色，极罕灰褐色，唇瓣白色而在侧裂片与中裂片上有紫红色斑，褶片黄色；萼片狭长圆形，长 |

多花兰

1.6 ~ 1.8cm，宽 4 ~ 7mm；花瓣狭椭圆形，长 1.4 ~ 1.6cm，与萼片近等宽；唇瓣近卵形，长 1.6 ~ 1.8cm，3 裂，侧裂片直立，具小乳突，中裂片稍外弯，亦具小乳突；唇盘上有 2 纵褶片，褶片末端靠合；蕊柱长 1.1 ~ 1.4cm，略向前弯曲；花粉团 2，三角形。蒴果近长圆形，长 3 ~ 4cm，宽 1.3 ~ 2cm。花期 4 ~ 8 月。

| **生境分布** | 生于海拔 100 ~ 2500m 的山坡林下岩石边或阴生树上。分布于重庆巫山、奉节、石柱、涪陵、南川、江津等地。

| **资源情况** | 野生资源稀少。药材来源于野生。

| **采收加工** | 牛角三七：全年均可采收，割取地上部分，洗净，切段，鲜用或晾干。
兰花：花将开放时采收，鲜用或晾干。
兰花叶：全年均可采收，将叶齐根剪下，洗净，切段，鲜用或晒干。

| **功能主治** | 牛角三七：辛、甘、淡、平。清热化痰，补肾健脑。用于肺结核咯血，百日咳，肾虚腰痛，神经衰弱，头晕头痛。
兰花：辛，平。归肺、脾、肝经。调气和中，止咳，明目。用于胸闷，腹泻，久咳，青盲内障。
兰花叶：辛，微寒。归心、脾、肺经。清肺止咳，凉血止血，利湿解毒。用于肺痈，支气管炎，咳嗽，咯血，吐血，尿血，白浊，带下，尿路感染，疮毒疔肿。

| **用法用量** | 牛角三七：内服煎汤，3 ~ 9g；或研末。外用适量，浸酒搽；或捣烂敷。
兰花：内服泡茶或水炖，3 ~ 9g。
兰花叶：内服煎汤，9 ~ 15g，鲜品 15 ~ 30g；或研末，每次 4g。外用适量，捣汁涂。

| **附　　注** | 本种喜温暖湿润气候，特别以冬暖夏凉环境为理想，忌阳光直晒。宜栽培于通气及排水良好、不会板结的基质中。

兰科 Orchidaceae 石斛属 Dendrobium

曲茎石斛 *Dendrobium flexicaule* Z. H. Tsi

| 药 材 名 | 石斛（药用部位：茎）。

| 形态特征 | 多年生附生草本。茎圆柱形，稍回折状弯曲，长 6 ~ 11cm，直径 2 ~ 3mm，不分枝，具数节，节间长 1 ~ 1.5cm，干后淡棕黄色。叶 2 ~ 4，2 列，互生于茎的上部，近革质，长圆状披针形，长约 3cm，宽 7 ~ 10mm，先端钝并且稍钩转，基部下延为抱茎的鞘。花序从落了叶的老茎上部发出，具 1 ~ 2 花；花序柄长 1 ~ 2cm，直径约 1mm，基部被 3 ~ 4 膜质鞘，长 2 ~ 4mm；花苞片浅白色，卵状三角形，长约 3mm，先端急尖；花梗和子房黄绿色带淡紫色，长 3 ~ 4.5cm；花开展，中萼片背面黄绿色，上端稍带淡紫色，长圆形，长 28mm，中部宽 8mm，先端钝，具 5 脉；侧萼片背面黄绿色，上端边缘稍带淡紫色，斜卵状披针形，与中萼片等长而较宽，先端钝，

曲茎石斛

具 5 脉，萼囊黄绿色，圆锥形，长约 8mm，宽 10mm，末端近圆形；花瓣下部黄绿色，上部近淡紫色，椭圆形，长约 25mm，中部宽 13mm，先端钝，具 5 脉；唇瓣淡黄色，先端边缘淡紫色，中部以下边缘紫色，宽卵形，不明显 3 裂，长 17mm，宽 14mm，先端锐尖，基部楔形，上面密布短绒毛；唇盘中部前方有 1 大的紫色扇形斑块，其后有 1 黄色的马鞍形胼胝体；蕊柱黄绿色，长约 3mm；蕊柱足长约 10mm，中部具 2 圆形紫色斑块，疏生上部紫色而下部黄绿色的叉状毛，末端紫色，与唇瓣结合而形成强烈增厚的关节；蕊柱齿 2，三角形，基部外侧紫色；药帽乳白色，近菱形，长约 2.5mm，基部前缘具不整齐的细齿，先端深 2 裂，裂片尖齿状。花期 5 月。

| 生境分布 | 生于海拔 1200 ～ 2000m 的山谷岩石上。分布于重庆南川、南岸等地。

| 资源情况 | 野生资源稀少。药材主要来源于栽培。

| 采收加工 | 全年均可采收，鲜用者除去根和泥沙；干用者采收后，除去杂质，用开水略烫或烘软，再边搓边烘晒，至叶鞘搓净，干燥。

| 药材性状 | 本品呈圆柱形或扁圆柱形，长约 10cm，直径 0.3cm。表面黄绿色，光滑或有纵纹，节明显，色较深，节上有膜质鞘。肉质、多汁，易折断。气微，味微苦而回甘，嚼之有黏性。

| 功能主治 | 甘，微寒。归胃、肾经。益胃生津，滋阴清热。用于热病津伤，口干烦渴，胃阴不足，食少干呕，病后虚热不退，阴虚火旺，骨蒸劳热，目暗不明，筋骨痿软。

| 用法用量 | 内服煎汤，6 ～ 12g，鲜品 15 ～ 30g。

| 附　注 | 本种喜温暖湿润环境，忌阳光直射，可栽培于微酸性阴坡、半阴坡的陡岩石壁上。

兰科 Orchidaceae 石斛属 Dendrobium

罗河石斛

Dendrobium lohohense T. Tang et F. T. Wang

| **药 材 名** | 石斛（药用部位：茎。别名：黄草石斛）。

| **形态特征** | 多年生附生草本。茎质地稍硬，圆柱形，长达 80cm，直径 3 ~ 5mm，
具多节，节间长 13 ~ 23mm，上部节上常生根而分出新枝条，干后
金黄色，具数条纵条棱。叶薄革质，2 列，长圆形，长 3 ~ 4.5cm，
宽 5 ~ 16mm，先端急尖，基部具抱茎的鞘；叶鞘干后松松抱茎，
鞘口常张开。花蜡黄色，稍肉质，总状花序减退为单朵花，侧生于
具叶的茎端或叶腋，直立；花序柄无；花苞片蜡质，小的，阔卵形，
长约 3mm，先端急尖；花梗和子房长达 15mm，子房常棒状肿大；
花开展；中萼片椭圆形，长约 15mm，宽 9mm，先端圆钝，具 7 脉；
侧萼片斜椭圆形，比中萼片稍长，但较窄，先端钝，具 7 脉；萼囊
近球形，长约 5mm；花瓣椭圆形，长 17mm，宽约 10mm，先端圆

罗河石斛

钝，具 7 脉；唇瓣不裂，倒卵形，长 20mm，宽 17mm，基部楔形而两侧围抱蕊柱，前端边缘具不整齐的细齿；蕊柱长约 3mm，先端两侧各具 2 蕊柱齿；药帽近半球形，光滑，前端近截形而向上反折，其边缘具细齿。蒴果椭圆状球形，长 4cm，直径 1.2cm。花期 6 月，果期 7 ~ 8 月。

| **生境分布** | 生于海拔 980 ~ 1500m 的山谷或林缘的岩石上。分布于重庆南川、开州、巫山等地。

| **资源情况** | 野生资源较少。药材来源于野生，自采自用。

| **采收加工** | 全年均可采收，鲜用者除去根和泥沙；干用者采收后，除去杂质，用开水略烫或烘软，再边搓边烘晒，至叶鞘搓净，干燥。

| **药材性状** | 本品呈长圆柱形，上下几等粗，茎上部具新植株分出，长 10 ~ 60cm，直径 0.2 ~ 0.4cm，节间长 0.7 ~ 2.3cm。表面黄色或黄绿色，有沟槽。质坚，易折断，断面较平坦。味淡。

| **功能主治** | 甘，微寒。归胃、肾经。益胃生津，滋阴清热。用于热病津伤，口干烦渴，胃阴不足，食少干呕，病后虚热不退，阴虚火旺，骨蒸劳热，目暗不明，筋骨痿软。

| **用法用量** | 内服煎汤，6 ~ 12g，鲜品 15 ~ 30g。

兰科 Orchidaceae 斑叶兰属 Goodyera

小斑叶兰

Goodyera repens (L.) R. Br.

小斑叶兰

| 药 材 名 |

斑叶兰（药用部位：全草。别名：银线盆、小叶青、麻叶青）。

| 形 态 特 征 |

多年生草本，高 10 ~ 25cm。根茎伸长，茎状，匍匐，具节。茎直立，绿色，具 5 ~ 6 叶。叶片卵形或卵状椭圆形，长 1 ~ 2cm，宽 5 ~ 15mm，上面深绿色具白色斑纹，背面淡绿色，先端急尖，基部钝或宽楔形，具柄；叶柄长 5 ~ 10mm，基部扩大成抱茎的鞘。花茎直立或近直立，被白色腺状柔毛，具 3 ~ 5 鞘状苞片；总状花序具花几朵至超过 10，密生，多少偏向一侧，长 4 ~ 15cm；花苞片披针形，长 5mm，先端渐尖；子房圆柱状纺锤形，连花梗长 4mm，被疏的腺状柔毛；花小，白色或带绿色或带粉红色，半张开；萼片背面被或多或少腺状柔毛，具 1 脉，中萼片卵形或卵状长圆形，长 3 ~ 4mm，宽 1.2 ~ 1.5mm，先端钝，与花瓣粘合呈兜状，侧萼片斜卵形、卵状椭圆形，长 3 ~ 4mm，宽 1.5 ~ 2.5mm，先端钝；花瓣斜匙形，无毛，长 3 ~ 4mm，宽 1 ~ 1.5mm，先端钝，具 1 脉；唇瓣卵形，长 3 ~ 3.5mm，基部凹陷呈囊状，宽 2 ~ 2.5mm，内面无毛，前部短的舌状，

略外弯；蕊柱短，长 1～1.5mm；蕊喙直立，长 1.5mm，叉状 2 裂；柱头 1，较大，位于蕊喙之下。花期 7～8 月。

| **生境分布** | 生于山坡松树林下。分布于重庆城口、奉节、梁平、万州、石柱、南川、彭水、丰都等地。

| **资源情况** | 野生资源稀少。药材来源于野生。

| **采收加工** | 夏、秋季采收，洗净，鲜用或晒干。

| **功能主治** | 甘、辛，平。润肺止咳，补肾益气，行气活血，消肿解毒。用于肺痨咳嗽，气管炎，头晕乏力，神经衰弱，阳痿，跌打损伤，骨节疼痛，咽喉肿痛，乳痈，疮疖，瘰疬，毒蛇咬伤。

| **用法用量** | 内服煎汤，9～15g；或捣汁；或浸酒。外用适量，捣敷。

兰科 Orchidaceae 石斛属 Dendrobium

石斛
Dendrobium nobile Lindl.

| 药 材 名 | 石斛（药用部位：茎。别名：吊兰花、林兰、禁生）。

| 形态特征 | 多年生附生草本。茎直立，肉质状肥厚，呈稍扁的圆柱形，长10～60cm，直径达1.3cm，上部多少回折状弯曲，基部明显收狭，不分枝，具多节，节有时稍肿大；节间多少呈倒圆锥形，长2～4cm，干后金黄色。叶革质，长圆形，长6～11cm，宽1～3cm，先端钝并且不等侧2裂，基部具抱茎的鞘。总状花序从具叶或落了叶的老茎中部以上部分发出，长2～4cm，具1～4花；花序柄长5～15mm，基部被数枚筒状鞘；花苞片膜质，卵状披针形，长6～13mm，先端渐尖；花梗和子房淡紫色，长3～6mm；花大，白色带淡紫色先端，有时全体淡紫红色，或除唇盘上具1紫红色斑块外，其余均为白色；中萼片长圆形，长2.5～3.5cm，宽1～1.4cm，先端钝，具5脉；

石斛

侧萼片与中萼片相似，先端锐尖，基部歪斜，具 5 脉；萼囊圆锥形，长 6mm；花瓣多少斜宽卵形，长 2.5 ～ 3.5cm，宽 1.8 ～ 2.5cm，先端钝，基部具短爪，全缘，具 3 主脉和许多支脉；唇瓣宽卵形，长 2.5 ～ 3.5cm，宽 2.2 ～ 3.2cm，先端钝，基部两侧具紫红色条纹并且收狭为短爪，中部以下两侧围抱蕊柱，边缘具短的睫毛，两面密布短绒毛，唇盘中央具 1 紫红色大斑块；蕊柱绿色，长 5mm，基部稍扩大，具绿色的蕊柱足；药帽紫红色，圆锥形，密布细乳突，前端边缘具不整齐的尖齿。花期 4 ～ 5 月。

| **生境分布** | 生于海拔 480 ～ 1700m 的山地林中树干上或山谷岩石上。分布于重庆垫江、丰都、万州、忠县、涪陵、石柱、南川、綦江、璧山、永川、江津、铜梁、潼南、大足、合川、北碚等地。

| **资源情况** | 野生资源稀少，亦有零星栽培。药材来源于野生和栽培。

| **采收加工** | 全年均可采收，鲜用者除去根和泥沙；干用者采收后，除去杂质，用开水略烫或烘软，再边搓边烘晒，至叶鞘搓净，干燥。

| **药材性状** | 本品鲜品呈圆柱形或扁圆柱形，长约 60cm，直径 0.4 ～ 1.2cm；表面黄绿色，光滑或有纵纹，节明显，色较深，节上有膜质叶鞘；肉质、多汁，易折断；气微，味微苦而回甘，嚼之有黏性。干燥品呈扁圆柱形，长 20 ～ 40cm，直径 0.4 ～ 0.6cm，节间长 2.5 ～ 3cm；表面金黄色或黄色中带绿色，有深纵沟；质硬而脆，断面较平坦而疏松；气微，味苦。

| **功能主治** | 甘，微寒。归胃、肾经。益胃生津，滋阴清热。用于热病津伤，口干烦渴，胃阴不足，食少干呕，病后虚热不退，阴虚火旺，骨蒸劳热，目暗不明，筋骨痿软。

| **用法用量** | 内服煎汤，6 ～ 12g，鲜品 15 ～ 30g。

| **附　注** | 本种喜温暖湿润气候和半阴半阳的环境，不耐寒。

兰科 Orchidaceae 玉凤花属 Habenaria

毛葶玉凤花
Habenaria ciliolaris Kraenzl.

| 药 材 名 | 肾经草（药用部位：块茎。别名：玉峰花、土天麻、银兰）。

| 形态特征 | 多年生草本，高 25 ~ 60cm。块茎肉质，长椭圆形或长圆形，长
3 ~ 5cm，直径 1.5 ~ 2.5cm。茎粗，直立，圆柱形，近中部具 5 ~ 6
叶，向上有 5 ~ 10 疏生的苞片状小叶。叶片椭圆状披针形、倒卵状
匙形或长椭圆形，长 5 ~ 16cm，宽 2 ~ 5cm，先端渐尖或急尖，基
部收狭抱茎。总状花序具 6 ~ 15 花，长 9 ~ 23cm；花葶具棱，棱
上被长柔毛；花苞片卵形，长 13 ~ 15mm，先端渐尖，边缘具缘毛，
较子房短；子房圆柱状纺锤形，扭转，具棱，棱上有细齿，连花梗
长 23 ~ 25mm，先端弯曲，具喙；花白色或绿白色，罕带粉色，中
等大；中萼片宽卵形，凹陷，兜状，长 6 ~ 9mm，宽 5.5 ~ 8mm，
先端急尖或稍钝，近顶部边缘具睫毛，具 5 脉，背面具 3 片状具细

毛葶玉凤花

齿或近全缘的龙骨状突起，与花瓣靠合呈兜状；侧萼片反折，强烈偏斜，卵形，长 6.5 ~ 10mm，宽 4 ~ 7mm，具 3 ~ 4 弯曲的脉，前部边缘臌出，宽圆形，先端急尖；花瓣直立，斜披针形，不裂，长 6 ~ 7mm，基部宽 2 ~ 3mm，先端渐尖或长渐尖，具 1 脉，外侧增厚；唇瓣较萼片长，基部 3 深裂，裂片极狭窄，丝状，并行，向上弯曲，中裂片长 16 ~ 18mm，下垂，基部无胼胝体，侧裂片长 20 ~ 22mm；距圆筒状棒形，长 21 ~ 27mm，向末端逐渐或突然膨大，下垂，中部明显向前弯曲或前部稍弯曲，稍长于或短于子房，末端钝；药室基部伸长的沟与蕊喙臂伸长的沟两者靠合成细的管，管前伸，长约 2mm，稍向上弯；柱头 2，隆起，长圆形，长约 1.5mm。花期 7 ~ 9 月。

| 生境分布 | 生于海拔 1800m 以下的山坡或沟边林下阴处。分布于重庆酉阳、南川、綦江等地。

| 资源情况 | 野生资源较少。药材来源于野生，自采自用。

| 采收加工 | 春、秋季采挖，除去茎叶和须根，洗净，晒干。

| 功能主治 | 甘、微苦，平。壮腰补肾，清热利水，解毒。用于肾虚腰痛，遗精，阳痿，带下，热淋，毒蛇咬伤，疮疖肿毒。

| 用法用量 | 内服煎汤，9 ~ 15g。外用适量，鲜品捣敷。

兰科 Orchidaceae 角盘兰属 Herminium

叉唇角盘兰

Herminium lanceum (Thunb.) Vuijk

叉唇角盘兰

|药 材 名|

叉唇角盘兰（药用部位：全草或块茎。别名：双肾草、腰子草）。

|形态特征|

多年生草本，高 10 ~ 83cm。块茎圆球形或椭圆形，肉质，长 1 ~ 1.5cm，直径 8 ~ 12mm。茎直立，常细长，无毛，基部具 2 筒状鞘，中部具 3 ~ 4 疏生的叶。叶互生，叶片线状披针形，直立伸展，长达 15cm，宽达 1cm，先端急尖或渐尖，基部渐狭并抱茎。总状花序具多数密生的花，圆柱形，最长可达 43cm；花苞片小，披针形，直立伸展，先端急尖，短于子房；子房圆柱形，扭转，无毛，连花梗长 5 ~ 7mm；花小，黄绿色或绿色；中萼片卵状长圆形或长圆形，直立，凹陷成舟状，长 2 ~ 4mm，宽 1 ~ 1.5mm，先端钝，具 1 脉；侧萼片张开，长圆形或卵状长圆形，长 2.2 ~ 4mm，宽 1 ~ 2mm，先端稍钝或急尖，具 1 脉；花瓣直立，线形，长 2 ~ 4mm，宽 0.2 ~ 1mm，较萼片狭很多，与中萼片相靠，先端钝或近急尖，具 1 脉；唇瓣长圆形，长 3 ~ 7mm，宽 1 ~ 2mm，常下垂，基部扩大，凹陷，无距，常在近基部上面有 1 短的纵的脊状隆起，有时不明显，中部通常缢缩，在中部或中部以上呈叉状 3 裂，侧裂片线形或线状披针形，较中裂片长很多或稍长，先端或多或少卷曲，中裂片披针形或齿状三角形；蕊柱粗短；药室并行；花粉团球形，具极短的花粉团柄和粘盘，粘盘圆形；蕊喙小；柱头 2，横椭圆形，隆起；退化雄蕊 2，常较长，长圆形，顶部稍扩大，较花药低，近等长，罕稍过之。花期 6 ~ 8 月。

| **生境分布** | 生于海拔 1500 ~ 2100m 的山坡杂木林、针叶林、竹林、灌丛下或草地中。分布于重庆城口、石柱、万州、彭水、酉阳、秀山、黔江、涪陵、武隆、南川等地。

| **资源情况** | 野生资源较少。药材来源于野生，自采自用。

| **采收加工** | 夏、秋季采收，洗净，晒干。

| **功能主治** | 甘，温。益肾壮阳，养血补虚，理气除湿。用于虚劳，眼目昏花，阳痿，遗精，白浊，带下。

| **用法用量** | 内服煎汤，6 ~ 15g。

兰科 Orchidaceae 羊耳蒜属 *Liparis*

羊耳蒜 *Liparis japonica* (Miq.) Maxim.

羊耳蒜

| 药 材 名 |

羊耳蒜（药用部位：带根全草。别名：珍珠七、借母怀胎、鸡心七）。

| 形态特征 |

地生草本。假鳞茎卵形，长 5 ~ 12mm，直径 3 ~ 8mm，外被白色的薄膜质鞘。叶 2，卵形、卵状长圆形或近椭圆形，膜质或草质，长 5 ~ 10（~ 16）cm，宽 2 ~ 4（~ 7）cm，先端急尖或钝，边缘皱波状或近全缘，基部收狭成鞘状柄，无关节；鞘状柄长 3 ~ 8cm，初时抱花葶，果期则多少分离。花葶长 12 ~ 50cm；花序柄圆柱形，两侧在花期可见狭翅，果期则翅不明显；总状花序具花数朵至超过 10；花苞片狭卵形，长 2 ~ 3（~ 5）mm；花梗和子房长 8 ~ 10mm；花通常淡绿色，有时可变为粉红色或带紫红色；萼片线状披针形，长 7 ~ 9mm，宽 1.5 ~ 2mm，先端略钝，具 3 脉，侧萼片稍斜歪；花瓣丝状，长 7 ~ 9mm，宽约 0.5mm，具 1 脉；唇瓣近倒卵形，长 6 ~ 8mm，宽 4 ~ 5mm，先端具短尖，边缘稍有不明显的细齿或近全缘，基部逐渐变狭；蕊柱长 2.5 ~ 3.5mm，上端略有翅，基部扩大。蒴果倒卵状长圆形，长 8 ~ 13mm，宽 4 ~ 6mm；果梗长 5 ~

9mm。花期 6 ~ 8 月，果期 9 ~ 10 月。

| 生境分布 | 生于海拔 600 ~ 2000m 的长绿阔叶林、松林或灌丛中。分布于重庆酉阳、秀山、黔江、万州、南川、石柱、巫溪等地。

| 资源情况 | 野生资源稀少。药材来源于野生。

| 采收加工 | 夏、秋季采挖，鲜用或切段晒干。

| 功能主治 | 甘、微酸，平。活血止血，消肿止痛。用于崩漏，产后腹痛，白带过多，扁桃体炎，跌打损伤，烧伤。

| 用法用量 | 内服煎汤，6 ~ 9g。外用适量，鲜品捣敷。

附 篇

重庆市动物药、矿物药资源……

重庆市动物药、矿物药资源概论

第一节　重庆市药用动物资源现状

重庆的自然地理环境复杂，海拔落差大，山势陡峭，森林覆盖率高，加之嘉陵江、乌江等水系丰富，形成了山地动物和河流动物的多样性。重庆是《中国生物多样性国情研究报告》列出的17个生物多样性保护关键区域之一，也是世界自然基金会确定的全球200个生物多样性优先保护生态区域之一。

一、重庆市野生动物资源现状

根据国家林业局（今国家林业和草原局）《关于全面启动第二次陆生野生动物资源调查有关工作的通知》（林护发〔2011〕111号）的要求，重庆市林业局组织开展了重庆市第二次全国重点野生动物资源调查工作，将重庆划分为三峡谷地、大巴山山地、盆东平行岭谷、大娄山中山峡谷、武陵山地、四川盆地和盆东山地丘陵7个地理单元并实施调查。据重庆市林业局统计，重庆有无脊椎动物4300余种、陆生野生脊椎动物800余种，其中，国家一级保护动物有11种，国家二级保护动物有54种。国家一级保护动物主要有豹、云豹、黑叶猴、林麝、金雕等，国家二级保护动物主要有红腹锦鸡、长耳鸮、斑羚、大灵猫、小灵猫等。重庆有水生野生动物200余种，这些水生野生动物主要分布于长江、嘉陵江、乌江、大宁河等流域，其中分布在长江流域的鱼类有153种，约占长江上游鱼类总数的80%。重庆的国家一级保护水生野生动物有中华鲟、达氏鲟、白鲟等，国家二级保护水生野生动物有胭脂鱼、大鲵、水獭等，特有鱼类有大口鲶、长吻鮠、铜鱼、圆口铜鱼、岩原鲤、细鳞裂腹鱼、白甲鱼、齐口裂腹鱼、中华倒刺鲃、长薄鳅等。

近年调查发现，重庆两栖爬行动物有2新种：金佛拟小鲵 *Pseudohynobius jinfo* 和黔江林蛙 *Rana qianjiang*。重庆新记录的两栖爬行动物有16种：龙里瘰螈 *Paramesotriton longliensis*、川南短腿蟾 *Brachytarsophrys chuannanensis*、峨眉髭蟾 *Vibrissaphora boringii*、弹琴蛙 *Hylarana adenopleura*、云南臭蛙 *Odorrana andersonii*、合江臭蛙 *Odorrana hejiangensis*、合江棘蛙 *Paa robertingeri*、黑点树蛙 *Rhacophorus nigropunctatus*、峨眉树蛙 *Rhacophorus omeimontis*、潘氏闭壳龟 *Cuora pani*、白头蝰 *Azemiops feae*、四川竹叶青蛇 *Trimeresurus sichuanensis*、黄链蛇 *Dinodon flavozonatum*、灰腹绿蛇 *Rhadinophis frenatum*、龙胜小头蛇 *Oligodon lungshenensis* 和宁陕小头蛇 *Oligodon ningshanensis*。另外，发现外来入侵两栖类和爬行类物种各1种，即牛蛙 *Lithobates catesbeianus* 和红耳龟 *Trachemys scripta elegans*。

自然保护区是野生动物的主要分布区域。为加强对野生动植物的保护，重庆初步建立了门类较齐全、分布较合理的自然保护区网络。金佛山国家自然保护区有鱼纲动物 15 科 59 属 85 种、两栖纲动物 8 科 20 属 32 种、爬行纲动物 10 科 24 属 41 种、鸟纲动物 42 科 140 属 228 种、哺乳纲动物 25 科 60 属 80 种；此外，还有无脊椎动物 254 科 1158 属 1712 种。阴条岭国家自然保护区有动物 65 目 211 科 748 种，涉及无脊椎动物和脊椎动物 2 个动物类群，其中，国家一级保护动物有金雕、川金丝猴、云豹、豹和林麝 5 种，国家二级保护动物有 31 种。大巴山国家自然保护区野生动物有鸟纲 183 种、两栖纲 12 种、爬行纲 18 种、哺乳纲 65 种、昆虫纲 378 种。其中，有 40 种为国家级保护动物，国家一级保护动物有豹、云豹、林麝、金雕等，国家二级保护动物有金猫、猕猴、斑羚、红腹锦鸡、红隼、大鲵等。

二、重庆市野生药用动物资源现状

（一）野生药用动物资源

1999 年，程地芸调查发现重庆地区有药用两栖类动物 11 种，分属于 2 目 5 科；有药用爬行类动物 27 种，分属于 3 目 9 科。重庆的药用动物多分布于南川（金佛山），南川的药用动物品种占全市药用动物品种的 62% 以上。就资源蕴藏量而言，南川的蛇类动物不仅种类多，而且资源量大，人工饲养在一些地区已初具规模，在三峡库区，养蛇场数量呈上升态势。

刘正宇等对具有代表性的金佛山国家自然保护区进行调查，发现该保护区有药用动物 491 种，其中无脊椎动物有 123 种，脊椎动物有 368 种（表 1）；属于国家一级保护动物的有 8 种，属于国家二级保护动物的有 25 种；自然资源较为丰富的种类有 120 种，种群数量较少的种类有 226 种；处于濒危状态的珍稀动物有 155 种，于 20 世纪末已绝迹的种类有 12 种，目前可直接被利用的种类有 80 种。

表 1　金佛山国家自然保护区药用动物统计

类别	门	纲	目	属	种
无脊椎动物	环节动物门		2	4	10
	软体动物门		3	10	18
	节肢动物门		19	76	95
	小计		24	90	123
脊椎动物	脊椎动物门	鱼纲	6	58	83
		两栖纲	2	19	31
		爬行纲	3	23	41
		鸟纲	16	91	129
		哺乳纲	9	63	84
	小计		36	254	368
合计			60	344	491

重庆常用动物药有：麝香、熊胆、鹿茸、牛黄、穿山甲、全蝎、五灵脂、蕲蛇、乌梢蛇、桑螵蛸、斑蝥、土鳖虫、蜂房、蛇蜕、僵蚕、蝉蜕、狗肾、鸡内金、蜈蚣、水蛭、壁虎、鼠妇等。根据野生动物保护要求和临床用药情况确定，重庆可直接被利用的动物资源（含养殖动物资源）共有 245 种。

重庆主要药用动物养殖品种有：梅花鹿、东亚钳蝎、少棘巨蜈蚣、家鸡、野猪、九香虫、南方大斑蝥、黄黑小斑蝥、中华蜜蜂、大鲵、水蛭、蟾蜍、黄颡鱼等。中华蜜蜂的养殖规模最大，其养殖基地主要分布于渝东北、渝东南一带。在万盛区建有水蛭养殖基地；长寿区、南川区有一定规模的梅花鹿养殖。

（二）药用动物致危因素

1. 生态系统脆弱

重庆的自然保护区是保护野生药用动物的重要区域，但存在局部、间断分布的现象，生态系统内部结构的平衡调节能力较弱，抗外界压力的能力差，一旦植被遭到破坏或环境受到污染，野生动物被过度猎取，其种群结构将难以恢复。近年来，人类活动范围扩大，野外旅游、户外探险等活动进一步挤压了野生动物的生存空间，对野生动物正常繁殖造成巨大影响。

2. 资源过度利用

动物药多具有疗效独特、作用迅速等特点。在 20 世纪 70 年代以前，多数药用动物来源于野生资源，因此偷猎事件时常发生，加之自然环境恶化、人类活动频繁以及对野生动物保护力度弱等因素，造成重庆野生药用动物资源明显减少。同时，受人工养殖成本高和技术不成熟等因素限制，大多数养殖场未形成规模，部分养殖企业甚至打着养殖业的幌子出售野生动物。此外，动物繁殖技术未能得到有效提升，也使动物药供应受到限制。追求野味的寻鲜心理使野生动物资源的消耗量也随之加大。

3. 环境破坏引发危机

随着现代农业的发展，超量农药、除草剂等被用于农业生产过程中，导致野生动物误食中毒现象频发，如许多鸟类因食用含有农药的粮食而死亡。部分地区化工废弃物违规排放造成的污染也对野生动物的生存环境造成严重影响。

三、重庆市药用动物保护与利用建议

1. 加大对野生药用动物的保护

进一步开展药用动物资源的调查与监测，建立药用动物野外观测站及药用动物数据库，为药用动物的保护与利用提供数据支持。进一步加大对于药用动物的保护与宣传，建立药用动物伦理规范，使人与动物和谐相处。

2. 提升对于野生药用动物的研究能力

科学技术是有效保护和利用资源的根本保证。因此，应加强药用动物繁育与养殖技术的研究，实现药用动物资源的有效保护和产业的高水平发展。引进高新技术，加大对药用替代品或合成物的研究，保护野生动物资源。

3. 建立药用动物保护区或保护基地

根据动物的生态习性，选择适宜地点，建立重庆药用动物自然保护区或保护基地，实行就地保护或迁地保护。建立野生动物救治中心，及时救治受伤的野生动物。

第二节　重庆市药用矿物资源现状

重庆矿物资源具有以下特点：以页岩气为代表的能源矿物资源丰富，非金属矿物资源多，金属矿物资源少。至 2019 年底，在重庆已发现矿种 72 种（含亚种为 98 种），其中已探明储量的矿种 46 种（含亚种为 66 种），现在已被开发利用的矿种 32 种（含亚种为 47 种）。优势能源矿物为天然气、页岩气、地热、锰矿、铝土矿、锶矿、碳酸钡矿和盐（岩盐）矿，分布相对集中。重庆的油气、盐矿是四川含油气盆地、岩盐盆地的一部分，秀山锰矿区是黔东—湘西国家锰矿资源基地的一部分。南川—武隆—綦江一带的铝土矿、煤炭，城口、秀山的锰矿，城口的碳酸钡矿以及铜梁—大足一带的锶矿，均在全国占有较重要的地位。

重庆药用矿物有：石膏、岩盐、方解石、萤石、骨化石、黄铁矿、滑石、高岭土、辰砂、软锰矿等。其中，岩盐、萤石是境内的优势药用矿物，资源储量较丰富；黄铁矿、石膏、滑石等矿物仅在部分地区分布。

一、药用矿物的历史渊源

重庆矿物开采具有悠久的历史，《史记·货殖列传》云："其先得丹穴，而擅其利数世家，亦不訾。"该书记载了巴蜀寡妇清以采丹砂致富（今重庆长寿建有"怀清台"）的故事。这是关于药用矿物——朱砂的最早记载。

"盐巴"是重庆地区对食盐的俗称，也是具有悠久历史的重庆矿物。重庆盐矿主要分布于三峡地区和渝东南地区（巫溪、云阳、彭水、武隆、长寿等地）。

大宁（今重庆巫溪）产盐的历史据传已有 5000 年。传说《山海经》中的"巫咸国"即因巫山和咸水而得名。北宋欧阳忞《舆地广记》记载："汉永平七年，尝引此泉于巫山，以铁牢盆盛之。"《太平寰宇记》记载："大宁监，本夔州大昌县前镇煎盐之所也，在县西六十九里溪南山岭峭壁之中，有盐泉涌出，土人以竹引泉，置镬煮盐。皇朝开宝六年置监，以收课利。"《方舆胜览》记载："开宝六年于盐井十七里置大宁监，端拱间以大昌县来属。"以上记载说明，大宁盐矿为历代所重视。大宁制盐在清代最为鼎盛。据《道光夔州府志》记载，道光年间，大宁盐的产量非常大，行销范围也非常广，仅在该县行销的食盐就有 415 万斤，其销量仅次于云阳。据《云阳县志》记载，明代嘉靖时，云阳县云安镇有盐井 9 眼，至清代乾隆时，盐井达到 36 眼，年产盐量达 46 万斤。

在彭水郁山发掘的中井坝盐业遗址和郁山盐厂遗址中，发现了大量明清时期至近代的盐井、盐灶、卤水池、输卤管道等制盐相关遗迹，反映了当时制盐的盛况。真正大规模的产盐地则主要是云阳、大宁 2 处盐场，其他一些小型盐矿，如武隆的盐井峡和咸山峡、丰都的盐井沟、石柱的盐井村都曾产过盐，但只有极少量的盐可以出售，奉节的臭盐碛盐场、城口的明通盐场产的盐主要行销本地。巫溪盐厂因盐卤浓度下降，制盐成本增加，在 20 世纪逐渐衰落，目前只剩下一片遗址。云阳的盐矿储量达 6.7 亿吨，形成了盐化产业。

二、重庆市药用矿物资源情况

重庆药用矿物资源主要分布在渝东北及渝东南（表 2）。重庆最大的盐矿为云阳云岭矿区，最大的汞矿为秀山石羊坑汞矿床，最大的锰矿为秀山大茶园锰矿。重庆古生物化石资源日益枯竭，龙骨资源随之减少。

表 2　重庆药用矿物资源情况

矿物名	药材名	药材来源及主要成分	分布区域
芒硝	芒硝	硫酸盐类矿物芒硝族芒硝，经精制加工而成的结晶体，主含含水硫酸钠	南岸、酉阳
无水芒硝	玄明粉	芒硝脱水后的无水硫酸钠，主含硫酸钠	南岸、酉阳
滑石	滑石	硅酸盐类矿物滑石族滑石，主含含水硅酸镁	江津
石膏	石膏	硫酸盐类矿物石膏族石膏，主含含水硫酸钙	奉节、南岸、北碚、江津、云阳
方解石	南寒水石	碳酸盐类矿物方解石族方解石，主含碳酸钙	北碚、綦江、梁平、武隆、酉阳、黔江、彭水
钟乳石	钟乳石	碳酸盐岩地区洞穴内在特定地质条件下经漫长地质作用形成的石钟乳、石笋、石柱等不同形态的碳酸钙沉淀物	武隆、奉节、巫山、酉阳、彭水、南川等
石灰岩	陈石灰	生石灰（石灰岩经烧制而成）经吸潮或加水而成的熟石灰，主含氢氧化钙	全市各区县
蛇纹石大理岩	花蕊石	变质岩类岩石蛇纹石大理岩，主含碳酸钙	彭水、酉阳、奉节
萤石	紫石英	氟化物类矿物萤石族萤石，主含氟化钙	彭水、黔江
灶心土	伏龙肝	经多年用柴草熏烧而结成的灶心土	全市各区县
赤铁矿	代赭石	氧化物类矿物刚玉族赤铁矿，主含三氧化二铁	武隆、巫山
辰砂	朱砂	硫化物类矿物辰砂族辰砂，主含硫化汞	酉阳、秀山、彭水
自然硫	硫黄	自然元素类矿物硫族自然硫	巫溪、奉节、江北、合川
湖盐	大青盐	卤化物类石盐族湖盐的结晶体，主含氯化钠	巫溪、云阳、万州、长寿、忠县

矿物名	药材名	药材来源及主要成分	分布区域
软锰矿	无名异	氧化物类矿物金红石族软锰矿，主含二氧化锰	秀山、酉阳
重晶石	硫酸钡	以硫酸钡为主要成分的非金属矿产品	彭水、武隆
黄铁矿	自然铜	硫化物类矿物黄铁矿族黄铁矿，主含二硫化铁	开州、丰都、武隆、南川、涪陵
褐铁矿	禹余粮	氢氧化物类矿物褐铁矿，主含碱式氧化铁	巫山、綦江
明矾石	白矾	硫酸盐类矿物明矾石族明矾石经加工提炼制成，主含含水硫酸铝钾	黔江小南海
骨化石	龙骨	古代哺乳动物如三趾马、犀类、鹿类、牛类、象类等的骨骼化石或象类门齿的化石	巫山、万州、黔江

三、重庆市医院矿物药应用情况的统计与分析

为了了解各医院矿物药的应用情况，笔者对11家中医院、综合医院进行统计，结果如表3所示。从表中可以看出，各医院应用石膏的量最大，年用量超过1700kg，说明作为清实热药，石膏在治疗感冒类疾病中被广泛应用，用量居于第2位和第3位的为龙骨、芒硝。重庆自产的矿物药有20种（表2），但因大部分矿产被禁止开采，或受进药渠道的影响，各医院并未使用本地产的矿物药。

表3　重庆市11家医院矿物药应用情况

药材名	年用药量 / kg	药材名	年用药量 / kg
石膏	1714.34	龙齿	13.00
龙骨	1134.77	浮石	12.28
芒硝	695.39	寒水石	11.80
滑石	634.27	阳起石	6.86
大青盐	350.97	雄黄	5.85
代赭石	209.14	硫黄	3.00
白矾	140.50	石燕	2.58
磁石	134.26	朱砂	2.00
琥珀	93.30	花蕊石	2.00
自然铜	52.01	青礞石	1.03
赤石脂	24.18	炉甘石	1.00
紫石英	22.87		

四、矿物药存在的问题及应用建议

1. 矿物药的差异性

受地质结构的影响，各矿石中的药物成分与含量不一，导致临床疗效有所差异。某些矿物药的杂质中可能含有有毒成分，可导致病人中毒，应引起重视。

2. 部分矿物药资源枯竭

随着国家对古生物化石保护力度的加大，龙骨、龙齿之类矿物药将逐渐被停用，寻找替代品

是当务之急。随着乡村城镇化发展以及乡村旧房改造，人们逐渐放弃使用草火灶，造成伏龙肝药材资源不断减少。

3. 加强矿物药的合理应用

矿物药需炮制后入药，因此应加强炮制减毒增效方面的研究和评价；应特别在掌握矿物药的基原、产地、炮制方法的前提下，加强对各元素的存在形式、价态与毒理和功效的定量关系的研究。

重庆市动物药、矿物药资源各论

柄眼目 Stylommatophora 巴蜗牛科 Bradybaenidae

同型巴蜗牛 *Bradybaena similaris* (Ferussac)

| 药 材 名 | 蜗牛（药用部位：全体）。

| 形态特征 | 贝壳中等大小，壳质厚，坚实，呈扁球形，高12mm，宽16mm。有5～6个螺层，顶部数个螺层增长缓慢、略膨胀，螺旋部低矮。体螺层增长迅速，膨大。壳顶钝，缝合线深。壳面呈黄褐色、红褐色或梨色，有稠密而细致的生长线，体螺层周缘或缝合线处常有1暗褐色色带，有些个体无此色带。壳口呈马蹄形，口缘锋利，轴缘略外折，遮盖部分脐孔。脐孔小而深，呈洞穴状。本种个体形态变异较大。

| 生境分布 | 生于潮湿、阴暗、多腐殖质的草丛和灌丛中，田埂、农田、乱石堆中，石块或落叶下，土石缝隙中。重庆各地均有分布。

同型巴蜗牛

| **资源情况** | 野生资源一般。药材来源于野生。 |

| **采收加工** | 夏、秋季捕捉，用沸水烫死，晒干或鲜用。 |

| **功能主治** | 咸，寒。利水消肿，清热解毒。用于小便不利，痔漏，脱肛，喉风肿痛，风热惊痫，疰腮，瘰疬，小儿脐风，鼻衄，耳聋，疳积。 |

| **用法用量** | 内服煎汤，30 ~ 60g；或捣汁；或焙干研末。外用捣敷；或焙干，研末调敷。鲜品每日用量 30 ~ 100g。不宜久服。 |

锯齿华溪蟹 *Sinopotamon denticulatum* (H. Milne-Edwards)

| 药 材 名 | 方海（药用部位：全体。别名：螃蟹、锯齿溪蟹）。

| 形态特征 | 头胸甲宽略大于长，长 35.8mm，宽 43.2mm，表面稍隆起，前半部具少数颗粒，后半部光滑。额区的 1 对隆起各具横行皱襞。中胃区与心区之间有明显的"H"形沟。额宽，向前方倾斜，前缘中间凹陷，表面具颗粒。眼窝、背、腹缘及外眼窝齿的边缘均具细齿。外眼窝齿与前侧缘之间具 1 缺刻。前胸缘稍弯曲，具细齿。两性螯足均不对称，长节的边缘有锯齿，背缘近末端处具 1 小刺，腕节的内末角具 1 锐齿，外侧面末缘具小齿多数，掌节肿胀，指节光滑，两指内缘具不规则齿。第 2 对步足最长，长节背缘具皱襞，胸节前缘有小齿，前节的背、腹缘均具小刺，指节周围具棘。

锯齿华溪蟹

| **生境分布** | 生于河、湖、水田或山溪中，常潜伏砖石下。分布于重庆万州、秀山、巫溪、奉节等地。 |

| **资源情况** | 野生资源一般。药材来源于野生。 |

| **采收加工** | 随用随捕，鲜用或腌制。 |

| **功能主治** | 咸，寒。化瘀散积，接骨消肿。用于癥瘕积聚，跌打损伤，骨折。 |

| **用法用量** | 内服，全蟹煮食，壳晒干研粉冲服，每次 1 只。 |

蜻蜓目 Odonata 蜻科 Libellulidae

黄蜻

Pantala flavescens Fabricius

| 药 材 名 | 黄蜻（药用部位：全体）。

| 形态特征 | 体中型，赤黄色，腹部长 29 ～ 35mm，后翅长 38 ～ 41mm。头部黄色，颜面橙色。眼较大，单眼间有 1 黑色横纹。头顶凸起，下部黑褐色，顶端黄色。前胸部黑褐色，具白色斑纹；合胸背前方赤褐色，具黑褐色线纹；合胸侧面黄褐色，具稀疏的细毛，第 1、3 条纹褐色，只有上、下端部分，缺第 2 条纹。翅透明，翅基部淡橙黄色，翅脉黄褐色，缘脉黑色。翅痣赤黄色，痣的两端不平行，外端甚斜。足黑色，基节、转节褐色，腿节及前、中足胫节具黄色线纹。腹部赤黄色，第 4 ～ 10 节背面各具黑褐色斑点，第 8 节和第 9 节的黑斑大型。

| 生境分布 | 飞翔力极强，终日往返空中。重庆各地均有分布。

黄蜻

| **资源情况** | 野生资源一般。药材来源于野生。 |

| **采收加工** | 夏、秋季捕捉，处死，晒干或烘干。 |

| **功能主治** | 补肾益精，解毒消肿，润肺止咳。用于阳痿遗精，咽喉肿痛，顿咳等。 |

| **用法用量** | 内服入丸、散，3～8只。 |

直翅目 Orthoptera 斑腿蝗科 Catantopidae

中华稻蝗 *Oxya chinensis* (Thunberg)

| **药 材 名** | 蚱蜢（药用部位：成虫。别名：蝗虫、蚂蚱、油蚂蚱）。

| **形态特征** | 雄虫体长 24.5 ～ 30mm，雌虫 28 ～ 35mm，雄虫前翅长 23 ～
28.5mm，雌虫前翅长 28 ～ 33mm。体绿色或黄绿色，眼后至前胸背
板两侧有黑褐色纵条纹。复眼灰色，复眼间头顶的宽度大于颜面隆
起在中单眼处的宽度，触角不及或超过前胸背板的后缘。头顶有圆
形凹窝，颜面中部沟深。前胸背板侧缘平行。雄虫前翅前缘具弱刺，
从复眼起到胸部两侧各有一明显的棕色带纹，前翅超过后足股节顶
端甚多。后足股节、胫节与体同色。雄虫肛上板三角形，宽大于长，
平，尾须圆锥形，顶上缘略倾斜，顶端尖，下生殖板短锥形。雌虫
下生殖板平，后缘有 2 齿。

中华稻蝗

| **生境分布** | 生于禾本科作物或田间杂草中。重庆各地均有分布。

| **资源情况** | 野生资源较丰富。药材来源于野生。

| **采收加工** | 夏、秋季捕捉，鲜用；或用沸水烫死，晒干或烘干。

| **功能主治** | 辛、甘，温。归肺、肝、脾经。祛风解痉，止咳平喘。用于小儿惊风，破伤风，百日咳，哮喘等。

| **用法用量** | 内服煎汤，适量。

鞘翅目 Coleoptera 象虫科 Curculionidae

长足大竹象

Crytotrachelus buqueti Guerin-Meneville

| **药 材 名** | 长足大竹象（药用部位：成虫全体。别名：竹象鼻虫）。

| **形态特征** | 雌虫体长 26 ～ 38mm，雄虫体长 25 ～ 38mm，橙黄色或黑褐色。头半球形，黑色，喙自头部前方伸出，长 10 ～ 12mm，光滑；雄性成虫喙略短，背面有 1 凹槽，凹槽两边有齿状突起，每排有齿 7 ～ 8。触角膝状，着生于喙前、后方两侧月形槽内，柄节长 4 ～ 5mm，鞭节 7 节，末节膨大成靴形。前胸背板呈圆形隆起，前缘有宽约 1mm 的黑色边，后缘中央有 1 箭头状黑斑。鞘翅黄色或黑褐色，外缘圆，臀角处具 1 尖刺，两翅合并时，尖刺相靠成 90° 角外突，鞘翅上有 9 纵沟。前足腿节、胫节明显长于中、后足腿节、胫节；前足胫节内侧密生 1 列棕色毛。

长足大竹象

| **生境分布** | 生于竹林中。重庆各地均有分布。

| **资源情况** | 野生资源较少。药材来源于野生。

| **采收加工** | 夏季捕捉后，用沸水烫死，晒干。

| **功能主治** | 祛风湿，止痹痛。用于风寒腰腿疼痛。

| **用法用量** | 内服浸酒，3 ~ 5 个。

东方蜜蜂中华亚种 *Apis (Sigmatapis) cerana cerana* Fabricius

| 药 材 名 | 蜂蜜（药材来源：工蜂所酿的蜜）、蜂蜡（药材来源：工蜂分泌的蜡）。

| 形态特征 | 工蜂：体长 10 ~ 13mm，前翅长 7.5 ~ 9mm，喙长 4.5 ~ 5.6mm。头部呈三角形，前端窄小；唇基中央稍隆起，具三角形黄斑；上唇长方形，具黄斑；上颚顶端有 1 黄斑；触角柄节黄色；小盾片黄色或棕色或黑色；体黑色；足及腹部第 3 ~ 4 节背板红黄色，第 5 ~ 6 节背板色稍暗，各节背板端缘均具黑色环带；后足胫节扁平，呈三角形，外侧光滑，有弯曲的长毛（花粉篮），端部表面稍凹，胫节端缘具栉齿；后足基跗节宽而扁平，基部端缘具夹钳，内表面具整齐排列的毛刷；后翅中脉分叉。体毛浅黄色，单眼周围颅顶被灰黄色毛。

蜂王：体长 14 ~ 19mm，前翅长 9.5 ~ 10mm。体色分为黑色和棕红色 2 种类型。体被黑色及深黄色混杂的绒毛。

雄蜂：体长 11 ~ 14mm，前翅长 10 ~ 12mm。体黑色或棕黑色。复眼大，在头顶处靠近。足无采粉结构。

东方蜜蜂中华亚种

| **生境分布** | 多养殖于屋檐下。重庆各地均有分布。

| **资源情况** | 野生和养殖资源均较丰富。药材主要来源于养殖。

| **采收加工** | 蜂蜜：春、夏、秋季将蜂巢割下，置于布袋中，将蜜挤出；或将人工蜂巢取出，置于离心机内，把蜜摇出，除去蜂蜡和碎片及其他杂质即可。

蜂蜡：将蜂巢置水中加热，滤过，冷凝取蜡或再精制而成。

| **药材性状** | 蜂蜜：本品为半透明、带光泽、浓稠的液体，白色至淡黄色或橘黄色至黄褐色，久置或遇冷渐有白色颗粒状结晶析出。气芳香，味极甜。

蜂蜡：本品为不规则团块，大小不一，呈黄色、淡黄棕色或黄白色，不透明或微透明，表面光滑。体较轻，蜡质，断面砂粒状，用手搓捏能软化。有蜂蜜样香气，味微甘。

| **功能主治** | 蜂蜜：甘，平。归脾、胃、大肠经。补中，润燥，止痛，解毒，生肌敛疮。用于脘腹虚痛，肺燥干咳，肠燥便秘，乌头类药毒，疮疡不敛，水火烫伤。

蜂蜡：甘，微温。归脾经。解毒，敛疮，生肌，止痛。用于溃疡不敛，臁疮糜烂，外伤破溃，烫火伤。

| **用法用量** | 蜂蜜：内服冲调，15 ~ 30g；或入丸、膏。外用适量，涂敷。痰湿内蕴、中满痞胀及大便不实者禁服。

蜂蜡：外用适量，熔化敷患处；常作赋形剂或油膏基质。

鲤

Cyprinus (Cyprinus) carpio Linnaeus

| 药 材 名 | 鲤鱼（药用部位：全体或肉）、鲤鱼胆（药用部位：胆）、鲤鱼鳞（药用部位：鳞片）、鲤鱼血（药用部位：血液）、鲤鱼目（药用部位：眼睛）、鲤鱼皮（药用部位：皮）、鲤鱼肠（药用部位：肠）、鲤鱼脑（药用部位：脑髓）、鲤鱼骨（药用部位：骨）。

| 形态特征 | 体呈纺锤形，侧扁，腹部圆。头宽阔。吻钝。口端位，呈马蹄形。口须 2 对。眼小，位于头纵轴的上方。下咽齿 3 行 3.1.1-1.1.3，外行呈臼齿形。鳞大，侧线鳞 33（6/5 ~ 6）37。鳃耙 18 ~ 21。背鳍基部较长，外缘内凹，起点位于腹鳍起点稍前上方，至吻端的距离较至尾基部的距离近，最后 1 硬刺粗大，后缘具锯齿。胸鳍末端圆，不达腹鳍基部。腹鳍末端不达肛门。臀鳍短小，最后 1 硬刺较大而坚实，后缘有锯齿，鳍末端可达尾鳍基部。尾鳍分叉较深，上、下

鲤

叶对称。肛门靠近臀鳍。脊椎骨 37～39。鳔分 2 室，前室大而长，后室末端尖。肠长约为体长的 2 倍。体色常因环境的变化而有较大的变异。活鱼通常呈金黄色，背部色深呈纯黑色，腹部色浅呈淡白色。背鳍、尾鳍基部微黑，胸鳍、腹鳍橘黄色，臀鳍、尾鳍下叶呈橘红色。

| **生境分布** | 生于江河、湖泊、水库、池沼的松软底层或水草丛生处。重庆各地均有分布。

| **资源情况** | 野生和养殖资源均较丰富。药材来源于养殖。

| **采收加工** | 鲤鱼、鲤鱼胆、鲤鱼鳞、鲤鱼血、鲤鱼目、鲤鱼皮、鲤鱼肠、鲤鱼脑、鲤鱼骨：捕捉后，除去内脏，留存药用部位备用。

| **功能主治** | 鲤鱼：甘，平。归脾、肾经。开胃健脾，消肿利尿，止咳平喘，下乳安胎。用于胃痛，反胃吐食，小便不利，久咳气喘，乳汁不通，胸部胀痛，胎动不安。

鲤鱼胆：苦，寒。归心、肝、脾经。清热明目，散翳消肿。用于目赤肿痛，翳障，喉痹，恶疮，中耳炎。

鲤鱼鳞：甘、咸，寒。归脾、肺、肝经。养血散血，清热泻火，软坚散结。用于吐血，崩漏带下，瘀滞腹痛，痔漏，疮疡，无名肿毒，再生障碍性贫血，乳腺炎，烫火伤，血友病，白血病，产后血晕。

鲤鱼血：辛、苦，寒。归心、肺、肝经。清热解毒，祛风解痉。用于口眼歪斜、小儿火丹及疮疡。

鲤鱼目：凉，平。归脾经。止痛消刺，消肿排脓。用于肉中刺，中风水肿。

鲤鱼皮：甘，平。消刺止痛。用于骨鲠，瘾疹。

鲤鱼肠：苦，凉。解毒，杀虫。用于小儿肌疮，耵耳、痔漏。

鲤鱼脑：淡，温。祛风定惊，补肝益肾。用于肝虚生风之惊痫，耳聋，青盲。

鲤鱼骨：利湿，解毒。用于赤白带下，阴疽。

| **用法用量** | 鲤鱼：内服煮汤，65～250g。

鲤鱼胆：内服入丸、散，0.9～2.4g。外用，取胆汁点涂。

鲤鱼鳞：内服，焙干，研末，冲服，30 片。外用适量，研末。

鲤鱼血：外用，与白糖等分，拌匀后涂。

鲤鱼目：外用，烧灰，纳疮中。

鲤鱼皮：内服，烧屑冲服，6～9g。

鲤鱼肠：外用适量，切断，炙熟；或同醋捣烂，帛裹塞局部。

鲤鱼脑：外用，肉桂适量捣细，和鲤鱼脑棉裹纳耳中。

无尾目 Anura 姬蛙科 Microhylidae

小弧斑姬蛙 *Microhyla heymonsi* Vogt

小弧斑姬蛙

|药 材 名|

小弧斑姬蛙（药用部位：全体）。

|形态特征|

体略呈三角形；雄蛙体长 20mm，雌蛙体长约 23mm。头小，长、宽相等或宽略小于长；吻端钝尖，突出于下唇；吻棱明显，颊部几近垂直；鼻孔近吻端，鼻间距小于眼间距而大于上眼睑宽；鼓膜不显；无犁骨齿；舌窄长，后端无缺刻。前肢细弱，前臂及手长不及体长的 1/2；指末端有小吸盘，背面有纵沟，有的不明显；指长顺序 3、4、2、1；关节下瘤发达；掌突 2，外掌突较大，有的分为 2 个。后肢较粗壮，向前伸贴体时胫跗关节达眼，左右跟部重叠；胫长略大于体长的1/2；足比胫略长；趾吸盘大于指吸盘，背面有明显的纵沟；趾间具蹼迹；关节下瘤明显；内跖突大，长椭圆形，外跖突略小，圆球形；跖外侧有肤棱。背面皮肤较光滑，散有细痣粒；从眼后角至前肢基部有肤沟亦绕至腹面，构成环绕着咽喉部的肤沟，臂基部也有肤沟；由眼后至胯部有明显的斜行肤棱；股基部腹面有较大的痣粒。腹面光滑。生活时体色变化较大，一般背面为粉灰色或浅褐色；自吻端至肛部常有一米黄色细脊线，在此脊线两侧自眼睑处或由吻端开始有 2 颇宽的黑棕色线纹，向后延伸直至后肢基部，两线纹前半段相距较近，后半段相距较远；在前背的脊线上有一黑色的小弧形斑，呈"（ ）"形，有的个体在头后另有一同样的小弧形斑；自头部沿体侧至胯部各有一很宽的黑棕色斜线纹；在体侧的黑棕色斜线纹与脊线两侧的黑棕色线纹之间，又有很细的断续纵行的黑棕色线纹；四肢有黑棕色横纹，股前方有黑棕色纵纹，恰与体侧的黑棕色斜线纹略相衔接；跗部外侧有黑棕色纵纹；肛两侧有黑斑。咽喉、胸部及腹侧有棕色小点，尤以咽喉部的较密集；腹部白色。液浸标本背面灰棕色，深色斑纹清晰。雄蛙具单咽下外声囊，声囊孔长裂状；雄性线明显。

| **生境分布** | 生于海拔 70 ~ 1515m 靠山边的水田、园圃及水坑附近的泥窝、土穴或草丛中。重庆各地均有分布。

| **资源情况** | 野生资源较少。药材来源于野生。

| **采收加工** | 5 ~ 7 月捕捉，除去内脏，洗净，待蛙体上水分干后，泡入 50 度以上的酒中，浸泡 2 ~ 3 个月，待酒呈淡黄色时，即可。每 1kg 酒配 200g 蛙，还可加入少量当归。

| **功能主治** | 祛风通络，活血化瘀。用于风湿痹痛，腰扭伤，跌打损伤，骨折。

| **用法用量** | 内服浸酒，20 ~ 30ml，每日 2 次。外用适量，加酒捣敷。

黑斑侧褶蛙

Pelophylax nigromaculatus (Hallowell)

| 药 材 名 | 青蛙（药用部位：全体。别名：田鸡、黑斑蛙、青鸡）、青蛙胆（药用部位：胆）。

| 形态特征 | 雄蛙体长 62mm，雌蛙体长约 74mm。头长大于宽；吻部略尖，吻端钝圆，突出于下唇；吻棱不明显，颊部向外倾斜；鼻孔在吻、眼中间，鼻间距等于眼睑宽，眼大而突出，眼间距窄，小于鼻间距及上眼睑宽；鼓膜大而明显，近圆形，为眼直径的 2/3 ~ 4/5；犁骨齿 2 小团，突出在内鼻孔之间；舌宽厚，后端缺刻深。前肢短，前臂及手长小于体长的 1/2；指末端钝尖；指侧缘膜不明显；关节下瘤小而明显。后肢较短而肥硕，前伸贴体时胫跗关节达鼓膜和眼之间， 左右跟部不相遇；胫长小于体长的 1/2；趾末端钝尖；第 1、5 趾外侧有不发达的缘膜，第 4 趾蹼达远端第 1 关节下瘤，其余达趾端，缺刻较深；关节下瘤小而明显；有内、外跖突，内者窄长，呈游离刃状，小于第 1 趾长，外者很小。背面皮肤较粗糙，背侧褶明显，褶间有多行

黑斑侧褶蛙

长短不一的纵肤棱，后背、肛周及股后下方有圆疣和痣粒；体侧有长疣或痣粒；鼓膜上缘有细颞褶，口角后的颌腺窄长；胫背面有多数由痣粒连缀成的纵肤棱；无蹠褶。腹面光滑。生活时体背面颜色多样，有淡绿色、黄绿色、深绿色、灰褐色等，杂有许多大小不一的黑斑纹，如果体色较深，黑斑不明显，多数个体自吻端至肛前缘有淡黄色或淡绿色的脊线纹；背侧褶金黄色、浅棕色或黄绿色；有些个体沿背侧褶下方有黑纹，或断续成斑纹；自吻端沿吻棱至颞褶处有1黑纹；四肢背面浅棕色，前臂常有棕黑色横纹 2 ～ 3，股、胫部各有 3 ～ 4，股后侧有酱色云斑。腹面均为乳白色或带微红色。唇缘有斑纹；鼓膜灰褐色或浅黄色；颌腺棕黄色或淡黄色，关节下瘤米黄色。雄蛙外声囊浅灰色，第 1 指内侧的婚垫浅灰色。液浸标本体色变浅，色斑清晰。雄蛙体较小；前臂较粗壮，第 1 指内侧的婚垫发达；有 1 对颈侧外声囊；背侧及腹侧都有雄性线，背侧者较粗。

| **生境分布** | 生于水田、池塘、湖泽、水沟等静水或水流缓慢的河流附近，白天隐匿在农作物、水生植物或草丛中。重庆各地均有分布。

| **资源情况** | 野生资源一般。药材来源于野生。

| **采收加工** | 青蛙：夏、秋季捕捉，洗净，除去皮和内脏，鲜用煮食；或阴干或烘干。
青蛙胆：捕得后，取胆，鲜用。

| **功能主治** | 青蛙：甘，凉。归肺、脾、膀胱经。利水消肿，解毒止嗽。用于水肿，臌胀，咳嗽，喘息，麻疹，痔疮等。
青蛙胆：苦，寒。清热解毒。用于咽喉肿痛、糜烂，麻疹合并肺炎。

| **用法用量** | 青蛙：内服煎汤；或煮食，1 ～ 3只；或入丸、散。外用适量，捣敷或调敷。
青蛙胆：内服研末冲服，1 ～ 3只。外用适量。

沼水蛙
Hylarana (Sylvirana) guentheri (Boulenger)

| 药 材 名 | 沼水蛙（药用部位：全体）。

| 形态特征 | 雄蛙体长 71mm，雌蛙体长约 72mm。体形大而狭长；头部较扁平，长大于宽；吻长而略尖，末端钝圆，突出于下唇；吻棱明显，颊部略向外倾斜，有深凹陷；鼻孔近吻端，鼻间距大于眼间距；眼大，上眼睑宽几乎与眼间距或鼓膜相等；鼓膜圆而明显，为眼直径的 4/5；犁骨齿 2 斜列，起始于内鼻孔内侧前缘；舌大，后端缺刻深。前臂及手长不及体长的 1/2；指长，末端钝圆，不膨大，腹侧无沟，第 3 指最长，第 1 指长于第 2、4 指；关节下瘤发达，指基下瘤略小；掌突 3，长椭圆形，相互分离。后肢较长，为体长的 1.6 倍，前伸贴体时胫跗关节达眼部，左右跟部相重叠；足与胫等长，约为体长的 1/2；趾长，趾端钝圆，腹侧有沟；除第 4 趾蹼达第 3 关节下瘤外，其余各趾之蹼均达末端；外侧跖间蹼达跖基部；关节下瘤明显；内跖突椭圆形，外跖突圆而不显；有 2 跗褶。背部皮肤光滑，背侧褶

沼水蛙

平直而明显，自眼后直达胯部；体背后部有分散的痣粒；自口角后至肩部有 2
明显的颌腺；颞褶不显。体侧皮肤有痣粒；肛后和股内侧痣粒密集；胫部背面
有细肤棱；体腹面除雄蛙的咽侧外声囊处有皱褶外，其余各部光滑。雄蛙前肢
基部前方有发达的肱腺，第 1 指内侧婚垫不明显；有 1 对咽侧下外声囊；体背
侧雄性线明显。

| **生境分布** | 生于海拔 1100m 以下平原、丘陵地区的静水池和稻田内。分布于重庆巫山、万州、南川、南岸等地。

| **资源情况** | 野生资源较少。药材来源于野生。

| **采收加工** | 夏、秋季捕捉，洗净，除去皮和内脏，鲜用；或阴干或烘干。

| **功能主治** | 甘，寒。归心、脾经。活血消积。用于疳积。

| **用法用量** | 内服煎汤，1 ~ 3 只。

无尾目 Anura 蛙科 Ranidae

泽陆蛙 *Fejervarya multistriata* (Hallowell)

| 药 材 名 | 虾蟆（药用部位：全体。别名：泽蛙、山虾蟆、土蛤蟆）、虾蟆皮（药用部位：皮）、虾蟆脑（药用部位：脑髓）、虾蟆肝（药用部位：肝）、虾蟆胆（药用部位：胆汁）、蝌蚪（药用部位：幼体）。

| 形态特征 | 雄蛙体长约 40mm，雌蛙体长约 46mm。头部长略大于或等于宽；吻部尖，末端钝圆，突出于下唇，吻棱不显，颊部明显向外倾斜；鼻孔位于吻、眼之间；眼间距很小，小于鼻间距，为上眼睑宽的 1/2；鼓膜圆，约为眼直径的 3/5；犁骨齿 2 团，小而突出；舌宽厚，卵圆形，后端缺刻深。前肢短，前臂及手长远小于体长的 1/2；指纤弱，末端钝尖，指长顺序 3、1、4、2；关节下瘤明显，近基部者略大；掌突 3。后肢较粗短，前伸贴体时胫跗关节达肩或仅达鼓膜，左右跟部不相遇或仅相遇，胫长小于体长的 1/2；趾端钝尖；趾间半蹼，第 4 趾蹼只达近端第 1、2 关节之间，趾侧缘膜很不明显；关节下瘤小而清晰；外跖突很小，内跖突长椭圆形，约为内趾长的 1/2。背面皮肤粗糙，有多数长短不一的纵肤棱，在肤棱之间散布许多小疣粒，无背侧褶；体侧及体后端疣粒圆而明显；股、胫背面有零星小疣粒，肛周及股腹面密布扁平小疣。腹面除体腹后端有扁平疣外，其余各部分光滑。口角后方有 2 小颌腺；颞褶细而清晰；在枕部有 1 枕肤沟。生活时体背颜色变异颇大，有青灰色、橄榄色或

泽陆蛙

深灰色等，在背面还杂以赭红色、深绿色或深褐色等醒目斑纹；许多个体从吻端至肛部有浅色脊纹，脊纹颜色也有很多变化，如淡黄色、浅褐色、绿色等；上、下唇缘有 6 ~ 8 黑纵纹，两眼间有深色倒"∧"形斑，背部两肩间有近似"八"形斑，两侧还有 1 斜纹，背后端有一短横纹及许多斑点；四肢有横纹，股、胫部各有 3 ~ 4。腹面乳黄色。雄蛙体略小；第 1 指内侧有浅色婚垫；咽喉部两侧深灰色，呈皱褶状，有单咽下外声囊；有雄性线。

| 生境分布 | 生于稻田、沼泽、水沟、菜园、旱地或草丛，但在稻田区及其附近极为常见。重庆各地均有分布。

| 资源情况 | 野生资源一般。药材来源于野生。

| 采收加工 | 虾蟆：7 ~ 10 月捕捉，洗净后除去皮和内脏，烘干或鲜用。
虾蟆皮、虾蟆脑、虾蟆肝、虾蟆胆：捕捉后，分别取药用部位，烘干或鲜用。
蝌蚪：5 ~ 7 月于水中捞取幼体，除去杂质，洗净，沸水烫死，烘干或晒干。

| 药材性状 | 蝌蚪：本品呈扁圆形或不规则圆形，皱缩，灰黑色，大部分尾巴脱落，腹扁平，背隆起。长 15mm，宽 8 ~ 10mm，腹部有螺旋形圈纹或不明显。质脆，易碎。气味腥臭。

| 功能主治 | 虾蟆：甘，寒。归心、脾经。清热解毒，健脾消积。用于痈肿，疔疮，口疮，乳痈，瘰疬，小儿疳积，热痢。
虾蟆皮：解毒，消肿，散结。用于疖肿，瘰疬，臁疮。
虾蟆脑：清肝明目。用于青盲。
虾蟆肝：清热解毒，消肿止痛。用于蛇咬伤，白屑疮，疔疮。
虾蟆胆：利咽开音。用于小儿失音。
蝌蚪：清热解毒。用于热毒疮肿，流行性腮腺炎，水火烫伤，小儿疳积腹胀。

| 用法用量 | 虾蟆：内服煮食，1 ~ 2 只；或入丸、散。外用适量，捣敷或研末。
虾蟆皮：外用适量，贴患处；或煅灰，油调敷。
虾蟆脑：内服研末冲服，3 ~ 9g。
虾蟆肝：内服，烧存性，冲服，3 ~ 9g。外用适量，捣敷或调敷。
虾蟆胆：外用，取鲜胆汁适量点舌上。
蝌蚪：外用，3 ~ 5g，捣敷；或经埋藏化水后搽敷。

白鹭
Egretta garzetta (Linnaeus)

药 材 名	白鹭（药用部位：肉）。
形态特征	体形较小，全身白色，成鸟全长约 68cm。虹膜黄色，眼先裸部黄绿色，嘴黑色，嘴裂及下嘴基部淡黄绿色，胫与跗跖黑色，趾角黄绿色；通体羽毛纯白色，夏季枕后具 2 带状飘羽，背部具离散型细长蓑羽，伸达尾端，前胸蓑羽呈矛状；非繁殖期枕后无飘羽，背部无蓑羽，前胸矛状羽极短，下嘴基部黄绿色。幼鸟无枕后飘羽及背部、前胸蓑羽。
生境分布	生于低海拔的沼泽、稻田、湖泊、开阔河谷、水库或滩涂地，常见单独或成群在水田和山坡农田耕作地带活动，冬季常集群在海边、江畔的大树上。重庆各地均有分布。

白鹭

| **资源情况** | 野生资源一般。药材来源于野生。

| **采收加工** | 春、夏季猎杀后，除去毛、内脏，取肉鲜用或焙干。

| **功能主治** | 补气健脾，解毒。用于体虚，食少不纳，疔疮痈肿。

| **用法用量** | 内服煮食，100 ~ 200g。

雁形目 Anseriformes 鸭科 Anatidae

家鹅
Anser cygnoides domestica (Brisson)

| 药 材 名 | 鹅内金（药用部位：砂囊内壁）、鹅胆（药用部位：胆）、鹅蛋（药用部位：卵）、鹅蛋壳（药用部位：蛋壳）。

| 形态特征 | 由鸿雁驯养而成。躯体长、大而宽，体长 80 ～ 100cm，公鹅体重可达 5kg，母鹅约 4kg。头大，嘴扁阔，额骨凸，山嘴基部有一大而硬的黄色或黑褐色肉质瘤，嘴下皮肤皱褶形成 1 袋状结构。躯体站立时昂然挺立。

| 生境分布 | 生于各淡水水域，或养殖于稻田中、鹅舍内。重庆各地均有分布。

| 资源情况 | 野生资源稀少，养殖资源较少。药材来源于养殖。

家鹅

| **采收加工** | 鹅内金：宰杀后剖开肫，剥下内壁，洗净，晒干或烘干。
鹅胆：宰杀后取胆囊，或取汁鲜用。
鹅蛋：收集鹅蛋。
鹅蛋壳：收集蛋壳，洗净，晒干或烘干。

| **药材性状** | 鹅内金：本品呈碟状或破碎成片块状，厚约 1mm。表面黄棕色或黄褐色，平滑，无光泽，边缘略向内卷，有齿状短裂纹。质坚而脆。气腥，味微苦。
鹅胆：本品鲜品呈囊状，长 2.5cm，其颈部较细，内装深绿色液体；干品呈扁平状，胆囊外皮较厚，淡棕色。气微腥，味苦。
鹅蛋：本品近圆形，长径 7cm，外壳白色，较硬，破碎后内有白色膜衣；蛋清为无色胶体，蛋黄黄色，类球形，核膜破碎易呈液状，蛋清、蛋黄受热变性成固体，不甚细腻。气微，味淡。
鹅蛋壳：本品多呈碎片状。外表面白色，稍粗糙；易破裂，内表面光滑。质脆，易碎。气微，味淡。

| **功能主治** | 鹅内金：健脾消食，涩精止遗，消癥化石。用于消化不良，泻痢，疳积，遗精遗尿，泌尿系结石，胆结石，癥瘕经闭。
鹅胆：清热解毒，杀虫。用于痔疮，杨梅疮，疥癫。
鹅蛋：补五脏，补中气。用于素体虚弱，气血不足。
鹅蛋壳：拔毒排脓，理气止痛。用于痈疽脓成难溃，疝气，难产。

| **用法用量** | 鹅内金：内服研末，1.5～3g；煎汤，5～10g。
鹅胆：内服取汁。外用适量，涂敷。
鹅蛋：内服适量，宜用盐腌，煮熟作食品。
鹅蛋壳：内服研末，1～3g，开水或酒送服。外用适量，研末调敷。

家鸭

Anas platyrhynchos domestica (Linnaeus)

| 药 材 名 | 白鸭肉（药用部位：肉）、鸭血（药用部位：血液）、鸭头（药用部位：头）、鸭肫衣（药用部位：砂囊内壁）、鸭胆（药用部位：胆囊）、鸭卵（药用部位：卵）。

| 形态特征 | 由绿头鸭驯养而成。嘴长而扁平，颈长，腹面如舟底，翼小，基本无飞翔能力；翼上覆羽大，尾短，雄性尾有卷羽4；羽毛甚密，羽色较多，有白色、栗壳色、黑褐色等，雄性颈部多呈黑色而有金属绿色光泽，叫声嘶哑。

| 生境分布 | 多养殖于稻田、水库、鸭棚内。重庆各地均有分布。

| 资源情况 | 野生资源稀少，养殖资源丰富。药材来源于养殖。

| 采收加工 | 白鸭肉、鸭血、鸭头、鸭胆：全年均可宰杀，秋、冬季更适宜，除去羽毛，取各药用部位，鲜用。

家鸭

鸭肫衣：宰鸭时剖开砂囊，剥取内壁，晒干或烘干。

鸭卵：鲜用，或加工成咸蛋、皮蛋。

药材性状　鸭血：本品为红色液体，易凝固，加入盐水中加热成赭色块状，细腻或内部有许多小孔。易破碎，手挤压易变形而水被挤出。气微，味淡。

鸭肫衣：本品呈碟形片状或破碎，厚约 1.5mm。外表面暗绿色或黄棕色；内表面黄白色，皱纹粗且少，近边缘处有沟纹。质硬，断面角质。气腥，味微苦。

鸭胆：本品鲜品呈小囊状，长 1.5 ~ 3cm，上端颈部较细，内有深绿色液体。干品呈扁平囊状，胆汁干燥，呈粉状或块状。气微腥，味苦。

鸭卵：本品呈卵圆形，长径 5 ~ 9cm。表面类白色或淡青绿色，外壳坚硬，光滑，皮破后内有白色厚膜，较坚韧。蛋清为胶体，无色，半透明，遇热固化变性成白色固体；蛋清内有 2 系膜与蛋黄相连；蛋黄黄色或橘红色，胶体外有核膜包围，遇热易固化成固体，手搓易成粉状。气微腥，味淡。

功能主治　白鸭肉：补益气阴，利水消肿。用于虚劳骨蒸，咳嗽，水肿。

鸭血：补血，解毒。用于劳伤吐血，贫血虚弱，药物中毒。

鸭头：利水消肿。用于水肿尿涩，咽喉肿痛。

鸭肫衣：消食，化积。用于食积胀满，嗳腐吞酸，噎膈反胃，诸骨哽喉。

鸭胆：清热解毒。用于目赤肿痛，痔疮。

鸭卵：滋阴，清肺，平肝，止泻。用于胸膈结热，肝火头痛眩晕，喉痛，齿痛，咳嗽，泻痢。

用法用量　白鸭肉：内服适量，煨烂熟，吃肉、喝汤。

鸭血：内服，趁热生饮或隔水蒸熟，100 ~ 200ml。外用适量，涂敷。

鸭头：内服适量，入丸、散。外用适量，涂敷。

鸭肫衣：内服煎汤，3 ~ 6g；研末，1.5 ~ 3g。

鸭胆：外用适量，涂敷。

鸭卵：内服煎汤、煮食或开水冲服，1 ~ 2 个；宜用盐腌，煮食。

鸡形目 Galliformes 雉科 Phasianidae

家鸡
Gallus gallus domesticus (Brisson)

药 材 名	鸡内金（药用部位：砂囊内壁）、凤凰衣（药用部位：蛋壳内卵膜）。
形态特征	家禽，为原鸡驯化而来。嘴短而尖，略呈圆锥状，上嘴略弯曲，鼻孔裂状，被鳞状瓣；头上有肉冠，喉部两侧有肉垂，皆以雄性为大；雌性、雄性羽色不同，以雄性为美，有长而鲜丽的尾羽，且跗跖部后方有距。经过长期驯养后，逐渐形成了目前存在的许多家鸡品种。
生境分布	生于田间、村落或附近的小树林中，或养殖于房前屋后。重庆各地均有分布。
资源情况	野生资源稀少，养殖资源丰富。药材来源于养殖。
采收加工	鸡内金：杀鸡后，取出鸡肫，立即剥下内壁，洗净，干燥。

家鸡

凤凰衣：全年均可采收，取孵出小鸡后蛋壳内的软膜，洗净，晾干。

| **药材性状** | 鸡内金：本品为不规则卷片，厚约 2mm。表面黄色、黄绿色或黄褐色，薄而半透明，具明显的条状皱纹。质脆，易碎，断面角质样，有光泽。气微腥，味微苦。

凤凰衣：本品为皱褶状的薄膜，大小不一，边缘不整齐，一面白色、无光泽，另一面淡黄白色、略有光泽，具棕色线状血丝。质轻，柔软，略有韧性，易破碎。气微臭，味淡。

| **功能主治** | 鸡内金：甘，平。归脾、胃、小肠、膀胱经。健胃消食，涩精止遗，通淋化石。用于食积不消，呕吐泻痢，小儿疳积，遗尿，遗精，石淋涩痛，胆胀胁痛。

凤凰衣：甘，平。归脾、胃、肺经。润肺止咳，利咽开音，生肌敛疮。用于久咳，失音嘶哑，瘰疬结核，溃疡不敛。

| **用法用量** | 鸡内金：内服煎汤，3 ～ 10g。

凤凰衣：内服煎汤，3 ～ 9g；或入丸剂。外用适量，敷贴或研细末撒布患处。

狗
Canis familiaris Linnaeus

| 药 材 名 | 狗肾（药用部位：阴茎、睾丸）。

| 形态特征 | 体形、大小、毛色因品种不同而异。一般的狗体格匀称。鼻吻部较长，眼呈卵圆形，两耳或竖或垂。四肢矫健，前肢5趾，后肢4趾。具爪，但爪不能伸缩。尾呈环形或镰刀形。

| 生境分布 | 多养殖于狗舍。重庆各地均有分布。

| 资源情况 | 野生资源稀少，养殖资源较丰富。药材来源于养殖。

| 采收加工 | 宰杀后，剥皮，剖腹，取阴茎和睾丸，除去附着的肌肉及脂肪，拉直，晾干或烘干。

| 药材性状 | 本品阴茎呈直棒状，长约12cm，直径约2cm，先端稍尖，另一端有

狗

细长的输精管连接睾丸。睾丸椭圆形，长 3 ～ 4cm，宽约 2cm。全体淡棕色，外表光滑。阴茎部分质坚硬，不易折断。有腥臭气。以色淡黄、带红筋、条长大、粗壮、带有睾丸者为佳。

| **功能主治** | 补肾，壮阳，益精。用于肾虚阳痿，遗精，四肢寒冷，腰膝酸软。

| **用法用量** | 内服煮食，1 ～ 2 枚。

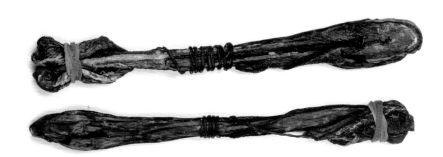

明矾石 Alunite

| 药 材 名 | 白矾（药材来源：加工提炼品）。

| 形态特征 | 白色，含杂质者呈浅灰色、浅黄色、浅红色、浅褐色。透明或半透明，具玻璃样光泽。硬度 2 ~ 2.5。具有强烈的热电效应。

| 分布区域 | 分布于重庆南岸等地。

| 资源情况 | 可采资源较少。

| 采收加工 | 采得后除去杂质，加工提炼。

| 药材性状 | 本品呈不规则块状或粒状。无色或淡黄白色，透明或半透明。表面略平滑或凹凸不平，具细密纵棱，有玻璃样光泽。质硬而脆。气微，

明矾石

味酸、微甘而极涩。

| **功能主治** | 酸、涩，寒。归肺、脾、肝、大肠经。止血止泻，祛风除痰；外用解毒杀虫，燥湿止痒。用于久泻不止，便血，崩漏，癫痫发狂。外用于湿疹，疥癣，脱肛，痔疮，聤耳流脓。

| **用法用量** | 内服煎汤，0.6 ～ 1.5g。外用适量，研末敷或化水洗患处。

赤铁矿 Hematite

| 药 材 名 | 代赭石（药材来源：矿石）。

| 形态特征 | 三方晶系。晶体常呈薄片状、板状。一般以致密块状、肾状、葡萄状、豆状、鱼子状、土状等集合体最为常见。结晶者呈铁黑色或钢灰色，土状或粉末状者呈鲜红色，但条痕均呈樱桃红色。结晶者呈金属光泽，土状者呈土状光泽。硬度 5.5 ～ 6，但土状、粉末状者硬度很小，比重 5 ～ 5.3。

| 分布区域 | 分布于重庆武隆、巫山等地。

| 资源情况 | 可开采资源较少。

| 采收加工 | 挖出后除去泥土等杂质。

赤铁矿

| **药材性状** | 本品为豆状、肾状集合体，多呈不规则厚板状或块状，有棱角。棕红色至暗棕红色或铁青色。条痕樱红色或棕红色。具半金属光泽。一面分布较密的"钉头"，呈乳头状，另一面与突起相对应处有同样大小的凹窝。体重，质坚硬，断面层叠状或颗粒状。无臭，无味。以色棕红、有"钉头"、断面层叠状者为佳。

| **功能主治** | 苦、甘，微寒。归肝、胃、心经。平肝潜阳，重镇降逆，凉血止血。用于头痛，眩晕，心悸，癫狂，惊痫，呕吐，嗳气，呃逆，噎膈，咳嗽，气喘，吐血，鼻衄，崩漏，便血，尿血。

| **用法用量** | 内服煎汤，15 ～ 30g，打碎，先煎；研末，每次 3g；或入丸、散。外用适量，研末撒或调敷。一般生用，止血煅用。虚寒证者及孕妇慎服。

龙骨 Os Draconis

| 药 材 名 | 龙骨（药材来源：古代哺乳动物如三趾马、犀类、鹿类、牛类、象类等的骨骼化石或象类门齿的化石）。 |

| 形态特征 | 呈骨骼状或已破碎成不规则的块状，大小不一；表面黄白色、灰白色或浅棕色，多较平滑，有的具纹理或裂隙或具棕色条纹和斑点；质硬，断面不平坦，关节处有多数蜂窝状小孔；吸湿性强；无臭，无味。五花龙骨呈不规则块状，大小不一，有的呈圆柱状，长短不一，直径 5 ～ 25cm；淡灰白色、淡黄白色或淡黄棕色，夹有蓝灰色及红棕色深浅、粗细不同的花纹，偶有不具花纹者；表面光滑，时有小裂隙；质硬，较酥脆，易呈片状剥落。 |

| 分布区域 | 分布于重庆巫山等地。 |

| 资源情况 | 可采资源稀少。 |

龙骨

| 采收加工 | 挖出后除去杂质。

| 药材性状 | 同形态特征。龙骨以质硬、色白、吸湿性强者为佳。五花龙骨以体较轻、质酥脆、分层、有花纹、吸湿性强者为佳。断面无吸湿性、烧之发烟有异臭者不可供药用。

| 功能主治 | 甘、涩，平。归心、肝、肾、大肠经。镇惊安神，敛汗固精；外用生肌敛疮。用于心悸易惊，失眠多梦，自汗盗汗，遗精，崩漏带下。外用于溃疡久不收口，阴囊湿痒。

| 用法用量 | 内服煎汤，10 ~ 20g。外用适量。

石燕 Fossilia Spiriferis

| **药 材 名** | 石燕（药材来源：古生代腕足类石燕科动物中华弓石燕与戴维逊穹石燕及多种近缘动物的化石）。

| **形态特征** | 形略似燕，表面青灰色或土棕色，贝体大小不等，方形、圆形、梯形、三角形或卵形，长 1.5 ～ 2.5cm，宽 1.5 ～ 4cm，厚 1.5 ～ 2.5cm。由不等的 2 外壳叠合在一起而成，较大者称腹壳，位于上方，较小者称背壳，位于下方；两壳后缘较平齐，有一近宽等腰三角形或呈宽缝状的铰合面，正中可见三角形洞孔或双板；前缘较圆，直伸或稍下弯，腹壳的顶区隆凸，正中有 1 凹槽（称"腹中槽"），背壳正中常隆凸（称"背中隆"），两侧壳面急剧倾斜成翅状，壳面有放射状线纹（壳线）和圆心性层纹（壳层）。质坚如石，砸碎后断面呈青灰色或红棕色。

石燕

| 分布区域 | 分布于重庆酉阳、秀山等地。

| 资源情况 | 可采资源稀少。

| 采收加工 | 采得后洗净泥土。

| 药材性状 | 同形态特征。无臭，味淡。

| 功能主治 | 咸，凉。归肾、膀胱经。除湿热，利小便，退目翳。用于淋病，小便不利，湿热带下，尿血便秘，肠风痔漏，眼目障翳。

| 用法用量 | 内服煎汤，3 ~ 9g。外用适量，散剂水磨点眼。

中文拼音索引

《中国中药资源大典·重庆卷》1～8册共用同一索引，为使读者检索
方便，该索引在每个药用植物名后均标注了其所在册数（如"[1]"）及页码。

T

拉丁学名索引

《中国中药资源大典·重庆卷》1 ~ 8 册共用同一索引，为使读者检索
方便，该索引在每个药用植物名后均标注了其所在册数（如 "[1]"）及页码。

E

N

O

T

附录Ⅰ 重庆市植物药资源名录

本名录中所列植物药资源在《中国中药资源大典·重庆卷》1 ~ 8 册正文中未收载

科名	物种名	拉丁学名	药用部位
肉座菌科	竹生肉球菌	*Engleromyces goetzi* Henn.	子座
肉座菌科	竹黄	*Shiraia bambusicola* Henn.	子座、孢子
麦角菌科	亚香棒虫草	*Cordyceps hawkesii* Gray	菌核、子座
麦角菌科	蛹虫草	*Cordyceps militaris* (L.) Link	菌核、子座
银耳科	焰耳	*Phlogiotis helvelloides* (DC.) G. W. Martin	子实体
木耳科	木耳	*Auricularia auricula* (L.) Underw.	子实体
齿菌科	猴头菌	*Hericium erinaceus* (Bull.) Pers.	子实体
白蘑科	香菇	*Lentinus edodes* (Berk.) Singer	子实体
白蘑科	鸡枞	*Macrolepiota albuminosa* (Berk.) Pegler	子实体
红姑菌科	松乳菇	*Lactarius deliciosus* (L.) Gray	子实体
鬼笔科	短裙竹荪	*Dictyophora duplicata* (Bosch.) Fisch.	子实体
鬼笔科	黄裙竹荪	*Dictyophora multicolor* Berk. et Br.	子实体
马勃科	头状秃马勃	*Calvatia craniiformis* (Schw.) Fr.	子实体
马勃科	马勃	*Lasiosphaera nipponica* (Kawam.) Y. Kobayasi	子实体
皮果衣科	皮果衣	*Dermatocarpon miniatum* (L.) W. Mann	地衣体
松萝科	长松萝	*Dolichousnea longissima* (Ach.) Articus	地衣体
蛇苔科	蛇苔	*Conocephalum conicum* (L.) Dumort.	叶状体
泥炭藓科	泥炭藓	*Sphagnum palustre* L.	全株
万年藓科	万年藓	*Climacium dendroides* F. Weber et Mohr	全草
万年藓科	树藓	*Pleuroziopsis ruthanica* Kindb.	全草
羽藓科	大羽藓	*Thuidium cymbifolium* (Dozy et Molk.) Dozy et Molk.	全草
塔藓科	塔藓	*Hylocomium splendens* (Hedw.) Schimp.	全草
金发藓科	东亚小金发藓	*Pogonatum inflexum* (Lindb.) Sande Lac.	全草
金发藓科	大金发藓	*Polytrichum commune* Hedw.	全草
多孔菌科	桦革裥菌	*Lenzites betulina* (L.) Fr.	子实体
多孔菌科	雷丸	*Omphalia lapidescens* Schroet	子实体
多孔菌科	云芝	*Trametes versicolor* (L.) Lloyd	子实体
石杉科	中华石杉	*Huperzia chinensis* (Christ) Ching	全草
石杉科	皱边石杉	*Huperzia crispata* (Ching ex H. S. Kung) Ching	全草
石杉科	南川石杉	*Huperzia nanchuanensis* (Ching et H. S. Kung) Ching et H. S. Kung	全草
石杉科	马尾杉	*Phlegmariurus phlegmaria* (L.) Holub	全草
卷柏科	毛枝卷柏	*Selaginella trichoclada* Alston	全草
卷柏科	疏叶卷柏	*Selaginella remotifolia* Spring	全草
松叶蕨科	松叶蕨	*Psilotum nudum* (L.) Beauv.	全草
瓶尔小草科	狭叶瓶尔小草	*Ophioglossum thermale* Kom.	全草
瘤足蕨科	峨眉瘤足蕨	*Plagiogyria assurgens* Christ	根茎

科名	物种名	拉丁学名	药用部位
稀子蕨科	岩穴蕨	*Ptilopteris maximowiczii* Hance	全草
陵齿蕨科	鳞始蕨	*Lindsaea odorata* Roxb.	全草
姬蕨科	溪洞碗蕨	*Dennstaedtia wilfordii* (Moore) Christ	全草
凤尾蕨科	刺齿半边旗	*Pteris dispar* Kze.	全草
凤尾蕨科	四川凤尾蕨	*Pteris sichuanensis* H. S. Kung	全草
中国蕨科	陕西粉背蕨	*Aleuritopteris shensiensis* Ching	全草
中国蕨科	粉背蕨	*Aleuritopteris pseudofarinosa* Ching et S. K. Wu	全草
中国蕨科	裸叶粉背蕨	*Aleuritopteris duclouxii* (Christ) Ching	全草
中国蕨科	狭叶金粉蕨	*Onychium angustifrons* Ching	全草
铁线蕨科	团羽铁线蕨	*Adiantum capillus-junonis* Rupr.	全草或根茎
铁线蕨科	肾盖铁线蕨	*Adiantum erythrochlamys* Diels	全草
铁线蕨科	陇南铁线蕨	*Adiantum roborowskii* Maxim.	全草
裸子蕨科	耳羽金毛裸蕨	*Gymnopteris bipinnata* Christ var. *auriculata* (Franch.) Ching	全草
蹄盖蕨科	异果短肠蕨	*Allantodia heterocarpa* (Ching) Ching	根茎
蹄盖蕨科	鳞柄短肠蕨	*Allantodia squamigera* (Mett.) Ching	根茎
蹄盖蕨科	毛柄短肠蕨	*Allantodia dilatata* (Bl.) Ching	根茎
蹄盖蕨科	贵州蹄盖蕨	*Athyrium pubicostatum* Ching et Z. Y. Liu	根茎
蹄盖蕨科	软刺蹄盖蕨	*Athyrium strigillosum* (Moore ex Lowe) Moore ex Salom	全草或叶
蹄盖蕨科	禾秆蹄盖蕨	*Athyrium yokoscense* (Franch. et Sav.) Christ	根茎
蹄盖蕨科	菜蕨	*Callipteris esculenta* (Retz.) J. Sm. ex Moore et Houlst.	嫩叶
蹄盖蕨科	介蕨	*Dryoathyrium boryanum* (Willd.) Ching	根茎
蹄盖蕨科	东亚羽节蕨	*Gymnocarpium oyamense* (Bak.) Ching	全草
蹄盖蕨科	陕西蛾眉蕨	*Lunathyrium giraldii* (Christ) Ching	根茎
肿足蕨科	肿足蕨	*Hypodematium crenatum* (Forssk.) Kuhn	全草或根茎
金星蕨科	星毛蕨	*Ampelopteris prolifera* (Retz.) Cop.	全草
金星蕨科	秦氏毛蕨	*Cyclosorus chingii* Z. Y. Liu ex Ching et Z. Y. Liu	根茎
金星蕨科	卵果蕨	*Phegopteris connectilis* (Michx.) Watt	根茎
铁角蕨科	线裂铁角蕨	*Asplenium coenobiale* Hance	全草
铁角蕨科	胎生铁角蕨	*Asplenium indicum* Sledge	全草
铁角蕨科	变异铁角蕨	*Asplenium varians* Wall. ex Hook. et Grev.	全草
铁角蕨科	狭翅铁角蕨	*Asplenium wrightii* Eaton ex Hook.	根茎
球盖蕨科	东亚柄盖蕨	*Peranema cyatheoides* Don var. *luzonicum* (Cop.) Ching et S. H. Wu	根茎
鳞毛蕨科	离脉柳叶蕨	*Cyrtogonellum caducum* Ching	根茎
鳞毛蕨科	阔叶鳞毛蕨	*Dryopteris austriaca* (Jacq.) Waynar ex Schinz et Thell	根茎
鳞毛蕨科	大平鳞毛蕨	*Dryopteris bodinieri* (Christ) C. Chr.	根茎
鳞毛蕨科	粗茎鳞毛蕨	*Dryopteris crassirhizoma* Nakai	根茎
鳞毛蕨科	杪椤鳞毛蕨	*Dryopteris cycadina* (Franch. et Sav.) C. Chr.	根茎
鳞毛蕨科	远轴鳞毛蕨	*Dryopteris dickinsii* (Franch. et Sav.)	根茎
鳞毛蕨科	台湾鳞毛蕨	*Dryopteris formosana* (Christ) C. Chr.	根茎
鳞毛蕨科	大果鳞毛蕨	*Dryopteris panda* (C. B. Clarke) Christ	根茎

续表

科名	物种名	拉丁学名	药用部位
鳞毛蕨科	微孔鳞毛蕨	*Dryopteris porosa* Ching	根茎
鳞毛蕨科	奇羽鳞毛蕨	*Dryopteris sieboldii* (van Houtte ex Mett.) O. Ktze.	根茎
鳞毛蕨科	三角鳞毛蕨	*Dryopteris subtriangularis* (Hope) C. Chr.	根茎
鳞毛蕨科	大羽鳞毛蕨	*Dryopteris wallichiana* (Spreng.) Hylander	根茎
鳞毛蕨科	四回毛枝蕨	*Leptorumohra quadripinnata* (Hayata) H. Ito	全草
鳞毛蕨科	杰出耳蕨	*Polystichum excelsius* Ching et Z. Y. Liu	根茎
鳞毛蕨科	宜昌耳蕨	*Polystichum ichangense* Christ	全草
鳞毛蕨科	长鳞耳蕨	*Polystichum longipaleatum* Christ	全草
叉蕨科	泡鳞肋毛蕨	*Ctenitis mariformis* (Ros.) Ching	全草
叉蕨科	毛叶轴脉蕨	*Ctenitopsis devexa* (Kunze) Ching et C. H. Wang	全草
叉蕨科	毛轴牙蕨	*Pteridrys australis* Ching	全草
水龙骨科	节肢蕨	*Arthromeris lehmanni* (Mett.) Ching	根茎
水龙骨科	丝带蕨	*Drymotaenium miyoshianum* (Makino) Makino	全草
水龙骨科	梨叶骨牌蕨	*Lepidogrammitis pyriformis* (Ching) Ching	全草
水龙骨科	云南鳞果星蕨	*Lepidomicrosorium hymenodes* (Kunze) L. Shi et X. C. Zhang	全草
水龙骨科	二色瓦韦	*Lepisorus bicolor* Ching	全草
水龙骨科	庐山瓦韦	*Lepisorus lewissi* (Baker) Ching	全草
水龙骨科	鳞瓦韦	*Lepisorus oligolepidus* (Baker) Ching	全草
水龙骨科	长瓦韦	*Lepisorus pseudonudus* Ching	全草
水龙骨科	波氏星蕨	*Microsorum brachylepis* (Baker) Nakaike	全草
水龙骨科	蟹爪盾蕨	*Neolepisorus ovatus* (Bedd.) Ching f. *doryopteris* (Christ) Ching	全草
水龙骨科	大果假瘤蕨	*Phymatopteris griffithiana* (Hook.) Pic. Serm.	全草
水龙骨科	宽底假瘤蕨	*Phymatopteris majoensis* (C. Chr.) Pic. Serm.	根茎
水龙骨科	陕西假瘤蕨	*Phymatopteris shensiensis* (Christ) Pic. Serm.	全草
水龙骨科	红杆水龙骨	*Polypodiodes amoena* (Wall. ex Mett.) Ching var. *duclouxi* (Christ) Ching	根茎
水龙骨科	日本水龙骨	*Polypodiodes niponica* (Mett.) Ching	根茎
水龙骨科	华北石韦	*Pyrrosia davidii* (Baker) Ching	叶、根
水龙骨科	拟毡毛石韦	*Pyrrosia pseudodrakeana* Shing	全草
剑蕨科	黑鳞剑蕨	*Loxogramme assimilis* Ching	全草
剑蕨科	褐柄剑蕨	*Loxogramme duclouxii* Chirst	全草
剑蕨科	台湾剑蕨	*Loxogramme formosana* Nakai	全草
剑蕨科	匙叶剑蕨	*Loxogramme grammitoides* (Baker) C. Chr.	全草
苹科	苹	*Marsilea quadrifolia* L.	全草
槐叶苹科	槐叶苹	*Salvinia natans* (L.) All.	全草
苏铁科	贵州苏铁	*Cycas guizhouensis* K. M. Lan et R. F. Zou	叶、根
苏铁科	华南苏铁	*Cycas rumphii* Miq.	根、种子
松科	日本落叶松	*Larix kaempferi* (Lamb.) Carr.	松节油
松科	华北落叶松	*Larix principis-rupprechtii* Mayr.	松脂、松节油
松科	白皮松	*Pinus bungeana* Zucc. ex Endl	球果

科名	物种名	拉丁学名	药用部位
杉科	水松	*Glyptostrobus pensilis* (Staunt.) Koch	树皮、球果、枝叶
杉科	落羽杉	*Taxodium distichum* (L.) Rich.	树脂、种子
柏科	干香柏	*Cupressus duclouxiana* Hichel	叶
罗汉松科	短叶罗汉松	*Podocarpus macrophyllus* (Thumb.) D. Don var. *maki* (Sieb.) Endl.	种子、花托、根皮、枝叶
木麻黄科	细枝木麻黄	*Casuarina cunninghamiana* Miq.	枝叶
胡桃科	泡核桃	*Juglans sigillata* Dode	种仁、叶、花、嫩枝、根等
胡桃科	湖北枫杨	*Pterocarya hupehensis* Skan	根皮
胡椒科	竹叶胡椒	*Piper bambusaefolium* Tseng	茎叶
胡椒科	蒌叶	*Piper betle* L.	果穗、叶
胡椒科	荜拔	*Piper longum* L.	果穗、根
胡椒科	假蒟	*Piper sarmentosum* Roxb.	全草或根
金粟兰科	鱼子兰	*Chloranthus elatior* Link	全草
胡桃科	圆果化香树	*Platycarya longipes* Wu	叶
杨柳科	大叶杨	*Populus lasiocarpa* Oliv.	树皮、根皮
杨柳科	钻天杨	*Populus nigra* var. *italica* (Moench) Koehne	树皮、雄花序
杨柳科	巴柳	*Salix etosia* Schneid.	根皮
杨柳科	小叶柳	*Salix hypoleuca* Seemen	根或叶
杨柳科	裸柱头柳	*Salix psilostigma* Anderss.	根皮
桦木科	华南桦	*Betula austrosinensis* Chun ex P. C. Li	根、树皮
桦木科	千金榆	*Carpinus cordata* Bl.	果穗
桦木科	华千金榆	*Carpinus cordata* Bl. var. *chinensis* Franch.	根皮
桦木科	毛榛	*Corylus mandshurica* Maxim.	雄花穗
壳斗科	茅栗	*Castanea seguinii* Dode	根、种仁、叶
壳斗科	栲	*Castanopsis fargesii* Franch.	种仁
壳斗科	细叶青冈	*Cyclobalanopsis gracilis* Rehd. et Wils Cheng et T. Hong	种仁、树皮、嫩叶
壳斗科	槲树	*Quercus dentata* Thunb.	树皮、种子、叶
壳斗科	大叶栎	*Quercus griffithii* Hook. f. et Thoms ex Miq.	树皮、叶、果实
壳斗科	高山栎	*Quercus semicarpifolia* Smith	叶煎煮成的浓缩膏
榆科	珊瑚朴	*Celtis julianae* Schneid.	树皮
榆科	山油麻	*Trema cannabina* Lour. var. *dielsiana* (Hand.-Mazz.) C. J. Chen	叶、根
榆科	大果榆	*Ulmus macrocarpa* Hance	果实、树皮
榆科	大叶榉树	*Zelkova schneideriana* Hand.-Mazz.	树皮
桑科	雅榕	*Ficus concinna* Miq.	气生根
桑科	九丁榕	*Ficus nervosa* Heyne ex Roth	树皮
桑科	白背爬藤榕	*Ficus sarmentosa* Buch.-Ham. ex J. Sm. var. *nipponica* (Fr. et Sav.) Corner	全草
桑科	啤酒花	*Humulus lupulus* L.	未成熟带花果穗
桑科	华桑	*Morus cathayana* Hemsl.	根皮、小枝
桑科	山桑	*Morus mongolica* Schneid. var. *diabolica* Koidz.	根皮、小枝

科名	物种名	拉丁学名	药用部位
荨麻科	大叶苎麻	*Boehmeria longispica* Steud.	全草或根
荨麻科	赤麻	*Boehmeria silvestrii* (Pamp.) W. T. Wang	根
荨麻科	多序楼梯草	*Elatostema macintyrei* Dunn	全草
荨麻科	多脉楼梯草	*Elatostema pseudoficoides* W. T. Wang	全草
荨麻科	蝎子草	*Girardinia suborbiculata* C. J. Chen	根
荨麻科	心叶艾麻	*Laportea bulbifera* (Sieb. et Zucc) Wedd. subsp. *latiuscula* C. J. Chen	全草
荨麻科	波缘冷水花	*Pilea cavaleriei* Lévl.	全草
荨麻科	石筋草	*Pilea plataniflora* C. H. Wright	全草
荨麻科	宽叶荨麻	*Urtica laetevirens* Maxim.	全草或根
桑寄生科	滇藏钝果寄生	*Taxillus thibetensis* (Lecomte) Danser	带叶的茎枝
檀香科	米面翁	*Buckleya lanceolate* (Sieb. et Zucc.) Miq.	叶、根
蛇菰科	日本蛇菰	*Balanophora japonica* Makino	全草
蛇菰科	红烛蛇菰	*Balanophora mutinoides* Hayata	全草
蓼科	小蓼	*Persicaria minor* (Huds.) Opiz	全草
蓼科	抱茎蓼	*Polygonum amplexicaule* D. Don	根茎
蓼科	拳参	*Polygonum bistorta* L.	根茎
蓼科	大箭叶蓼	*Polygonum darrisii* Lévl.	全草
蓼科	细茎蓼	*Polygonum filicaule* Wall. ex Meisn.	全草
蓼科	长箭叶蓼	*Polygonum hastato-sagittatum* Mak.	全草
蓼科	长戟叶蓼	*Polygonum maackianum* Regel	全草
蓼科	小蓼花	*Polygonum muricatum* Meisn.	全草
蓼科	松林蓼	*Polygonum pinetorum* Hemsl.	全草
蓼科	伏毛蓼	*Polygonum pubescens* Blume	全草
蓼科	刺蓼	*Polygonum senticosum* (Meisn.) Franch. et Sav.	全草
蓼科	蓼蓝	*Polygonum tinctorium* Ait.	果实、茎叶
蓼科	香蓼	*Polygonum viscosum* Buch.-Ham. ex D. Don	茎叶
蓼科	翼蓼	*Pteroxygonum giraldii* Damm. et Diels	块根
蓼科	网果酸模	*Rumex chalepensis* Mill.	根、根茎
蓼科	疏花酸模	*Rumex nepalensis* Spreng. var. *remotiflorus* (Sam.) A. J. Li	根
石竹科	麦仙翁	*Agrostemma githago* L.	全草
石竹科	荷莲豆草	*Drymaria diandra* Bl.	全草
石竹科	剪春罗	*Lychnis coronata* Thunb.	全草或根
苋科	血苋	*Iresine herbstii* Hook. f.	全草
仙人掌科	令箭荷花	*Disocactus ackermannii* (Lindl.) Ralf Bauer	花
仙人掌科	鼠尾掌	*Disocactus flagelliformis* (L.) Barthlott	全株
仙人掌科	花盛丸	*Echinopsis tubiflora* (Pfeiff.) Zucc. ex A. Dietr.	茎
仙人掌科	单刺仙人掌	*Opuntia monacantha* (Willd.) Haw.	肉质茎
木兰科	红花八角	*Illicium dunnianum* Tutch.	果实
木兰科	望春玉兰	*Magnolia biondii* Pampan.	花蕾
木兰科	金叶含笑	*Michelia foveolata* Merr. ex Dandy	树皮
木兰科	金山五味子	*Schisandra glaucescens* Diels	果实、藤

续表

科名	物种名	拉丁学名	药用部位
木兰科	大花五味子	*Schisandra grandiflora* (Wall.) Hook. f. et Thoms.	果实
木兰科	兴山五味子	*Schisandra incarnata* Stapf	果实
木兰科	柔毛五味子	*Schisandra tomentella* A. C. Smith	根
木兰科	绿叶五味子	*Schisandra viridis* A. C. Smith	果实
樟科	狭叶阴香	*Cinnamomum burmannii* (Nees et T. Nees) Blume f. *heyneanum* (Nees) H. W.	根、叶、树皮
樟科	香桂	*Cinnamomum subavenium* Miq.	树皮、根、根皮
樟科	柴桂	*Cinnamomum tamala* (Buch.-Ham.) Th. G. Fr. Nees	树皮
樟科	绒毛钓樟	*Lindera floribunda* (Allen) H. P. Tsui	根皮、树皮
樟科	菱叶钓樟	*Lindera supracostata* Lec.	根、茎、叶
樟科	清香木姜子	*Litsea euosma* W. W. Sm.	果实
樟科	湖北木姜子	*Litsea hupehana* Hemsl.	叶
樟科	红叶木姜子	*Litsea rubescens* Lec.	根、果实
樟科	栓皮木姜子	*Litsea suberosa* Yang et P. H. Huang	果实
樟科	新木姜子	*Neolitsea aurata* (Hay.) Koidz.	果实
毛茛科	细裂川鄂乌头	*Aconitum henryi* Pritz. var. *compositum* Hand.-Mazz.	块根
毛茛科	裂苞鹅掌草	*Anemone flaccida* Fr. Schmidt var. *hofengensis* Wuzhi	根茎
毛茛科	水棉花	*Anemone hupehensis* Lem. f. alba W. T. Wang	根
毛茛科	秋牡丹	*Anemone hupehensis* Lem. var. *japonica* (Thunb.) Bowles et Stearn	根
毛茛科	大火草	*Anemone tomentosa* (Maxim.) Pei	根
毛茛科	鸡爪草	*Calathodes oxycarpa* Sprague	全草
毛茛科	短果升麻	*Cimicifuga brachycarpa* Hsiao	根茎
毛茛科	钝齿铁线莲	*Clematis apiifolia* DC. var. *obtusidentata* Rehd. et Wils.	藤茎
毛茛科	毛柱铁线莲	*Clematis meyeniana* Walp.	根及根茎
毛茛科	晚花绣球藤	*Clematis montana* Buch.-Ham ex DC. var. *wilsonii* Sprag.	藤茎
毛茛科	毛果铁线莲	*Clematis peterae* Hand.-Mazz var. *trichocarpa* W. T. Wang	藤茎
毛茛科	毛茛铁线莲	*Clematis ranunculoides* Franch.	全草
毛茛科	云贵铁线莲	*Clematis vaniotii* Lévl. et Port.	藤茎
毛茛科	水葫芦苗	*Halerpestes cymbalaria* (Pursh) Green	全草
毛茛科	毛果芍药	*Paeonia lactiflora* Pall. var. *trichocarpa* (Bunge) Stern	根
毛茛科	毛叶草芍药	*Paeonia obovata* Maxim. var. *willmottiae* (Stapf) Stern	根
毛茛科	白头翁	*Pulsatilla chinensis* (Bunge) Regel	根、花、茎叶
毛茛科	猫爪草	*Ranunculus ternatus* Thunb.	块根
毛茛科	多枝唐松草	*Thalictrum ramosum* Boivin	全草
毛茛科	短梗箭头唐松草	*Thalictrum simplex* L. var. *brevipes* Hara	全草或根
小檗科	黑果小檗	*Berberis atrocarpa* Schneid.	根
小檗科	秦岭小檗	*Berberis circumserrata* (Schneid.) Schneid.	根、茎
小檗科	川鄂小檗	*Berberis henryana* Schneid.	根皮
小檗科	细叶小檗	*Berberis poiretii* Schneid.	根皮
小檗科	庐山小檗	*Berberis virgetorum* Schneid.	茎、根
小檗科	宝兴淫羊藿	*Epimedium davidii* Franch.	全草

科名	物种名	拉丁学名	药用部位
小檗科	十大功劳	*Mahonia fortunei* (Lindl.) Fedde	茎、茎皮、根、叶
小檗科	细柄十大功劳	*Mahonia gracilipes* (Oliv.) Fedde	根、茎叶
小檗科	峨眉十大功劳	*Mahonia polydonta* Fedde	根茎
木通科	木通	*Akebia quinata* (Houtt.) Decne.	藤茎、根、果实
木通科	棱茎八月瓜	*Holboellia pterocaulis* T. Chen et Q. H. Chen	根
防己科	蝙蝠葛	*Menispermum dauricum* DC.	根、藤茎、叶
防己科	江南地不容	*Stephania excentrica* Lo	块根
防己科	草质千金藤	*Stephania herbacea* Gagnep.	块根
睡莲科	莼菜	*Brasenia schreberi* J. F. Gmel.	茎叶
睡莲科	芡实	*Euryale ferox* Salisb. ex DC.	种仁、根、茎、叶
睡莲科	黄睡莲	*Nymphaea mexicana* Zucc.	花
金粟兰科	多穗金粟兰	*Chloranthus multistachys* Pei	全草或根、根茎
马兜铃科	长叶马兜铃	*Aristolochia championii* Merr. et Chun	块根
马兜铃科	北马兜铃	*Aristolochia contorta* Bunge	果实、茎叶
马兜铃科	广西马兜铃	*Aristolochia kwangsiensis* Chun et How ex C. F. Liang	块根
马兜铃科	木通马兜铃	*Aristolochia manshuriensis* Kom	藤茎
马兜铃科	背蛇生	*Aristolochia tuberosa* C. F. Liang et S. M. Hwang	块根
马兜铃科	铜钱细辛	*Asarum debile* Franch.	全草
马兜铃科	大花细辛	*Asarum macranthum* Hook. f.	全草
猕猴桃科	凸脉猕猴桃	*Actinidia arguta* (Sieb. & Zucc) Planch. ex Miq. var. *nervosa* C. F. Liang	叶
猕猴桃科	长叶猕猴桃	*Actinidia hemsleyana* Dunn	根茎
猕猴桃科	海棠猕猴桃	*Actinidia maloides* Li	根
猕猴桃科	多脉藤山柳	*Clematoclethra variabilis* C. F. Liang et Y. C. Chen var. *multinervis* C. F. Liang et Y. C. Chen	根
山茶科	大头茶	*Gordonia axillaris* (Roxb.) Dietr.	花
藤黄科	赶山鞭	*Hypericum attenuatum* Choisy	全草
藤黄科	贵州金丝桃	*Hypericum kouytchense* Lévl.	根
藤黄科	长柱金丝桃	*Hypericum longistylum* Oliv.	果实
藤黄科	遍地金	*Hypericum wightianum* Wall. ex Wight et Arn.	全草
藤黄科	川鄂金丝桃	*Hypericum wilsonii* N. Robson	果实
罂粟科	蓟罂粟	*Argemone mexicana* L.	全草或根、种子
罂粟科	地柏枝	*Corydalis cheilanthifolia* Hemsl.	根
罂粟科	石生黄堇	*Corydalis saxicola* Bunting	全草
罂粟科	大花荷包牡丹	*Dicentra macrantha* Oliv.	全草或根茎
罂粟科	花菱草	*Eschscholtzia californica* Cham.	全草
罂粟科	锐裂荷青花	*Hylomecon japonica* (Thunb.) Prantl var. *subincisa* Fedde	根
罂粟科	四川金罂粟	*Stylophorum sutchuense* (Franch.) Fedde	全草或根
十字花科	小花南芥	*Arabis alpina* L. var. *parviflora* Franch.	全草
十字花科	圆锥南芥	*Arabis paniculata* Franch.	果实
十字花科	辣根	*Armoracia rusticana* (Lam.) P. Gaertner et Schreb.	根
十字花科	擘蓝	*Brassica caulorapa* Pasq.	球茎、叶、种子

科名	物种名	拉丁学名	药用部位
十字花科	油白菜	*Brassica chinensis* L. var. *oleifera* Makino et Nemoto	种子
十字花科	雪里蕻	*Brassica juncea* (L.) Czern. et Coss. var. *multiceps* Tsen et Lee	种子
十字花科	芜青甘蓝	*Brassica napobrassica* (L.) Mill.	种子
十字花科	羽衣甘蓝	*Brassica oleracea* L. var. *acephala* DC. f. tricolor Hort.	全草
十字花科	大叶山芥碎米荠	*Cardamine griffithii* var. *grandifolia* T. Y. Cheo et R. C. Fang	全草
十字花科	钝叶碎米荠	*Cardamine* impatiens var. *obtusifolia* (Knaf) O. E. Schulz	全草
十字花科	桂竹香	*Cheiranthus cheiri* L.	花
十字花科	臭荠	*Coronopus didymus* (L.) J. E. Smith	全草
十字花科	葶苈	*Draba nemorosa* L.	全草或种子
十字花科	芝麻菜	*Eruca sativa* Mill.	种子
十字花科	小花糖芥	*Erysimum cheiranthoides* L.	全草或种子
金缕梅科	蜡瓣花	*Corylopsis sinensis* Hemsl.	叶
金缕梅科	窄叶蚊母树	*Distylium dunnianum* Lévl.	根
金缕梅科	水丝梨	*Sycopsis sinensis* Oliver	树脂
景天科	圆扇八宝	*Hylotelephium sieboldii* (Sweet ex Hk.) H. Ohba	全草
景天科	伽蓝菜	*Kalanchoe laciniata* (L.) DC.	全草
景天科	瓦松	*Orostachys fimbriatus* (Turcz.) Berger	全草
景天科	东南景天	*Sedum alfredii* Hance	全草
景天科	大叶火焰草	*Sedum drymarioides* Hance	全草
虎耳草科	韫珍金腰	*Chrysosplenium wuwenchenii* Jien	全草
虎耳草科	异色溲疏	*Deutzia discolor* Hemsl.	根
虎耳草科	长江溲疏	*Deutzia schneideriana* Rehd.	全草
虎耳草科	绣球八仙	*Hydrangea umbellata* Rehder	根
虎耳草科	鼠刺	*Itea chinensis* Hook. et Arn.	花
虎耳草科	扯根菜	*Penthorum chinense* Pursh	全草
虎耳草科	羽叶鬼灯檠	*Rodgersia pinnata* Franch.	根茎
虎耳草科	球茎虎耳草	*Saxifraga sibirica* L.	全草
虎耳草科	峨屏草	*Tanakaea omeiensis* Nakai	全草
海桐花科	皱叶海桐	*Pittosporum crispulum* Gagnep.	根皮、树皮
蔷薇科	黄龙尾	*Agrimonia pilosa* Ldb. var. *nepalensis* (D. Don) Nakai	地上部分
蔷薇科	微毛樱桃	*Cerasus clarofolia* (Schneid.) Yü et Li	叶
蔷薇科	欧李	*Cerasus humilis* (Bge.) Sok.	种仁
蔷薇科	郁李	*Cerasus japonica* (Thunb.) Lois.	根、种仁
蔷薇科	崖樱桃	*Cerasus scopulorum* (Koehne) Yü et Li	果实
蔷薇科	四川樱桃	*Cerasus szechuanica* (Batal.) Yü et Li	果实
蔷薇科	东京樱花	*Cerasus yedoensis* (Matsum.) Yü et Li	树皮
蔷薇科	毛叶木瓜	*Chaenomeles cathayensis* (Hemsl.) Schneid.	果实
蔷薇科	日本木瓜	*Chaenomeles japonica* (Thunb.) Lindl. ex Spach	果实
蔷薇科	矮生枸子	*Cotoneaster dammerii* Schneid.	根皮

科名	物种名	拉丁学名	药用部位
蔷薇科	木帚栒子小叶变种	*Cotoneaster dielsianus* Pritz. var. *elegans* Rehd. et Wils.	根
蔷薇科	西南栒子	*Cotoneaster franchetii* Bois	根
蔷薇科	粉叶栒子	*Cotoneaster glaucophyllus* Franch.	根
蔷薇科	细弱栒子	*Cotoneaster gracilis* Rehd. et Wils.	果实
蔷薇科	平枝栒子小叶变种	*Cotoneaster horizontalis* Dcne. var. *perpusillus* Schneid.	根
蔷薇科	湖北山楂	*Crataegus hupehensis* Sarg.	果实、根
蔷薇科	牛筋条	*Dichotomanthus tristaniaecarpa* Kurz	根皮
蔷薇科	野草莓	*Fragaria vesca* L.	全草
蔷薇科	柔毛路边青	*Geum japonicum* Thunb. var. *chinense* F. Bolle	全草或根、花
蔷薇科	山荆子	*Malus baccata* (L.) Borkh.	果实
蔷薇科	楸子	*Malus prunifolia* (Willd.) Borkh.	果实
蔷薇科	毛叶石楠	*Photinia villosa* (Thunb.) DC.	根
蔷薇科	蛇莓委陵菜	*Potentilla centigrana* Maxim.	全草
蔷薇科	鸡麻	*Rhodotypos scandens* (Thunb.) Makino	果实、根
蔷薇科	白蔷薇	*Rosa × alba* L.	花
蔷薇科	单瓣月季花	*Rosa chinensis* Jacq. var. *spontanea* (Rehd. et Wils.) Yü et Ku	花、根
蔷薇科	大红蔷薇	*Rosa saturata* Baker	根皮
蔷薇科	腺毛莓	*Rubus adenophorus* Rolfe	根、叶
蔷薇科	刺萼秀丽莓	*Rubus amabilis* Focke var. *aculeatissimus* Yü et Lu	根
蔷薇科	竹叶鸡爪茶	*Rubus bambusarum* Focke	叶
蔷薇科	长序莓	*Rubus chiliadenus* Focke	根、叶
蔷薇科	华中悬钩子	*Rubus cockburnianus* Hemsl.	果实
蔷薇科	弓茎悬钩子	*Rubus flosculosus* Focke	果实
蔷薇科	拟复盆子	*Rubus idaeopsis* Focke	果实
蔷薇科	无腺白叶莓	*Rubus innominatus* S. Moore var. *kuntzeanus* (Hemsl.) Bailey	根
蔷薇科	金佛山悬钩子	*Rubus jinfoshanensis* Yü et Lu	根
蔷薇科	陕西悬钩子	*Rubus piluliferus* Focke	果实
蔷薇科	常绿悬钩子	*Rubus sempervirens* Yü et Lu	根
蔷薇科	灰白毛莓	*Rubus tephrodes* Hance	根
蔷薇科	陕甘花楸	*Sorbus koehneana* Schneid.	果实
蔷薇科	绣球绣线菊	*Spiraea blumei* G. Don	根、根皮、果实
蔷薇科	麻叶绣线菊	*Spiraea cantoniensis* Lour.	果实
蔷薇科	华北绣线菊	*Spiraea fritschiana* Schneid.	果实
蔷薇科	翠蓝绣线菊	*Spiraea henryi* Hemsl.	根
蔷薇科	川滇绣线菊	*Spiraea schneideriana* Rehd.	花
豆科	地八角	*Astragalus bhotanensis* Baker	全草
豆科	木豆	*Cajanus cajan* (L.) Millsp.	种子、根、茎叶
豆科	西南杭子梢	*Campylotropis delavayi* (Franch.) Schindl.	根
豆科	杭子梢	*Campylotropis macrocarpa* (Bunge) Rehd.	根、枝叶

科名	物种名	拉丁学名	药用部位
豆科	粉叶决明	*Cassia glauca* Lam.	叶
豆科	短叶决明	*Cassia leschenaultiana* DC.	全草或根、种子
豆科	铺地蝙蝠草	*Christia obcordata* (Poir.) Bahn. F.	全草
豆科	巴豆藤	*Craspedolobium schochii* Harms	根
豆科	象鼻藤	*Dalbergia mimosoides* Franch.	叶
豆科	边荚鱼藤	*Derris marginata* (Roxb.) Benth.	根
豆科	野扁豆	*Dunbaria villosa* (Thunb.) Makino	全草
豆科	龙牙花	*Erythrina corallodendron* L.	树皮
豆科	刺桐	*Erythrina variegata* L.	树皮、根皮、花、叶
豆科	山豆根	*Euchresta japonica* Hook. f. ex Regel	全草
豆科	肥皂荚	*Gymnocladus chinensis* Baill.	果实、种子
豆科	木蓝	*Indigofera tinctoria* L.	根
豆科	绿叶胡枝子	*Lespedeza buergeri* Miq.	根、叶
豆科	中华胡枝子	*Lespedeza chinensis* G. Don	全草或根
豆科	大叶胡枝子	*Lespedeza davidii* Franch.	全株
豆科	细梗胡枝子	*Lespedeza virgata* (Thunb.) DC.	全草
豆科	野苜蓿	*Medicago falcata* L.	全草
豆科	白花油麻藤	*Mucuna birdwoodiana* Tutch.	藤茎
豆科	鼍豆	*Mucuna pruriens* (L.) DC. var. *utilis* (Wall. ex Wight) Baker ex Burck	种子
豆科	花榈木	*Ormosia henryi* Prain	木材、根或根皮、叶、枝
豆科	羽叶长柄山蚂蝗	*Podocarpium oldhamii* (Oliv.) Yang et Huang	全草
豆科	宽卵叶长柄山蚂蝗	*Podocarpium podocarpum* (DC.) Yang et Huang var. *fallax* (Schindl.) Yang et Huang	全草
豆科	毛洋槐	*Robinia hispida* L.	花序
豆科	田菁	*Sesbania cannabina* (Retz.) Poir.	根、叶
豆科	胡卢巴	*Trigonella foenum-graecum* L.	种子
豆科	大野豌豆	*Vicia gigantea* Bunge	全草
豆科	野豌豆	*Vicia sepium* L.	种子
豆科	长豇豆	*Vigna unguiculata* (L.) Walp. subsp. *sesquipedalis* (L.) Verdc.	种子
酢浆草科	白花酢浆草	*Oxalis acetosella* L.	全草
大戟科	毛果巴豆	*Croton lachnocarpus* Benth.	根、叶
大戟科	假奓包叶	*Discocleidion rufescens* (Franch.) Pax et Hoffm.	根
大戟科	火殃勒	*Euphorbia antiquorum* L.	茎
大戟科	地锦	*Euphorbia humifusa* Willd. ex Schlecht.	全草
大戟科	甘遂	*Euphorbia kansui* T. N. Liou ex S. B. Ho	块根
大戟科	银边翠	*Euphorbia marginata* Pursh.	全草
大戟科	铁海棠	*Euphorbia milii* Ch. des Moulins	茎、叶、根、乳汁、花
大戟科	甜叶算盘子	*Glochidion philippicum* (Cav.) C. B. Rob.	叶

科名	物种名	拉丁学名	药用部位
大戟科	红叶野桐	*Mallotus paxii* Pamp.	叶
大戟科	地构叶	*Speranskia tuberculata* (Bunge) Baill.	全草
芸香科	石椒草	*Boenninghausenia sessilicarpa* Lévl.	全草
芸香科	代代酸橙	*Citrus aurantium* cv. Daidai	未成熟果实、花蕾
芸香科	葡萄柚	*Citrus paradisi* Macf.	果实
芸香科	楝叶吴萸	*Evodia glabrifolia* (Champ. ex Benth.) Huang	果实、根
芸香科	波氏吴萸	*Evodia rutaecarpa* (Juss.) Benth var. *bodinieri* (Dode) Huang	未成熟果实
芸香科	四川吴萸	*Evodia sutchuenensis* Dode	果实
芸香科	金柑	*Fortunella japonica* (Thunb.) Swingle	果实
芸香科	两面针	*Zanthoxylum nitidum* (Roxb.) DC.	根
芸香科	川陕花椒	*Zanthoxylum piasezkii* Maxim.	果皮
远志科	小扁豆	*Polygala tatarinowii* Regel	根
远志科	远志	*Polygala tenuifolia* Willd.	全草或根
漆树科	黄栌	*Cotinus coggygria* Scop.	木材
槭树科	髭脉槭	*Acer barbinerve* Maxim.	枝叶
槭树科	小叶青皮槭	*Acer cappadocicum* Gled. var. *sinicum* Rehd.	根皮
槭树科	三尾青皮槭	*Acer cappadocicum* Gled. var. *tricaudatum* (Rehd. ex Veitch) Rehd.	根皮
槭树科	苦茶槭	*Acer ginnala* Maxim. subsp. *theiferum* (Fang) Fang	幼芽
槭树科	绿叶飞蛾槭	*Acer oblongum* Wall. ex DC. var. *concolor* Pax	根、茎皮
槭树科	五裂槭	*Acer oliverianum* Pax	枝叶
槭树科	鸡爪槭	*Acer palmatum* Thunb.	枝、叶
槭树科	七裂薄叶槭	*Acer tenellum* Pax var. *septemlobum* (Fang et Soong) Fang et Soong	果、根皮
槭树科	元宝槭	*Acer truncatum* Bunge	根皮
无患子科	倒地铃	*Cardiospermum halicacabum* L.	全草或果实
无患子科	川滇无患子	*Sapindus delavayi* (Franch.) Radlk.	果实或种子
清风藤科	暖木	*Meliosma veitchiorum* Hemsl.	根皮
凤仙花科	裂距凤仙花	*Impatiens fissicornis* Maxim.	全草
凤仙花科	长翼凤仙花	*Impatiens longialata* Pritz. ex Diels	全草
凤仙花科	水金凤	*Impatiens noli-tangere* L.	全草或根
凤仙花科	野凤仙花	*Impatiens textori* Miq.	全草或块茎
冬青科	刺叶冬青	*Ilex bioritsensis* Hayata	根、叶
冬青科	华中枸骨	*Ilex centrochinensis* S. Y. Hu	叶
冬青科	台湾冬青	*Ilex formosana* Maxim.	树皮黏液
冬青科	康定冬青	*Ilex franchetiana* Loes.	果实、叶、根
冬青科	长梗冬青	*Ilex macrocarpa* Oliv. var. *longipedunculata* S. Y. Hu	叶
冬青科	猫儿刺	*Ilex pernyi* Franch.	根、叶
冬青科	绿冬青	*Ilex viridis* Champ. ex Benth.	叶
冬青科	尾叶冬青	*Ilex wilsonii* Loes.	叶
卫矛科	长序南蛇藤	*Celastrus vaniotii* (Lévl.) Rehd.	根、茎

科名	物种名	拉丁学名	药用部位
卫矛科	纤齿卫矛	*Euonymus giraldii* Loes.	果实
卫矛科	常春卫矛	*Euonymus hederaceus* Champ. ex Benth.	根、树皮、叶
卫矛科	矩叶卫矛	*Euonymus oblongifolius* Loes. et Rehd.	果实
卫矛科	无柄卫矛	*Euonymus subsessilis* Sprague	根皮、茎皮
卫矛科	染用卫矛	*Euonymus tingens* Wall.	全株
卫矛科	荚蒾卫矛	*Euonymus viburnoides* Prain	全株
卫矛科	长刺卫矛	*Euonymus wilsonii* Sprague	根
卫矛科	刺茶美登木	*Maytenus variabilis* (Hemsl.) C. Y. Cheng	果实、根皮、叶
虎皮楠科	长序虎皮楠	*Daphniphyllum longeracemosum* Rosenth.	根、叶
黄杨科	雀舌黄杨	*Buxus bodinieri* Lévl.	根、叶、花
黄杨科	匙叶黄杨	*Buxus harlandii* Hance	茎
黄杨科	多毛板凳果	*Pachysandra axillaris* Franch. var. *stylosa* (Dunn) M. Cheng	全株或根茎
黄杨科	羽脉野扇花	*Sarcococca hookeriana* Baill.	全株
黄杨科	东方野扇花	*Sarcococca orientalis* C. Y. Wu	根
茶茱萸科	无须藤	*Hosiea sinensis* (Oliv.) Hemsl. et Wils.	根皮、茎
茶茱萸科	假柴龙树	*Nothapodytes obtusifolia* (Merr.) Howard	根皮
鼠李科	多叶勾儿茶	*Berchemia polyphylla* Wall. ex Laws.	全株
鼠李科	北枳椇	*Hovenia dulcis* Thunb.	种子
鼠李科	多脉猫乳	*Rhamnella martinii* (Lévl.) Schneid.	根
鼠李科	木子花	*Rhamnus esquirolii* Lévl. var. *glabrata* Y. L. Chen et P. K. Chou	根
鼠李科	桃叶鼠李	*Rhamnus iteinophylla* Schneid.	根
鼠李科	尾叶雀梅藤	*Sageretia subcaudata* Schneid.	根
鼠李科	雀梅藤	*Sageretia thea* (Osbeck) Johnst.	根、叶
葡萄科	乌头叶蛇葡萄	*Ampelopsis aconitifolia* Bge.	根或根皮
葡萄科	牯岭蛇葡萄	*Ampelopsis heterophylla* (Thunb.) Sieb. & Zucc. var. *kulingensis* (Rehd.) C. L. Li	根或根皮
葡萄科	白蔹	*Ampelopsis japonica* (Thunb.) Makino	块根、果实
葡萄科	短柄乌蔹莓	*Cayratia cardiospermoides* (Planch.) Gagnep.	块根
葡萄科	异叶地锦	*Parthenocissus dalzielii* Gagnep.	根、茎、叶
葡萄科	叉须崖爬藤	*Tetrastigma hypoglaucum* Planch. ex Franch.	全株
葡萄科	无毛崖爬藤	*Tetrastigma obtectum* (Wall.) Planch. var. *glabrum* (Lévl. et Vant.) Gagnep.	全株
葡萄科	美丽葡萄	*Vitis bellula* (Rehd.) W. T. Wang	根
葡萄科	秋葡萄	*Vitis romaneti* Roman. du Caill. ex Planch.	茎或茎中液汁
椴树科	黄麻	*Corchorus capsularis* L.	叶、根、种子、茎皮纤维烧的灰
椴树科	长蒴黄麻	*Corchorus olitorius* L.	全草或种子
椴树科	毛果扁担杆	*Grewia eriocarpa* Juss.	根皮
锦葵科	药蜀葵	*Althaea officinalis* L.	根
锦葵科	吊灯扶桑	*Hibiscus schizopetalus* Masters Hook. f.	花、叶
锦葵科	圆叶锦葵	*Malva rotundifolia* L.	根

科名	物种名	拉丁学名	药用部位
锦葵科	拔毒散	*Sida szechuensis* Matsuda	全草
梧桐科	山芝麻	*Helicteres angustifolia* L.	根
瑞香科	尖瓣瑞香	*Daphne acutiloba* Rehd.	全株
瑞香科	凹叶瑞香	*Daphne retusa* Hemsl.	茎皮、根皮
瑞香科	革叶荛花	*Wikstroemia scytophylla* Diels	根
胡颓子科	白花胡颓子	*Elaeagnus pallidiflora* C. Y. Chang	根、叶、果实
胡颓子科	巫山牛奶子	*Elaeagnus wushanensis* C. Y. Chang	根、叶、果实
大风子科	毛叶山桐子	*Idesia polycarpa* Maxim. var. *vestita* Diels	果实
大风子科	南岭柞木	*Xylosma controversum* Clos	根、叶
大风子科	长叶柞木	*Xylosma longifolium* Clos	根、叶
堇菜科	灰叶堇菜	*Viola delavayi* Franch.	根
堇菜科	光蔓茎堇菜	*Viola diffusoides* C. J. Wang	全草
堇菜科	光叶堇菜	*Viola hossei* W. Beck.	全草
堇菜科	茜堇菜	*Viola phalacrocarpa* Maxim.	全草
堇菜科	紫花地丁	*Viola philippica* Cav.	全草
堇菜科	匍匐堇菜	*Viola pilosa* Blume	全草
堇菜科	斑叶堇菜	*Viola variegata* Fisch ex Link	全草
西番莲科	月叶西番莲	*Passiflora altebilobata* Hemsl.	根茎、叶
西番莲科	西番莲	*Passiflora coerulea* L.	全草
秋海棠科	美丽秋海棠	*Begonia algaia* L. B. Smith et D. C. Wasshausen	根茎或全草
秋海棠科	银星秋海棠	*Begonia argenteo-guttata* Hort. ex L. H. Bailey	茎、叶
秋海棠科	竹节秋海棠	*Begonia maculata* Raddi	全草
秋海棠科	盾叶秋海棠	*Begonia peltatifolia* H. L. Li	带根茎的全草
葫芦科	金瓜	*Gymnopetalum chinense* (Lour.) Merr.	果实
葫芦科	雪胆	*Hemsleya chinensis* Cogn. ex Forbes et Hemsl.	块茎
葫芦科	多果雪胆	*Hemsleya pengxianensis* W. J. Chang var. *polycarpa* L. T. Shen et W. J. Chang	块茎
葫芦科	三叶赤瓟	*Thladiantha hookeri* C. B. Clarke var. *palmatifolia* Chark.	块根
葫芦科	长毛赤瓟	*Thladiantha villosula* Cogn.	块根
桃金娘科	直杆蓝桉	*Eucalyptus maideni* F. V. Muell.	叶
桃金娘科	番石榴	*Psidium guajava* L.	干燥幼果、成熟果实、种子、叶、树皮、根
桃金娘科	赤楠	*Syzygium buxifolium* Hook. et Arn.	根、叶
桃金娘科	四川蒲桃	*Syzygium szechuanense* Chang et Miau	果实
野牡丹科	赤水野海棠	*Bredia esquirolii* (Lévl.) Lauener	全草
野牡丹科	红毛野海棠	*Bredia tuberculata* (Guillaum.) Diels	全草
野牡丹科	金锦香	*Osbeckia chinensis* L.	全草或根
野牡丹科	野牡丹	*Paeonia delavayi* Franch.	根
野牡丹科	锦香草	*Phyllagathis cavaleriei* (Lévl. et Van.) Guillaum.	全草或根、叶
野牡丹科	蜂斗草	*Sonerila cantonensis* Stapf	全草
使君子科	石风车子	*Combretum wallichii* DC.	叶

续表

科名	物种名	拉丁学名	药用部位
菱科	乌菱	*Trapa bicornis* Osbeck	果肉、果皮、果柄、叶、茎
柳叶菜科	腺茎柳叶菜	*Epilobium brevifolium* D. Don subsp. *trichoneurum* (Hausskn.) Raven	全草
柳叶菜科	柳叶菜	*Epilobium hirsutum* L.	全草或根、花
柳叶菜科	阔柱柳叶菜	*Epilobium platystigmatosum* C. Robin.	全草
柳叶菜科	中华柳叶菜	*Epilobium sinense* Lévl.	全草
柳叶菜科	滇藏柳叶菜	*Epilobium wallichianum* Hausskn.	全草
柳叶菜科	水龙	*Ludwigia adscendens* (L.) Hara	全草
柳叶菜科	黄花水龙	*Ludwigia peploides* (Kunth) Kaven subsp. *stipulacea* (Ohwi) Raven	叶
山茱萸科	密毛桃叶珊瑚	*Aucuba himalaica* Hook. f. et Thoms. var. *pilosissima* Fang et Soong	根、果实、叶
山茱萸科	花叶青木	*Aucuba japonica* Thunb. var. *variegata* D'ombr.	叶
山茱萸科	香港四照花	*Dendrobenthamia hongkongensis* (Hemsl.) Hutch.	全株
山茱萸科	黑毛四照花	*Dendrobenthamia melanotricha* (Pojark.) Fang	花
山茱萸科	南川青荚叶	*Helwingia himalaica* Hook. f. et Thoms. ex C. B. Clarke var. *nanchuanensis* (Fang) Fang et Soong	果实、叶
山茱萸科	长圆叶梾木	*Swida oblonga* (Wall.) Sojak	树皮、枝叶
五加科	离柱五加	*Acanthopanax eleutheristylus* Hoo	根
五加科	五加	*Acanthopanax gracilistylus* W. W. Smith	根皮
五加科	长叶藤五加	*Acanthopanax leucorrhizus* (Oliv.) Harms var. *leucorrhizus* f. *angustifoliatus* Hoo	根皮、茎
五加科	狭叶藤五加	*Acanthopanax leucorrhizus* (Oliv.) Harms var. *scaberulus* Harms et Rehd.	全株
五加科	浓紫龙眼独活	*Aralia atropurpurea* Franch.	根及根茎
五加科	掌叶梁王茶	*Nothopanax delavayi* (Franch.) Harms ex Diels	全株
五加科	狭叶竹节参	*Panax japonicus* var. *angustifolius* (Burkill) C. Y. Cheng et C. Y. Chu	根茎
伞形科	巴东羊角芹	*Aegopodium henryi* Diels	全草
伞形科	杭白芷	*Angelica dahurica* (Frsch. ex Hoffm.) Bench. et Hook. f. ex Franch. et Sav. cv. *Hangbaizhi* Yuan et Shan	根、叶
伞形科	长尾叶当归	*Angelica longicaudata* Yuan et Shan	根
伞形科	大叶当归	*Angelica megaphylla* Diels	根
伞形科	管鞘当归	*Angelica pseudoselinum* de Boiss.	根
伞形科	秦岭当归	*Angelica tsinlingensis* K. T. Fu	根
伞形科	北柴胡	*Bupleurum chinense* DC.	全草
伞形科	紫花大叶柴胡	*Bupleurum longiradiatum* Turcz. var. *porphyranthum* Shan et Y. Li	全草
伞形科	毒芹	*Cicuta virosa* L.	根茎
伞形科	深裂鸭儿芹	*Cryptotaenia japonica* Hassk. f. *dissecta* (Yabe) Hara	全草
伞形科	多裂独活	*Heracleum dissectifolium* K. T. Fu	根
伞形科	短毛独活	*Heracleum moellendorffii* Hance	根

科名	物种名	拉丁学名	药用部位
伞形科	破铜钱	*Hydrocotyle sibthorpioides* Lam. var. *batrachium* (Hance) Hand.-Mazz.	全草
伞形科	欧当归	*Levisticum officinale* Koch	根
伞形科	卵叶羌活	*Notopterygium forbesii* de Boiss. var. *oviforme* (Shan) H. T. Chang	根及根茎
伞形科	线叶水芹	*Oenanthe linearis* Wall. ex DC.	全草
伞形科	疏叶香根芹	*Osmorhiza aristata* (Thunb.) Makino et Yabe Bot. var. *laxa* (Royle) Constance et Shan	根
伞形科	欧芹	*Petroselinum crispum* (Mill.) Hill	果实
伞形科	竹节前胡	*Peucedanum dielsianum* Fedde ex Wolff	根
伞形科	杏叶茴芹	*Pimpinella candolleana* Wight et Arn.	全草或根
伞形科	革叶茴芹	*Pimpinella coriacea* (Franch.) de Boiss.	全草
伞形科	川鄂茴芹	*Pimpinella henryi* Diels	全草
伞形科	菱叶茴芹	*Pimpinella rhomboidea* Diels	根
伞形科	散血芹	*Pternopetalum botrychioides* (Dunn) Hand.-Mazz.	全草
伞形科	囊瓣芹	*Pternopetalum davidii* Franch.	全草
伞形科	尖叶五匹青	*Pternopetalum vulgare* (Dunn) Hand.-Mazz. var. *acuminatum* C. Y. Wu	全草
伞形科	彭水变豆菜	*Sanicula pengshuiensis* M. L. Sheh et Z. Y. Liu	全草
鹿蹄草科	鹿蹄草	*Pyrola calliantha* H. Andr.	全草
杜鹃花科	尾叶白珠	*Gaultheria griffithiana* Wight	根
杜鹃花科	金佛山美容杜鹃	*Rhododendron caloplytum* Franch. var. *jinfuense* Fang et W. K Hu	花、嫩叶
杜鹃花科	疏花美容杜鹃	*Rhododendron caloplytum* Franch. var. *pauciflorum* W. K. Hu	花、嫩叶
杜鹃花科	树生杜鹃	*Rhododendron dendrocharis* Franch. ex Maxim.	枝、嫩叶
杜鹃花科	喇叭杜鹃	*Rhododendron discolor* Franch.	根
杜鹃花科	云锦杜鹃	*Rhododendron fortunei* Lindl.	花
杜鹃花科	薄叶马银花	*Rhododendron leptothrium* Balf. F. et W. W. Smith.	枝叶、根
杜鹃花科	粉红杜鹃	*Rhododendron oreodoxa* Franch. var. *fargesii* (Franch.) Chamb. ex Cullen et Chamb.	叶
杜鹃花科	马银花	*Rhododendron ovatum* (Lindl.) Planch. ex Maxim.	根
杜鹃花科	溪畔杜鹃	*Rhododendron rivulare* Hand.-Mazz.	根
杜鹃花科	西南越桔	*Vaccinium laetum* Diels	果实、枝叶
紫金牛科	疏花酸藤子	*Embelia pauciflora* Diels	根
报春花科	耳叶珍珠菜	*Lysimachia auriculata* Hemsl.	根及根茎
报春花科	狼尾花	*Lysimachia barystachys* Bunge	全草或根茎
报春花科	泽珍珠菜	*Lysimachia candida* Lindl.	全草
报春花科	延叶珍珠菜	*Lysimachia decurrens* Forst. f.	全草
报春花科	大叶过路黄	*Lysimachia fordiana* Oliv.	全草
报春花科	爪哇珍珠菜	*Lysimachia javanica* Blume	全草
报春花科	山萝过路黄	*Lysimachia melampyroides* R. Knuth	全草
报春花科	南川过路黄	*Lysimachia nanchuanensis* C. Y. Wu	全草

续表

科名	物种名	拉丁学名	药用部位
报春花科	巴东过路黄	*Lysimachia patungensis* Hand.-Mazz.	全草
报春花科	阔叶假排草	*Lysimachia sikokiana* Miq. subsp. *petelotii* (Merr.) C. M. Hu	全草
报春花科	乳黄雪山报春	*Primula agleniana* Balf. f. et Forr.	全草
报春花科	无粉报春	*Primula efarinosa* Pax	全草
报春花科	川东灯台报春	*Primula mallophylla* Balf. f.	全草
报春花科	齿萼报春	*Primula odontocalyx* (Franch.) Pax	根
报春花科	藏报春	*Primula sinensis* Sabine ex Lindl.	全草
柿科	罗浮柿	*Diospyros morrisiana* Hance	根、叶、茎皮、果实
木犀科	雪柳	*Fontanesia fortunei* Carr.	根
木犀科	尖叶梣	*Fraxinus szaboana* Lingelsh.	树皮
木犀科	素方花	*Jasminum officinale* L. var. *officinale* L.	花蕾
木犀科	川素馨	*Jasminum urophyllum* Hemsl.	全草
木犀科	蜡子树	*Ligustrum molliculum* Hance	叶
木犀科	卵叶女贞	*Ligustrum ovalifolium* Hassk.	叶
木犀科	宜昌女贞	*Ligustrum strongylophyllum* Hemsl.	叶
马钱科	柳叶蓬莱葛	*Gardneria lanceolata* Rehd. et Wilson	根
龙胆科	灰绿龙胆	*Gentiana yokusai* Burk.	全草
龙胆科	荇菜	*Nymphoides peltata* (Gmel.) O. Kuntze	全草
夹竹桃科	鸡骨常山	*Alstonia yunnanensis* Diels	根、枝叶
夹竹桃科	羊角拗	*Strophanthus divaricatus* (Lour.) Hook. et Arn.	根、茎叶
夹竹桃科	络石	*Trachelospermum jasminoides* (Lindl.) Lem.	茎叶
萝藦科	青龙藤	*Biondia henryi* (Warb. ex Schltr. et Diels) Tsiang et P. T. Li	带根全草
萝藦科	吊灯花	*Ceropegia trichantha* Hemsl.	全株
萝藦科	夜来香	*Telosma cordata* (Burm. f.) Merr.	花、叶
茜草科	茜树	*Aidia cochinchinensis* Lour.	根
茜草科	小粒咖啡	*Coffea arabica* L.	种子
茜草科	小叶葎	*Galium asperifolium* Wall. ex Roxb. var. *sikkimense* (Gand.) Cuf.	全草
茜草科	硬毛拉拉藤	*Galium boreale* L. var. *ciliatum* Naleai	全草
茜草科	阔叶四叶葎	*Galium bungei* steud. var. *trachyspermum* (A. Gray) Cuif.	全草
茜草科	小叶猪殃殃	*Galium trifidum* L.	全草
茜草科	西南新耳草	*Neanotis wightiana* (Wall. ex Wight et Arn.) Lewis	全草
茜草科	广州蛇根草	*Ophiorrhiza cantoniensis* Hance	根茎
茜草科	耳叶鸡矢藤	*Paederia cavaleriei* Lévl.	全株
茜草科	毛鸡矢藤	*Paederia scandens* (Lour.) Merr. var. *tomentosa* (Bl.) Hand.-Mazz.	全株
茜草科	中国茜草	*Rubia chinensis* Regel et Maack	根及根茎
茜草科	攀茎钩藤	*Uncaria scandens* (Smith) Hutchins.	带钩枝条
花葱科	中华花葱	*Polemonium coeruleum* L. var. *chinense* Brand	根茎
旋花科	橙红茑萝	*Quamoclit coccinea* (L.) Moench	全草
马鞭草科	长叶紫珠	*Callicarpa longifolia* Lamk.	根、茎、叶
马鞭草科	大叶紫珠	*Callicarpa macrophylla* Vahl	根

科名	物种名	拉丁学名	药用部位
马鞭草科	近头状豆腐柴	*Premna subcapitata* Rehd.	根、叶
马鞭草科	美女樱	*Verbena hybrida* Voss	全草
马鞭草科	单叶蔓荆	*Vitex trifolia* L. var. *simplicifolia* Cham.	果实
唇形科	筋骨草	*Ajuga ciliata* Bunge	全草
唇形科	紫背金盘矮生变种	*Ajuga nipponensis* Makino var. *pallescens* (Maxim.) C. Y. Wu et C. Chen	全草
唇形科	异野芝麻	*Heterolamium debile* (Hemsl.) C. Y. Wu	全草
唇形科	錾菜	*Leonurus pseudomacranthus* Kitagawa	全草
唇形科	小叶地笋	*Lycopus coreanus* Lévl.	全草
唇形科	地笋	*Lycopus lucidus* Turcz.	全草或根茎
唇形科	皱叶留兰香	*Mentha crispata* Schrad. ex Willd.	全草
唇形科	圆叶薄荷	*Mentha rotundifolia* (L.) Huds.	根、茎、叶、嫩枝
唇形科	凉粉草	*Mesona chinensis* Benth.	地上部分
唇形科	南川冠唇花	*Microtoena prainiana* Diels	全草
唇形科	小花荠苎	*Mosla cavaleriei* Lévl.	全草
唇形科	荆芥	*Nepeta cataria* L.	全草
唇形科	罗勒疏柔毛变种	*Ocimum basilicum* L. var. *pilosum* (Willd.) Benth.	全草
唇形科	牛至	*Origanum vulgare* L.	全草
唇形科	白花假糙苏	*Paraphlomis albiflora* (Hemsl.) Hand.-Mazz.	全草
唇形科	纤细假糙苏罗甸变种	*Paraphlomis gracilis* Kudo var. *lutienonsis* (Sun) C. Y. Wu	全草
唇形科	野生紫苏	*Perilla frutescens* (L.) Britt. var. *acuta* (Thunb.) Kudo	叶
唇形科	大花糙苏	*Phlomis megalantha* Diels	全草
唇形科	广藿香	*Pogostemon cablin* (Blanco) Bent.	全草
唇形科	夏枯草白花变种	*Prunella vulgaris* L. var. *leucantha* Schur sec.	全草
唇形科	拟缺香茶菜	*Rabdosia excisoides* (Sun ex C. H. Hu) C. Y. Wu et H. W. Li	全草
唇形科	粗齿香茶菜	*Rabdosia grosseserrata* (Dunn) Hara	全草
唇形科	贵州鼠尾草紫背变种	*Salvia cavaleriei* Lévl.var. *erythrophylla* (Hemsl.) et Stib.	根
唇形科	血盆草	*Salvia cavaleriei* Lévl. var. *simplicifolia* Stib.	全草
唇形科	蕨叶鼠尾草	*Salvia filicifolia* Merr.	全草
唇形科	四棱草长叶变种	*Schnabelia oligophylla* var. *oblongifolia* C. Y. Wu et C. Chen	全草
唇形科	石蜈蚣草	*Scutellaria sessilifolia* Hemsl.	全草
唇形科	筒冠花	*Siphocranion macranthum* (Hook. f.) C. Y. Wu	全草
唇形科	少毛甘露子	*Stachys adulterina* Hemsl.	根茎
唇形科	水苏	*Stachys japonica* Miq.	全草或根
茄科	心叶单花红丝线	*Lycianthes lysimachioides* (Wall.) Bitter var. *cordifolia* C. Y. Wu et S. C. Huang	全株
茄科	烟草	*Nicotiana tabacum* L.	叶
茄科	小酸浆	*Physalis minima* L.	全草或果实
茄科	灯笼果	*Physalis peruviana* L.	全草

科名	物种名	拉丁学名	药用部位
茄科	矮株龙葵	*Solanum nigrum* L. var. *humile* (Bernh.) C. Y. Wu et S. C. Huang	全草
玄参科	狭叶毛地黄	*Digitalis lanata* Ehrh.	叶
玄参科	石龙尾	*Limnophila sessiliflora* (Vahl) Blume	全草
玄参科	野地钟萼草	*Lindenbergia ruderalis* (Vahl) O. Ktze.	全草
玄参科	狭叶母草	*Lindernia angustifolia* (Benth.) Wettst.	全草
玄参科	宽叶母草	*Lindernia nummularifolia* (D. Don) Wettst.	全草
玄参科	南方泡桐	*Paulownia australis* Gong Tong	根皮
玄参科	白花泡桐	*Paulownia fortunei* (Seem.) Hemsl.	根
玄参科	台湾泡桐	*Paulownia kawakamii* Ito	根皮
玄参科	亨氏马先蒿	*Pedicularis henryi* Maxim.	根
玄参科	爆仗竹	*Russelia equisetiformis* Schlecht. et Cham.	地上部分
玄参科	鄂西玄参	*Scrophularia henryi* Hemsl.	根
玄参科	多枝婆婆纳	*Veronica javanica* Bl.	全草
玄参科	四川婆婆纳	*Veronica szechuanica* Batal	全草
玄参科	美穗草	*Veronicastrum brunonianum* (Benth.) Hong	根茎
玄参科	毛叶腹水草	*Veronicastrum villosulum* (Miq.) Yamazaki	全草
紫葳科	灰楸	*Catalpa fargesii* Bur.	树皮
紫葳科	菜豆树	*Radermachera sinica* (Hance) Hemsl.	根、叶、果实
列当科	丁座草	*Boschniakia himalaica* Hook. f. et Thoms.	根茎
爵床科	斑叶老鼠簕	*Acanthus montanus* T. Anderson	全株
爵床科	少花黄猄草	*Championella oligantha* (Miq.) Bremek.	全草
爵床科	小驳骨	*Gendarussa vulgaris* Nees	全株或茎叶
爵床科	山一笼鸡	*Gutzlaffia aprica* Hance	全草
爵床科	腺毛马蓝	*Pteracanthus forrestii* (Diels) C. Y. Wu	根
爵床科	灵枝草	*Rhinacanthus nasutus* (L.) Kurz	全草或枝叶
爵床科	三花马蓝	*Strobilanthes triflorus* Y. C. Tang	全草
苦苣苔科	石山苣苔	*Petrocodon dealbatus* Hance	全草
狸藻科	挖耳草	*Utricularia bifida* L.	叶
车前科	长果车前	*Plantago asiatica* L. subsp. *densiflora* (J. Z. Liu) Z. Y. Li	全草或种子
车前科	北美车前	*Plantago virginica* L.	全草
忍冬科	蓪梗花	*Abelia engleriana* (Gaebn.) Rehd.	果实
忍冬科	无毛淡红忍冬	*Lonicera acuminata* Wall. var. *depilata* Hsu et H. J. Wang	花、藤
忍冬科	肉叶忍冬	*Lonicera carnosifolia* C. Y. Wu ex Hsu et H. J. Wang	花、藤
忍冬科	锈毛忍冬	*Lonicera ferruginea* Rehd.	花蕾
忍冬科	光枝柳叶忍冬	*Lonicera lanceolata* Wall. var. *glabra* Chien ex Hsu et H. J. Wang	花
忍冬科	亮叶忍冬	*Lonicera ligustrina* subsp. *yunnanensis* (Franch.) Hsu et H. J. Wang	花蕾
忍冬科	大花忍冬	*Lonicera macrantha* (D. Don) Spreng.	花
忍冬科	峨眉忍冬	*Lonicera similis* Hemsl. var. *omeiensis* Hsu et H. J. Wang	根
忍冬科	荚蒾	*Viburnum dilatatum* Thunb.	茎、叶、根

科名	物种名	拉丁学名	药用部位
忍冬科	聚花荚蒾	*Viburnum glomeratum* Maxim.	根
败酱科	宽叶缬草	*Valeriana officinalis* L. var. *latifolia* Miq.	根及根茎
败酱科	窄裂缬草	*Valeriana stenoptera* Diels	全草
桔梗科	丝裂沙参	*Adenophora capillaris* Hemsl.	根
桔梗科	细萼沙参	*Adenophora capillaris* Hemsl. subsp. *leptosepala* (Diels) Hong	根
桔梗科	杏叶沙参	*Adenophora humanensis* Nannf.	根
桔梗科	云南沙参	*Adenophora khasiana* (Hook. f. et Thoms.) Coll. et Hemsl.	根
桔梗科	桔梗草	*Adenophora nikoensis* Franch. et Sav.	全草
桔梗科	泡沙参	*Adenophora potaninii* Korsh.	根
桔梗科	多毛沙参	*Adenophora rupincola* Hemsl.	根
桔梗科	聚叶沙参	*Adenophora wilsonii* Nannf.	根
菊科	蓍	*Achillea millefolium* L.	全草
菊科	心叶兔儿风	*Ainsliaea bonatii* Beauverd	根
菊科	粗齿兔儿风	*Ainsliaea grossedentata* Franch.	全草
菊科	灯台兔儿风	*Ainsliaea macroclinidioides* Hayata	全草
菊科	红脉兔儿风	*Ainsliaea rubrinervis* Chang	全草
菊科	淡黄香青	*Anaphalis flavescens* Hand.-Mazz.	全草
菊科	宽翅香青	*Anaphalis latialata* Ling et Y. L. Chen	全草
菊科	珠光香青	*Anaphalis margaritacea* (L.) Benth. et Hook. f.	全草
菊科	南毛蒿	*Artemisia chingii* Pamp	叶
菊科	南牡蒿	*Artemisia eriopoda* Bge.	全草或根
菊科	矮蒿	*Artemisia lancea* Van	全草
菊科	白叶蒿	*Artemisia leucophylla* (Turcz. ex Bess.) C. B. Clarke	叶
菊科	灰苞蒿	*Artemisia roxburghiana* Bess.	全草
菊科	圆头蒿	*Artemisia sphaerocephala* Krasch.	果实
菊科	阴地蒿	*Artemisia sylvatica* Maxim.	全草
菊科	南艾蒿	*Artemisia verlotorum* Lamotte	叶
菊科	三脉紫菀狭叶变种	*Aster ageratoides* var. *gerlachii* (Hce) Chang	根
菊科	三脉紫菀宽伞变种	*Aster ageratoides* var. *laticorymbus* (Vant.) Hand.-Mazz.	全草或根
菊科	三脉紫菀微糙变种	*Aster ageratoides* var. *scaberulus* (Miq.) Ling.	全草或根
菊科	苍术	*Atractylodes lancea* (Thunb.) DC.	根茎
菊科	柳叶鬼针草	*Bidens cernua* L.	全草
菊科	羽叶鬼针草	*Bidens maximowicziana* Oett.	全草
菊科	小花鬼针草	*Bidens parviflora* Willd.	全草
菊科	矮狼杷草	*Bidens tripartita* L. var. *repens* (D. Don.) Sherff	全草
菊科	丝毛飞廉	*Carduus crispus* L.	全草
菊科	大花金挖耳	*Carpesium macrocephalum* Franch. et Sav.	全草
菊科	四川天名精	*Carpesium szechuanense* Chen et C. M. Hu	全草
菊科	暗花金挖耳	*Carpesium triste* Maxim.	全草
菊科	野蓟	*Cirsium maackii* Maxim.	全草
菊科	熊胆草	*Conyza blinii* Lévl.	全草

科名	物种名	拉丁学名	药用部位
菊科	芫荽菊	*Cotula anthemoides* L.	全草
菊科	山芫荽	*Cotula hemisphaerica* Wall.	全草
菊科	芙蓉菊	*Crossostephium chinense* (L.) Makino	叶、根
菊科	菊叶鱼眼草	*Dichrocephala chrysanthemifolia* DC.	全草
菊科	东风菜	*Doellingeria scaber* (Thunb.) Nees	全草或根茎
菊科	梁子菜	*Erechtites hieracifolia* (L.) Raf. ex DC.	全草
菊科	白头婆	*Eupatorium japonicum* Thunb.	全草
菊科	白头婆三裂叶变种	*Eupatorium japonicum* var. *tripartitum* Makino	全草
菊科	林泽兰	*Eupatorium lindleyanum* DC.	根
菊科	飞机草	*Eupatorium odoratum* L.	全草
菊科	毛大丁草	*Gerbera piloselloides* (L.) Cass.	全草或根
菊科	田基黄	*Grangea maderaspatana* (L.) Poir.	全草
菊科	狗娃花	*Heteropappus hispidus* (Thunb.) Less.	根
菊科	小苦荬	*Ixeridium dentatum* (Thunb.) Tzvel.	全草
菊科	窄叶小苦荬	*Ixeridium gramineum* (Fisch.) Tzvel.	全草
菊科	全叶马兰	*Kalimeris integrifolia* Turcz. ex DC.	全草
菊科	生菜	*Lactuca sativa* L. var. *ramosa* Hort.	茎、叶
菊科	六棱菊	*Laggera alata* (D. Don) Sch.-Bip. ex Oliv.	全草或根
菊科	薄雪火绒草	*Leontopodium japonicum* Miq.	花
菊科	火绒草	*Leontopodium leontopodioides* (Willd.) Beauv.	全草
菊科	齿叶囊吾	*Ligularia dentata* (A. Gray) Hara	根
菊科	蹄叶囊吾	*Ligularia fischeri* (Ledeb.) Turcz.	根及根茎
菊科	南川囊吾	*Ligularia nanchuanica* S. W. Liu	根及根茎
菊科	囊吾	*Ligularia sibirica* (L.) Cass.	根及根茎
菊科	母菊	*Matricaria recutita* L.	全草或花
菊科	紫菊	*Notoseris psilolepis* Shih	全草
菊科	兔儿风蟹甲草	*Parasenecio ainsliiflorus* (Franch.) Y. L. Chen	根
菊科	两似蟹甲草	*Parasenecio ambiguus* (Ling) Y. L. Chen	根茎
菊科	耳翼蟹甲草	*Parasenecio otopteryx* (Hand.-Mazz.) Y. L. Chen	根
菊科	狭锥福王草	*Prenanthes faberi* Hemsl.	全草
菊科	高大翅果菊	*Pterocypsela elata* (Hemsl.) Shih	全草
菊科	多裂翅果菊	*Pterocypsela laciniata* (Houtt.) Shih	全草或根
菊科	除虫菊	*Pyrethrum cinerariifolium* Trev.	全草或花序
菊科	川陕风毛菊	*Saussurea licentiana* Hand.-Mazz.	根茎
菊科	蚓蒿	*Seriphidium cinum* (Berg. ex Poljak.) Poljak	花序
菊科	滇黔蒲儿根	*Sinosenecio bodinieri* (Vant.) B. Nord.	全草
菊科	山牛蒡	*Synurus deltoides* (Ait.) Nakai	全草或根
黑三棱科	黑三棱	*Sparganium stoloniferum* (Graebn.) Buch.-Ham. ex Juz.	块茎
眼子菜科	菹草	*Potamogeton crispus* L.	全草
眼子菜科	篦齿眼子菜	*Potamogeton pectinatus* L.	全草
泽泻科	泽泻	*Alisma plantago-aquatica* L.	块茎

续表

科名	物种名	拉丁学名	药用部位
百合科	无毛粉条儿菜	*Aletris glabra* Bur. et Franch.	全草
百合科	薤白	*Allium macrostemon* Bunge	鳞茎
百合科	知母	*Anemarrhena asphodeloides* Bunge	根茎
百合科	非洲天门冬	*Asparagus densiflorus* (Kunth) Jessop	块根
百合科	西南天门冬	*Asparagus munitus* Wang et S. C. Chen	块根
百合科	石刁柏	*Asparagus officinalis* L.	嫩茎、块根
百合科	金佛山竹根七	*Disporopsis jinfushanensis* Z. Y. Liu	根茎
百合科	南川鹭鸶草	*Diuranthera inarticulata* Wang et K. Y. Lang	根
百合科	海南龙血树	*Dracaena cambodiana* Pierre ex Gagnep.	叶
百合科	金佛山异黄精	*Heteropolygonatum ginfushanicum* (F. T. Wang et Ts. Tang) M. N. Tamura, S. C. Chen et Turland	根茎
百合科	川百合	*Lilium davidii* Duchartre in Elwes	鳞茎、花
百合科	金佛山百合	*Lilium jinfushanense* L. J. Peng et B. N. Wang	鳞茎
百合科	禾叶山麦冬	*Liriope graminifolia* (L.) Baker	块根
百合科	林生沿阶草	*Ophiopogon sylvicola* Wang et Tang	块根
百合科	宽瓣重楼	*Paris polyphylla* var. *yunnanensis* (Franch.) Hand.-Mazz.	根茎
百合科	垂叶黄精	*Polygonatum curvistylum* Hua	根茎
百合科	黄精	*Polygonatum sibiricum* Delar. ex Redoute	根茎
百合科	绵枣儿	*Scilla scilloides* (Lindl.) Druce	全草或鳞茎
百合科	弯梗菝葜	*Smilax aberrans* Gagnep.	根茎
百合科	折枝菝葜	*Smilax lanceifolia* var. *elongata* Wang et Tang	根茎
百合科	防己叶菝葜	*Smilax menispermoidea* A. DC.	根茎
百合科	黑叶菝葜	*Smilax nigrescens* Wang et Tang ex P. Y. Li	根及根茎
百合科	尖叶牛尾菜	*Smilax riparia* var. *acuminata* (C. H. Wright) Wang et Tang	根茎
百合科	华东菝葜	*Smilax sieboldii* Miq.	根及根茎
百合科	糙柄菝葜	*Smilax trachypoda* Norton	根及根茎
百合科	小花扭柄花	*Streptopus parviflorus* Franch.	根茎
百合科	金山开口箭	*Tupistra jinshanensis* Z. L. Yang et X. G. Luo	根茎
百合科	丝兰	*Yucca smalliana* Fern.	根
百部科	百部	*Stemona japonica* (Bl.) Miq.	块根
石蒜科	剑麻	*Agave sisalana* Perr. ex Engelm.	叶
石蒜科	水仙	*Narcissus tazetta* L. var. *chinensis* Roem.	花、鳞茎
石蒜科	晚香玉	*Polianthes tuberosa* L.	根
石蒜科	葱莲	*Zephyranthes candida* (Lindl.) Herb.	全草
石蒜科	韭莲	*Zephyranthes grandiflora* Lindl.	全草
薯蓣科	蜀葵叶薯蓣	*Dioscorea althaeoides* R. Knuth	根茎
薯蓣科	黄独	*Dioscorea bulbifera* L.	块茎、珠芽
薯蓣科	薯莨	*Dioscorea cirrhosa* Lour.	块茎
薯蓣科	山薯	*Dioscorea fordii* Prain et Burkill	块茎
薯蓣科	日本薯蓣	*Dioscorea japonica* Thunb.	块茎
薯蓣科	黑珠芽薯蓣	*Dioscorea melanophyma* Prain et Burkill	根茎
薯蓣科	穿龙薯蓣	*Dioscorea nipponica* Makino	根茎

科名	物种名	拉丁学名	药用部位
薯蓣科	柴黄姜	*Dioscorea nipponica* Makino Subsp. *rosthornii* (Prain et Burkill) C. T. Ting	根茎
薯蓣科	薯蓣	*Dioscorea opposita* Thunb.	块茎、零余子
薯蓣科	黄山药	*Dioscorea panthaica* Prain et Burkill	根茎
薯蓣科	毛胶薯蓣	*Dioscorea subcalva* Prain et Burkill	块茎
薯蓣科	盾叶薯蓣	*Dioscorea zingiberensis* C. H. Wright	根茎
雨久花科	雨久花	*Monochoria korsakowii* Regel et Maack	全草
鸢尾科	射干	*Belamcanda chinensis* (L.) Redouté	根茎
鸢尾科	雄黄兰	*Crocosmia crocosmiflora* (Nichols.) N. E. Br.	球茎
鸢尾科	香雪兰	*Freesia refracta* Klatt	球茎
鸢尾科	唐菖蒲	*Gladiolus gandavensis* Van Houtte	球茎
鸢尾科	扁竹兰	*Iris confusa* Sealy	根茎
鸢尾科	蝴蝶花	*Iris japonica* Thunb.	全草或根及根茎
鸢尾科	鸢尾	*Iris tectorum* Maxim.	全草或根、叶
鸢尾科	黄花鸢尾	*Iris wilsonii* C. H. Wright	根茎
灯心草科	多花灯心草	*Juncus modicus* N. E. Brown	全草
灯心草科	散序地杨梅	*Luzula effusa* Buchen.	全草
灯心草科	多花地杨梅	*Luzula multiflora* (Retz.) Lej.	全草或果实
灯心草科	羽毛地杨梅	*Luzula plumosa* E. Mey.	全草
鸭跖草科	地地藕	*Commelina maculata* Edgew.	全草
鸭跖草科	蓝耳草	*Cyanotis vaga* (Lour.) Roem. et Schult.	全草或根
黄眼草科	黄眼草	*Xyris indica* L.	全草
水鳖科	龙舌草	*Ottelia alismoides* (L.) Pers.	全草
禾本科	野古草	*Arundinella anomala* Steud.	全草
禾本科	料慈竹	*Bambusa distegia* (Keng et Keng f.) Chia	嫩叶
禾本科	凤尾竹	*Bambusa multiplex* (Lour.) Raeusch. ex Schult. 'Fernleaf' R. A. Young	叶
禾本科	白羊草	*Bothriochloa ischcemum* (L.) Keng	全草
禾本科	沿沟草	*Catabrosa aquatica* (L.) Beauv.	全草
禾本科	湖南稗子	*Echinochloa frumentacea* (Roxb.) Link	根
禾本科	穇	*Eleusine coracana* (L.) Gaertn.	种仁
禾本科	大画眉草	*Eragrostis cilianensis* (All.) Link ex Vignclo-Lutati	全草
禾本科	金茅	*Eulalia speciosa* (Debeaux) Kuntze	根茎
禾本科	茅香	*Hierochloe odorata* (L.) Beauv.	根茎
禾本科	大麦	*Hordeum vulgare* L.	颖果、发芽的颖果、幼苗、干燥茎秆
禾本科	箬叶竹	*Indocalamus longiauritus* Hand.-Mazz.	叶
禾本科	鄂西箬竹	*Indocalamus wilsoni* (Reuble) C. S. Chao	根
禾本科	黑麦草	*Lolium perenne* L.	全草
禾本科	芒	*Miscanthus sinensis* Anderss.	茎、含寄生虫的幼茎、根茎、花序
禾本科	白草	*Pennisetum centrasiaticum* Tzvel.	根茎

科名	物种名	拉丁学名	药用部位
禾本科	虉草	*Phalaris arundinacea* L.	全草
禾本科	淡竹	*Phyllostachys glauca* McClure	鲜竿加热后流出的液汁
禾本科	刚竹	*Phyllostachys sulphurea* (Carr.) A. et C. Riv. 'Viridis'	根及根茎、箨叶、叶、节孔中分泌物
禾本科	草地早熟禾	*Poa pratensis* L.	根茎
禾本科	金丝草	*Pogonatherum crinitum* (Thunb.) Kunth	全草
棕榈科	鱼尾葵	*Caryota ochlandra* Hance	根、叶鞘纤维
天南星科	菖蒲	*Acorus calamus* L.	根茎
天南星科	长耳南星	*Arisaema auriculatum* Buchet.	块茎
天南星科	短柄南星	*Arisaema brevipes* Engl.	块茎
天南星科	湘南星	*Arisaema hunanense* Hand.-Mazt.	块茎
天南星科	紫芋	*Colocasia tonoimo* Nakai	茎、叶柄
天南星科	石蜘蛛	*Pinellia integrifolia* N. E. Brown	块茎
莎草科	签草	*Carex doniana* Spreng.	全草
莎草科	宽叶薹草	*Carex siderosticta* Hance	全草
莎草科	畦畔莎草	*Cyperus haspan* L.	全草
莎草科	具芒碎米莎草	*Cyperus microiria* Steud.	全草
莎草科	三轮草	*Cyperus orthostachyus* Franch. et Savat.	根
莎草科	毛轴莎草	*Cyperus pilosus* Vahl	全草
莎草科	复序飘拂草	*Fimbristylis bisumbellata* (Forsk.) Bubani	全草
莎草科	紫果蔺	*Heleocharis atropurpurea* (Retz.) Presl	全草
莎草科	球穗扁莎	*Pycreus globosus* (All.) Reichb.	全草
莎草科	萤蔺	*Scirpus juncoides* Roxb.	全草
莎草科	扁秆藨草	*Scirpus planiculmis* Fr. Schmidt	块茎
莎草科	猪毛草	*Scirpus wallichii* Nees	全草
莎草科	毛果珍珠茅	*Scleria herbecarpa* Nees	根
芭蕉科	芭蕉	*Musa basjoo* Sieb. & Zucc.	根茎、叶、茎、花、果实
芭蕉科	地涌金莲	*Musella lasiocarpa* (Fr.) C. Y. Wu ex H. W. Li	花
姜科	竹叶山姜	*Alpinia bambusifolia* C. F. Liang & D. Fang	全草
姜科	山姜	*Alpinia japonica* (Thunb.) Miq.	根茎、果实
姜科	艳山姜	*Alpinia zerumbet* (Pers.) Burtt. et Smith	根茎和果实
姜科	广西莪术	*Curcuma kwangsiensis* S. G. Lee et C. F. Liang	根茎、块根
姜科	姜黄	*Curcuma longa* L.	根茎、块根
姜科	莪术	*Curcuma zedoaria* (Christm.) Rosc.	根茎
姜科	舞花姜	*Globba racemosa* Smith	果实、根茎
姜科	姜花	*Hedychium coronarium* Koen.	根茎、果实
姜科	姜	*Zingiber officinale* Rosc.	根茎、根茎外皮、叶
美人蕉科	蕉芋	*Canna edulis* Ker	根茎
美人蕉科	柔瓣美人蕉	*Canna flaccida* Salisb.	根
美人蕉科	大花美人蕉	*Canna generalis* Bailey	根茎、花

续表

科名	物种名	拉丁学名	药用部位
美人蕉科	美人蕉	*Canna indica* L.	根、茎、花
美人蕉科	紫叶美人蕉	*Canna warscewiezii* A. Dietr.	花、根
竹芋科	竹芋	*Maranta arundinacea* L.	块茎
兰科	西南齿唇兰	*Anoectochilus elwesii* (Clarke ex Hook. f.) King et Pantl.	全草
兰科	小白及	*Bletilla formosana* (Hayata) Schltr.	块茎
兰科	黄花白及	*Bletilla ochracea* Schltr.	块茎
兰科	白及	*Bletilla striata* (Thunb. ex A. Murray) Rchb. f.	块茎
兰科	伏生石豆兰	*Bulbophyllum reptans* (Lindl.) Lindl.	全草
兰科	泽泻虾脊兰	*Calanthe alismaefolia* Lindl.	全草或根茎
兰科	流苏虾脊兰	*Calanthe alpina* Hook. f. ex Lindl.	全草
兰科	肾唇虾脊兰	*Calanthe brevicornu* Lindl.	根茎
兰科	剑叶虾脊兰	*Calanthe davidii* Franch.	假鳞茎、根
兰科	少花虾脊兰	*Calanthe delavayi* Finet	根茎
兰科	钩距虾脊兰	*Calanthe graciliflora* Hayata	全草或根茎
兰科	叉唇虾脊兰	*Calanthe hancockii* Rolfe	根茎
兰科	细花虾脊兰	*Calanthe mannii* Hook. f.	全草
兰科	反瓣虾脊兰	*Calanthe reflexa* (Kuntze) Maxim.	根茎
兰科	三棱虾脊兰	*Calanthe tricarinata* Lindl.	根
兰科	三褶虾脊兰	*Calanthe triplicata* (Willem.) Ames	根
兰科	银兰	*Cephalanthera erecta* (Thunb. ex A. Murray) Bl.	全草
兰科	金兰	*Cephalanthera falcata* (Thunb. ex A. Murray) Bl.	全草
兰科	杜鹃兰	*Cremastra appendiculata* (D. Don) Makino	假鳞茎、叶
兰科	春兰	*Cymbidium goeringii* (Rchb. f.) Rchb. f.	花
兰科	线叶春兰	*Cymbidium goeringii* (Rchb. f.). Rchb. f. var. *serratum* (Schltr.) Y. S. Wu et S. C. Chen	根
兰科	兔耳兰	*Cymbidium lancifolium* Hook.	根
兰科	黄花杓兰	*Cypripedium flavum* P. F. Hunt et Summerh	根及根茎
兰科	毛杓兰	*Cypripedium franchetii* E. H. Wilson	根及根茎
兰科	绿花杓兰	*Cypripedium henryi* Rolfe	根
兰科	扇脉杓兰	*Cypripedium japonicum* Thunb.	带根全草或根
兰科	铁皮石斛	*Dendrobium officinale* Kimura et Migo	茎
兰科	火烧兰	*Epipactis helleborine* (L.) Crantz	根
兰科	大叶火烧兰	*Epipactis mairei* Schltr.	根及根茎
兰科	毛萼山珊瑚	*Galeola lindleyana* (Hook. f. et Thoms.) Rchb. f.	全草
兰科	斑叶兰	*Goodyera schlechtendaliana* Rchb. f.	全草
兰科	绒叶斑叶兰	*Goodyera velutina* Maxim.	全草
兰科	长距玉凤花	*Habenaria davidii* Franch.	块茎
兰科	宽药隔玉凤花	*Habenaria limprichtii* Schltr.	块茎
兰科	裂唇舌喙兰	*Hemipilia henryi* Rolfe	全草
兰科	大花羊耳蒜	*Liparis distans* C. B. Clarke	全草
兰科	见血青	*Liparis nervosa* (Thunb. ex A. Murray) Lindl.	全草
兰科	香花羊耳蒜	*Liparis odorata* (Willd.) Lindl.	全草

续表

科名	物种名	拉丁学名	药用部位
兰科	沼兰	*Malaxis monophyllos* (L.) Sw.	全草
兰科	山兰	*Oreorchis patens* (Lindl.) Lindl.	假鳞茎
兰科	黄花鹤顶兰	*Phaius flavus* (Bl.) Lindl.	假鳞茎
兰科	云南石仙桃	*Pholidota yunnanensis* Rolfe	全草或假鳞茎
兰科	二叶舌唇兰	*Platanthera chlorantha* Cust. ex Rchb.	块茎
兰科	舌唇兰	*Platanthera japonica* (Thunb. ex Marray) Lindl.	带根全草
兰科	尾瓣舌唇兰	*Platanthera mandarinorum* Rchb. f.	根
兰科	小舌唇兰	*Platanthera minor* (Miq.) Rchb. f.	全草
兰科	独蒜兰	*Pleione bulbocodioides* (Franch.) Rolfe	假鳞茎
兰科	朱兰	*Pogonia japonica* Rchb. f.	全草
兰科	绶草	*Spiranthes sinensis* (Pers.) Ames	全草或根
兰科	金佛山兰	*Tangtsinia nanchuanica* S. C. Chen	全草
兰科	小叶白点兰	*Thrixspermum japonicum* (Miq.) Rchb. f.	全草

附录II 重庆市动物药资源名录

本名录中所列动物药资源在《中国中药资源大典·重庆卷》第8册附篇中未收载

科名	物种名	拉丁学名	药用部位
骨螺科	脉红螺	*Rapana venosa* (Valenciennes)	鲜肉
蛾螺科	香螺	*Neptunea cumingi* Crosse	鲜肉
蛞蝓科	黄蛞蝓	*Limax flavus* (Linnaeus)	全体
蛞蝓科	蛞蝓	*Limax maximas* (Linnaeus)	全体
蚌科	三角帆蚌	*Hyriopsis cumingii* (Lea)	经煅烧的贝壳珍珠层
医蛭科	日本医蛭	*Hirudo nipponcica* (Whitman)	除内脏的全体
水蛭科	宽体金线蛭	*Whitmania pigra* (Whitman)	除内脏的全体
矩蚓科	参环毛蚓	*Pheretima aspergillum* (E. Perrier)	除内脏的全体
矩蚓科	环毛蚓	*Pheretima tschiliensis* (Michaelsen)	除内脏的全体
田螺科	中华圆田螺	*Cipangopaludina cathayensis* (Heude)	壳
田螺科	中国圆田螺	*Cipangopaludina chinensis* (Gray)	壳
蜡鼠妇科	鼠妇	*Porcellio scaber* Latreille	全体
蝲蛄科	克氏原螯虾	*Procambarus clarkii* Cirard	肉
平甲虫科	平甲虫	*Armadillidium vulgare* (Latreille)	全体
对虾科	对虾	*Penaeus orientalis* Kishinouye	肉或全体
长臂虾科	日本沼虾	*Macrobrachium nipponense* (de Haan)	肉或全体
方蟹科	中华绒螯蟹	*Eriocheir sinensis* (H. Milne-Edwards.)	全体
溪蟹科	锯齿溪蟹	*Potamon denticulatum* (H. Milne-Edwards.)	全体
马陆科	马陆	*Prospirobolum japonnsis* (Brolemann)	全体
蜈蚣科	多棘蜈蚣	*Scolopendra subspinipes multidens* (Newport)	全体
蜈蚣科	少棘巨蜈蚣	*Scolopendra subspinipes mutilans* L. Koch	全体
钳蝎科	东亚钳蝎	*Buthus martensi* Karsch	全体
蜓科	蜻蜓	*Aeschna melanictera* Selys	全体
蜻科	红蜻	*Crocothemis servilis* (Drury)	成虫
鳖蠊科	中华地鳖	*Eupolyphaga sinensis* (Walker)	全体
蜚蠊科	东方蜚蠊	*Blatta orientalis* Linnaeus	全体
蜚蠊科	美洲大蠊	*Periplaneta americana* (Linnaeus)	全体
姬蠊科	拟德国小蠊	*Blatta liturieollis* (Walker)	成虫
姬蠊科	金边土鳖	*Opisthoplatia orientalis* Burm.	全体
螳螂科	广斧螳	*Hierodula patellifera* (Serville)	全体、卵鞘
螳螂科	中华大刀螳	*Tenodera sinensis* Saussure	卵鞘
剑角蝗科	中华剑角蝗	*Acrida cinerea* (Thunberg)	全虫
斑翅蝗科	东亚飞蝗	*Locusta migratoria manilensis* (Meyen)	干或鲜成虫
斑腿蝗科	小稻蝗	*Oxya intricata* (Stál)	干或鲜全虫
蟋蟀科	中华蟋蟀	*Gryllus chinensis* (Weber)	成虫
蝼蛄科	东方蝼蛄	*Gryllotalpa orientalis* Burmeister	全体
蝉科	黑蚱	*Gryptotympana atrata* (Fabricius)	若虫羽化脱落的皮壳

续表

科名	物种名	拉丁学名	药用部位
蝉科	黑翅红娘子	*Huechys sanguinea* (De Geer)	成虫
蝉科	蟪蛄	*Platypleura kaempferi* (Fabricius)	若虫羽化前被麦角菌科真菌致死的带菌虫体
绵蚜科	角倍蚜	*Melaphis chinensis* (Bell)	虫瘿
兜蝽科	九香虫	*Coridius chinensis* (Dallas)	全体
蚧科	白蜡蚧	*Ericerus pela* (Chavannes)	分泌的白色蜡质精制品
胶蚧科	紫胶蚧	*Laccifer lacca* (Kerr)	虫体分泌在树枝上的胶质
芫菁科	中华豆芫菁	*Epicauta chinensis* Laporte	成虫
芫菁科	豆芫菁	*Epicauta gorhami* Marseul	成虫
芫菁科	毛角豆芫菁	*Epicauta hirticirnis* (Haag-Rutenberg)	成虫
芫菁科	绿芫菁	*Lytta caraganae* Pallas	成虫
芫菁科	眼斑芫菁	*Mylabris cichorii* Linnaeus	成虫
金龟子科	神农蜣螂	*Catharsius molossus* Linnaeus	成虫
鳃金龟科	棕色鳃金龟	*Holotrichia titanis* Reitter	幼虫
鳃金龟科	黑绒金龟	*Maladera orientalis* Morschulsky	幼虫
鳃金龟科	爬皱鳃金龟	*Trematodes potanini* Semenov	幼虫
鳃金龟科	黑皱鳃金龟	*Trematodes tenebrioides* Pallas	幼虫
花金龟科	白星花金龟	*Protaetia (Liocola) brevitarsis* (Lewis)	幼虫
沟胫天牛科	星天牛	*Anoplophora chinensis* (Forster)	成虫
沟胫天牛科	桑天牛	*Apriona germari* (Hope)	成虫
沟胫天牛科	麻天牛	*Thyestilla gebleri* (Faldermann)	幼虫
天牛科	桃褐天牛	*Nadezhdiella aurea* Gressitt	成虫
蚁蛉科	中华东蚁蛉	*Euroleon sinicus* (Navas)	干或鲜幼虫
蚁蛉科	黄足蚁蛉	*Hagenomyia micans* (Maclchlan)	干或鲜幼虫
野螟科	亚洲玉米螟	*Ostrinia furnacalis* Guenee	干或鲜幼虫
家蚕蛾科	家蚕	*Bombyx mori* Linnaeus	雄性成虫、4～5月龄的幼虫感染或人工接种白僵菌致死的干燥体、蛹、粪便
粉蝶科	斑缘豆粉蝶	*Colias erate* Esper	成虫
粉蝶科	白粉蝶	*Pieris rapae* (Linnaeus)	成虫
凤蝶科	黄凤蝶	*Papilio machaon* Linnaeus	幼虫
绢蝶科	绢蝶	*Parnassius mperator* Oberthür	成虫
虻科	双斑黄虻	*Atylotus bivittateinus* Takahashi	雌成虫
蝇科	家蝇	*Musca domestica* Linnaeus	幼虫
马蜂科	中华马蜂	*Polistes chinensis* Fabricius	巢
马蜂科	日本马蜂	*Polistes japonicus* Saussure	巢
马蜂科	果马蜂	*Polistes olivaceus* (De Geer)	巢
胡蜂科	大胡蜂	*Vespa magnifica* Smith	成虫
胡蜂科	近胡蜂	*Vespa simillima* Smith	成虫
木蜂科	中华木蜂	*Xylocopa sinensis* Smith	成虫
蜜蜂科	意大利蜜蜂	*Apis mellifera* Linnaeus	巢

科名	物种名	拉丁学名	药用部位
鲤科	鳙	*Aristichthys nobilis* (Richardson)	肉
鲤科	鲫	*Carassius auratus* (Linnaeus)	肉
鲤科	云南盘鮈	*Discogobio yunnanensis* (Regan)	肉
鲤科	鳡	*Elopichthys bambusa* (Richardson)	肉
鲤科	翘嘴红鲌	*Erythroculter ilishaeformis* (Bleeker)	肉
鲤科	蒙古红鲌	*Erythroculter mogolicus* Basilewsky	肉
鲤科	拟尖头红鲌	*Erythroculter oxycephaloides* (Kreyenberg et Pappenheim)	肉
鲤科	嘉陵颌须鮈	*Gnathopogon herzensteini* (Günther.)	肉
鲤科	唇鱊	*Hemibarbus labeo* (Pallas)	肉
鲤科	鲢	*Hypophthalmichthys molitrix* (Cuvier et Valenciennes)	肉
鲤科	鳤	*Luciobrama macrocephalus* (Lacépède)	肉
鲤科	团头鲂	*Megalobrama amblycephaia* Yih	肉
鲤科	鲂	*Megalobrama terminalis* (Richardon)	肉
鲤科	青鱼	*Mylopharyngodon piceus* (Richardson)	肉
鲤科	马口鱼	*Opsariichthys bidens* Günther	胆
鲤科	鳊	*Parabramis pekinensis* (Basilewsky)	肉
鲤科	鲈鲤	*Percocypris pingi* (Tchang)	肉
鲤科	似鮈	*Pseudogobio vaillanti* (Sauvage)	肉
鲤科	麦穗鱼	*Pseudorasbora parva* (Temminck et Schlegel)	肉
鲤科	高体鳑鲏	*Rhodeus ocellatus* (Kner)	肉
鲤科	中华鳑鲏	*Rhodeus sinensis* Günther	肉
鲤科	黑鳍鳈	*Sarcocheilichthys nigripinnis* Günther	肉
鲤科	华鳈	*Sarcocheilichthys sinensis* Bleeker	肉
鲤科	齐口裂腹鱼	*Schizothorax prenanti* Tchang	肉
鲤科	金线鲃	*Sinocyclocheilus grahami* (Regan)	肉
鲤科	中华倒刺鲃	*Spinibarbus sinensis* Bleeker	肉
鲤科	赤眼鳟	*Squaliobarbus curriculus* (Richardson)	肉
鲤科	白甲鱼	*Varicorhinus simus* (Sauvage et Dabry)	肉
鲤科	银鲴	*Xenocypris argentea* Günther	全体
鲤科	黄尾鲴	*Xenocypris davidi* Bleeker	肉
鲤科	宽鳍鱲	*Zacco platypus* (Temmminck et Schlegel)	全体
鳅科	大斑花鳅	*Cobitis macrostigma* Dabry	肉
鳅科	长薄鳅	*Leptobotia elongata* (Bleeker)	肉
鳅科	紫薄鳅	*Leptobotia taeniops* Sauvage	肉
鳅科	泥鳅	*Misgurnus anguillicaudatus* (Cantor)	肉
鳅科	大鳞泥鳅	*Misgurnus mizolepis* Günther	肉
鳅科	短体副鳅	*Paracobitis potanini* Günther	肉
鳅科	红尾副鳅	*Paracobits variegatus* (Sauvage et Dabry)	除内脏的全体
鲇科	鲇	*Silurus asotus* Linnaeus	肉
鲇科	大口鲶	*Silurus meridionalis* Chen	肉
胡鲇科	胡鲇	*Clarias batrachus* (Linnaeus)	肉

科名	物种名	拉丁学名	药用部位
鲿科	粗唇鮠	*Leiocassis crassilabris* Günther	肉
鲿科	长吻鮠	*Leiocassis longirostris* Günther	肉
鲿科	长须黄颡鱼	*Pelteobagrus eupogon* Boulenger	肉
鲿科	黄颡鱼	*Pelteobagrus fulvidraco* (Richardson)	肉
鲿科	光泽黄颡鱼	*Pelteobagrus nitidus* Sauvage et Dabry	肉
鲿科	瓦氏黄颡鱼	*Pelteobagrus vachelli* Richardson	肉
鲿科	短尾拟鲿	*Pseudobagrus brevicaudatus* (Wu)	肉
鲿科	细体拟鲿	*Pseudobagrus pratti* Günther	肉
钝头鮠科	白缘䱀	*Liobagrus marginatus* (Günther)	全体
鮡科	青石爬鮡	*Euchiloglianis davidi* Sauvage	肉
鮡科	中华纹胸鮡	*Glyptothorax sinense* Regan	肉
合鳃鱼科	黄鳝	*Monopterus albus* (Zuiew)	肉
鮨科	鳜	*Siniperca chuatsi* (Basilewsky)	肉
鮨科	大眼鳜	*Siniperca kneri* Garman	肉
鮨科	斑鳜	*Siniperca scherzeri* Steindachner	肉
乌鳢科	乌鳢	*Ophiocephalus arrgus* Cantor	肉
鮣科	鮣	*Echeneis naucrates* (Linnaeus)	全体
小鲵科	中国小鲵	*Hynobius chinensis* Günther	全体
小鲵科	巴鲵	*Liua shihi* Liu	肉
小鲵科	秦巴北鲵	*Ranodon tsinpaensis* (Liu et Hu)	肉
隐鳃鲵科	大鲵	*Andrias davidianus* (Blanchard)	肉
蝾螈科	红瘰疣螈	*Tylototriton verrucosus* Anderson	去内脏全体
蟾蜍科	大蟾蜍	*Bufo gargarizans* Cantor	耳后分泌物
蟾蜍科	黑眶蟾蜍	*Bufo melanostictus* Schneider	耳后腺和皮肤腺干燥分泌物
蟾蜍科	花背蟾蜍	*Bufo raddei* Strauch	耳后腺和皮肤腺干燥分泌物
雨蛙科	华西雨蛙	*Hyla annectans* Jerdon	全体
雨蛙科	中国雨蛙	*Hyla chinensis* Günther	全体
雨蛙科	无斑雨蛙	*Hyla immaculate* Boettger	全体
雨蛙科	秦岭雨蛙	*Hyla tsinlinggensisi* Liu et Hu	全体
蛙科	花臭蛙	*Odorrana (Odorrana) schmackeri* (Boettger)	全体
蛙科	棘腹蛙	*Rana boulengeri* Günther	肉
蛙科	中国林蛙	*Rana chensinensis* David	输卵管
蛙科	沼蛙	*Rana guentheri* Boulenger	肉
蛙科	泽蛙	*Rana limnocharis* Boie	皮
蛙科	黑斑蛙	*Rana nigromaculata* Hallowell	全体
蛙科	隆肛蛙	*Rana quadranus* (Liu, Hu et Yang)	肉
蛙科	粗皮蛙	*Rana rugosa* (Schlegel)	全体
蛙科	棘胸蛙	*Rana spinosa* David	肉
树蛙科	斑腿树蛙	*Rhacophorus leucomystax* (Gravenhorst)	全体
树蛙科	经甫树蛙	*Rhacophorus chenfui* Liu	全体

科名	物种名	拉丁学名	药用部位
姬蛙科	饰纹姬蛙	*Microhyla ornata* (Duméril et Bibron)	全体
姬蛙科	花姬蛙	*Microhyla pulchra* (Hallowell)	全体
鳖科	鳖	*Pelodiscus sinensis* (Wiegmann)	背甲
鳖科	中华鳖	*Trionyx sinensis* Wiegmam	背甲
龟科	乌龟	*Chinemys reevesii* (Gray)	腹甲
龟科	黄缘闭壳龟	*Cuora flavomarginata* (Gray)	全体
壁虎科	中国壁虎	*Gekko chinensis* Gray	全体
壁虎科	多疣壁虎	*Gekko japonicus* (Dumeril et Bibron)	全体
壁虎科	蹼趾壁虎	*Gekko subpalmatus* Gunther	全体
壁虎科	无蹼壁虎	*Gekko swinhonis* Günther	全体
石龙子科	石龙子	*Eumeces chinensis* (Gray)	全体
石龙子科	蓝尾石龙子	*Eumeces elegans* Boulenger	全体
蜥蜴科	北草蜥	*Takydromus septentrionalis* Günther	全体
蜥蜴科	白条草蜥	*Takydromus wolteri* Fischer	全体
蛇蜥科	脆蛇蜥	*Ophisaurus harti* Boulenger	全体
游蛇科	黑脊蛇	*Achalinus spinalis* Peters	全体
游蛇科	翠青蛇	*Cyclophiops major* (Günther)	全体
游蛇科	黄链蛇	*Dinodon flavozonatum* Pope	全体
游蛇科	赤链蛇	*Dinodon rufozonatum* (Cantor)	全体
游蛇科	王锦蛇	*Elaphe carinata* (Günther)	全体
游蛇科	黑眉锦蛇	*Elaphe taeniura* Cope	肉
游蛇科	乌梢蛇	*Zaocys dhumnades* (Cantor)	剥皮并除内脏的全体
蝰科	蝮蛇	*Agkistrodon halys* (Pallas)	除去内脏的全体
蝰科	白唇竹叶青蛇	*Trimeresurus albolabris* Gray	全体
蝰科	菜花烙铁头	*Trimeresurus jerdonii* Günther	全体
蝰科	竹叶青蛇	*Trimeresurus stejnegeri* Schmidt	全体
鸬鹚科	鸬鹚	*Phalacrocorax carbo* Linnaeus	去内脏及羽毛的全体
鸭科	绿翅鸭	*Anas crecca* Linnaeus	肉
鸭科	斑嘴鸭	*Anas poecilorhyncha* Forster	肉
鸭科	绿头鸭	*Anas platyrhynchos* Linnaeus	肉
鸭科	白额雁	*Anser albifrons* (Scopoli)	肉
鸭科	豆雁	*Anser fabalis* Latham	肉
鸭科	斑头雁	*Anser indicus* Latham	肉
鸭科	普通秋沙鸭	*Mergus merganser* Linnaeus	肉
鸭科	普通秋沙鸭（中亚亚种）	*Mergus merganser comatus* Salvadori	肉
鸭科	中华秋沙鸭	*Mergus squamatus* Gould	肉
鸭科	赤麻鸭	*Tadorna ferruginea* (Pallas)	肉
雉科	灰胸竹鸡	*Bambusicola thoracica* (Temminck)	肉
雉科	红腹锦鸡	*Chrysolophus pictus* (Linnaeus)	肉
雉科	鹌鹑	*Coturnix coturnix* (Linnaeus)	肉或全体
雉科	鹧鸪	*Francolinus pintadeanus* (Scopoli)	肉或全体

续表

科名	物种名	拉丁学名	药用部位
雉科	原鸡	*Gallus gallus* (Linnaeus)	肉
雉科	环颈雉	*Phasianus colchicus* Linnaeus	肉或全体
雉科	白颈长尾雉	*Syrmaticus ellioti* Swinhoe	肉
雉科	白冠长尾雉	*Syrmaticus reevesii* (J. E. Gray)	肉
三趾鹑科	黄脚三趾鹑	*Turnix tanki* Blyth	肉
秧鸡科	黑水鸡	*Gallinula chloropus* (Linnaeus)	肉
秧鸡科	普通秧鸡	*Rallus aquaticus* Linnaeus	肉
鸠鸽科	家鸽	*Columba livia domestica* (Linnaeus)	肉或全体
鸠鸽科	岩鸽	*Columba rupestris* Pallas	肉
鸠鸽科	山斑鸠	*Streptopelia orientalis* (Latham)	肉
杜鹃科	小鸦雀	*Cuculus toulou* (P.L.S.Muller)	肉
雨燕科	短嘴金丝燕	*Aerodramus brevirostris* (McClelland)	巢窝
燕科	家燕	*Hirundo rustica* Linnaeus	卵
椋鸟科	八哥	*Acridotheres cristatellus* (Linnaeus)	肉
文鸟科	麻雀	*Passer montanus* (Linnaeus)	肉或全体
文鸟科	山麻雀	*Passer rutilans* Temminck	肉或全体
兔科	草兔	*Lepua capensis* Linnaeus	粪便
兔科	家兔	*Oryctolagus cuniculus domesticus* (Gmelin)	粪便
鼯鼠科	复齿鼯鼠	*Trogopterus xanthipes* Milne-Edwards	粪便
竹鼠科	中华竹鼠	*Rhizomys sinensis* Gray	肉、子牙、脂肪油
鼠科	褐家鼠	*Rattus norvegicus* Barkenhout	肉、皮
鼠科	黄胸鼠	*Rattus tanezumi* Temminck	肉、皮
鼠科	小家鼠	*Mus musculus* Linnaeus	肉、皮
猫科	家猫	*Felis silvestris domestica* Brisson	肉、脂肪油、骨骼、肝
猪科	野猪	*Sus scrofa* Linnaeus	肉、胆
猪科	家猪	*Sus scrofa domestica* Brisson	肉、胆
麝科	林麝	*Moschus berezovskii* Flerov	雄性的香腺分泌物、肉
牛科	黄牛	*Bos taurus domesticus* Gmelin	胆结石、胆汁、肉、胎盘等
牛科	水牛	*Bubalus bubalis* Linnaeus	胆结石、胆汁、肉、胎盘
牛科	山羊	*Capra hircus* Linnaeus	血、胆、肉
鹿科	梅花鹿	*Cervus nippon* Temminck	未骨化带茸毛的幼角